P9-CQZ-596

Айрис
МЕРДОК

Айрис Мердок

Монахини и солдаты

ЭКСМО
Москва
«ДОМИНО»
Санкт-Петербург
2009

УДК 82(1-87)
ББК 84(4Вел)
М 52

Iris Murdoch

NUNS AND SOLDIERS

Перевод с английского *Валерия Минушина*

Составитель серии *Александр Жикаренцев*

Оформление серии *Сергея Шикина*

Оригинал-макет подготовлен Издательским домом «Домино»

Мердок А.

М 52 Монахини и солдаты : роман / Айрис Мердок ; [пер. с англ. В. Минушина]. — М. : Эксмо ; СПб. : Домино, 2009. — 640 с. — (История любви).

ISBN 978-5-699-33392-9

Впервые на русском — знаковый роман выдающейся британской писательницы, признанного мастера тонкого психологизма.

Гай Опеншоу находится при смерти, и кружок друзей и родственников, сердцем которого он являлся, начинает трещать от напряжения. Слишком многие зависели от Гая — в интеллектуальном плане и эмоциональном, в психологическом, да и в материальном. И вот в сложный многофигурный балет вокруг гостеприимного дома на лондонской Ибери-стрит оказываются вовлечены новоиспеченная красавица-вдова Гертруда, ее давняя подруга Анна, после двадцати лет послушания оставившая монастырь, благородный польский эмигрант по кличке Граф, бедствующий художник Тим Рид, коллеги Гая по министерству внутренних дел и многие другие...

УДК 82(1-87)
ББК 84(4Вел)

ISBN 978-5-699-33392-9

Посвящается Наташе и Стивену Спендерам

ПРЕДИСЛОВИЕ

Кажется, трудно представить людей, у которых было бы меньше общего, чем у монахинь и солдат, заявленных в заглавии романа, но возможная между ними связь улавливается уже на первых страницах. Умирающий Гай Опеншоу с убийственным красноречием, присущим столь многим героям Айрис Мердок, мужественно рассуждает о близкой кончине. Умирает ли человек, спрашивает он, как животное, лишенный сил, или погружаясь в своего рода забытье? «Каждый наш вздох сочтен. Число своих я могу мысленно видеть... сейчас... все яснее». Он хочет умереть спокойно, «но как это делается»? В какой момент решить навсегда бросить бриться? Сознание Гая становится обрывочным: он произносит бессвязные, загадочные фразы, смысл которых неуловим, что вызывает тревогу у жены Гертруды и друзей. Это признак того, что он уже на пути к «будущему без меня».

Человеческие существа — единственные в животном мире, кому приходится жить с осознанием своей смертности. Этот страх полного уничтожения, небытия — неизменная реальность нашей жизни. Мы — создания, которые очень легко впадают в отчаяние, и мы всегда были изобретательны в поисках решений, которые позволили бы нам сохранить рассудок. Многие предпочитают не думать о пустоте, ожидающей впереди, но мы не можем отменить реальность смерти. Другие решают противостоять призраку и освободиться от страха превращения в ничто, сойдясь с ним лицом к лицу. Это обязанность солдата. Он проходит суровую подготовку, которая позволяет ему идти прямо на огонь противника, игнорируя, ради того, в чем он видит высшее благо, настойчивый инстинкт самосохранения, благодаря которому выжил наш вид. Долгое время поэты и философы видели в этом, воспитанном муштрой, солдатском самоотречении символ человеческого мужества. И тем не менее героизм обнажает также и трагизм нашего положения, потому что не приносит никакого особого избавления. Гомеровские герои все страшатся смерти, поскольку знают, что она ведет лишь к призрачному небытию в царстве теней. Единственный подобающий выход, каким они видят его,— в доблести перед лицом неотвратимой судьбы.

Но существует иная форма мужества, которая приобрела дурную славу в нашем секуляризованном обществе, однако тоже была провозглашена героической. Это путь монаха и мистика, которые добровольно выбрали для себя образ жизни, тщательно организованной так, чтобы подавлять себялюбие и преувеличенное самомнение, препятствующие, по их убеждению, полному раскрытию возможностей человека. Будду, например, когда он оставил жизнь мирскую ради жизни духовной, его современники в шестом веке до нашей эры не сочли слабоумным, заблудшим отщепенцем; в жизнеописаниях он часто предстает воинственной фигурой, молодым аристократом, «способным командовать отборным войском или отрядом слонов». В аскете видели первооткрывателя, который ценой жестоких лишений познавал пустоту, чтобы нести некое видение надежды обычным смертным. Монашеская жизнь существовала в поразительно схожих формах почти во всех культурах и, значит, должна была удовлетворять нуждам многих мужчин и женщин. Было обнаружено, что монастырский устав и такие практики, как классическая йога или медитация, разрушительно действуют на эго и в конечном счете опытный последователь полностью отрешается от своего «я». Следовательно, подобно солдату, и монахиня стремится к «ничто», но если она достаточно ревностна, то обнаруживает, что смерть «я» ведет к более высокому образу существования, к трансцендентному, что дает чувство бесконечности и вечности в этой смертной жизни. Это трансцендентное получило различные названия: нирвана, дао, святое, брахман. Буддисты заявляли, что в нем нет ничего сверхъестественного, но что оно неотъемлемая часть нашей человеческой природы. Иудеи, христиане и мусульмане, однако, персонифицировали это трансцендентное и назвали его «Бог». Но все едины во мнении, что для познания этой реальности человек должен искоренить в себе себялюбие и самомнение, которые приковывают нас к низшей, неполной версии себя.

Но такое самоотречение дается очень трудно. Солдаты могут стать дезертирами, а монахини оставить, как это сделала я, свою обитель, потому что они на самом деле не хотят забывать себя. В частной жизни солдаты могут быть столь же себялюбивы, как любой гражданский человек, и монахини — столь же заурядны и эгоистичны, как всякая другая женщина. Тем не менее идеал сохраняется. Значительный круг людей нашел, что они полнее всего проявляются, когда отказываются от себя, и что, когда целеустремленно ищут смерти и небытия, находят бóльшую реальность.

В Древнем мире люди исследовали этот парадокс посредством мифа, который верно был назван примитивной формой психологии; миф изображает неуловимый внутренний мир души в своих историях о смерти и воскрешении, о сошествии героев в царство мертвых, чтобы обрести новую жизнь и прозрение. Однако Айрис Мердок не пользуется архаическими символами: в ее романе нет ни лабиринтов, ни чудовищ, ни древних времен. Она пишет современный миф, действие которого происходит в богатом Лондоне наших дней. И солдат, и монахиня в этом романе, которые оба присутствуют у смертного одра Гая Опеншоу, целиком вовлечены в обычную, гражданско-мирскую жизнь. Питер Щепаньский, польский изгнанник, известный своим друзьям как Граф,— не военный, но он чувствует, что личная судьба сделала его участником безнадежного сражения за свою родину. У него нет иллюзий относительно Польши последних лет холодной войны (когда разворачивается действие романа), однако же он, несмотря ни на что, убежден, что у его страны «высокое предназначение, что ее стремление к свободе личности и духа невозможно подавить». Он чувствует, что, как поляк, состоит в рядах тех, кто повсюду борется против угнетения, не думая о собственной безопасности: «после своей короткой и, казалось бы, бесполезной борьбы за свободу и достоинство они медленно умирали в безвестности». В реальной жизни Граф всего лишь чиновник, но его выделяет вера в то, что он примет участие в этой героической битве. Это сказывается на его манере держаться, например прищелкивать каблуками, и определяет его нравственное поведение. Он знает, «что не был джентльменом-волонтером армии нравственного закона... В воображении он стоял на посту, неподвижный, с каменным лицом, как солдаты у могилы Неизвестного солдата в Варшаве». Духовно Граф стоит на посту, но у пустоты, потому что Польша, существующая в его воображении, была уничтожена в результате ужасных событий двадцатого столетия, которые постоянно видятся ему ночами в его одинокой квартире.

Анна Кевидж, с другой стороны, была монахиней в закрытом католическом монастыре, но к тому моменту, когда начинается роман, покидает обитель. Она тоже оказывается перед пустотой. Многие годы жизнь в монастыре была наполнена для нее высоким смыслом, но постепенно ее вера в персонифицированного христианского Бога угасла. Тем не менее она не может отказаться от идеала. Она намеревается жить в миру как тайная монахиня, отшельница, «соглядатай несуществующего Бога». Анна открывает для себя то, что теологи называют Богом вне Бога. В определенный момент мистики во всех религиях понимают, что их традиционные мифы и доктрины — всего лишь продукт человеческого творчества и просто «указывают» на трансцендентное, которое невозможно выразить обычными словами и понятиями. Они часто называют это трансцендентное измерение опыта — «Ничто», потому что оно никак не соотносится ни с кем и ни с чем, содержащимся в привычном смысле этих слов. Оно не является «иным существом», настаивают они; о нем нельзя даже сказать, что оно существует, потому что наше представление о «существовании» слишком ограниченно, чтобы полагаться на него. Это Ничто и есть, по сути, цель мистического поиска. Как пояснял умозритель Майстер Экхарт в четырнадцатом веке: «Какую же лучшую и более драгоценную жертву, ради Него, могли бы принести Богу, как не Его Самого!» Теперь Анна ощупью идет мимо Бога традиционной религии к этой Пустоте. Когда ей является Христос, это Христос-буддист, который говорит, что не может спасти ее: она сама должна спасти себя и найти собственные ответы. Анна решает ни за что не возвращаться к той заурядной жизни, что вела до поступления в монастырь. Она еще порывается погрузиться в полное забвение, подобно тому как однажды рискованно ныряет в море. Теперь она понимает, что должна быть «одна... не строить планов, не заглядывать вперед, бесприютной и незаметной, скиталицей, никем».

Не всякий, однако, способен на подобного рода самоотречение. И все же все мы нуждаемся в избавлении от страха смерти и от подозрения, что жизнь, по существу, не имеет смысла. Все мы ищем экстаза и опыта, которые позволяют преодолеть границы своего «я». Если мы не находим этого в традиционной религии, то обращаемся к искусству, той или иной музыке, танцам, сексу, спорту или даже к наркотикам. Этот поиск некой формы трансцендентного — основа нашего состояния. Айрис Мердок — одна из немногих современных романистов, которые серьезно относятся к нему. Она не пугается тем, часто отвергаемых секулярными интеллектуалами как «религиозные». Но вместо того чтобы описывать традиционную веру, она говорит о духовности повседневной жизни, показывая нечто в человеческом опыте, что лежит за мифами и практиками, которые все большим числом людей воспринимаются как обесцененные и непостижимые.

Искусство — один из главных способов сообщать нашей жизни высшую ценность, и в некоторых романах Мердок герои обнаруживают, что живопись, например, может выводить их из сосредоточенности на себе и намекать на реальность, которая целиком отделена от них, абсолютна и никак не связана с их частными нуждами и желаниями. Тим Рид, дальний родственник Гая, и его подруга Дейзи — оба художники, но, конечно, не создают произведений подобного масштаба. Они гордятся тем, что «свободны и не отягчены собственностью», но пагубный образ жизни, который они ведут, связал их по рукам и ногам как художников и как личности и, что они сами понимают, не дает двигаться вперед. Особенно Тиму недостает одержимости и дисциплины, которые необходимы художнику так же, как монахине и солдату. В результате он может превосходно копировать произведения других живописцев, однако сам не в состоянии создать ничего значительного.

Но когда, после смерти Гая, Тим едет во Францию жить в доме Опеншоу в качестве сторожа, он переживает классический нуминозный опыт. Задолго до того, как люди создали научную карту своего мира, они создали то, что называлось «священной географией». Определенные места — горы, рощи или реки,— казалось, говорили о «чем-то еще». Культ «священного места» был одним из наиболее ранних и самых универсальных проявлений религиозного чувства; это должно что-то рассказать нам о том, какое место в картине физического мира древнего человека занимали чудо и тайна. Даже и сегодня мы не до конца избавились от подобного взгляда на мир; у многих из нас есть особые места, которые мы любим посещать в кризисные моменты или желая почерпнуть сил; эти места могут быть связаны с нашим детством и будить очарование тех лет или быть связаны с важным событием, перевернувшим всю нашу жизнь, или нечто необычное в самой этой местности может вызывать в нас благоговейный трепет. Тим — неверующий и, конечно, не связывает пережитое во Франции с проявлением божественности, но, когда он внезапно видит перед собой грандиозный лик скалы, он испытывает те ужас, восторг и радость, которые немецкий философ Рудольф Отто описывает в своем труде «Идея священого» как характерные для встречи со священным. Скала пугает и одновременно неодолимо притягивает Тима; она, говоря словами Отто, *terrible et fascinans**. Он также испытывает «то чистое, цельное, блаженное, вновь рождающееся чувство». И немедленно садится зарисовывать ее, создавая первое за долгое время серьезное произведение.

В обычной жизни Тим вечно живет за чей-нибудь счет. Анна Кевидж однажды застает его в тот момент, когда он ворует еду из холодильника Гертруды. Он постоянно ловчит и изворачивается; девизом ему служит греческий глагол *lanthano*, означающий «не привлекать внимания». В своей непрестанной тяжелой борьбе за выживание он часто скупится на правду. Но нечто такое, что он ощутил у скалы и в

* Ужасающа и чарующа *(фр., лат.)*.

крохотном круглом озерце у ее подножия, совершает в нем переворот, заставляя избавиться от бесконечной мании все оборачивать на пользу себе. Он осознает существование иного измерения, не ограниченного его «я». Скала — это не та натура, на которой Тим может подзаработать, продав халтурный этюдик в местном пабе в Блумсбери. Он чувствует, что будет святотатством пить из того озерца или искупаться в нем. И как только он мельком увидел реальность, всецело отделенную от его забот (на иврите «святое» обозначается словом *qaddosh:* отдельный, иной), он готов не только к тому, чтобы возвратиться к серьезной живописи, но и чтобы влюбиться.

Немногие авторы были способны описать катастрофический и нуминозный опыт любви так живо, как Айрис Мердок. В наше время мы свободнее, чем наши предшественники, пишем о сексе, однако описание такого явления, как влюбленность, может даваться нам с большим трудом. Но для Мердок любовь не иллюзия, а откровение. Внезапное понимание, что другой человек существует в абсолютном смысле, есть один из путей обретения мужчинами и женщинами святости в нашем профанном, порочном и трагическом мире. Совершенно неожиданно Тима и Гертруду, вдову Гая, охватывает любовь друг к другу. Гертруда переживает этот визит Эроса как крайнее потрясение. Это «безошибочный сейсмический импульс, полное сосредоточение всего в единое необходимое существование, таинственное, сверхъестественное, уникальное, которое есть одно из необычнейших явлений в мире». Возлюбленный становится воплощением всего, что придает жизни истинную ценность, отчасти как «Бог» в век веры. Подобно религиозным обетам, любовь преображает любящего. «Ее сознание было новым, все ее существо пело песнь священной любви». И другие герои романа говорят о своей любви в схожих выражениях:

> Я стал иным человеком, жил в ином мире, где все было огромным и ярким, но обычное здравомыслие оставило меня. Словно мне сменили разум на прекрасный и ясный, но непривычный и трудноуправляемый. Все безотчетные старые инстинктивные реакции не действовали.

Любовь для Мердок — это трансцендентное переживание, которое охватывает влюбленного отчасти так же, как мужчин и женщин — одержимость божеством.

Конечно, реалист сочтет это преувеличением. Мы знаем, что человеческая любовь редко остается столь возвышенной. Пелена скоро спадает с наших глаз, и мы видим любимого таким, каков он есть на деле, со всеми его изъянами и недостатками. Но Мердок прекрасно знает, что любовь не часто бывает счастливой. Больше того, в этом романе любовь обычно мучительна и безнадежна. Мы видим здесь череду страданий: Граф любит Гертруду, которая любит Тима. Анна Кевидж любит Графа; Манфред, родственник Гая, любит Анну, а миссис Маунт любит Манфреда. В обыденном представлении это как будто безответная любовь. Вначале это откровение святости может казаться милостивым даром, но оно приносит только боль. Тем не менее именно тогда обыкновенные люди способны стать монахинями или солдатами, потому что любовь, не встретившая взаимности, может заставить нас превзойти самих себя. Это ничего не дает нам, потому что все наши помыслы сосредоточены на человеке, который едва сознает наше существование. Как Анна объясняет Графу, который чувствует, что ему не под силу оставаться в Лондоне и ежедневно быть свидетелем счастья Гертруды и Тима: «...вот для чего существует польский героизм: быть никем и ничем и тем не менее стараться быть героем». Нелюбимые влюбленные — это солдаты, как Граф, стоящие на вечном посту рядом с теми, кого любят, но которые их не замечают. Они не отличаются от Анны, взывающей к своему несуществующему Богу. Такой тип любви может привести к разочарованию и горечи;

или он может привести к героическому самоотречению, по мере того как постоянно игнорируемое, заносчивое эго станет смиренней.

Роман, однако, строится вокруг истории Гертруды и Тима, который, подобно многим мифологическим героям, должен пройти череду испытаний, прежде чем его любовь к Гертруде сможет наконец реализоваться. Одного высшего переживания никогда не бывает достаточно; оно должно быть творчески совмещено с повседневной жизнью. Решающим моментом в духовном странствии Тима является его окончательный уход от Дейзи, его многолетней подруги. В кои веки Тим действует самоотверженно, вопреки собственным желаниям. Он обдуманно уходит в ужасающую пустоту. И все же оба, Тим и Дейзи, переживают его уход как миг благодати, но также и как смерть. Они не колеблясь выбрали полное прекращение отношений и неизбежно убивают критически важную часть себя. Это момент откровения для обоих. Когда мы смотрим на другого, постоянно держа в уме собственное благополучие, мы не можем видеть этого человека каким он или она есть на самом деле. Наше видение искажено субъективностью, которая все разрушает и все эксплуатирует. Когда Тим наконец набирается мужества дать Дейзи свободу, он видит, как она преображается. Они больше не смотрят друг на друга сквозь призму своего себялюбия. Каждый чувствует, что другой стал богом. Они увидели то, что есть божественного в каждом из них.

В заключение Тим должен подвергнуться испытанию водой. Это частый мотив в романах Мердок, герои часто должны пройти воду, чтобы наступило прозрение. Во многих культурах символ погружения в глубину означает переходный обряд, возникновение новой реальности или полную перемену. Мы находим это в мифе об израильтянах, бежавших из египетского рабства, пройдя море, расступившееся чудесным образом. Еще один пример этой универсальной символики — христианское таинство крещения. Тим падает в опасный канал, когда, пренебрегая собственной безопасностью, пытается спасти пса. Этот момент бескорыстного сострадания ведет его к собственному спасению. Унесенный водами канала в подземные глубины, он благополучно, пусть и помятый, выплывает на солнечный свет и с успехом возвращается к Гертруде.

Люди нуждаются в спасении. Речь идет не о том, чтобы «попасть в рай» — концепция, которую и Анна, и Гай отвергают, как антирелигиозную идею. В своей преходящей жизни на краю пустоты, все более приближаясь к состоянию небытия, мы слишком часто сознаем свою хрупкость. Но нас не спасет ни сверхъестественное божество, ни распятый Христос. Чтобы спастись, мы должны напрячь вображение. Роман Мердок показывает, что, по выражению Роберта Браунинга, наши «конечны сердца, жажда любви бесконечна», однако, как заметил Блаженный Августин, именно эта жажда любви делает сердце бездонным. Видимо, человеческому разуму свойственно приобретать опыт и воображать реальности, его превосходящие. Любовь, как религия, может быть иллюзией, но, если мы достаточно находчивы, она может иногда спасать нас. Граф говорит Анне, что в многолетней безответной любви к Гертруде для него было некоторое утешение. «Я играл, играл обе роли, и это было легко, потому что она была недоступна». И добавляет: «Мы представляем, что нас любят, потому что иначе умрем». В конце романа Анна размышляет над тем, что это справедливо и для религиозного поиска. Мы представляем Бога или Христа, чтобы спастись от суровых реальностей нашего существования, но если обладаем по-настоящему творческим воображением, то этот акт в какой-то степени может сам по себе принести облегчение. Ж. П. Сартр определил воображение как способность представлять себе то, чего нет. Это, следовательно, сущностное свойство религиозного чувства, поскольку позволяет представить вечно отсутствующего Бога. Но чтобы увидеть проблеск этого трансцендентного, необходимо самоотвержение. Кажется, монастырская и армейская дисциплина, которая требует от монахини и от солдата абсолютного самоотречения, дает свою свободу и свой собственный мир душе.

Роман заканчивается тем, что Анна оказывается «бездомной и свободной... лицом к лицу с пустотой, которую выбрала для себя». Однако такой конец не производит гнетущего впечатления. Айрис Мердок была большим писателем, потому что напоминала нам об истинах, осознать которые мешает нехватка религии в нашем обществе. Но она умела соединить это мифологическое видение с комедией нравов. Мы не просто страдающие, жаждущие любви создания. Мы еще абсурдны, и Мердок показывает это в своей мягкой, беспристрастной манере. В романе встречаются комические сцены в духе лучших образцов писательницы в этом жанре. Тут и грубоватый, бодрящий юмор Дейзи; и жалкое тщеславие миссис Маунт, которая привычно наводит красоту всякий раз, как вздумает посмотреться в зеркало, так что всегда довольна своим сияющим, безмятежным лицом; и смехотворная надменность Тима и Гертруды, когда они от своего грандиозного видения возвращаются к эгоистичному самодовольству в браке. Как во всякой хорошей комедии, юмор Мердок коренится в скорби и боли, но он также опускает нас на землю и напоминает, что, как бы ни были возвышенны наши стремления, как ни велики страдания, как ни неослабен поиск, мы остаемся созданиями, которым не следует относиться к себе слишком серьезно.

Карен Армстронг
2001

ЧАСТЬ ПЕРВАЯ

— Витгенштейн...

— Что Витгенштейн? — откликнулся Граф.

Умирающий беспокойно зашевелился в постели, монотонно мотая головой из стороны в сторону, как постоянно делал в последние несколько дней. От боли?

Граф стоял у окна. Теперь он никогда не садился при Гае. Когда-то отношения между ними были непринужденней, хотя Гай всегда был для него вроде царственной особы: образец, учитель, лучший друг, идеал, судья, но прежде всего — своего рода владыка. Теперь это ощущение, изменившись, еще более усилилось.

— В сущности, он был дилетантом.

— Пожалуй,— согласился Граф.

Его озадачило неожиданное желание Гая умалить фигуру философа, которым он прежде восхищался. Возможно, ему необходимо было чувствовать, что Витгенштейн тоже смертен.

— Наивная и трогательная вера в силу чистой мысли. И этот человек воображал, что нам никогда не достичь Луны.

— Да.

Граф часто говорил с Гаем об отвлеченных вещах, но в былые времена они болтали и о многом другом, даже сплетничали. Теперь же круг тем чрезвычайно сузился. Их разговор стал утонченным и холодным, пока окончательно не перестал касаться чего бы то ни было личного. Любовь? Теперь не могло быть и речи о выражении любви, всякое проявление привязанности было бы верхом безвкусия. Приходилось сдерживаться, пока не наступит конец. Эгоизм умирающего ужасен. Граф сознавал, как мало Гай теперь нуждался в его или даже в Гертрудиной любви; сознавал он, в своей печали, и то, что сам заглушает, подавляет в себе чувство жалости, видя в нем напрасное мучение. Мы не желаем слишком волноваться о том, что мы теряем. Тишком освобождаемся от своих чувств к нему и подготавливаем умирающего к смерти, умаляем его, лишаем последних привлекательных черт. Бросаем умирающего, оставляя его одного, как больную собаку под забором. Считается, что смерть открывает нам истину, но она сама иллюзорна. Она уничтожает любовь. Возможно, показывает нам, что, в конце концов, там — пустота. «Это Гай говорит во мне,— подумал Граф.— Это не мои мысли. Но ведь я не умираю».

Он слегка отодвинул портьеру и посмотрел в окно на ноябрьский вечер. На Ибери-стрит снова шел снег, в свете фонарей крупные хлопья валили густо, безостановочно, в зримом безмолвии, смутно толпились в безветренной тьме над фонарями. Приглушенно, мягко прошелестело несколько автомобилей. Граф хотел было сказать: «Снег идет», но удержался. Когда человек умирает, нет смысла говорить ему о снеге. Погода для Гая больше не существовала.

— Он вещал, как пророк. Мы чувствовали, что иначе и быть не может.

— Верно.

— Мысль философа или находит в тебе отклик, или нет. Она глубока только в таком смысле. Как роман.

— Да,— поддержал Граф и добавил: — Согласен.

— Лингвистический идеализм. Танец безжизненных категорий, в конце концов.

— Да. Да.

— Но все-таки, мог бы я сейчас быть счастлив?

— Что ты имеешь в виду?

Граф последнее время постоянно боялся, как бы ненароком не сказать что-нибудь ужасное даже в таком осторожном разговоре. Он не знал, чего конкретно опасается, но это могло быть что-то страшное: правда или заблуждение.

— Смерть — не жизненное событие. Кто живет в настоящем, живет вечно. Смотреть на мир бесстрастно — значит видеть его красоту. Красота же дает ощущение счастья.

— Никогда не понимал этого,— сказал Граф,— но это не важно. Думаю, это Шопенгауэр.

— Шопенгауэр, Маутнер, Карл Краус, как один,— шарлатаны.

Граф тайком глянул на часы. Сиделка строго ограничивала время его разговоров с Гаем. Если он оставался у него слишком долго, Гай начинал заговариваться, отвлеченные суждения переходили в видения, в вычислительной машине сознания происходили сбои. Ничтожное сокращение притока крови к мозгу, и все мы превращаемся в отчаянно бредящих безумцев. Графу было невыразимо тяжко слушать беспорядочные речи Гая, свидетельствовать беспомощную, однако осмысленную иррациональность рациональнейшего из умов. Что творилось в нем? Конечно, так действовали на него наркотики, глушащие боль, причина была химического свойства. Лучше ли ему было с наркотиками? Это противно естеству. Но разве смерть естеству не противна?

— Словесные игры, похоронные игры. Но... суть... в том...

— Да?

— Смерть уничтожает то, что господствует во всем остальном, эстетику.

— А без нее?

— Без нее мы не можем ощущать настоящее. То есть умирание...

— Оно уничтожает...

— Да. Смерть и умирание — наши враги. Смерть — чуждая сладострастная сила. Идея, смысл которой невозможно постичь. Пока живешь.

«О, мы постигнем,— подумал Граф,— постигнем. У нас еще будет время».

— Знаешь, влечение плоти не исчезает. Вожделеть на смертном одре — вот уж непотребство...

Граф ничего не сказал. Он снова повернулся к окну и стер туманное пятно, которое оставило на стекле его дыхание.

— Страдание — это такая мерзость. Смерть чиста. И не будет там никакого... *lux perpetua*...* как я ненавижу его. Только *nox perpetua*...** благодарение Богу! И только... *Ereignis*...***

— ?..

— То, чего страшится человек. Потому что есть... вероятно... некое событие... полусобытие... собственно говоря... и человек спрашивает себя... на что это будет похоже... когда настанет...

Графу не хотелось говорить об этом. Он закашлялся, чтобы прервать Гая, но не успел, и тот продолжал:

— Думаю, люди умирают, как животные. Наверное, мало кто умирает, как человек. Лишенный сил или в своего рода забытьи. Человека треплет лихорадка, точно буря корабль. Под конец... мало что от него остается. Все — суета. Каждый наш вздох сочтен. Число своих я могу мысленно видеть... сейчас... все ясней.

Граф по-прежнему стоял у окна, провожая глазами огромные хлопья ярких снежинок, медленно и беспрерывно сыплющихся из тьмы. Ему хотелось остановить Гая, повернуть разговор к обыденным вещам, и в то же время он чувствовал: может быть, ему дорога эта речь Гая, его умение выражать мысль, это последнее слово слабеющего ума, обращенное лично к нему. Возможно, я нужен ему, чтобы произнести этот монолог, облегчающий его страдания. Но он

---

* Вечный свет *(лат.)*.

** Вечный мрак *(лат.)*.

*** Событие *(нем.)*.

слишком быстр, слишком необычен, я не могу уследить за его мыслью, как бывало. Я туп и не способен поддержать разговор или моего молчания достаточно? Захочет ли он увидеть меня завтра? Других он прогнал. Будет последняя встреча. Граф приходил на Ибери-стрит каждый вечер, он и без того нечасто бывал в обществе, а теперь и вовсе перестал где-то появляться. Неважно, скоро не будет никаких завтра. Рак прогрессировал, и врач сомневался, что Гай доживет до Рождества. Граф так далеко не заглядывал. В его собственной жизни надвигался критический момент, о чем он осмотрительно, благородно старался не думать.

Гай по-прежнему мотал головой по подушке. Он был чуть старше Графа — сорок три года, но казался сейчас стариком, от его львиного облика ничего не осталось. Прежнюю гриву обстригли, еще больше волос выпало. Выпуклый лоб, как голый купол. Крупная голова усохла, лицо заострилось, подчеркивая еврейские черты. Оно глядело на вас горящими глазами его предка-раввина. Гай был полукровкой, его предки — выкрестами, состоятельными людьми, англичанами. Граф пристально смотрел на еврейскую маску, в которую превратилось лицо Гая. Отец Графа был ярым антисемитом, и Граф (бывший поляком) постоянно искупал этот и многие другие его грехи.

Обычная вещь, и, стараясь не думать об этом, Граф спросил:

— Ты в состоянии читать книги? Может, принести чего-нибудь?

— Нет, «Одиссея» будет мне провожатым. Я всегда думал о себе как об Одиссее. Только теперь... я не вернусь... надеюсь, что успею дочитать. Хотя в конце она так жестока.... Они сегодня собираются прийти?

— Ты говоришь о?..

— *Les cousins et les tantes**.

* *Зд.:* родственники *(фр.)*.

— Да, предполагаю, что придут.

— Они сторонятся меня с тех самых пор, как я заболел.

— Напротив,— сказал Граф,— если есть кто-нибудь, кого тебе хотелось бы увидеть, ручаюсь, что ему захотелось бы увидеться с тобой.

Он научился у Гая определенной, почти неприятной точности речи.

— Никто не понимает Пиндара. Никто не знает, где похоронен Моцарт. Где доказательство, что Витгенштейн никогда не думал, что мы достигнем Луны? Если бы Ганнибал после битвы при Каннах пошел на Рим, он бы взял его. А, да ладно. *Poscimur**. Кажется, нынче вечером он не такой.

— О чем ты?

— О мире.

— Снег пошел.

— Хотел бы я увидеть...

— Снег?

— Нет.

— Скоро придет сиделка.

— Я наскучил тебе, Питер.

За сегодняшний вечер это были единственные конкретные слова, обращенные к нему, один из последних несомненных признаков посреди ужасающе отрешенного монолога, что связь между ними еще существует. Это было почти невыносимо, и Граф, охваченный жалостью и отчаянием, едва не бросился опровергать Гая. Но вместо этого ответил, как Гай требовал от него, как учил его:

— Нет. Это не скука. Просто я не могу разделить твоих мыслей, а может, и не хочу. А не позволить тебе продолжать разговор в таком духе — это было бы крайне невежливо.

Гай на это сморщился в гримасе, в которую теперь превратилась его улыбка. Он наконец лежал спокойно на высоких подушках. Их взгляды встретились и разошлись, заметив в глазах друг друга искру боли.

---

* Нас просят спеть *(лат.)*.

— Да... да... не надо было ей продавать кольцо...

— Ей?..

— *En fin de compte — ça revient au même...*

— *De s'enivrer solitairement ou de conduire les peoples**,— закончил Граф одну из любимых цитат Гая.

— После Аристотеля все разладилось, и теперь мы понимаем почему. Свобода умерла вместе с Цицероном. Где Джеральд?

— В Австралии, со своим большим телескопом. Ты хотел бы?..

— Я всегда верил, что мои мысли блуждают в бесконечном пространстве, но это было заблуждение. Джеральд рассуждает о космосе, но это невозможно, человек не может рассуждать обо всем на свете. То, что человек не знает вообще ничего... не гарантировано... игрой...

— Какой?..

— Смысл наших слов различен. Мы разного племени.

— Так было всегда,— сказал Граф.

— Нет... только теперь... О, насколько здесь все больное. Как бы мне хотелось...

— Что?..

— Увидеть...

— Увидеть?

— Увидеть... целиком... логическое пространство... верхнюю сторону... куба...

В дверь, тихонько приоткрытую Гертрудой, женой Гая, Граф увидел сидевшую в коридоре ночную сиделку. В тот же момент та встала и с улыбкой быстро направилась к комнате больного, крепкая брюнетка с почти свекольными щеками. Она сменила сапоги на тапочки, но от нее еще пахло холодной свежестью улицы. Она вся дышала доброжелательностью, не направленной ни на кого конкретно; в пре-

---

* Таким образом, становится равнозначным... напьется кто-то в одиночку или станет руководителем народов *(фр.)*.

красных темных глазах плясал неопределенный огонек, она думала о других вещах, удовольствиях, планах. Она на ходу поправляла волосы с легким оттенком объяснимого довольства собой, которое было бы привлекательным, даже успокаивающим в ситуации не столь безнадежной. В этой ее отрешенности от окружающего страдания было, если можно так выразиться, нечто почти аллегорически печальное. Граф посторонился, пропуская ее, потом поднял руку, прощаясь с Гаем, и вышел. Дверь за ним закрылась. Гертруда, которая не вошла с сиделкой, уже вернулась в холл.

Нужно сказать, Граф не был настоящим графом. Его жизнь по сути своей была сплошной несуразицей, недоразумением. То же и жизнь его отца. О более дальних родственниках он не знал ничего, кроме того, что его дед со стороны отца, профессиональный военный, погиб в Первую мировую. Родители и старший брат, Юзеф, ребенок в то время, перебрались в Англию из Польши перед Второй мировой. Отец, Богдан Щепаньский, был марксистом. Мать — католичка. (Звали ее Мария.) Брак их не был удачным.

Отцовский марксизм был своеобразной польской закваски. Его сознание сформировалось в разрушенной послевоенной Польше, он был пьян от счастья, когда она получила независимость и доказала свое право на самостоятельное существование наилучшим из возможных способов: разгромив русскую армию под Варшавой в 1920-м. Политически Богдан был развит не по годам: последователь Дмовского, но восхищался Пилсудским. Его патриотизм был безогляден, при этом узколоб и окрашен антисемитизмом. Он рано ушел из дома, оставив мать и кучу сестер. Намеревался стать адвокатом и недолго учился в Варшавском университете, однако бросил и ввязался в политику. (Возможно, работал клерком.) Его ненависть к Розе Люксембург лишь немногим уступала ненависти к Бисмарку. (Он ненавидел огромное количество людей прошлого и настоящего.) Одно из ранних воспоминаний Графа было о матери, говорящей, что Роза Люксембург заслужила свою смерть, потому что хотела отдать Польшу России. (Отец, которого он едва помнил, конечно, считал своим первостепенным родительским долгом втолковать ему, что все русские — дьяволы.) Тем не менее, хотя он никогда не переставал ненавидеть Розу Люксембург (и умеренно радовался, когда она была в конце концов убита), неистребимая склонность к деспотизму привела его к марксизму. Он ощутил, что ему судьбой предначертано стать творцом чистого польского марксизма. У него был племянник, член малочисленной и находившейся на нелегальном положении Польской коммунистической партии, с которым он всегда яростно спорил. Хотя партия была не только пророссийской, но и кишела этими мерзкими евреями, она необычайно привлекала юного Богдана. Ему нравились в марксизме страсть, бескомпромиссность. Это был «короткий путь». Идеалистический, антиматериалистический, насильственный и не обещавший легкой победы. Польше, конечно, требовалась именно такая безоглядная одержимость. Однако, как он позже рассказывал сыну, его особый личный патриотизм не позволил ему стать коммунистом. Он остался одиноким яростным уникальным марксистом, единственным, который по-настоящему понимал, что марксизм значил для Польши.

Он женился в 1936 году. Затем в его жизнь вмешался Сталин. Польская компартия всегда была не более чем слабым, неэффективным орудием в руках российского вождя. Польские коммунисты были недовольны сближением России и Германии. Кроме того, они были заражены вирусом патриотизма и не могли сыграть никакой роли в планах Сталина относительно Польши, Красная Армия справилась бы лучше. А потому, со своей спокойной, целенаправленной, расчетливой жестокостью, столь присущей его методам и обеспечивавшей им успех, Сталин без лишнего шума ликвидировал Польскую компартию. Племянник Богдана исчез. Сам Богдан, этот откровенный марксист-диссидент, интеллектуал, типичный смутьян, был теперь в опасности. В 1938 году он вместе с женой и сыном перебрался в Англию. Летом следующего, 1939 года он решил вернуться в Польшу. Однако события развивались слишком быстро, и он оказался в английской тюрьме, откуда, неистовствуя и скорбя, наблюдал за дальнейшей судьбой родины и впоследствии терзался виной, что не сражался за Польшу на ее земле.

Граф родился перед самой войной, и первое, что он осознал,— это то, что у него был брат, но он умер. Брат был прекрасный. Граф должен был стать, хотя и в меньшей степени, утешением родителям-изгнанникам, заменой ему. С пробуждением сознания он должен был принять и этот факт: изгнание. Самым ранним воспоминанием был красно-белый флаг. Чудесный брат погиб во время воздушного налета. Варшава была разрушена. Все это отпечаталось в его памяти чуть ли не ярче, чем сами родители. Богдану не дали вернуться на родину, и тогда он, вновь вопреки всякой логике, стал горячим почитателем Сикорского, вступил в польские военно-воздушные силы, которые как раз формировались в Англии под эгидой польского правительства в изгнании. Он хотел попасть в парашютно-десантную бригаду, мечтая вернуться на родину с неба, как освободитель, чтобы вскоре стать ведущим государственным деятелем в независимой послевоенной Польше. Однако ему так и не пришлось оторваться от земли из-за глупой травмы на тренировке, которая заставила его досрочно возвратиться к гражданской жизни. Он устроился на работу (вероятно, снова клерком) в польском правительстве в Лондоне. Здесь весь свой пыл и рабочее время он отдавал ненависти к России (и к Германии, само собой, что вряд ли было его основным занятием) и тщетным попыткам принять участие в планах, вынашиваемых на высшем уровне его более влиятельными компатриотами. Он (разумеется) предложил свои услуги в качестве связного с антифашистским подпольем на родине, но получил отказ. (Граф никогда не сомневался, что отец был отважным человеком, который, не задумываясь, отдал бы жизнь, сражаясь за родину.) Отцу достало проницательности, чтобы по некоторым деталям понять (и постоянно повторять это Графу, еще ребенку, который был возмутительно равнодушен к судьбе Мазурских болот) отчаянную дипломатию, посредством которой, после смерти Сикорского, Миколайчик пытался угодить Британии и успокоить Сталина без того, чтобы отдавать России Восточную Польшу.

Красная Армия, конечно, вошла в Польшу в сентябре 1939 года, по договоренности с немцами. Известие, что русские тайно уничтожили пятнадцать тысяч польских офицеров, было на раннем этапе войны одним из тяжелейших испытаний для его психики и способности концентрировать ненависть. К этому времени пошли рассказы о том, как немцы управляют своей частью Польши. Немецкий наместник выразился предельно ясно: «Самое понятие *поляк* будет уничтожено на века, польское государство не возродится ни в какой форме, Польша станет колонией, а поляки – рабами в Германской империи». Ярость, ненависть, чувство унижения, страстная любовь, смертельно раненная гордость боролись в душе Богдана столь неистово, что порой казалось, он умрет от одних только переживаний. В юном возрасте Граф (вынужденный отгораживаться от этих ужасов и решивший не дать им свести себя с ума) изумлялся неспособности отца смотреть на вещи реалистически. Неужели он не видел, как беспомощна и слаба Польша? Как можно было ожидать, что Черчилля и Рузвельта заинтересует польская граница? Ведь очевидно, что история назначила Польше, и так было всегда, оставаться зависимой от России. По правде сказать, что касается территории, Польша не слишком много потеряла в результате войны. Позже Граф относился ко всем этим вещам иначе. Война Богдана и в некотором смысле, возможно, его жизнь закончились 3 октября 1944 года. Варшавское великое восстание, которого ждали все поляки, вспыхнуло 1 августа, когда в городе уже звенели стекла от грохота орудий приближавшейся Красной Армии. Поляки в Варшаве начали сражение против немцев. Русские приостановили наступление. Красная Армия не стала переправляться через Вислу. Русские отошли назад. Советские самолеты не появлялись в небе. Немецкие бомбардировщики беспрепятственно проносились над городскими крышами. Британцы и американцы сбрасывали с воздуха оружие повстанцам, но его было недостаточно. Отчаянные призывы к Москве, к Лондону о помощи оставались без внимания. Польская повстанческая армия в одиночку сражалась с немцами девять недель. После чего сложила оружие. Двести тысяч поляков были убиты. Отступая, немцы взорвали то, что еще оставалось от Варшавы.

Ребенком Граф слышать не хотел ни о чем этом. Он рано осознал, что он плод разочарования родителей, замена их несбывшимся надеждам. Он отделил себя от отцовских страданий, чувства вины и униженной гордости. Не желал сливаться с ним в бесконечном мучительном копании в прошлом. (И Сталин сказал... а Черчилль сказал... Рузвельт сказал... Иден сказал... Сикорский сказал... Миколайчик сказал... Андерс сказал... Бор-Коморовский сказал... Бокщанин сказал и Соснковский... и так далее и тому подобное.) Когда отец, у которого к тому времени почти никого, кроме сына, не осталось, с кем можно было бы поговорить о прошлом, без конца возвращался к линии Керзона, Граф, чьи честолюбивые замыслы не шли дальше стремления сдать вступительные экзамены и стать обычным английским школьником, старательно выводил в тетради для упражнений: «Miles puellam amat. Puella militem amat»*. Он не желал слышать обо всех тех веках страданий, «разделов» и предательств, о тевтонских рыцарях, о том, что произошло в Брест-Литовске, и об ошибке герцога Конрада, совершен-

* «Воин девушку любит. Девушка любит воина» *(лат.)*.

ной в 1226 году. Он не поклонялся ни Костюшко, ни Мицкевичу и даже не помнил, кто они такие. Хуже того: если мать упорно отказывалась учить английский, он упорно отказывался учить польский. (Умерший брат, Юзеф, разумеется, прекрасно говорил по-польски.) После того как он поступил в школу, он ни слова не произнес по-польски; если к нему обращались по-польски, он отвечал по-английски, потом стал делать вид, что не понимает, а там и действительно перестал понимать польский язык. Отец смотрел на него с невыразимой болью и отворачивался. Буря, которая бушевала в душе Богдана, редко вырывалась наружу. Граф мог вспомнить лишь несколько ужасных сцен, когда отец кричал по-польски что-то непонятное, а мать плакала. Позже отец окончательно перестал общаться с женой и детьми, и соотечественниками в Лондоне тоже. Он больше не заговаривал о возвращении в Польшу. Его мать и сестры пропали во время Варшавского восстания. Он остался в Англии, стране, которой не мог простить ее корыстного вероломства. Когда польское правительство в Лондоне (переставшее быть польским правительством) было распущено (кто предпочел остаться в эмиграции, кто с трудом вернулся в Польшу, чтобы попытаться закрепиться в новом и, как скоро оказалось, коммунистическом правительстве), Богдан нашел себе работу в английской страховой компании. Его своеобразный марксизм, не подпитываемый больше никакими надеждами, зачах и сменился жгучей ненавистью к коммунизму. Он наблюдал за событиями, происходившими в Восточной Европе, с почти злорадным пессимизмом. Он мгновенно воспрял со смертью Сталина, но ничего не ждал от познаньских бунтов. С горькой завистью, с горькой яростью следил за венгерским восстанием и его судьбой. Он умер в 1969-м, прожив достаточно долго, чтобы увидеть, как Гомулка вместе с русскими отправляет польские войска в Прагу.

В детстве Граф изо всех сил старался быть англичанином, страдая от издевательств отца и непонимания матери.

Целенаправленные отчаянные усилия и содействие Польского фонда помощи, в котором у отца были связи, открыли перед ним двери университетской Лондонской школы экономики. Звали Графа Войцех Щепаньский. («Что за имечко, язык сломаешь»,— еще раньше любезно заметил один из учителей.) Англичанам, среди которых он жил, приходилось мириться с его фамилией (которую было нетрудно произнести, если разок подсказать), но причудливые согласные в его имени — это было для них чересчур. В школе его звали просто Верзилой, поскольку уже тогда он был заметно выше других. Не сказать чтобы его не любили, но друзей там у него так и не появилось. Над ним посмеивались и находили его довольно занятным. Он стыдился отца с его нелепым видом и потешным акцентом, хотя немного успокоился, когда кто-то сказал: «Папаша у Верзилы разбойник». Конечно (к его большому облегчению), родители никогда не приглашали его товарищей. В колледже кто-то пошутил, что, мол, все польские изгнанники — бывшие графы, с тех пор его и стали называть Графом. Позже выяснилось, что у него было еще одно безобидное имя, Петр, и кое-кто стал звать его Питером или Пьером, но было слишком поздно, первое прозвище пристало накрепко. По правде говоря, Графа не слишком раздражал подобный почетный титул; это была невинная английская шутка, которая сближала его с окружающей средой и делала чуточку англичанином. Он даже не протестовал, когда незнакомые люди иногда принимали его за настоящего графа. Скромно прикидывался аристократом или по крайней мере галантным молодцеватым иностранцем, так и не решив для себя, выглядит ли это фарсом или нет. Несмотря на все усилия выглядеть истинным англичанином, он так и не избавился от легкого иностранного акцента. И все более чувствовал себя, каждой клеточкой существа, чужаком. Хотя его польская натура не была ему убежищем. Она была его кошмаром.

Мать умерла через два года после отца. Она чахла, задыхаясь от абсолютного одиночества. Всю меру ее одиночества полный раскаяния Граф осознал слишком поздно, и, когда ее смерть была уже близка, в его жизнь вошли любовь к ней и ее теперь обреченная, тоскующая любовь к нему. Он согласился с важностью польского языка, несмотря на то что когда-то решительно отказал ему в этом, и всерьез принялся за его изучение, сидя с грамматикой у материнской постели и смеша ее своим произношением. Перед смертью она робко спросила, не будет ли он возражать против священника. Граф в слезах бросился на его поиски. Отец ненавидел религию так же, как коммунизм, и обычно мать тайком одна ходила к мессе. Она никогда не учила сына молитвам, не осмеливалась. Никогда не предлагала ему пойти с ней в церковь, а у Графа и мысли такой не возникало. Теперь, когда он был бы рад пойти с ней, она была прикована к постели, и когда появился говоривший по-польски литовец в черном одеянии, то он говорил с Графом тоном вместе извиняющимся и соболезнующим, как англичанин. После смерти матери у Графа появилась привычка заходить в католический храм и горячо и сбивчиво молиться.

Он окончил Лондонский университет, где проявил талант к символической логике и шахматам, и на том его честолюбие успокоилось. Он устроился специалистом по изучению рыночной конъюнктуры, возненавидел эту работу и перешел на скромную должность в госучреждении. Мать, пока была жива, неустанно давала ему понять, что ждет не дождется, когда он женится. (Первое слово, которому научил его отец, было *powstanie* — восстание. Позже слово *dziewczyna* — девушка — не сходило с губ матери.) Однако Граф никогда не думал всерьез о женитьбе. В университете у него было несколько неудачных романов. К счастью, ему достало решимости покончить с ними, не заходя слишком далеко. Он понял, что предпочитает одиночество. Он как бы затаился — не ждал чего-то, просто затаился. У него были друзья, довольно интересная работа, и все же он хронически чувствовал себя несчастным. Оно не было острым, это чувство, но глухим, непреходящим и глубоким. Его лондонская квартира превратилась в место уединения, цитадель одиночества, из которого, уже начал он думать, ему никогда не выбраться.

Теперь Граф со всей ясностью понял, насколько глубоко и непоправимо он связан с Польшей, такова уж его судьба. Наконец, больной от дурных предчувствий, сомнения, страха, он отправился в Варшаву. Он никому не сказал о своей поездке. Все равно никто из его знакомых никогда не изъявлял желания говорить о Польше. Он поехал одиночкой-туристом. Никого из родных в Польше у него не осталось, разыскивать было некого. Но теперь Варшава была почти полностью восстановлена, центр города был точной копией того, что разрушили немцы. Ему повезло, и он вместе с восторженной, затаившей дыхание толпой наблюдал, как наконец поднимали позолоченный купол на восстановленный королевский дворец. Он остановился в большом безликом отеле близ памятника жертвам войны. Он был один, стеснительный странный англичанин с ужасающим акцентом и польским именем. Красивый возрожденный город казался призрачным. (Так часто он слышал от отца, что Варшава настолько разрушена, что легче было бы бросить эти сплошные развалины и построить новую столицу где-нибудь в другом месте.) И в красивом восстановленном городе он бродил, как привидение — недоверчивое, терзающееся, чуждое всему и всем привидение.

Между тем на смену Гомулке пришел Герек. (Отец Графа ненавидел и его.) Правительство, прежде считавшее поляков, эмигрировавших из страны, изменниками, дальновидно начало обхаживать диаспору. Изумлению Графа не было предела, когда он стал получать корреспонденцию из Польши: периодику на английском и польском, литературные журналы, анкеты, пропагандистские материалы, новостные хроники. Он был удивлен и странно обрадован, обнаружив, что о его существовании знали. Отец на его месте был бы встревожен и заподозрил что-нибудь нехорошее. (Потом энтузиазм остыл, когда Граф понял, что они просто могли выбрать польские фамилии из телефонного справочника.) Он жадно набрасывался на эти приношения, но сам не отвечал. Чувствовал, что на том конце нечего предложить ему, как и ему нечего было предложить им. Он ничего не мог сделать для Польши. Бюрократические послания тронули его сердце, и все же это были любовные письма, направленные не по адресу. Повторялось то, что было с отцом, но по-своему — Польша была внутри его, он был сам себе Польшей, страдая в одиночку. Несмотря на все его детское сопротивление, отец внушил-таки ему жгучий, опаляющий патриотизм, пылавший в нем бесконечно, напрасно.

Он никому не рассказывал об этом, да и мало кто поощрял его к откровениям. У него не было друзей настолько близких, чтобы догадаться, какой напряженной внутренней жизнью он живет. Никого не интересовала ни его национальность, ни даже сама польская нация. Польша — страна-невидимка? Он часто размышлял над тем фактом, что Англия вступила в войну, защищая Польшу. (В каком-то смысле, то же было с каждым. *Mourir pour Danzig?**) Но в Англии это значило, что ничего сегодня не забыто. Конечно, это была историческая катастрофа, под которой в те ужасные годы Англия и Франция решили подвести черту. Казалось, все думали о Польше, если вообще думали о ней, так сказать, в механическо-дипломатическим смысле, в контексте более общей проблемы: как о составной части Австро-Венгерской империи, как об одной из «восточных демократий». В извечном «польском вопросе» в действительности главным всегда была вообще не Польша, а цель, с какой ее можно было использовать, или то препятствие, которое Польша представляла собой для осуществления

* Умереть за Гданьск? *(фр.)*

стратегических планов других держав. Ни один человек, похоже, не понимал или не ценил то ярко полыхающее пламя польской самости, которое, хотя все еще было приглушено жестоким соседом, продолжало гореть, *горело всегда*.

Подобные мысли (которые теперь часто посещали Графа) породили в нем пустые фантазии о геройстве, как в человеке, обманывающемся относительно своего наследственного героизма и ждущем призыва к оружию. Ему было предназначено сыграть героическую роль в мире, хотя он знал, что это невозможно и ему никогда не сыграть ее. На деле он не был борцом. (Жертвовал деньги на общее дело, но собраний не посещал.) Теперь он по-новому ощущал одиночество отца. К его тени он обращал свое восхищение, и любовь, и печаль. Отец был изгнанником, человеком мыслящим, порядочным, отважным, патриотом своей родины, потерянным, разочарованным, потерпевшим полный крах. Он умер со словами: *finis poloniae**, впечатанными в его сердце. Это была масштабная личность, и, меряя по нему собственное блеклое существование, Граф трезво относил свой «героизм» к возмущенному чувству чести. Он никогда не отдал бы жизнь за Польшу, что отец сделал бы с радостью и ни на миг не задумываясь, будь у него такая возможность. Но он смог избежать какого бы то ни было бесчестного поступка, который опозорил бы память об отце, смог развить в себе минимальную моральную твердость, чтобы противостоять окружающему миру. Вот чем была его честь. Он знал, что отец всю свою жизнь считал себя солдатом. Граф тоже считал себя солдатом, но самым рядовым, туповатым и ограниченным, не имеющим шанса прославиться.

Когда Графу было уже за тридцать, он получил запоздалое повышение и перешел из своей невзрачной конторы в министерство внутренних дел, там он и встретил Гая Опен-

---

* Польше конец *(лат.)*.

шоу, который был начальником его отдела. Гай покорил его своей манерой задавать вопросы. Граф был загадкой. Гаю были по душе загадочные личности. Гай никогда не спрашивал о том, о чем Граф хотел, чтобы его спросили, и потому Гаю никогда не удавалось разговорить Графа. Но хотя, возможно, Гай так толком и не понял, кто перед ним, он все же спросил (чем, как ни странно, прежде никто, даже женщины, не интересовался) о детских годах Графа, его родителях, взглядах. И Графу понравилась не только точность вопросов, но и то, что Гай ждал ответов непременно простых, прямых, ясных, правдивых и звучащих со спокойным достоинством. Подобная манера расспрашивать позволяла узнать всю вашу подноготную, но в то же время предусмотрительно позволяла быть сдержанным в ответах, как если бы существовали некие подробности, которых Гай не желал знать. На его месте человек менее искушенный мог бы, желая того или не желая, услышать больше. Граф играл в эту игру с Гаем и до некоторой степени с Гертрудой, которая, возможно, вопреки своему характеру, невольно переняла у Гая кое-что от его добродушно-насмешливой четкости вопросов. Более того, Граф поведал им, только им двоим, кое-что важное о себе, облегчив душу, и эти его «неосторожные признания» связали их.

Он был восприимчив к науке, прекрасно выдержал испытание и охотно принял отношения ученика и учителя, чуть ли не сына и отца (хотя они были одного возраста), которые установились у них с Гаем. Гай для многих своих знакомых был вроде патриарха. Он был отличным администратором, и казалось, сама судьба назначила ему занимать высшие посты. Его благородство, исключительный ум, положение были для Графа залогом надежности, подтверждением того, что он не делает ошибки. Он восхищался им и уважал его. Он перестал играть с Гаем в шахматы, потому что не желал неизменно выигрывать у него. Гай был не против поражений, но Граф испытывал неловкость. Вот так он стал членом «круга» четы Опеншоу; двери огромной квартиры на Ибери-стрит распахнулись для него, открыв вместе с тем доступ в светское общество Англии и, как порой казалось ему, в целый космос.

Граф неподвижно стоял перед Гертрудой Опеншоу. Она не смотрела на него. В своем горе она избегала встречаться с кем-нибудь взглядом, словно стыдилась того, что оно так велико. Страшное смятение объединяло ее и Графа. Но они не показывали друг другу своих чувств — никаких бурных переживаний.

— Видели, снова пошел снег?

— Да.

— Как он?

— Держится молодцом.

— Говорил о «белом лебеде»?

— Нет.

— А «она продала кольцо»?

— Говорил.

— Что это значит?

— Не знаю...

— Кто — какое кольцо — о боже! А «верхняя сторона куба»?

— Да.

— Что за куб?

— Не уверен,— ответил Граф.— Возможно, что-то из досократиков.

— Вы проверяли?

— Да. Посмотрю еще.

— А не из живописи?

— Вполне может быть.

Граф знал, как потрясена Гертруда путаной речью мужа и тем фактом, в котором всем им пришлось убедиться за последние недели: что прежнего Гая больше нет. Граф не слишком лукавил, когда, пытаясь утешить Гертруду, убеждал ее, что в странных речах Гая есть что-то провидческое и поэтическое и надо воспринимать их как красивые высказывания, которые свидетельствуют о царящих в его душе счастье и свете. Но Гертруде, ненавидевшей религию и все мистическое, подобные предположения не приносили облегчения. Она видела в абсурдных словах Гая что-то ужасающее, чуть ли не отталкивающее, своего рода проявление слабоумия. Это был дополнительный непредвиденный кошмар. Граф скоро оставил попытки успокоить ее ссылками на Блейка. В любом случае он сам по-настоящему не верил в то, что говорил. И видел причину легкой бессвязности речи Гая в некоем функциональном расстройстве, непредсказуемых перебоях мозговых электрических импульсов.

Граф, Войцех Щепаньский, стоял перед Гертрудой. Он был высок ростом, выше ее, даже выше Гая, и очень худ, бледный, со впалыми щеками, очень светлыми голубыми глазами и прямыми бесцветными волосами. Это было славянское, типично польское лицо с резкими, заостренными чертами, столь непохожее на грубоватые, более чувственные русские лица. У него был вид шахматного игрока, математика, шифровальщика. Тонкие и умные губы. И в то же время он казался застенчивым, неуверенным в себе, смотрел всегда вопрошающе, даже недоуменно. И до сих пор в нем сохранилось что-то мальчишеское, хотя сухое бледное лицо часто бывало мрачным, усталым, далеко не молодым.

Гертруда (урожденная Маккласки), женщина под сорок, была красива. Возраст, что опускает, как шторы, кожу вокруг глаз и осыпает лоб точками пор, почти не сказался на ней. Она была среднего роста, с легкой склонностью к полноте, с прекрасными лучистыми карими глазами, которые смотрели на мир благожелательно и уверенно. Лицо оливково-золотистое, словно покрытое приятным загаром, длинные, слегка вьющиеся волосы цвета темной охры, спадающие на плечи вольной пышной волной. Одевалась она со вкусом, скорее строго, нежели изящно, и так, чтобы нравиться мужу. Гертруда признавала «формирующее влияние» Гая на их супружескую любовь, но в то же время давала понять, что она не из тех женщин, которые легко подчиняются. Она была наполовину шотландка, наполовину англичанка. Родители ее были учителями, и, успешно окончив колледж, она последовала по их стопам. Выйдя замуж (она встретила Гая, который тогда служил в министерстве образования, на конференции), она еще несколько лет продолжала учительствовать. Детей у них не было. После выкидыша врачи объявили, что она не сможет их иметь. Тогда-то, чувствуя, что она нужна Гаю дома, она оставила работу.

— Хорошо ли он спал? — поинтересовался Граф. Он всегда спрашивал об этом. Теперь мало о чем оставалось спрашивать, интересуясь состоянием Гая.

— Да... да... ночь прошла тихо.

В холле послышался знакомый звук: это ночная сиделка приоткрыла дверь, давая понять, что миссис Опеншоу может войти и взглянуть на мужа.

Гертруда сказала:

— Граф, полагаю, вы останетесь на час посещения, дождетесь *les cousins et le tantes?*

В Гае сильно было чувство семьи (его отец был одним из шестерых детей), еще более укрепившееся, возможно, потому, что его родительский инстинкт не нашел удовлетворения. Он был прирожденный *pater familias**, из него вышел бы любящий и, наверное, довольно строгий отец. Так что он обожал собирать родственников вместе, вплоть до самых дальних, как говорится, седьмая вода на киселе, и играть роль их покровителя. В этом его представлении о жизни друзья тоже должны были присутствовать как члены семьи. Вот так Граф стал кем-то вроде почетного родственника. С этой небольшой разношерстной компанией «свойственников» Гай обращался со смесью заботы и безотчетного старшинства. Называл их всех вкупе почему-то по-французски: *les cousins et les tantes.* Он был необыкновенно добрым и щедрым человеком, но «старшинство»

---

* Отец семейства *(лат.)*.

не обходилось без денежных затрат. Принявшие христианство Опеншоу (бывшие, вероятно, Опенхаймы) были банкирским семейством и привыкли играть роль богатых покровителей своих бедных родственников.

— Конечно, я останусь на час посещения. Я принес ему книгу.

— Пруста? Гиббона? Фукидида? — Гертруда знала его вкус.

— Нет, Карлейля.

Чета Опеншоу сохранила старую добрую традицию устанавливать день визитов, когда их лондонские друзья и родственники могли заглянуть к ним на коктейль по дороге со службы домой. Для Графа эти непринужденные встречи стали самой приятной частью его скудной светской жизни. Он фактически только теперь обрел то, чего не знал никогда, что-то, напоминающее семейный круг. В самом начале болезни Гая, когда все еще было не так безнадежно, *les cousins et le tantes* забегали через день справиться о его здоровье. Когда стало окончательно ясно, что у него рак, гостей сильно поубавилось, и лишь самые близкие друзья продолжали навещать больного — всего несколько человек и на минутку, но каждый вечер. Гаю, похоже, это было приятно. Однако в последнее время он потерял интерес к чьему бы то ни было обществу. Сиделки и врач (приходившийся ему настоящим родственником) посоветовали не утомлять его. И Граф подозревал, что Гертруда хотела оградить, укрыть мужа, на облике которого все страшней сказывалась болезнь, от сочувственных, но неизбежно любопытных глаз тех, кто, пользуясь его покровительством или будучи родственником, столь долго относился к нему с трепетным почтением. Но запретить навещать его было равнозначно объявлению близкого конца. «Семья» продолжала приходить ради Гертруды, и, хотя она не пускала их к Гаю и делала вид, что они досаждают ей, на самом деле в душе она была благодарна за это проявление поддержки.

По сути, единственным, с кем Гай по-прежнему желал общаться, был Граф. Сам Граф узнал об этой привилегии со смешанным чувством. Во многих отношениях, раз уж так случилось, он предпочел бы раньше сказать последнее прости Гаю, так было бы легче. Долгое ожидание с Гаем в прихожей смерти было опасно. Могло произойти что-то ужасное, мучительное, что преследовало бы его вечно. Много лет назад, когда Гай только-только распахнул перед ним двери в волшебный мир дружбы, его преследовал страх, что его неизбежно внимательно рассмотрят и отбросят за ненадобностью. За обходительным превосходством Гая, чувствовалось, стоит что-то демоническое, что-то, могущее обернуться жестокостью. Позднее Граф увидел, что Гай скорее из тех людей, которые способны на жестокость, но никогда не бывают жестокими. Демоническое в нем было, но была также и преданность друзьям. Сильно развитое чувство долга и жесткая необходимость всегда оставаться порядочным были положительным свойством и Гая, и Гертруды, свойством, как вы понимали, узнав их ближе, таким же врожденным, как цвет глаз и волос. К тому же со временем Граф, несмотря на всю свою недоверчивость, убедился в привязанности Гая к нему, хотя понимал, что эта привязанность смешана со своего рода сочувствием интеллектуала. Поэтому теперь, когда он обнаружил, что остался последним, единственным человеком наряду с Гертрудой, который регулярно разговаривал с Гаем, это принесло ему одновременно и удовлетворение, и боль. Конечно, он высоко оценил этот необыкновенный знак доверия. Но он был выказан слишком поздно. И Граф не мог не чувствовать, что Гай, и Гертруда тоже, терпят его в преддверии близкого конца, потому что «уже все равно, что Граф подумает или скажет». Его допускали к умирающему, как могли бы допускать его собаку. Граф обдумывал эту ситуацию. Иногда истолковывал ее как оскорбительную, иногда — как выражение исключительного к себе расположения.

Вечерние посетители, то есть близкие друзья, хотя их не пускали к Гаю, продолжали являться. Каждый день приходило несколько человек, все тех же или с небольшими вариациями, чтобы осведомиться о самочувствии Гая, оставить ему записку, книги, цветы, поговорить с Гертрудой, утешить ее и заверить, что она не одинока, что они с ней. Они не отказывались от предложения выпить, говорили вполголоса, долго не задерживались, но их мимолетные визиты вежливости не были пустой формальностью. Граф не мог не обратить внимание на то, что некоторые, можно сказать, получали от них удовольствие.

— Ну хорошо,— сказала Гертруда,— я пойду к нему.

Граф уселся в кресло с прямой спинкой возле камина, в котором по случаю снега пылали поленья и коалит. Он очень хорошо знал эту комнату, чуть ли не лучше, чем безликие комнаты своей квартирки, которые так мало могли дать глазу и уму. Он чувствовал себя спокойно в этой гостиной — просторной, выдержанной в ярких тонах и, по мнению Графа, безупречной. Тут не было ничего слишком громоздкого или слишком миниатюрного, ничего, что следовало бы убрать или передвинуть хотя бы на миллиметр. И за годы, что он бывал здесь, прекрасная эта комната совершенно не изменилась. Единственное, что здесь постоянно обновлялось, были цветы, да и те всегда стояли на привычном месте — на инкрустированном столике рядом с винными бутылками. Графа поражало, что Гертруда даже сейчас занимается букетами. В большой зеленой вазе стоял букет, искусно составленный из листьев эвкалипта и бука и нескольких белых хризантем, которые принесла Джанет Опеншоу. (Цветы от других гостей стояли в холле, но не в комнате Гая. Гай считал, что у цветов должно быть свое место.) Они с Гертрудой, вероятно, немало потрудились над обликом гостиной, добились того, чего хотели, и были довольны результатом. Они не были коллекционерами, более того, изобразительным искусством особо не интересовались, но хороший вкус, чтобы устроить дом, у них был.

Граф вытянул длинные ноги, сбив выцветший золотистый коврик с мелким геометрическим узором. Раскрыл книгу, карлейлевское описание жизни Фридриха Великого. Он читал о забавных взаимоотношениях Фридриха и Вольтера. Ему было смешно, потому что он ненавидел Вольтера, относительно которого его мнение расходилось с мнением Гая. Графу был близок Руссо, хотя он затруднился бы объяснить почему. Конечно, Граф ненавидел и Фридриха (в отличие от отцовской его ненависть всегда была неопределенной), но все же было в карлейлевском взгляде на мир нечто привлекательное.

— Хочешь чего-нибудь?

— Нет, спасибо.

— Чай, сок?

— Нет.

— Сиделка спрашивает, что подать на ужин. Есть какое-то пожелание?

— Мне только суп.

— Хочешь сегодня кого-нибудь видеть? Манфреда?

— Нет.

— Принести какую-нибудь книгу из соседней комнаты?

— У меня здесь есть.

— Мне хочется что-нибудь сделать для тебя, принести что-нибудь.

— Не беспокойся, ничего не нужно.

— Снова снег пошел.

— Питер мне сказал.

Гертруда и Гай посмотрели друг на друга, потом отвернулись.

Гертруда никому не говорила о том, что теперь их с Гаем ничего больше не связывало. Это было так же ужасно, как его физическая смерть, которую ей осталось пережить. Причиной, в известной мере, была его смерть, ее ощутимое приближение, его смерть для нее, конец духовной общности. Их разделил кошмарный барьер, перейти который ни один из них не мог. Гай перестал даже пытаться. Смотрел на нее задумчивым, отсутствующим взглядом. С Графом он еще мог разговаривать, но с ней нет. А когда такое все же случалось, то часто терял нить и говорил странные вещи, чем очень пугал ее — этот ясный ум, в чьем свете она жила, стал беспомощно сбивчив, помрачился. Может быть, он молчал, боясь напугать ее. Или, может, ему ненавистно было это конечное унижение перед женой, это невыразимое поражение от судьбы. Или он не хотел давать пищу любви, которой скоро предстояло превратиться для него в сон, для нее — в скорбь.

Они всегда были очень близки, соединены незримыми узами любви и духовными узами. Им всегда неудержимо хотелось быть рядом. Они никогда серьезно не ссорились, никогда не расставались, никогда не сомневались в предельной честности друг друга. Эти открытость и искренность придавали их отношениям особую радостную легкость. Их любовь крепла, ежедневно питаемая общностью мнений. Духовная, телесная и душевная близость становилась только теснее, как иногда счастливо случается между двумя людьми. Они не могли, находясь в одной комнате, не прикоснуться друг к другу. Высказывали всякую пришедшую в голову мысль, пусть она и была самой банальной. Острили. Языком их любви были шутка и размышление. «Я умру без него,— думала Гертруда,— нет, не покончу с собой, просто жизнь уйдет из меня. Превращусь в ходячего мертвеца».

Некоторых вещей они инстинктивно не касались. Так, они никогда не говорили об их неродившемся ребенке. И (что было связано с этим) никогда не заводили собаку или кошку. Приходилось избегать чего-то милого и трогательного. Запрет на нежность не должен был ослабнуть, если они не желали мучительных переживаний. Хотя они шаловливо и открыто проявляли свою любовь, тем не менее они сдерживали поводья, не давая чувству заносить их слишком далеко. Их язык хранил скромность, а любовь — сдержанное достоинство.

Конечно, они всегда были очень откровенны и прожили совместную жизнь душа в душу. Они исповедовались друг перед другом и простили друг друга. Говорили о былых увлечениях и теперешних мыслях, о слабостях, ошибках, грехах — всегда тактично, всегда с шуткой, без тайного злорадства. Сознательно берегли определенную скромность и чистоту отношений, понимая, что им повезло найти друг друга, и решив наслаждаться спокойным счастьем.

Судьба с детства благоволила обоим. Гай был единственным ребенком состоятельных, умных родителей, которые души в нем не чаяли. Гертруда, тоже единственный ребенок, горячо любимая отцом, была позднее дитя учителей, отдававших много сил школе и общественной деятельности. Отец не только внушил Гертруде, что она одна такая на свете, принцесса, но еще привил любовь к книгам, привычку к упорному труду и умение наслаждаться творениями ума, не становясь при этом «интеллектуалкой». Родители умерли до ее замужества, но успели порадоваться, видя, как их прекрасная дочь стала очень многообещающей учительницей. Матери Гая не довелось увидеть Гертруду, но его отец прожил достаточно долго, чтобы благословить женитьбу сына. Он одобрил его выбор, хотя предпочел бы еврейскую девушку, тайно вернувшись душой к вере предков. (Он, конечно, не признался в столь скандальной слабости Гаю, который презирал всякую религию.) Он очень горевал о потерянном внуке. Об их дальнейших намерениях относительно потомства не спрашивал и вскоре после этого умер. Для Гая его смерть была ужасным ударом.

Гертруда и Гай считали, что, само собой разумеется, они всегда будут полезны обществу, трудясь на его благо. Они были разносторонне одарены, еще молоды и постоянно думали, что в будущем смогут заниматься «всякими вещами» — писать книги, овладевать искусствами, достигать высот мысли. Они изредка путешествовали, но не уезжали слишком надолго, потому что Гаю хотелось использовать каникулы для занятий. Шли годы, а он еще не решил, стать ли ученым или предпочесть служебную карьеру. Во всяком случае, он положил себе стать и ученым тоже и сел работать над книгой по юстиции, судебному наказанию и уголовному праву. Гертруда изучала в Кембридже историю. Гай — в Оксфорде классические языки и философию, испытывая к последней давний и не затухающий интерес. Перестав учительствовать, Гертруда намеревалась написать роман, но Гай быстро отговорил ее, и, конечно, она согласилась с его доводами. Нужно ли миру очередное посредственное сочинение? Некоторое время она помогала Гаю в научных изысканиях. Выучила немецкий. Подумывала заняться политикой (они оба придерживались левых взглядов). Совсем недавно начала преподавать английский иммигрантам из Азии. Не о чем было беспокоиться или тревожиться. Годы шли, но казалось, впереди еще много времени.

И тут оно просто обезумело. У нее на глазах болезнь как будто провела Гая через все стадии жизни, от молодости к старости. Постепенно будущее исчезло из их разговоров. На определенной стадии Гертруда перестала успокаивать его обещанием: «Весной почувствуешь себя лучше». Никогда не говорила: «Болезнь неизлечима». То же и врач. Когда она спросила его, не рассказал ли он Гаю, врач ответил: «Он знает». Когда он начал это понимать? Ведь курс лечения давал некоторую надежду. Теперь они редко смотрели в глаза друг другу. И что самое ужасное для нее, маленькие знаки нежности вовсе ушли из их жизни. Теперь она не осмеливалась взять его за руку. А когда массировала его невероятно худые, сведенные судорогой ноги, то делала это как медсестра. Избегая слов или жестов, какие могли вызвать у них слезы, Гертруда чувствовала, что иногда должна казаться ему бесчувственной, чуть ли не желающей в душе скорейшего наступления конца; и действительно, бывали моменты, когда ей хотелось, чтобы все кончилось и его страдания прекратились, чтобы смерть принесла ему облегчение. Если бы только она могла расплакаться, дать выход горю; но нет, она была сильной и не позволяла себе этого. Ее измученная любовь не знала куда бежать, не могла найти способа выразить себя. И все же школа их счастливой совместной жизни поставила их по разные стороны, пожалуй, к их общему благу, и она надеялась и молила Бога, чтобы Гай тоже понял это. Если бы они начали плакать и стенать над невыразимой жестокостью случившегося, они сошли бы с ума от боли.

Гертруда нечасто плакала. Потом уже, в том другом времени, она думала, что будет плакать вечно. Пока же, поплакав тайком, она умывала лицо и тщательно пудрилась. Это как в концлагере, думала она. Нельзя показывать своих страданий, чтобы не стало еще хуже. Для нее это и впрямь походило на заключение в концлагере, с его ужасом, непредсказуемым и кажущимся невыносимым, который, однако, выносишь, потому что нет иного выхода. Она видела, как мутнеет рассудок любимого. Сдерживая рыдания, наблюдала за тем, как разрушается его красота и угасает блеск его доброго, ясного, острого ума. В мире явно нет больше никакой логики, если Гай может бредить и страдать провалами в памяти.

Возможно, он ненавидит ее, возможно, в этом дело — в обиде, в мести. Иногда он отвечал так коротко и резко, так раздраженно, так нетерпеливо. Да и как умирающему не ненавидеть живущих, тех, кто останется, когда его самого не будет? Уже не осталось способов узнать, что он чувствует, вопросов, которые можно было бы задать без того, чтобы не возникало жуткое напряжение. Она не могла спросить его ни о верхней стороне куба, ни о белом лебеде. Не могла спросить о болях. Иногда сиделка делала ему в течение ночи уколы от боли. Она старалась не думать об этой боли, но она присутствовала там, в комнате, как присутствовала и смерть, и обе они витали над фигурой в постели, как два черных облака, когда раздельно, когда слившись.

Что ж, если он ненавидит вселенную, если ненавидит Бога, как можно представить, пусть он ненавидит Бога в ней, если это облегчит ему боль. Это сказала ей ее любовь, слова были тоже сродни бреду и растворились во тьме.

Манфред сунул голову в дверь и оглядел гостиную.

— Здравствуйте, Граф, вы одни тут?

— Здравствуйте, Манфред,— ответил Граф, вскакивая на ноги,— Гертруда с Гаем.

— Выпью-ка я, пожалуй,— сказал Манфред.— Ужасный сегодня был день, и на улице, боже, такой холодище!

Он налил себе, взяв бутылку с инкрустированного столика. Манфред Норт (его родители были большими почитателями Байрона) трудился в семейном банке. Гаю он приходился троюродным братом.

Гостиная четы Опеншоу, в которой Граф чувствовал себя так надежно, представляла собой длинную комнату с тремя окнами, выходящими на Ибери-стрит. Элегантную и уютную, со множеством красивых и при этом очень удобных кресел, расставленных на некотором расстоянии от камина и обращенных к нему. Поверх гладкого ковра цвета волос Гертруды были постелены два узорных коврика: один, тот, который Граф сбил своими вытянутыми ногами,— блестяще-золотистый, с орнаментом из мелких математических символов, и другой — длинный и очень красивый, с изящным рисунком, изображавшим животных и деревья, лежавший под окнами,— своего рода променад для избранных. По краям широкой мраморной каминной полки алтарными реликвиями стояли вазы богемского хрусталя, красная и янтарного цвета, а посередине, полукругом, оригинальнейший оркестр фарфоровых обезьянок, играющих на разнообразных инструментах. С этих и других безделушек, расставленных по всей гостиной, миссис Парфитт, домработница, благоговейно смахивала пыль перьевой метелкой, но передвигать не осмеливалась. Как-то раз Граф испытал священный ужас и негодование, увидев, как один из гостей небрежно взял фарфорового барабанщика и, держа его в руке, принялся высказывать, что он о нем думает. Стены гостиной украшали картины маслом, среди них несколько портретов предков. Над камином, в овальной раме, висел прелестный портрет бабушки Гая со стороны отца, миниатюрной смуглой женщины, чье живое привлекательное лицо, окруженное копной темных волос, с улыбкой смотрело из-под тени белого зонтика. Ее ортодоксальная еврейская семья была против брака с дедом Гая. Наконец они сдались, поскольку он все же был еврей и хотя «формально» христианин, но со всем пылом уверял, что он атеист. Она, когда пришел срок, в свою очередь не одобряла женитьбу отца Гая на нееврейке, хотя невеста была при деньгах и играла на скрипке. Однако с появлением обожаемого внука оттаяла. На других картинах были изображены внушительные джентльмены, дома, имения, собаки. К сожалению, лишь немногие из этих полотен представляли художественную ценность. (Исключение представлял очаровательный маленький «сарджент».) Семья Опеншоу была щедра на музыкальные таланты (хотя о Гае этого было не сказать). Дядя Руди, который играл на виолончели, был к тому же и композитором-любителем, снискавшим определенную известность. Однако художники, когда дело касалось портретов, безошибочно выбирали посредственность.

— Как в департаменте? — поинтересовался Манфред.

Он был высок ростом, намного — на целых два дюйма — выше Графа и мощного сложения, настоящий бык. Его крупное вежливое лицо всегда смотрело на мир с выражением превосходства и словно улыбаясь чему-то своему, затаенному. Родители Манфреда не без вызова вернулись в лоно ортодоксального иудаизма, но самому ему все эти вещи были безразличны. В свои тридцать с хвостиком и еще неженатый, он считался в обществе человеком успешным. Граф любил Манфреда, но его крайне раздражало, как по-свойски тот вел себя в квартире Опеншоу. Граф сейчас тоже с удовольствием бы выпил, но, конечно, не мог себе этого позволить, пока Гертруда не предложит.

— В департаменте? О, все нормально.— Что еще он мог ответить? Департамент теперь ничего для него не значил. Ему не хватало там Гая, очень не хватало, но он не собирался говорить об этом Манфреду. В разговорах между собой они никогда не касались ничего личного. И все же Манфред тепло относился к Графу, врагом ему он не был.

— Не хотите присоединиться? — предложил Манфред. Дразнил Графа.

— Нет, благодарю.

Вошел Стэнли Опеншоу. (На час посещений Гертруда всегда оставляла двери открытыми, чтобы приходящие не беспокоили звонком.) Стэнли был двоюродным братом Гая. Он тоже женился на нееврейке, но, по мнению родных, с излишней готовностью перешел в англиканскую веру, которой придерживалась его жена. (Гертруда, как Гай, не исповедовала никакой веры, если не принимать за таковую ненависть ко всякой вере.) Он был членом парламента, принадлежа к правому крылу лейбористской партии. Усердный мягкий человек, любимый избирателями (он представлял Лондон), он никогда не претендовал на место в правительстве. Джанет, его жену, экономиста по профессии, считали умней его. Она иногда являлась с визитом на Ибери-стрит, но с Гертрудой отношения у нее не заладились. (Джанет была настолько хорошей кулинаркой, что Гертруда с самого начала решила даже не пытаться соперничать с ней в этой области. К счастью, Гай едва замечал, что ему подают, и ел все подряд.) Хотя один глаз у Стэнли был заметно больше другого, он был привлекательным мужчиной, с такой же пышной шевелюрой, как у Гая. Трое его очень милых детей отлично успевали в школе.

— Привет, Стэнли! Не в палате сегодня?

— Нет, и все равно долго не могу оставаться, сегодня вечером меня будут резать без ножа.

В такие «операционные» дни Стэнли сидел до рассвета в приемной в палате общин, выслушивая стенания своих избирателей.

— Ты обожаешь несчастья,— заметил Манфред.

— Меня интересуют любые несчастья,— ответил Стэнли.— Каждое из них указывает на существующую проблему. Так что не могу ставить это себе в какую-то моральную заслугу.

— И надеюсь, не ставишь.

— А я только надеюсь, что моя машина еще раз заведется.

— Эд Роупер надел на свою цепи.

— Молодец! — (Эд Роупер, «почетный» кузен, занимался продажей предметов искусства.) — Есть что новое насчет Гая, Граф?

— Ничего нового,— ответил Граф.— У него сейчас Гертруда.

— Хотел бы я знать, собирается она продавать их французский дом? — сказал Стэнли, наливая себе.— Я бы не против купить его.

Графа возмутили эти небрежные расспросы, безразличие, беспечное настроение, чуть ли не как на вечеринке. Хотя как им еще себя вести? Они чередой проходили перед Гертрудой, от них веяло живучей ординарностью, что, возможно, помогало ей больше, чем мрачная серьезность Графа. Стэнли, по крайней мере, старался говорить потише. Громкоголосому Манфреду это было труднее сделать.

— Вероника, здравствуйте!

— Ужасно, какой снег на улице!

— Странно, но мы это тоже заметили.

— Ну, вы-то двое приехали на машине, а я шла пешком.

— Обратно я вас отвезу.

— Спасибо, Манфред. Боты я оставила в передней, а эти тапочки принесла в сумке, мы надеваем такие, когда устраиваем детские праздники. Здравствуйте, Граф. Гертруда, видимо, у Гая? О, выпивка, спасибо, Стэнли, дорогой.

Вероника Маунт (в девичестве Гинзбург), вдова, принадлежала к старшему поколению. Она была еврейкой, с семейством Опеншоу породнилась, выйдя замуж, и считала себя «специалистом по Опеншоу». Она досконально знала семейное древо, вплоть до его самых глубоких немецких, польских и русских корней, и кто кем кому приходился. Джозеф Маунт, ее муж, который давно умер, имел какое-то отношение к скрипкам. Миссис Маунт была дамой утонченной и жила, как поговаривали, в благородной нищете по соседству, в Пимлико.

Граф подошел к ней поздороваться. У него всегда было такое ощущение, что миссис Маунт слегка насмехается над ним, но, возможно, он заблуждался.

— А вот и Тим!

— Привет, Тим!

Как Тим Рид, худой юноша, протеже дяди Руди, попал на семейный портрет, никто не помнил. Говорили, что он художник или что-то в этом роде. Тим тоже налил себе.

— Полагаю, весной предстоят выборы? Тебе не о чем беспокоиться, Стэнли, у тебя пожизненное место в парламенте.

— В наше время может случиться что угодно. Каждый в душе боится, что ему выскажут недоверие.

— Но не мы,— сказала миссис Маунт.

— Кстати, о выборе: у меня есть лишний билетик на «Турандот»; кто-нибудь желает получить? Вероника?

— Манфред, как всегда, так любезен.

— Знаю, Графу билет не нужен, он ненавидит музыку.

— Вовсе нет...

— Вы видели Гертруду? — спросила Графа миссис Маунт. Она всегда говорила тихо, так что сейчас могла не понижать голос.— Как она выдерживает такое напряжение?

— Да, как Гертруда?

— О, она поразительная женщина! — ответил Граф.

— Да, поразительная, это правда.

— Ей нужна поддержка друзей, да и потом понадобится. Такая трагедия!

— Ей нужно наше сочувствие, наша помощь, чтобы перенести все это.

— Ба, Сильвия!

Сильвия Викс (урожденная Оппенхайм) была дальней родственницей — насколько дальней, знала только миссис Маунт. Однако она, в свое время настоящая красавица, странным образом напоминала темноволосую бабушку с зонтиком с портрета над камином. Сейчас, будучи в зрелых годах, она выглядела какой-то всклокоченной, черные локоны в беспорядке падали на лицо. Впрочем, она продолжала хорошо одеваться.

— Давненько не виделись, Сильвия,— сказал Манфред.

— Тим, налей Сильвии.

— Какое миленькое платье. Ты не промокла, дорогая?

— Ужасная погода.

В голове Сильвии Викс бушевала буря. Она всегда была невезучей, но теперь это было больше похоже на рок. Ее родители умерли, когда она была еще ребенком, и ее воспитывала тетка, обладавшая своенравным характером, которая не дала ей никакого образования, но хотя бы оставила немного денег. Сильвия накупила на них красивых платьев и приобрела домик. Пустила постояльца. Им был Оливер Викс. Они поженились. Продали дом и купили другой, на имя Оливера. Кончилось все тем, что Сильвия осталась без денег, без дома и без мужа, зато с двухлетним ребенком на руках. Остались еще, правда, платья, в которых она с тех пор и ходила (она была искусной рукодельницей). Сильвия и не поняла толком, как все произошло. Она была так рада освободиться от Оливера, что не думала о грозящих неприятностях, и стыдилась рассказывать родственникам о том, как поступил с ней Оливер. Однако Мозес Гринберг, адвокат семьи (женатый на одной из кузин), узнал обо всем и очень разозлился на нее. (Собрался подавать в суд на мошенника Викса.) Сильвия, жившая тогда с сыном Полом на государственное пособие в дешевой квартирке, в свою очередь тоже разозлилась. Это уже слишком, бранить ее, когда она и без того так несчастна. Мозес рассказал Гаю, и тот вызвал ее к себе. Он не стал выговаривать ей за былую беспечность (к тому времени прошлое лучше было не ворошить, настолько все казалось запутанным), а настоятельно посоветовал приобрести какую-нибудь профессию. Сильвия пошла на курсы машинописи и стенографии, которые ей оплатил Гай. Он также выразил готовность оплатить учебу Пола. Сильвия, кое в чем женщина отнюдь не глупая, нашла хорошо оплачиваемую секретарскую работу. Копила на квартиру. Полу было уже семнадцать, и она очень хотела, чтобы он имел свою комнату, где мог бы разместить книги. Гай, который периодически интересовался, как идут у нее дела, ссудил ей деньги, которые она все никак не могла собрать. Это произошло совсем недавно. Однако (неправдоподобно, но факт) прежде чем Сильвия успела купить квартиру, она вновь попалась на удочку мошенников, теперь это была женщина, некая «подруга», убедившая ее вложить средства в бутик. Деньги пропали, женщина тоже, и опять Сильвия не могла понять, как это случилось. Опять она никому ничего не сказала. Смертельно боялась, что Гай или Гертруда спросят ее о квартире. А теперь вот Гай умирал. Значит, она сэкономит деньги? Только вот денег не было. У нее голова шла кругом. И будто этого было мало, она только что, всего три дня назад, узнала, что шестнадцатилетняя подружка Пола забеременела. Ее разъяренный отец заявился к Сильвии. Когда она заикнулась об аборте, благочестивый католик папаша заорал: неужели она хочет, чтобы молодые люди начинали свою жизнь, имея на совести убийство? Однако он так же, как она, не знал, что делать. Он не позволил ей увидеться с девушкой. Она ему — с Полом. Выведенная из себя его воплями, она намекнула, что девица — маленькая распутница, которая соблазнила ее сына. Папаша девчонки окончательно рассвирепел и пригрозил засадить Пола за решетку. «Я вас уничтожу, уничтожу!» —

вопил он в полном замешательстве, а в другой комнате Пол слушал их перепалку. Пол перестал ходить в школу. Она перестала ходить на работу. Пол пропустил экзамены. Она потеряла работу. Она решила, что ей остается единственное: рассказать все Гаю — все, включая историю с бутиком, которая теперь казалась ей меньшей из бед. Гай подскажет, что делать, Гай знает законы, знает, как обычно поступают люди, попав в подобную ситуацию, он поможет ей и Полу как-нибудь выпутаться. Ей было известно, что Гай болен, но она надеялась, что даже короткий разговор с ним разрешит ее трудности. И еще она надеялась, что Гай скажет, что ей не обязательно отдавать долг. В любом случае она не могла это сделать. Все ее сбережения пропали вместе с его ссудой. Знает ли Гертруда о долге? (Гертруда не знала, Гай и словом ей не обмолвился.) Что она скажет Гертруде? Она побаивалась Гертруды, и не одна она. Пол в это время сидел дома и плакал. С бокалом в руке она улыбалась Стэнли, Манфреду и миссис Маунт. Чего только, бывает, ни творится на душе у человека, а он улыбается.

— Белинтой катается на лыжах в Колорадо,— сказала миссис Маунт,— или лучше сказать, *après** кататься.

— А мы тут вкалываем,— вздохнул Манфред.

— Остановился, ручаюсь, в «Браун-пэлес»,— подхватил Стэнли.

— Наверняка.

— Интересно, откуда у него деньги?

— Белинтой оплачивает детям бедняков катание на лыжах.

— Как великодушно с его стороны.

— И это говорит Сильвия!

— Если снег не прекратится, мы тут скоро тоже станем на лыжи.

Белинтой был лордом, причем настоящим, не то что Граф. «Какого-то замшелого ирландского аристократиче-

* Собирается *(фр.)*.

ского рода»,— как заметил Манфред. Его мать, родственница Джанет Опеншоу, все еще жила в обветшалом замке в графстве Мейо. Стэнли и Гай опекали молодого (теперь уже не такого молодого) Белинтоя. Гай с Гертрудой както раз гостили в замке.

— Он написал Джеральду Пейвитту.

— Я ревную.

— Что слышно о Джеральде?

— Все такой же маньяк.

Граф, прислонившись к каминной полке, смотрел на дверь в ожидании Гертруды. Ему страшно хотелось выпить. И хотелось, чтобы Гертруда пришла от Гая со спокойным лицом, ничем не выдавая своих чувств.

— Тим, малыш, не нальешь мне еще?

— Конечно, Стэнли. Чем отравляешься?

Появилась Гертруда. Граф издалека увидел ее лицо — маску тупой боли, опущенные глаза, пугающую погруженность в себя. Потом выражение сменилось на спокойное, которое он так ждал. Она улыбалась Сильвии и миссис Маунт. Все затихли и двинулись к ней.

— Только что пришел Виктор,— сказала она.

Виктор Шульц, лысый, симпатичный и тоже кузен Гая, был его врачом — приятный малый, терапевт без амбиций, страстный любитель гольфа. Он женился на великолепной красавице, известной своей выдающейся глупостью, и сейчас был в разводе.

— Как Гай? — спросил Манфред, глядя на нее с высоты своего роста; его крупное лицо выражало серьезность и нежность.

Кто-то должен был спросить. Обычно это брал на себя Манфред.

— Да... знаешь... все так же... Граф, вы не пьете, налейте же себе.

На это Граф и надеялся: что его сдержанность не останется незамеченной.

Тим Рид, принеся Стэнли бокал, обратился к Гертруде:

— Не остались на кухне еще крекеры с сыром? Все утро рисовал и сейчас бы подкрепился.

— Ну конечно, Тим, сходи и возьми, что хочешь.

— Полагаю, Гай вряд ли желает меня видеть, да? — задумчиво сказал Манфред больше себе.

Миссис Маунт принялась расспрашивать Гертруду о сиделках: добросовестны ли они и насколько дорого обходятся.

Стэнли вежливо поинтересовался у Сильвии, как Пол успевает в школе.

— Прекрасно, думаю, он хорошо сдаст экзамены.

— Замечательно. Знаете, что мой Уильям отправился поступать в Баллиол? А Нед оказался настоящим гением математики, тут он, конечно, пошел в Джанет.

— А что Розалинда? Все так же без ума от своего пони?

— Увы, да, но в музыке делает успехи. Знаете, думаю, малышка — самая умная из всей троицы!

— Естественно, вы же, если не ошибаюсь, играли на флейте?

— Давно забросил. Что бы сказал дядя Руди?

Вошел Виктор Шульц с серьезным выражением на бодром лице. В докторской манере похлопал Гертруду по плечу. Не отказался пропустить глоточек. От природы человек жизнерадостный, он, избавившись от своей выдающейся красавицы, вновь обрел юношескую беззаботность. Он любил Гая, но, став врачом, для собственной пользы положил за правило радоваться, когда другие радуются, и в меру сопереживать им. Скоро он уже улыбался.

Миссис Маунт обратилась к нему:

— Виктор, я только что говорила с Гертрудой о сиделках. Может, вы дадите совет. У моей подруги, знаете ли, очень престарелые родители...

Стэнли уверял, что ему действительно пора в свою «операционную».

Сильвия наконец бочком подобралась к Гертруде:

— Гертруда, могла бы я увидеть...

— Вероника, так ты хочешь, чтобы я подвез тебя?

Гертруда сказала Стэнли:

— Большое спасибо, что пришли. Сердечный от меня привет Джанет. И передайте ей: у нее чудесные хризантемы.

Сильвия договорила:

— Гертруда, если это возможно, я хотела бы увидеть Гая.

На мгновение воцарилась тишина, но тут же гости заговорили между собой, чтобы скрыть чувство неловкости.

Гертруда вспыхнула. Потом ее лицо, губы, глаза выразили возмущение, почти гнев.

— Н-нет, он очень... Он никого не может видеть.

— Я только на несколько минут. Хотела спросить его кое о чем.

— Нет, простите, к Гаю нельзя... он... болен... он не может видеть людей... больше...— Она закрыла глаза ладонями, словно скрывая набежавшие слезы.

— Чертова баба,— сказал в дверях Манфред, обращаясь к Стэнли,— неужели у нее нет никакого такта, никакого сочувствия? Бедная Гертруда...

— Всего на несколько минут,— проговорила Сильвия, сама едва не плача.

— Нет...

— Я должен идти,— сказал Стэнли.

— Думаю, нам всем пора,— сказала миссис Маунт.— Манфред?

— Кто на машине? — спросила Гертруда.— Такая ужасная погода.

— Я,— откликнулся Манфред,— и Стэнли.

— И я,— присоединился Виктор.

— Кто в какую сторону едет? Вы с Манфредом, Вероника?

— Я могу подвезти Сильвию,— сказал Стэнли.— Идемте, Сильвия. Подброшу до метро.

— Простите... но, пожалуйста, поймите меня,— повернулась Гертруда к Сильвии.

— А я заберу Графа,— сказал Виктор,— нам по пути.

— Спасибо всем, что зашли... вы знаете, как много это значит... для нас обоих...

— А Тим... где Тим? Ты тоже можешь поехать со Стэнли, не против, да?

Под напоминания Стэнли не шуметь они на цыпочках вышли в прихожую и принялись разбирать свои пальто. В прихожей пахло мокрой шерстью, на ковре темнели пятна от растаявшего снега. Миссис Маунт села, чтобы надеть боты. Потом все гуськом вышли на улицу. Стэнли и миссис Маунт поцеловали на прощание Гертруду.

Гертруда вернулась в опустевшую гостиную и прикрыла за собой дверь. Подошла к окну и чуть отодвинула занавеси. По-прежнему шел снег. Снаружи приглушенно слышались оживленные голоса гостей, рассаживавшихся по трем машинам.

Графу хотелось бы остаться после того, как остальные ушли, и поговорить с Гертрудой без помех, но он боялся, что Гертруда будет недовольна или другие обратят на это внимание. Граф давно любил Гертруду. Но об этом, конечно, никто не знал.

Он позволил запихнуть себя в машину Виктора, однако вскоре извинился и попросил высадить его. Хотелось пройтись пешком, одному под падающим снегом. Он купил кулек жареных каштанов. Жаровня с пылающими углями казалась неопалимой купиной. Снег продолжал идти, хотя уже не так густо. Тротуары были белы, дороги — как морены, покрытые темной снежной кашей и жидкой грязью, брызгающей из-под колес осторожно шелестящих мимо машин. Гай был прав, сказав, что мир нынче вечером звучит иначе. Ветра не было, и крупные хлопья снега падали торжественно, целеустремленно, словно высыпавшись из некой гигантской ладони прямо над уличными фонарями. На изгородях и низко свисавших ветках кустарников в садах за ними выросли высокие валики белых кристаллов. На голове у Графа было шерстяное кепи, над которым Гертруда всегда потешалась. Он плотнее затянул шарф на шее, поднял воротник пальто и, быстро шагая на своих длинных ногах, совершенно не чувствовал холода.

Граф жил в безликом многоквартирном доме на ничейной полосе между Кингс-кросс и Фулем-кросс, так что идти ему было недалеко. Он съел каштаны и аккуратно сунул обгорелую шелуху в карман. Поднялся на лифте и прошел по коридору мимо множества молчаливых дверей к своей квартире. С соседями он жил дружно, однако их знакомство было шапочным. Он вошел к себе, включил свет; лицо его с морозца горело. Квартирка состояла из двух спален и гостиной, которая могла бы показаться приятной только в том случае, если бы Граф был слеп к окружающему и не надо было бы демонстрировать «обществу» «хороший вкус». Он очень редко приглашал гостей. Вдоль всех четырех стен тянулись темно-зеленые металлические книжные полки. На одной стене, над блестящим современным сервантом, висела гравюра, изображавшая Варшаву. У Графа было мало вещей, напоминавших о месте, где прошли его детские годы, и ни одной из них он не выставлял напоказ. Было у него несколько расплывчатых фотографий родителей, когда они только что поженились: два напряженно глядящих в объектив молодых, почти детских лица. Польский флаг — может, первое, что формировало его сознание. Он держал его в свернутом виде в ящике комода. Иногда, ища там что-нибудь, он касался его рукой. Было еще несколько польских вещиц, которые мать, перед тем как болезнь унесла ее в могилу, отдала старой полячке, навещавшей ее. Мать думала, что ему неинтересно это «старье». Граф со стыдом вспоминал об этом.

Он включил приемник. Телевизор он ненавидел. Жил в мире, создаваемом радио. Слушал все подряд: новости, беседы, радиопостановки (особенно любил триллеры), политические дискуссии, философские диспуты, программы о природе, легкую музыку, симфонические концерты, «Арчеров», «Женский час», «Сто лучших мелодий», «Диски для необитаемого острова», «На вашей ферме», «Ответы на любые вопросы». В определенное время года еженедельно обновляющиеся выпуски «Радио таймс», казалось, были самым наглядным подтверждением того, что его жизнь не стоит на месте. Манфред дразнил его, говоря, что он терпеть не может музыку, но это было не так. Да, он никогда и близко не подходил к концертному залу. (Ему перестали и предлагать билеты.) Однако он любил музыку, хотя мало разбирался в ней. (Джеральду пришлось объяснять ему, что церковные колокола вызванивают вариации, а не просто одну бесконечную гамму.) Несмотря на полное невежество в музыке, он слушал ее, и она завораживала его, как Калибана. Невероятно медленная нежность определенных произведений классической музыки напоминала ему течение собственных мыслей. Были у него и любимые композиторы, ему нравились Моцарт, Бетховен и Брукнер. Он вбил себе в голову, что любит и Делиуса, потому что его музыка звучит так по-английски. (Он имел глупость сказать об этом Гаю, и тот саркастически спросил, что, черт возьми, он подразумевает под этим. Графу нечего было ответить, но тем не менее он остался при своем мнении.) Нравились ему и песенки, что-нибудь воодушевляющее и запоминающееся, вроде «Дороги на Мандалай» или «Нам с тобой было весело в мае». Он, конечно, часто читал под бормотание радио, читал своего обожаемого Пруста и Фукидида, Кондорсе и Гиббона, Сен-Симона и «Исповедь» Руссо. Стихи читал мало, но со времен незабвенных школьных «Воин девушку любит. Девушка любит воина» хранил легкую нежность к Горацию. (Тут их с Гаем вкусы совпадали.) Ему доставляли удовольствие несколько романистов (Пруста, по его мнению, с натяжкой можно считать романистом, это больше походило на чтение мемуаров): Бальзак, Тургенев, Стендаль. Он питал тайную слабость к Троллопу, а еще к «Войне и миру». В промежутках набрасывался на Конрада, ища в нем некий ключ к польской душе, разгадка которой ему никак не давалась. (Отец ни в грош не ставил Конрада, считая его легкомысленным ренегатом.) Так он обыкновенно проводил вечера, пока последние штормовые предупреждения не заставляли его забираться в постель. И, лежа под одеялом, он думал об острове, на котором жил. Думал о темном бескрайнем море. Об одиноких людях, прислушивающихся к этим сигналам предупреждения: радистах на кораблях, затерянных в неспокойном море, фермерах, сидящих на кухне со своими собаками под вой ветра на прибрежных низинах. Внимание всем, кто в море. Штормовое предупреждение. Клайд, Хамбер, Темза, юго-восточный ветер девять баллов, усиление до десяти в ближайшие часы. Ближайшие часы, ближайшие часы. Бискайский залив, мыс Трафальгар, мыс Финистерре. Кромарти, Фарерские острова, остров Фэйр-Айл, Солвей, Тайн, Доггер. В ближайшие часы.

Между теми, кто может уснуть, и теми, кто не может, существует пропасть. Это один из непреодолимых барьеров, разделяющих человечество. У Графа были сложности со сном. Он мог быть в хорошем настроении, но опасение возможного несчастья постоянно преследовало его. На деле он (подобно Джеральду Пейвитту) не боялся сойти с ума, но знал, что, если не поостережется, беды не избежать. Значит, следовало бояться бессонницы и внезапных ночных пробуждений от привидевшихся кошмаров. Он жаждал тьмы сна, подобного смерти, даже сумбура беспокойного сна, чего угодно, только не пустоты бодрствующего сознания. Он не пользовался таблетками из страха приобрести привычку. Белинтой посоветовал ему способ нагнать сон, способ, которым сам иногда пользовался, хотя тот мог не дать ни положительного, ни отрицательного результата: Графу нужно представить себя на дороге, или в саду, или в большом доме, а потом будто он идет (это было не совсем похоже на ходьбу) по этой дороге, поворачивает, проходит сквозь сад к калитке, где начинается другой сад, по тропинке в траве к деревьям, сквозь них, через поле, из комнаты в комнату, через холл, вверх по лестнице, по галерее... и так далее, пока не заснет. Но что получалось? Комнаты погружались во тьму, они были полны напуганных людей, стены сотрясались от взрывов снарядов, дверей не было, только отверстия в стенах, пробитые динамитом, сквозь которые беглецы спасались из дома в дом, с одной улицы на другую, до тех пор пока ночь не озарялась взрывами; прыжок во тьму на битые кирпичи; широкая улица, которую надо пересечь, простреливается насквозь, некуда идти; ни пищи, ни воды; враг все ближе, ближе... Порой ему снились более спокойные сцены: безлюдная Варшава, очень красивая, восстановленная или еще не разрушенная, волшебный город, город дворцов, мрачный. Она виделась ему как место с трагической судьбой, над которым, может, даже довлел рок: колонны памятника жертвам войны, могила с Вечным огнем, часовые на посту день и ночь, эхо шагов удаляющегося гуськом смененного караула. Граф стоит в темноте, робко смотрит на застывшие лица солдат, отблеск огня на колоннах с высеченными на них именами поляков, отличившихся на полях сражений в Мадриде, Гвадалахаре, на Эбро. Вестерплат, Кутно, Томазов. Нарвик, Тобрук, Монте-Кассино, Арнем. *Bitwa o Anglie**. Ленино, Варшава, Гданьск. Ротенбург, Дрезден, Берлин. Или это он вновь в Лондоне, возле увенчанной орлом колонны в Нортхолте, поставленной в память о польских летчиках, погибших за Польшу, погибших за Англию? Триста третья эскадрилья имени Костюшко, в которой служил отец,— лучшая во всей польской авиации. Львов, Краков, Варшава. Битва за Англию, за Атлантику, Дьеп, Африку, Италию, Францию, Бельгию, Голландию, Германию. Отец и его брат надевают шлемы и парашюты и садятся в свои «спитфайтеры». И Граф хочет лететь с ними, только повсюду колонны, все больше колонн, разбитых колонн в разрушенном городе, и на каждой список сражений, великих битв,

* Битва за Англию *(пол.)*.

великих поражений, и вот он видит, насколько хватает глаз, не прошлое, а будущее...

Граф привык к кошмарам. Он успокаивал их, усмирял, и они оставляли после себя лишь легкий след. Мучительней и страшней были ужасы бессонницы. В такие часы, когда он лежал на своей узкой кровати, в своей маленькой спальне, вперив взгляд в темный потолок, казалось, являлся призрак отца, становился рядом и заводил разговор, в который, когда родители были живы, он вступал с такой неохотой. Чего им недоставало? Они жили в сказочной стране. Восточную Польшу следовало сдать Сталину, пока еще оставалось что сдавать. Они думали, что войска западных союзников первыми подойдут к Варшаве. Отец Графа много раз описывал момент, когда он понял, что русские успеют первыми. Так что нужно было махнуть рукой на уходящих немцев и сопротивляться русским! Или они сошли с ума? Для чего в любом случае было устраивать Варшавское восстание? Чтобы «в мире заговорила совесть»? Отстоять независимость Польши, взяв Варшаву в свои руки до того, как придут русские? И какая страшная расплата последовала! Они хотели сами сражаться, и Красная Армия не возражала: давайте, сражайтесь сами. Почему они не подождали, пока Красная Армия не начнет бомбить город? Стечение обстоятельств, ошибка за ошибкой. В Лондоне поражались годам нерешительной дипломатии, в Варшаве были измучены годами подполья и страха, выматывающего нервы. Решающие часы ушли на расшифровку донесений. Тщетные надежды на московскую дипломатию, на англо-американскую помощь, на крах Германии. Двое опоздали на встречу. Неверный доклад разведки. Страстное желание долгожданного конца, который стал бы венцом столь многочисленных планов и страданий. Неспособность ждать дольше. Затем катастрофа, унижение, какое не грезилось и в самых диких кошмарах. Граф не мог припомнить ничего подобного в истории, разве что только Сицилийский поход. (Сравнение принадлежало отцу.) Странно, что отец никогда не говорил с ним о боях в Варшавском гетто в 1943 году, когда евреи города восстали в священной бесстрашной ярости против своих мучителей без расчета на победу. Они сражались, не надеясь, не задумываясь, как крысы в капкане, и вынудили своих врагов разнести их в клочья. Как крысы в капкане; крысы в других капканах не дрались. Отцовское молчание не было вызвано антисемитизмом, это была зависть. Он завидовал абсолютной прямоте этой борьбы, чистоте ее героизма. Не оставалось сомнений, где развевалось знамя Польши в те дни 1943 года.

Но почему Красная Армия не перешла Вислу? Так мучающийся бессонницей Граф продолжал спор с отцом. Действительно ли это было циничное желание, чтобы немцы уничтожили их предполагаемых противников, цвет, элиту Польши, страстно желавшей независимости? Когда Красная Армия вошла в Варшаву, та была пуста. Больше того, самой Варшавы больше не существовало, ее сровняли с землей. Никаких признаков человеческого жилища, кроме тысяч и тысяч наспех вырытых, свежих могил. Отец был несправедлив к русским, их линии связи, слишком протяженные, были разрушены, обычное дело на войне, так думал Граф, ворочаясь без сна в постели. (Почему Ганнибал не пошел на Рим? По той же причине.) Отец был несправедлив и к Гомулке. Те люди были патриотами, которые пытались и по-прежнему пытаются проложить путь к «польскому социализму». Что еще они могли сделать, кроме как вести рискованную игру, чтобы предотвратить новое появление русских танков в Варшаве? Церковь не уничтожили, она еще существовала, как драгоценное свидетельство сохранявшейся свободы. Следовало ли отцу возвратиться домой? Но что значит «следовало» и каким был этот «дом»? Извечное «что произошло бы» с человеком перед лицом морального долга, возможности выбора и неизменно враждебных обстоятельств. Потом Граф снова задумался обо всем этом ужасе. Что дали эти страдания благородных, смерть храбрых? Была ли когда иная страна столь злобно обречена на уничтожение своими соседями? Англичане разрушили Ирландию, но как-то мимоходом, не имея злого умысла. Тогда как История, подобно Бисмарку, казалось, поставила себе задачей «извести Польшу под корень».

У Графа не было никаких иллюзий относительно нынешнего положения его страны, не переживал он и от того, что ее положение явно было не лучшим. Страх России, с которой приходилось сосуществовать, жизнь под властью коммунизма — все это был иной мир, где моральные проблемы выглядели иначе. В основе всех государств присутствует частица зла. Там зло проступает очевидней, резче. Он видел порчу, душевную ожесточенность, бюрократическое бессердечие, что нельзя было отнести на счет Истории или России. Он постоянно пытался узнать, кто сидит за решеткой и за что, кто попал в ловушку, кто стал жертвой шантажа, кого заставили замолчать. Он не вынес бы жизни в Польше. Но не мог не верить (может, это и была сентиментальность), что у его страны, несмотря ни на что, высокое предназначение, что ее стремление к свободе личности и духа невозможно подавить. Было в этой стране нечто реально существующее, древнее, уникальное и неистребимое, над чем мог по-прежнему гордо реять красно-белый стяг. (Часто казалось, что этот гордый стяг крепко держит в твердых руках католическая церковь.) И в мыслях он связывал эту идеальную символическую Польшу со страданиями угнетенных повсюду, с упорными диссидентами, отказывающимися идти на компромисс с тиранией, которые писали памфлеты, произносили речи и несли плакаты, пока их не сажали в тюрьмы или отправляли в трудовые лагеря, где, после своей короткой и, казалось бы, бесполезной борьбы за свободу и достоинство, они медленно умирали в безвестности.

Граф пошел на кухню и поставил вариться картошку. Он любил картошку. Открыл банку ветчины и, когда картошка была почти готова, сварил суп из пакетика. Перенес все в гостиную, выпил кружку супа, съел картошку с ветчиной и завершил ужин куском имбирного кекса. Выпив немного разбавленного красного вина, открыл Карлейля, его «Фридриха Великого». Бойня истории в подаче Карлейля не давала пищи для раздумий. «Война была окончена. Фридрих уцелел. Зависть не могла преуменьшить его славу. Если он не завоевал столь обширных пространств, как Александр, Цезарь и Наполеон, если на поле брани не одержал побед, равных победам герцога Мальборо и Веллингтона, все же он дал не превзойденный никем в истории пример того, как ум и решимость способны одерживать верх над многажды превосходящими силами противника и крайней враждебностью фортуны. Он с триумфом вошел в Берлин...» Радио рассказывало Графу о событиях в Камбодже. Затем оно поведало ему о продолжительности жизни плодовой мушки. Дальше шла программа музыки Возрождения. После нее — выступление политика-лейбориста, посвященное расовым отношениям, Граф даже знал говорившего, члена парламента, друга Стэнли Опеншоу. Видно, Граф был способен слушать радио и одновременно читать Карлейля. И не только это, но еще и думать весь вечер о Гертруде.

Гай и с ним Гертруда сотворили для Графа нечто вроде чуда, введя его в круг «своих». Само их безграничное великодушие сделало этот процесс менее напряженным, не требующим объяснений. Естественно, открытие Гая, его «феномен», приняли с распростертыми объятиями, даже, можно сказать, ласково, могло ли быть иначе? Поначалу его не интересовало, а они, наверное, и думать об этом не думали — как они воспринимают его: молчаливого человека без родины и без языка, неловкого и стеснительного, которого надо было вежливо вовлекать в разговор, бледного и высокого, с волосами не пойми какого цвета, то ли пепельными, то ли седыми, впрочем, никому до этого не было дела. «Где Гай откопал нашего Графа?», «Чем он занимался до того, как мы открыли его?» — такими небрежными вопросами они обменивались. Они неизменно были с ним любезны, но сквозь эту любезность сквозило легкое безразличие. Они, возможно, даже видели в нем человека спокойного, уравновешенного! Они спасли его от небытия, от давящего одиночества, и все же он оставался для них тенью, нелепым призраком. Впрочем, повторял себе Граф, все это так и не так. Гертруда и Гай были по-английски сдержанны в проявлении чувств, однако и достаточно свободны от условностей, чтобы относиться к дружбе со всей серьезностью. Если он часто бывал у них дома, то только потому, что они часто хотели его видеть.

Граф понимал громадную разницу между дружеской любовью и любовью к женщине. Он полюбил Гая и Гертруду из чувства благодарности, восхищения ими, ни с чем не сравнимого удовольствия и легкости, которое испытывал в их обществе. Теперь у него был дружеский дом, куда он мог приходить, радушный, великолепный, знатный, люди, с которыми можно было часто видеться, семейная пара, легко, почти небрежно принявшая его в свою компанию. Потом вдруг, как слепящая, преображающая вспышка, пришло понимание, что Гертруда ему бесконечно дорога. Это был идеал, без которого невозможно жить. Прежде Польша была содержанием его жизни, но не смыслом. Теперь ее смыслом, ее тайным средоточием стала Гертруда. Его влачившая жалкое существование душа в немом изумлении повернулась к этому неожиданно засиявшему свету. Граф преобразился, каждая частица его существа наполнилась магнетической силой чувства. Плоть ожила, тело очнулось от глухого сна и затрепетало. Любовь придала его жизни, каждому дню, каждой секунде волнующую цель. Радостную энергию, немного сумасшедшую, от природы мучительную и, однако, каким и должно быть счастье, постоянную, несомненную, неистощимую. Ситуация была абсолютно невероятная, но в то же время абсолютно безопасная, потому что он все хранил в себе; одно было неотделимо от другого: невероятность, безопасность и тайна. Он мог часто и спокойно видеть Гертруду — в присутствии других.

Ему даже не хотелось остаться с ней наедине. И если случайно, когда он являлся раньше или задерживался дольше других, они на короткое время оставались вдвоем, то были все равно что не одни. Он мог часто видеть Гертруду, мог и дальше часто видеть ее, они были близкие, нежные друзья, связанные навсегда; и все же между ними оставался непреодолимый барьер, как если бы она была его госпожа, а он слуга. И конечно, он так и видел себя — навек обреченным быть ее слугой, носящим в себе сладостную боль. К тому же Граф потому еще был уверен в безопасности своего чувства, что не мог и помыслить ревновать ее к Гаю. В нем не было ни капли ревности, даже зависти, так свято он относился к самому замужнему положению Гертруды. Это было странное и прекрасное ощущение чего-то непостижимо таинственного, которое не касалось его. Он почитал Гая как супруга Гертруды и продолжал по-своему любить его и восхищаться им. То, что Гай был его начальником на службе, совершенно изменило его работу, его день. Гай, столь умный, столь сердечный и педантичный, расшевелил нечто в Графе, который уже начинал тупеть, замыкаться в себе, внутренне стареть. И когда Граф перестал бояться, что его умный друг вдруг порвет с ним, Гай стал неприступен. Эта неприступность сохранилась, превратившись теперь в неразрешимую часть абсолютной, тайной безопасности любви Графа к жене Гая.

Граф всегда знал, что не был джентльменом-волонтером армии нравственного закона. Если когда существовала душа, отбывавшая сию повинность, как простой солдат, это был он. Граф страшно боялся позора, потери чести и душевной чистоты. В воображении он стоял на посту, неподвижный, с каменным лицом, как солдаты у могилы Неизвестного солдата в Варшаве. Больше того, он не мог совершить ничего неподобающего, поскольку его сдерживала милосердная стальная рука ситуации. Иногда он мечтал, что в один прекрасный день защитит Гертруду от нападения, убережет от опасности, будет сторожить у ее дверей, как собака. Умрет за нее. Больше того, Гертруда каким-то образом окажется рядом «в час его смерти», когда он покинет ее и этот мир и смиренно унесет свою тайну в могилу. В эти мгновения, слишком быстрые и ощутимые для образа, ему иногда чудилось ее прикосновение, объятие, поцелуй. Но это были непроизвольные галлюцинации мужчины, всем существом устремленного к возлюбленной. Он никогда не позволял себе слишком далеко заходить в своих фантазиях. Это было бы недостойно, и это было бы мучительно. Он знал, каким путем приходят к безумию. Разум и долг приказывали ему остановиться. Так что он жил, жил вполне счастливо, надежно хранимый ее замужним положением. Это была стена, которая, нет сомнений, стояла бы вечно.

Но теперь его жизнь должна была полностью измениться. Он чувствовал горе, ужас и, что еще хуже, надежду. Он старался подавить в себе надежду, подавить желание, которое питало иллюзию, которая в свою очередь питала надежду; как когда-то давно жгучее желание освободить Варшаву питало иллюзорную надежду тех, кто сражался и погибал в разрушенном городе. Он не должен думать... ни о чем, что хотелось бы получить... и что могло бы, в любом смысле, быть... возможным. Лучше думать об этом как о чем-то маловероятном, уходящем, утрачиваемом. Его счастье, думал он, досталось ему по недосмотру, по ошибке судьбы и теперь закончилось. Почти за каждым несчастьем стоит моральная вина. Он как Польша, его история есть и должна быть — страдание. Он виновен, потому что отец бежал из страны, потому что брат умер, а мать зачахла в тюремной камере отчуждения. Теперь ему больше нечего ждать, кроме возврата к безрадостному одиночеству, из которого он пришел. С какими иллюзиями он жил, какими мечтами упивался! И думал, что, по крайней мере, его тайна не причиняет вреда — другим, конечно, но и ему тоже. Гай, все это было благодаря Гаю, но скоро Гай умрет, и его, Графа, мир превратится в безжизненную планету. Без Гая он не мог находиться рядом с Гертрудой и быть в безопасности, рядом с Гертрудой и быть счастливым, рядом с ней вечно. Не мог... если только... но это...

Сейчас он старался думать о Гае, скорбеть о Гае, лежащем на высоких подушках, с лицом изможденным и старческим, с его неведомыми мыслями, читающем «Одиссею». Гай говорил о себе как об Одиссее. Но теперь это другая история. Одиссей поднимал парус, готовясь отправиться в последнее странствие, из которого никогда не вернется домой, к семье. А Пенелопа... Внезапно Граф отчетливо увидел эту картину: Пенелопа и женихи! Они осаждают Пенелопу; но на этот раз хозяин уже не вернется, не заявит, что она его верная жена. Ей предстоит стать добычей ничтожеств. И они тут... они уже... окружили ее... Граф выключил радио и уткнулся лицом в ладони.

Пока Граф слушал по радио программу, посвященную музыке Возрождения, Гертруда успела поужинать (супом и сыром) и пожелать спокойной ночи Гаю. Ночная сиделка читала в спальне, примыкавшей к комнате Гая. Гертруда не могла читать. Никакая книга не могла помочь ей сейчас. Она ходила взад и вперед по комнате. Подумала о сигарете, но в доме сигарет не держали. (Виктор убедил большинство домашних отказаться от курения.) Поправила хризантемы в зеленой вазе. Выглянула в окно. Снег прекратился. Жалко. Хотелось, чтобы погода разбушевалась. Хотелось настоящего бурана, гор снега. Воющего ветра, потопа, урагана, который снес бы дом вместе с нею и Гаем в нем. Чтобы его смерть стала и ее смертью. Как она сможет перенести такое горе и не умереть?! Она взглянула на часы. Было еще опасно рано, чтобы ложиться в постель.

Зазвонил телефон.

Она быстро прикрыла его, так что гудок стал едва слышен. Она просила друзей не звонить поздно вечером. Кто бы это мог быть, в десять-то часов? Она сняла трубку и деловым тоном, как требовал Гай, произнесла номер.

— Алло, Гертруда?

— Да.

— Это Анна.

— Кто? — не расслышав, переспросила Гертруда.

— Анна, Анна Кевидж.

Озадаченная, ничего не понимающая Гертруда пыталась сообразить:

— Анна?

— Да, это я!

— Но... но вам же, насколько я знаю, запрещено пользоваться телефоном...

На другом конце раздался смех:

— Дело в том, что я в телефонной будке возле вокзала Виктория.

— Анна... не может быть... что случилось?..

— Я ушла.

— Ты имеешь в виду, *ушла*... насовсем?..

— Да.

Анна, будучи схимницей, последние пятнадцать лет безвыходно провела в монастыре.

— То есть ты оставила церковь, оставила монастырь и вернулась в мир?

— Можно сказать, что так.

— Что значит «можно сказать»?

— Послушай, Гертруда, прости, что звоню тебе...

— Анна, вот что: приезжай к нам, немедленно! Деньги есть, можешь взять такси?

— Да, есть, но я должна объяснить: я хотела забронировать номер в гостинице, но они говорят, что у них нет мест, тогда я позвонила в несколько других и...

— Просто приезжай к нам...

— Да. Хорошо. Спасибо. Но я не помню номер дома.

Гертруда назвала ей номер и положила трубку. Она не ждала подобного сюрприза и была не уверена, рада ему или нет. Умница Анна Кевидж, ее лучшая подруга в Кембридже, потрясла всех, обратившись после нескольких бурных романов в католичество и пройдя процедуру обращения на глазах ошеломленной Гертруды в Ньюнемском колледже Кембриджа. А потом, будто этого было мало, быстро стала монахиней. Гертруда спорила с ней, оплакивала ее. Анна умерла для нее, ее Анны больше не существовало. Найти общий язык с монахиней невозможно. В этой чуждой разреженной атмосфере дружба не могла не задохнуться. Анна стала матушкой такой-то. Гертруда иногда писала ей, все реже и реже, упрямо адресуя свои послания мисс Анне Кевидж. В ответ получала краткие стерильные письма, написанные знакомой рукой, но лишенные ее прежней яркой индивидуальности. Мучительное любопытство заставило ее дважды повидать Анну и поговорить с ней сквозь деревянную решетку. Красавица и умница Анна была одета как монашка. Она была весела, разговорчива, рада видеть Гертруду. Гертруда была растрогана, потрясена. После монастыря она сидела в пабе и с содроганием думала, что, слава богу, не она в этой тюрьме! Впоследствии Гертруда шутила над этим с Гаем, который Анну никогда не видел.

Сейчас Гертруда говорила себе, что, если бы только все было иначе, если бы только ничего этого не было, с какой радостью она увиделась бы с Анной, вернувшейся Анной, познакомила бы ее с Гаем, как счастлива была бы и что это был бы настоящий триумф, настоящее воскрешение Анны из мертвых.

Надо отпереть входную дверь, она может нажать не тот звонок, а Гая нельзя беспокоить. Гертруда спустилась вниз и отперла парадную дверь, обычно запертую в это время. Ибери-стрит, тихая и безлюдная, сверкала в свете фонарей. Снег скрыл все следы на тротуаре. Холодный воздух колол лицо и руки, перехватывал дыхание.

Подъехало такси, из него выбралась женщина и расплатилась с водителем, выгрузившим на тротуар два чемодана. Гертруда сошла с крыльца, проваливаясь в снег легкими домашними туфлями.

— Давай я возьму этот чемодан.

Анна вошла за ней в дом. В холле Гертруда предупредила:

— Только не шуми, Гай спит.

Они поднялись по лестнице в квартиру. Анна увидела ночную сиделку, вышедшую из своей комнаты и удивленно смотревшую на них. Анна и сиделка кивком поздоровались, потом Анна последовала за Гертрудой в гостиную. Дверь за ними закрылась. Женщины взглянули друг на друга.

— Ох... Анна...

Анна скинула пальто: на ней было шерстяное платье в сине-белую клетку. Она была худа, бледна, выше Гертруды ростом. Теперь она выглядела старше. Волосы, золотистые в студенческие годы, поблекли, но еще были скорее белокурыми, нежели седыми и, коротко остриженные, плотно прилегали к голове. Секунду она держала пальто в руке, потом бросила его на пол.

— Всегда хотела спросить,— сказала Гертруда,— брила ли ты голову под этим ужасным головным убором.

— Нет-нет, только коротко стригла. Дорогая, мне страшно неловко, что нагрянула так неожиданно и так поздно...

— Прекрати, ни слова об этом,— ответила Гертруда. Она взяла Анну за руки, они молча обнялись и долго стояли так, не двигаясь, посередине комнаты.

— Понимаешь,— сказала Анна, разомкнув объятия,— мне не хотелось...

— У тебя ноги промокли.

— У тебя тоже. Не хотелось беспокоить тебя... да еще ты тащила чемодан с книгами...

— То есть ты сбежала и не собиралась ставить меня в известность?

— Ну, «сбежала» — слишком сильно сказано, и я, конечно, рассказала бы тебе, но, понимаешь, не хотелось навязываться, я приехала поездом, и эта гостиница...

— Да, да, да...

— Я не знала, куда пойти, а ты была так близко, вот я и подумала...

— Дорогая, дорогая, дорогая Анна,— перебила Гертруда,— поздравляю тебя с возвращением.

Анна засмеялась чуть сдержанно и коснулась щеки Гертруды. Потом села.

— Анна, ты, наверное, устала. Хочешь выпить? Теперь-то тебе можно? Поешь чего-нибудь, ты голодна? О, как я рада видеть тебя!

— Нет, пить не буду. А ты себе налей. И есть, пожалуй, не стану, не могу...

— Но ты только что выбралась на свободу, то есть, наверное, только вчера?

— Нет, все происходило постепенно. Недели две я провела в монастырском доме для гостей. Он такой заброшенный. Бродила по окрестностям. Потом несколько недель прожила в деревне, работала на почте... и вот только что приехала в Лондон...

— Ох, успокой меня. Ты действительно ушла из этого кошмарного трудового лагеря, не собираешься назад? Ты действительно покончила со всем этим?

— Да, я ушла из общины.

— А что Бог, скажи мне, покончила ты с верой?

— Ну, это долгая история...

— Ты наверняка устала, я приготовлю тебе комнату...

— Кто это была, та женщина?

— Это... это ночная сиделка...

— Сиделка?

— Гай болен... очень серьезно болен...

— Прости...

— Анна, он умирает, умирает от рака, не доживет до Рождества...

Гертруда села, и тут слезы хлынули из ее глаз, намочив перед платья. Анна вскочила и, сев на пол рядом, взяла ее руки в свои и прижалась к ним губами.

Было утро следующего дня. Ночная сиделка ушла. Ее сменила дневная. Пожилая женщина, незамужняя, морщинистая, но приятная, с легкой профессиональной улыбкой, не сходившей с лица. Она была прекрасной сиделкой, одной из тех, что преданы своему делу и глядя на которых трудно представить, что у них есть личная жизнь, какие-то стремления, невероятные мечты. Она была спокойна, неразговорчива, по-животному проворна. Она помогла Гаю подняться, накормила завтраком и теперь он сидел в халате возле кровати. Сиделка брила его. Он постоянно говорил, что на этой стадии нет смысла бриться, но не мог решиться прекратить это делать, а у Гертруды не хватило духу распорядиться за него. Она рассказала о появлении в их доме Анны, и это несколько заинтересовало его. Лицо оживилось, чего давно не случалось; она и не ожидала такого.

Анна и Гертруда сидели в гостиной. Солнце за окнами сияло на тающем снегу, разравнивая сугробы, желтя и заставляя гореть и искриться его девственную гладь на крышах и в скверах. Лондон наполнился странным таинственным светом.

— Славная квартирка.

— Да, ведь ты еще не была здесь...

— Как много тут у тебя всего.

— Ты меня упрекаешь?

— Нет, конечно! Просто я вроде как отвыкла от вещей, понимаешь, от безделушек и...

— Разве в твоей церкви не было полно противных мадонн?

— Это не... Гертруда, прости, что я нагрянула так неожиданно...

— Ты уже сотый раз это повторяешь. Куда ты еще должна была пойти, как не в этот дом? Но почему ты прежде не написала мне и не сказала, что уходишь оттуда?

— Я не смогла бы объяснить этого, не смогла бы изложить на бумаге. Так не по себе было, я как заледенела...

— Хорошо, но теперь ты объяснишь, правда? Ночью мы почти не говорили об этом.

— Скоро я должна буду уйти и найти себе гостиницу...

— Что найти? Ты остаешься здесь!

— Но, Гертруда, я не могу, не должна...

— Из-за Гая? Именно поэтому ты должна остаться. То есть я хочу, чтобы ты осталась... о боже!.. Анна, ты пришла, ты не можешь уйти, это важно... понимаешь?..

— Ладно. Но... да, я останусь... если могу быть полезной...

— Полезной!

— Я задумала... я еду в Америку... о, все это может подождать!

— Ты не едешь в Америку... Но ты так много должна мне рассказать... и просто видеть тебя — замечательно, вроде чуда.

— Понимаю, я тоже это чувствую. Рада, что хватило ума позвонить тебе.

— Ты восхитительно выглядишь. Только это платье тебе не идет.

— Я купила его в деревне.

— Заметно! Я помогу тебе приодеться, ты уже все позабыла, да и никогда особо не умела.

— У меня есть деньги, учти.

— А, пустяки...

— Для меня не пустяки. Орден намеревается помогать мне два года, пока буду искать работу или, может, получу какую-то профессию.

— Какого рода работу ты хочешь?

— На что я могу рассчитывать? Пока не знаю.

— Чем ты занималась там, в смысле интеллектуальной работы, или все сводилось к молитвам да постам?

— Немножко преподавала теологию и томистскую философию, но в несколько ограниченном и упрощенном виде — в миру я этим не заработаю. Община была не слишком интеллектуальной.

— Ты это говорила в самом начале, чем удивила меня! Ты принесла свой ум в жертву шарлатанам!

— Я могла бы преподавать латынь, французский, может, и греческий...

— Ты впустую потратила все эти годы... Придется снова задуматься над будущим.

Анна промолчала.

— Почему бы не обучиться на врача? Я помогу деньгами. Твой отец хотел, чтобы ты стала врачом.

— Слишком поздно, и в любом случае я этого не хочу.

— Что ты собиралась делать в Америке, до того как мы решили, что ты не едешь туда?

— Разве мы решили? Там католическая церковь организует курсы для таких, как я, что-то вроде курсов переподготовки: на учителей или социальных работников, и...

— Разве нет таких курсов здесь, в Англии? Или, может, ты хочешь убежать подальше? Решила «начать все заново»? Я не позволю... мы найдем тебе работу. То есть... я... найду.

— Надо подумать,— сказала Анна. Она посмотрела на подругу усталым, отрешенным взглядом и пригладила свой белокурый ежик на голове.

— В любом случае, почему ты хочешь пойти на католические курсы, разве ты не порвала с религией? Вчера ты мне не ответила на этот вопрос.

— Я ушла из ордена...

— Это ты уже говорила!

— Не имеет значения, порвала я с христианством, с церковью или нет, я хочу сказать, что не знаю и это не имеет значения.

— Я полагала, что имеет. Твои назойливые хищные монахи наверняка считают, что имеет!

— Это не имеет значения для меня. Время поставит все на место — или нет.

— Что это у тебя на шее, на цепочке, я вижу цепочку...

Анна вытащила цепочку наружу — на ней был маленький золотой крестик.

— Вот, пожалуйста! Но, Анна, ты должна понимать, должна ясно...

— Хорошо, я порвала с ними, теперь довольна?

— Ты не хочешь говорить об этом.

— Пока нет. Прости.

— И ты прости. Думаю, ты устала, нелегко тебе было освободиться из этой клетки. Приступы мигрени бывают, как прежде?

— Случаются.

— Ну, ты знаешь, что я думаю о католической церкви, как я переживала из-за того, что ты стала католичкой,— так что должна простить мою радость, что ты порвала с ней.

— О, радуйся сколько хочешь.

— Забавно, я-то думала, что ты уже стала госпожой настоятельницей.

— Я тоже думала, что стану ею к этому времени!

Они неожиданно рассмеялись — как прежде, тем немного сумасшедшим, особым, интимным смехом, в котором звучали обоюдное понимание, уверенность в себе, любовь.

— Хотелось бы тебе служить в церкви?

— Да,— ответила Анна.

— Думаю, должны быть священники женщины.

— Если ты с таким неодобрением относишься к монахиням, тогда почему хочешь, чтобы были женщины-священники?

— Ну, когда у них что-то случается, думаю, женщины должны иметь и такую возможность, если пожелают.

— Пусть даже это не лучший вариант?

— Да.

Они снова засмеялись. Я сейчас расплачусь, подумала Гертруда. Или Анна расплачется. Нельзя это сейчас. Еще успеем наплакаться. И сказала:

— Помнишь, как в колледже мы говорили: мы всех поразим?

— Помню...

— Боже, какое было время... все мужчины увивались за тобой.

— Нет, за тобой...

— И тогда мы сказали: разделим мир между нами, тебе пусть достанется Бог, мне — мамона.

— Я не слишком хорошо распорядилась своей половиной.

Бедная Анна, подумала Гертруда, годы потратила впустую, упустила молодость. Не святая, даже не аббатиса! Преподавать может только то, что никому не нужно. А я, чем мое положение лучше? Муж умирает, и ни детей нет, ни занятия. Жизнь не задалась. У обеих нас не задалась.

Они посмотрели друг на друга широко раскрытыми глазами. Прежняя дружба возвратилась так легко и естественно, что у обеих перехватило дыхание от удивления — удивления столь полной обоюдной душевной близостью. Обе они были лучшими студентками, умница Анна Кевидж, умница Гертруда Маккласки. Обе были сильными женщинами, которые могли бы стать соперницами в завоевании мира. Они поделили его между собой. Гертруде вдруг пришло на ум, как это странно, что она неким образом примирилась с удалением Анны от жизни. Она не хотела этого, отчаянно отговаривала Анну, но, когда это произошло, усмотрела в этом руку судьбы. Это, так сказать, уберегло Анну, а теперь ее возвращение изменило миропорядок. Значит ли это, что она желала, чтобы Анна жила в монастырском заточении и молилась за нее? Непостижимо! Ей хотелось каким-то образом освободиться от Анны, от проблемы Анны. Теперь Анна на свободе, и кто знает, куда она направит усилия или кем станет. Мир вновь был разделен между ними.

— О чем задумалась? — спросила Анна.

— Думаю, молилась ли ты за меня в монастыре?

— Молилась.

Гертруда подошла к подруге и погладила по гладкой белокурой птичьей головке. Они без улыбки внимательно посмотрели друг на друга.

Анна Кевидж села на кровать в красивой комнате для гостей в доме Гертруды Маккласки и посмотрела на свое отражение в зеркале туалетного столика. Посмотрела в упор в недоверчиво прищуренные голубовато-зеленые глаза. Теперь ее лицо казалось другим, это было лицо видимое —

незнакомым людям, ей самой. В монастыре ладони заменяли ей глаза, и не требовалось зеркала, чтобы поправить белый плат на голове, черное монашеское покрывало.

Анна жила у Гертруды уже несколько дней. Гая она не видела, но встречалась с *les cousins et les tantes*, которым объяснили, что она бывшая монахиня. Последовали мягкие, дружеские расспросы, даже шутки. Она, конечно же, стесняла их. Возможно, она всю оставшуюся жизнь будет вызывать в людях некоторую неловкость, где ни появится. После всего произошедшего с ней она безвозвратно потеряла некую связь со всем мирским, известную непринужденность, повадки взрослого человека.

Гертруда хотела, чтобы Анна воспользовалась ее гардеробом, но та отказалась, а ходить по магазинам, щупать ткани, прицениваться ей было невыносимо. Она по-прежнему была в своем клетчатом сине-белом платье, хотя уже соглашалась с Гертрудой, что это «не годится». Когда ее принимали в монастырь, настоятельница велела ей прежде оставить все дурные привычки вроде курения и выпивки, мысли о всяких пустяках вроде косметики. Должна ли она теперь вернуться к прежнему образу жизни? Еще нужно привыкнуть к своему имени. В монастыре у нее было другое, она даже стала забывать, кто такая Анна Кевидж.

Гертруда была права, сказав, что, видно, выход из монастыря стоил ей больших сил. Он даже больше ошеломил, потряс, ослепил Анну, чем она призналась в том своей подруге. Бродя по полям, окружавшим монастырь, она испытывала чувство покоя. На вокзале Виктория, когда она не смогла найти место в гостинице, ее охватила настоящая паника. Люди, конечно, оглядывались на нее. Она казалась себе беглой узницей, шпионкой. И неудивительно, поскольку она, вопреки тому, как представляла дальнейшую жизнь, сбежала оттуда, где, думала, останется навсегда, пока не умрет, дав обет провести там остаток жизни: в тех же стенах, в том же саду, смиренно.

После первого удивления Гертруда, казалось, восприняла ее отступничество как должное, как конец краткого помутнения разума, словно иного итога и быть не могло. По молчаливому уговору они больше не возвращались к долгим испытующим беседам, отложив это на потом, не время было копаться в прошлом или заглядывать в будущее. Ограничивались обсуждением повседневных дел, что приготовить и как подать на стол, книг, которые Анна хотела бы прочесть (надо бы ей записаться в библиотеку, сменить лампу для чтения), или того, насколько хорошо сиделки исполняют свои обязанности, и событий политической и общественной жизни. Гертруда рассказывала о семье, о гостях, коротко обрисовывая каждого: Манфред работает в семейном банке, Эд Роупер занимается импортом произведений искусства, Граф — поляк, но не настоящий граф, Стэнли — парламентарий, Джеральд — астрофизик, Виктор — врач. О Гае она не говорила.

Анна знала, что Гертруда очень рада ее присутствию в доме. Боится выпускать ее на улицу: «Уйдешь и не вернешься». Анне позволялось делать мелкие покупки для дома. Гертруда готовила на скорую руку. Впервые после «бегства» Анне стало не хватать жесткого монастырского распорядка, особой тишины, в которой делались все хозяйственные работы, спасительной системы обязанностей. Как справиться с днями, тянущимися бесконечно по сравнению с теми, когда каждая минута была строго расписана? Она должна сама придумать себе занятие. Стать полезной. Она умела шить и штопать. Гертруда шитье терпеть не могла. Она же в монастыре стала искусной портнихой и с удовольствием бралась за иголку. Она прибиралась, смахивала пыль (миссис Парфитт гripповала). Она еще не могла заставить себя пойти учиться чему-нибудь серьезному, хотя Гертруда всячески ее уговаривала. Еще не определилась с будущим, слишком была поглощена тем, что происходило в квартире на Ибери-стрит. Она намеревалась освежить свои знания греческого в придачу к латинскому, надеясь, что сможет этим заработать. В монастыре она немного учила его по греческому тексту Нового Завета, но уже много лет как ничего не читала из древнегреческих авторов. И хотя Гертруда принесла ей из библиотеки Гая греческую грамматику и «Оксфордскую антологию греческой поэзии», она их даже не открывала.

Порой она сидела у себя в комнате и читала какой-нибудь роман. За пятнадцать лет пребывания вне мира она не держала в руках ни одной книги светского характера и теперь с удивлением заново открывала их для себя. В них писалось о таком множестве разнообразных вещей! Ее заинтересовали картины в доме. (В монастыре общение с изобразительным искусством сводилось к изготовлению ужасных рождественских карт и маленьких, в стиле ар-деко скульптурных фигурок религиозного характера.) Однажды она отправилась пешком за реку в Лондон в галерею Тейт и любовалась там полотнами Боннара. Они взволновали ее не меньше романов — замечательные, но для нее слишком смелые. Анна дважды заходила в Вестминстерский собор, чтобы недолго посидеть в его огромной темноте. Гертруда иногда покидала дом на короткое время, встречалась со своими ученицами-индианками, может, еще с кем. Ей не всегда хотелось видеть Анну, к тому же еще этот их странный обоюдный запрет на серьезные разговоры. Ей достаточно было знать, что Анна в доме, при ней, ждущая, готовая помочь. Бывало, они подолгу не видели друг друга, уединившись каждая в своей комнате. Временами Гертруда сидела с Гаем. Анна к Гаю не заходила, даже не была уверена, знает ли он о ее присутствии в доме. И Гертруда, и Анна рано ложились. Анне не хватало ночного уханья сов, к которому она привыкла за долгие годы в монастыре. И она по-прежнему просыпалась в пять утра.

День шел на убыль, уже темнело. Дневная сиделка принесла ей чаю и улыбнулась безгубой бесхитростной улыбкой. Анна чувствовала расположение к ней и спрашивала себя, испытывает ли сиделка то же чувство к ней. Гертруда была с Гаем. В квартире стояла тишина. Кончался еще один желтый день, пасмурный желтый лондонский зимний день, когда не бывает по-настоящему светло. Снег сошел, сменившись дождем, который висел над городом недвижной густой пеленой. Анна читала «Крошку Доррит» — занятный роман, такой нравоучительный и хаотичный и все же так трогающий душу, просто чудо, с необычайной откровенностью рисующий переживания героев и полный глубоких идей, и чувствуешь, что все изображенное в нем правда! Как переменилась ее жизнь! Она оглядела теплую приятную комнату, полную «вещиц», за что она критиковала Гертруду. Гертруде хотелось, чтобы она ощущала себя в ней полной хозяйкой, устроила бы все в ней по своему вкусу, украсила любыми, какие приглянутся, сокровищами из других комнат, позволила купить то или иное, чтобы ей было уютней. Анна не проявила интереса, сказала, что комната и без того очень милая. Шелковистые занавеси в полоску плавно сходились, если потянуть за шнуры. На каминной полке красовались две собаки из синего китайского фарфора и табакерка. На каминном экране был изображен черный дрозд, сидящий на ветке. Кровать застелена индейским лоскутным покрывалом, смявшимся сейчас под ней. Зеркало на мраморной подставке на туалетном столике, викторианские семейные силуэты на стене. Запах мебельной мастики, преемственности поколений, благополучия. Анна глянула на часы. Сейчас в темной холодной часовне монахини поют, как птицы. «Вот, я здесь, а они там»,— подумала она.

Обращение Анны было порывом к чистоте. Англиканская вера, хотя и неглубокая, долго сопровождала ее в жизни. Позже она вспоминала неоформившиеся, непримечательные лица девочек, ее одноклассниц в интернате, стояние фильдеперсовыми коленками на грубом деревянном полу во время вечерней молитвы. День, который Ты дал, Господь, кончился. Сомкни очи свои в мире и спи безмятежно. Она постигла невинность детства, увидела себя почти такой же, какой постоянно видели ее учителя. Мысль о чистой совести как основном понятии морали волновала ее даже в детстве. А детство у нее было счастливое, она любила родителей и брата. Отец был врачом, человеком честным, заботливым, добросовестным. Ей казалось, что жизнь была, как и должно, простой и ясной. Страшное случилось, когда она была в шестом классе. Умерла мать, следом брат погиб при восхождении на гору. Казалось, это несчастье налагало запрет на некое внутреннее решение. Отец умер позже. Он надеялся, что она пойдет по его стопам. Не хотел, чтобы она становилась монахиней, но понял ее.

Анна поступила в Кембридж, и с той поры у нее появились свои секреты. Откровениям с отцом настал конец. Она приезжала домой на каникулы, была разговорчива и весела, но больше не говорила с ним о том, что ее по-настоящему волновало. После спокойной обстановки дома и в школе Кембридж оказался карнавалом, водоворотом, праздником популярности, личной жизни и секса. У нее голова кружилась от успеха. Она упорно занималась на историческом и получила диплом с отличием. Но большую часть времени, энергии, мыслей и чувств отдавала любовным романам, которых у нее было столько, что приходилось скрывать их даже от подружек. Вокруг было такое множество мужчин, соперничавших друг с другом,— такой ослепительный выбор, такие манящие перспективы. Анна не хотела отказываться ни от одной. Она овладела искусством крутить два, даже три романа одновременно, так умело обманывая своих жертв, что каждый был счастлив. Она не сознавала, что ведет себя недостойно, потому что все ее увлечения были несерьезными и менялись так быстро, да и другие вели себя столь же безумно, как она. Ей казалось, что она на бешеной скорости проживает целую эпоху, долгий период времени, в течение которого даже начала стареть.

Когда эта эпоха закончилась и она увидала смутно встающий впереди решающий выбор, она поняла, что связывает его скорее с ранними, нежели последними годами жизни. Она вовсе не случайно (как думали некоторые ее друзья) ушла в затворничество, но из отвращения, которое стала вызывать в ней толпа знакомых и друзей. Скорее ранние годы заложили идею, указали путь, определившийся, возможно, с первых шагов. Она не удивилась выбору, который должна была сделать, когда пришло время. Ей показали мир и чем она была в этом мире. Позже она не слишком строго судила себя за прошлые грехи. Раскаяние ее не мучило. С «дурными привычками» она окончательно рассталась задолго (поскольку это было не так легко) до вступления в орден, прекратить же отношения с противоположным полом оказалось проще простого. Она ощутила контраст и сделала выбор в пользу того, что раньше ценила инстинктивно.

Принимая католичество, она уже имела в виду монашество. Для нее обращение не имело иного смысла. Вначале наивно, а позже в результате глубоких раздумий, она представляла себе цель, всякую цель, которая на той стадии влекла ее, очень скромной. Она жертвовала жизнью ради спокойной совести. Добровольное заточение в монастыре было лучше, чем ничего. Она вновь обретет чистоту и сохранит ее под надежным запором. В те дни Бог виделся ей в обличье невинности. Ей хотелось вечного спокойствия души и жизни в строгой простоте. Хотелось стать независимой от суетных мыслей, собственных и других людей, хотелось подняться на некую высоту, где можно парить свободно. Вначале у нее не было определенных мыслей о добродетели или о святости как о достижимой цели. С легкостью, сразившей подруг, она горячо уверовала в личного Бога, личного Спасителя. Все это: бегство от общества, неизбежное затворничество, искупление — смешалось у нее в голове. Она чувствовала вместе и отдаленность Бога, и реальность неодолимой силы, притягивающей ее к Нему. Мысли о святости, о добродетели в некоем более определенном смысле естественным образом овладели ею в первые годы пребывания в монастыре. Орден, как сказала Гертруда, был не из самых интеллектуальных, намекая, что Анна выбрала его с умыслом. Умница Анна Кевидж в ее отчаянном бегстве от мира практично решила пожертвовать интеллектом как можно раньше и бесповоротней. Конечно, и там были «занятия». Ее отметили должностью преподавателя, и она в высшей степени достойно справлялась с нею. Но существовали достижения интеллекта, которыми она предпочитала больше не интересоваться. Они не вели к искомому спасению. Курс аристотелевской философии, который она была обязана читать, раздражал своей упрощенностью, а когда Анна всего лишь попыталась углубить его, это было враждебно встречено слушательницами, чьих способностей не хватало для понимания метафизических построений. Выход был в святости, а не в уме. Но на этом пути, когда он вскоре стал реальным для нее как четкий вектор, она испытала странные сомнения, которые, однако, не были прямо связаны с ее последующим «дезертирством». Инстинкт и интуиция исподволь начали направлять ее назад к ранним и более бесхитростным стремлениям, простодушию, невинности и своего рода пассивной смиренности, которые не возвышались до звания добродетели.

То, что идея личного Бога стала казаться ей все более и более сомнительной, не слишком тревожило ее. Ее жизнь протекала в узком кругу без слов понимающих друг друга интеллигенток, окруженных более простодушными сестрами, оберегающими свою веру от потрясений. «Умные» смотрели друг другу в глаза и говорили, в общем, мало, безусловно меньше, чем остальные, о переменах, происходящих в душе, которые, в силу своей изолированности от внешнего мира, они не могли не связывать с глубоко духовным воздействием некоего Духа Времен. Большинство их были спокойны, и Анна не в последнюю очередь. Посетителям, которые, по монастырским правилам, допускались нечасто и на короткое время и с которыми они виделись через деревянную решетку, они казались по-прежнему добрыми, внимательными, ценящими юмор, хотя сдержанными и таинственными. Настоятельница (новая, не та, что принимала Анну) не поощряла ни особых дружеских отношений среди послушниц, ни близких отношений с людьми из внешнего мира. Так можно было жить бесконечно долго; и Анна прекрасно знала, что многие, кто думает схожим образом, остаются и хотят оставаться в монастыре, и не осуждала их; порой она чувствовала, что более склонна осуждать себя.

Гертруда сказала, что это, должно быть, все равно что вырваться из тюрьмы. А как настойчиво, как страстно она стремилась попасть в ту тюрьму; и это действительно было похоже на тюрьму: кельи-камеры, решетки, высокие стены, запертые двери. Бог поместил ее под домашний арест, и она с радостью и готовностью ощутила себя узницей. Как же произошло, что мало-помалу она захотела перемен? Вопреки мнению Гертруды, это не походило на побег. Конечно, среди сестер были тоскующие и разочарованные. Никто не говорил об этом посторонним. Простые отношения с внешним миром скоро сошли на нет; так сошла на нет ее дружба с Гертрудой по причине вежливой сдержанности, невозможности пооткровенничать. В ней совершалось нечто такое, что можно описать различно. Сама любовь вызывала тревогу, скованная ограничениями, пожалуй, отфильтрованная. Червь необходимого сомнения — давнишнего, затаенного, беспокойного — съежился, обессилел. Это совершалось внутри нее, очень медленно; но лицо, обращенное к внешнему миру, казалось, абсолютно изменилось. Разумеется, иного рода общение имело место, с определенными искательницами его и в определенных ситуациях; тем, кто при свиданиях бросался к решетке и стискивал ее, делались внушения, которые могли показаться бесстрастными или холодными, однако же, вероятно, были единственной формой наказания, дозволенной им Божьей любовью. Дальше этого «мир» ничего не видел; и даже в стенах монастыря о людях-«провалах» говорилось сдержанно и лишь намеками. Никто не упоминал о нервных расстройствах. Были монахини, правда Анна знала мало таких, которые чувствовали себя несчастными, или скучали, или сходили с ума. Иногда, хотя и редко, случались внезапные срывы и бурные слезы. Анну поразило светлое спокойствие, обыкновенно царившее в монастыре, особый смех, которым смеялись монахини, а они часто смеялись во время отдыха и в часы, когда это не запрещалось уставом.

Порой «провалы» возвращались к мирской жизни, стискивая в руке заключение врача или письмо священника, сведущего в психиатрии. Анна покинула монастырь не так, она оказалась одной из сильных. Просто ее постоянно преследовало ощущение, что она находится «не в том месте». Сама по себе отгороженность от внешнего мира ее не удручала, она могла полюбить эту аскетическую надежность улья и в тесных стенах найти для себя безбрежное пространство, космос, и им был Бог. Когда она только поступила в монастырь, у нее была беседа с матушкой, занимающейся новообращенными, о ее душевных сомнениях. Ей было велено не думать, правильно ли она поступила, и довериться путеводной силе Божьей любви. Навсегда освободиться от моральных терзаний — эгоистических, тщеславных, ничтожных. Очищающее море духа промоет ее, очистит и освободит. Со временем годы уединения, молитв, преподавания и рукоделья обрели смысл для Анны, и она познала ту иную Любовь, реальность которой, и она испытала это на себе, не допускала сомнений. Не я, но Христос. Поклонение и благоговение стали для нее как воздух, которым она дышала, а порой наслаждением, столь сильным, что казалось чуть ли не греховным. Простота и невинность, отсутствие мирских стремлений и забот были теперь ее ежедневным хлебом, и радость, которая ее наполняла, была не сравнима ни с чем, что она могла вообразить прежде, когда впервые ощутила себя призванной вот так безраздельно посвятить жизнь Богу. В должное время она сама стала руководить новыми послушницами. Сама внимательно, заботливо и рассудительно увещевала тех, кто прижимался сморщенным от слез лицом к решетке. Она представляла себе, что призвана Богом занять высшие должности в ордене. Но затем, подобно первым слабым симптомам серьезной болезни или обширных внутренних изменений, она вновь почувствовала беспокойство, душевные сомнения.

Конечно, в той многолюдной женской общине существовали свои изъяны, недостатки, раздражители. Анна жила с ними, сознавала их, старалась, как ее учили, не замечать, надеясь на Бога. Избежать применения строгих мер было невозможно. Она не всегда соглашалась с настоятельницей. Была среди сестер одна, которую она любила больше остальных и не могла забыть или принести в жертву эту любовь. Были преобразования, перестройки, планы, которые общине приходилось обсуждать. Мнение Анны встречало отпор тех, кого она не могла не считать глупее себя. Она не слишком переживала по этому поводу, все обиды неся ежедневно Богу, и не из-за них так необъяснимо к ней вернулись сомнения. Она продолжала жить довольно спокойной жизнью, заполненной трудами и молитвами, слушая (петь она не умела), словно некое обещание неизменности всего, что окружало ее, красивые высокие голоса монахинь, звучавшие в унисон, столь чистые, столь знакомые, — песнь плененных птиц, слышная только Богу.

Разумеется, доказывать, что монастырки жертвовали интеллектом, было не так просто, как это делала Анна, с удивительной уверенностью опережая события. Но не голод по инакомыслию, по иной литературе, не бурный кризис интеллектуального сомнения рождали в ней тягу вернуться назад, в мир. Долгое время ее поддерживали богослужения — не как регулярная, расписанная по часам добровольная рутина, нет, они были ее жизнью. Она жила любовью к Христу, тайной той величайшей боли, с которой Он так же судил мир. Она жила, легко и естественно, догматом Троицы, плывя в духовном потоке, в котором сливались Отец, Сын и Параклет. Порой она задумывалась, насколько по-настоящему изменилась; чаще обращенный к ее Богу вопрос казался пустым. Она понимала, что в непрерывной мощи того духовного потока ее взгляды менялись, очертания ее космоса трансформировались, делая далекое близким, близкое далеким. Но результатом этих столь естественных перемен, их завершенности и легкости, прибавившихся наконец к ее боли, стало глубокое, твердое убеждение, все более ощущаемое ею как долг, что пришел срок уйти отсюда куда-то. Долг: понятие, которое она почему-то считала устаревшим вместе со своими давнишними узкими представлениями о морали воли и морали перемены. Она воображала, что перед ней лежит прямая и гладкая дорога к смерти, залитый светом путь, и любая перемена, поджидающая ее на этом пути, в руке Божьей. На этом пути к ограничению ее воли и усилению воли Его ей, может, придется пройти испытания, но больше не будет проблем, больше она не должна будет делать тяжелый, мучительный выбор. Но теперь все выглядело так, будто от нее требовалось отказаться от того, чего она «достигла», и начать сначала.

Она обсудила с настоятельницей и духовником причины, очевидные и, возможно, скрытые, которые подталкивали ее к уходу из монастыря. Ни настоятельница, ни духовник не были как-то особо или эмоционально близки ей. (Анну никогда не нужно было предупреждать об «опасности» исповеди.) Ее попросили отказаться от обязанностей преподавательницы. Ей стало противно исполнять роль наставницы любого рода, будь то духовная область или научная. Она уже чувствовала, что начинает лгать. Она спросила себя, и настоятельница спросила ее, нет ли какой-то глубоко затаенной причины ее странного желания бежать. В особенности настоятельница добивалась, чтобы она признала одно, с чем Анна не соглашалась. Это был не вполне кризис веры. Теперь она призналась настоятельнице, откровенней, чем прежде, сколь изменилось ее ощущение живого Бога, возможно, очень глубоко. Они молча посмотрели друг на друга. Настоятельница отвела глаза. Анна и настоятельница не были способны, в житейском смысле, «ужиться в одной берлоге». Настоятельница, которая была старше Анны, вступила в орден в конце двадцатых годов. В миру она была титулованной особой и богатой наследницей. Блестящая студентка, затем администратор, она потеряла желание стремиться к интеллектуальным высотам и полюбила успех. Теперь Анна с удовольствием пооткровенничала бы о множестве вещей с этой исключительно умной женщиной, но это было невозможно. Их разговор касался лишь того, как Анне следует поступить и почему именно так, и ни намека на обоюдное замешательство, которое могло бы смягчить суровость дознания.

Анна согласилась с тем, что ее ощущение, будто она находится «не в том месте», возможно, связано с изменением «ракурса» ее веры, но отказалась считать это, как поначалу заставляла ее настоятельница, обычным временным помрачением, *secheresse**, которое нужно претерпеть и дождаться, пока оно не пройдет. Равно она отвергла и мнение, к которому настоятельница пришла позже (поскольку их беседы имели продолжение), что эта перемена в ней, в некоем высоком смысле, свершилась по воле Божьей. Да, на то, несомненно, была воля Божья, ответила Анна, но ей не было одобрительного «знака» свыше, не было откровения о новой задаче. Теперь она должна идти дальше под знаком отрицания и агностицизма. Что она намерена делать? — переспросила настоятельница. Анна не знала, да и зачем ей знать? Но была полна решимости уйти, причем уйти, получив разрешение и, если возможно, благословение, и настоятельница увидела, что ее не переубедить. Настоятельница, которая так часто препятствовала ей, на сей раз почти готова была уступить, и Анна наконец настояла на своем.

— И куда ты пойдешь, к кому?

— Буду жить одна,— ответила Анна.

Настоятельница, выражение спокойного лица которой Анна научилась понимать за время их бесед, проницательно взглянула на нее.

— Не будь слишком гордой и самоуверенной, думая, что сможешь оставаться непорочной, когда будешь там. Подумай, пока не поздно, что ты теряешь.

---

* Охлаждение *(фр.)*.

— Я не горда и не самоуверенна,— возразила Анна и подумала: «Но одно знаю: я смогу вынести любую боль, кроме боли раскаяния. Этого я во что бы то ни стало должна избежать, и, думаю, я знаю, как это сделать».

— Тебе понадобится помощь. Почему бы не поддерживать связь с нами? А то есть такие, кто, оказавшись в житейском море, не может никуда пристать.

— Может, и я не смогу,— согласилась Анна,— но, если даже так, предпочитаю остаться одинокой — и быть с Богом.

— Тогда, уходя отсюда,— сказала настоятельница,— ты уходишь окончательно и навсегда.

— Уж лучше так,— заключила Анна.

Кончилось тем, что она ушла как-то двусмысленно, тихо, с разрешения, но не услышав доброго слова на прощание. Едва оказавшись вне общины, в доме для гостей, она перестала для них существовать. Она увиделась только с тремя сестрами-экстернатками, которые выказали ей сдержанное сочувствие, как больной. «Вот я и в Лондоне,— думала она, прихлебывая чай и теребя стеганое покрывало,— и, до чего же странно, у меня теперь задача, которая на время задержит дальнейший выбор. Я должна была увидеть Гертруду, пока длится это ужасное испытание, и нет смысла заглядывать дальше. Бог благословил меня этой задачей. Удостоил пребыванием в ордене. Чтобы я поняла? Да, я здесь, а они там». Но слова уже повисали в воздухе, как тщетная мольба. Монастырь отрекся от нее, стал прозрачным и призрачным. В течение двух лет на ее счет в банке должны были поступать небольшие деньги. Но никаких известий из монастыря так и не было. Провалился в небытие.

Теперь она жила незаметно, тайной отшельницей. Эта идея, исподволь, возможно, с умыслом, подброшенная настоятельницей, понравилась ей, была как озарение. Она почувствовала, будто послана обратно в мир, чтобы что-то доказать. Или, может, она скорее была вроде соглядатая, одной из посланных Богом, соглядатаем несуществующего Бога. Что могло быть нелепей? Но это было то, что теперь она обязана была решить. Это «решить» не означает ли «задуматься», чего и Гертруда пожелала ей, говоря о «впустую потраченных годах»? Но разве они, те годы, были потрачены впустую, разве она убила их на то, чтобы выдумать ложное христианство и ложного Христа? Она так не считала. Настоятельница, которая подозревала, что Анна переживает тайный кризис веры, и, вероятно, предвидела, что скоро ей придется очень трудно (хотя кто знает, о чем думала настоятельница, может, она ей завидовала?), сказала: «Как ты сможешь жить без мессы?» Анна ей не признавалась, но на деле у нее не было в мыслях не ходить к мессе. Другое дело исповедь; пока ее уход оставался тайной, она могла позволить себе или причащаться, или не причащаться. (Как по-новому желанна была ей эта знакомая пища!) С этого времени она не пропускала мессы и не оставалась без Христа. Христос был частью ее, ее Христос, тот единственный, кто по-настоящему принадлежал ей.

Способен ли кто-нибудь, приняв однажды идею Бога, отвергнуть ее? Стремление к Богу, однажды всецело захватившее человека, наверное, неискоренимо. Она не могла предать забвению любовь Бога, которую испытала на себе, и чувство, что только через Бога может она постичь мир. Возможно ли найти радость где-либо еще, кроме этого истинного источника? И разве вещи более ничтожные не отравили ей душу? Она пропитана христианством и Христом, погружена в него, насыщена им, окрашена несмываемо. Цепочка нательного крестика была как шейные кандалы, как петля. Сможет ли она теперь жить с одним только онтологическим доказательством его существования? Способна ли любовь, в высшей своей точке, создать объект, к которому устремлена? Останутся ли еще поклонение и преклонение, возможно ли это? Молитва осталась с ней, постоянная, как дыхание, но чем она теперь была? До сих пор это было как странное ужасающее дыхание тела, в котором доктора поддерживают искру жизни, когда мозг уже умер. Восстанет ли это тело, чтобы снова жить? Она не видела в этом счастья. Счастье не было частью ее плана. Это понятие по меньшей мере было, как она надеялась, выжжено в ней пятнадцатью годами пребывания за монастырскими стенами. А радость, которая ушла из нее, может никогда не вернуться. Она знала, что, деля с Гертрудой ее испытание, странным образом получает отсрочку, а там придет, должен прийти, своего рода отдых. Затем неотвратимо последует иное страдание, которое лишь ждет своего часа. Темная ночь еще не наступила, но наступит, и будет она проливать слезы. «Я должна быть одна,— говорила она себе,— не строить планов, не заглядывать вперед, бесприютной и незаметной, скиталицей, никем. В противном я случае подтвержу правоту настоятельницы и попаду в западню мира».

— Анна, Гай хочет поговорить с тобой.

Анна, которая у себя в комнате заштопывала треугольную дырочку на одной из любимых блузок Гертруды, вскочила с тревожным видом.

— Теперь он любит говорить только с незнакомыми. Тех, кого знает, он не выносит.

Гертруда была напугана не меньше. Гай не упоминал об Анне с того момента, как удивился, услышав о ее появлении у них в доме. И вот вдруг захотел видеть ее.

Анна отложила работу и вышла следом за Гертрудой.

— Только недолго, пожалуйста... он так устает.

— Я не задержусь.

Гертруда открыла и придержала дверь, и Анна вошла в спальню Гая. Дверь за ней закрылась.

В комнате было довольно сумрачно — горела лишь одна лампа возле кровати Гая. Был вечер. Он лежал, опершись спиной о высокие подушки, и читал «Одиссею» в издании Лёба. Вставал он сегодня только утром на короткое время, чтобы посидеть в кресле возле кровати, ради видимости, будто ничего не происходит и жизнь идет как обычно. Но поход в примыкавшую ванную комнату, с помощью Гертруды и сиделки, был бесконечно долог.

Анна увидела одну сторону его лица, освещенную лампой, потом голова повернулась. Он смотрел на нее, похожий на старика или на тех изможденных людей, освобожденных из концлагерей, чьи пронзительные лица она видела на фотографиях. Огромный блестящий бледный лоб, тонкие, как паутина, волосы с проседью, спутанные, сколько сиделка ни причесывала его, потому что он постоянно ерошил их беспокойными пальцами. Он был чисто выбрит, но на щеках и подбородке просвечивала серая тень. Нос острый, тонкий и крючковатый, глаза темные и блестящие — они метнулись к Анне, потом обежали комнату, словно он ожидал увидеть еще кого-то. Она особо отметила его губы, красивой лепки, нежные, чувственные. Он вытянул худые руки, и длинные белые, почти голубые, пальцы конвульсивным движением скомкали, а потом отпустили одеяло. Анну наполнило чувство жалости, и она подумала: он же слишком болен, зачем я пришла? Скажу слово-другое и уйду. Может, он вообще не в состоянии говорить. Просто хочет увидеть, как я выгляжу. До чего же он худ и далек от этого мира.

— Здравствуйте, Анна,— произнес Гай.

— Здравствуйте, Гай,— ответила она.

— Рад, что вы пришли.

— Я тоже рада.

Голос у него оказался неожиданно сильным, властным. Последовала пауза. Гай монотонно перекатывал голову из сторону в сторону, сжимая и разжимая пальцы. Анна подумала, что, наверное, его мучает боль.

— Не могли бы вы присесть? Поближе. Хочу рассмотреть вас.

Анна придвинула кресло к кровати и села. Улыбнулась Гаю.

Он как-то судорожно улыбнулся в ответ. Сказал:

— Я так рад, что вы у нас, за Гертруду рад. Вы останетесь до конца, и после тоже?

— Да, конечно.

— Думаю, она любит вас.

— Да. И я люблю ее.

Снова наступило молчание. Анна тихо дышала, безучастно молясь про себя и чувствуя, как ее усталый покой облачком поднимается над ней. Она была не в силах начать разговор, но, может, в этом нет необходимости, может, достаточно просто посидеть с ним.

— Почему вы ушли из монастыря? — спросил Гай.

Анна встрепенулась, так неожидан и точен был вопрос, словно электрический разряд.

— Изменился взгляд на религию. Оставаться там было бы равносильно лжи.

— Возможно, вам следовало повременить. В наши дни христианские догматы меняются так быстро. Когда бы прибыли сменившиеся части. Вы услышали бы звук волынок.

— Ни один богослов не смог бы спасти меня!

— Потеряли веру?..

— Не совсем точное выражение. Думаю, люди вовсе не так часто теряют веру. Я хочу создать новый вид веры, лично для себя, а это возможно лишь будучи в миру.

— В монастыре вы должны были говорить то, во что не верили, даже если ничего не говорили?

— Да.

— Вы по-прежнему верите в личного Бога?

— Не в личного Бога.

— Тогда в некий таинственный мировой дух? Кто бы ты ни был, великий бог...

— Нет, ничего похожего. Это трудно объяснить. Наверно, я больше не могу пользоваться словом «Бог».

— Я всегда ненавидел Бога,— сказал Гай.

— Вы имеете в виду Бога Отца?

— Да.

— Вы когда-нибудь исповедовали иудаизм? Но конечно, ваша семья была христианской.

— Едва ли. Мы знали о еврейских праздниках. И была какая-то ностальгия. Это было странно. Я знал, что такое благочестие.

— Разве это не религия?

— Что вы имеете в виду под верой лично для себя?

— Я считаю, что всякая вера личная. Я просто имею в виду... у этого не было ни названий, ни доктрин, я никогда не пыталась это описать, но оно существовало, и я это знала. У меня такое чувство, будто я онемела.

— Я часто чувствовал то же,— сказал Гай,— но это была иллюзия. Что вы намерены делать?

— Не знаю, пойду в социальные работники, еще не задумывалась над этим.

— А Иисус, как насчет него?

— То есть?

— Будет ли он частью вашей новой веры?

— Да,— сказала Анна.— Думаю... думаю, будет...

— Мой дядя, Давид Шульц, как-то сказал мне, что если при конце света окажется, что Иисус был Мессией, тогда он примет его. Интересно поразмыслить над альтернативной ситуацией.

— Кто-то из вашей семьи был иудаистом?

— Он был дядей жены. Но да. Об этом надо спросить Веронику Маунт, она у нас эксперт по генеалогии. Я всегда ненавидел и Иисуса.

— Как вы могли? Я могу еще представить ненависть к Богу, но не к Иисусу.

— Я имею в виду символ, не человека. Человека должно жалеть. Иудаизм — трезвая религия: зубрежка, молитвы, никаких эксцессов. Христианство же столь смиренно, сентиментально, оно отрицает смерть. Оно превращает смерть в страдания, а страдание всегда так интересно. Вот сейчас боль, а потом, алле-оп! — вечная жизнь. Вот чего все мы хотим: чтобы наше несчастье окупилось, чтобы мы получили что-нибудь взамен, что-то, чем полностью утешимся. Но это ложь. Есть полный и бесповоротный конец, один такой должен вскоре наступить в этом доме. Люди уходят навечно. Страданию свойственна изменчивая нереальность человеческого сознания. Желание страдания, возможно, привело вас в монастырь, и, возможно, оно же вывело вас оттуда. Смерть реальна. Но Христос на самом деле не умирает. А это несправедливо.

— Справедливо или нет, но это так.

— Но для вас не так.

— Нет.— Анне хотелось понять Гая, хотя его превратные суждения причиняли ей боль.— Думаю... мы хотим претерпеть страдания за свои грехи... но не умирать.

— Да. Да. Хотим... своими страданиями... заслужить... прощение за все.

— И это кажется вам смирением?

— Да.

Они снова замолчали. Анна подумала: «Этому человеку я могу сказать все».

— Вы, мне представляется, не верите в противоречащую вере идею жизни после смерти? — спросил Гай.

— Не верю. Согласна, это противоречит вере. Я имею в виду... что бы это ни было... это происходит здесь и сейчас,— ответила она и подумала: «В монастыре я такого сказать не могла».

— Хотел бы я верить в загробную жизнь,— сказал Гай. Он отвернулся от нее и теребил волосы беспокойной рукой, выставив свой горбоносый профиль. Неожиданно он сверкнул на нее глазами.— Разумеется, не по какой-то там вульгарной причине. Не просто для того, чтобы меня освободили от того, чему предстоит совершиться в ближайшие несколько недель. Но... я всегда чувствовал в себе желание...

— Какое?

— Мне бы хотелось предстать перед Божьим судом.

Анна задумалась.

— Где же тут логика? Похоже, что вы не очень-то любите христианство.

— Прекрасно вас понимаю,— сказал Гай. Разговаривать с ней было одно удовольствие. Он мило улыбнулся, отчего его напряженное лицо смягчилось.— Это романтическая, садомазохистская, фантастическая идея, а не то, что кажется... правда...

— По-вашему, Божий суд — это оценка, чистый подсчет или кара?

— О, и то и другое. На мой взгляд, человек жаждет того и другого. Заглянуть через плечо ангелу, ведущему протокол. И узнать итог. Это что-то докажет.

— Какого доказательства вы хотите? Гертруда говорила, что вы писали книгу о наказаниях.

Гай нахмурился.

— Говорила? Пока это ничто. То есть... так, всего лишь наброски.

— Можете рассказать что-нибудь о ней?

— Это запретная тема. Если должностное лицо министерства внутренних дел пишет книгу о наказании, оно обязано... да вы знаете... она об устрашении и исправлении.

— А о воздаянии речи не идет, и это то, чего вы хотите?

— Для себя — да.

— А вы не думаете, что другие могут нуждаться в том же, хотеть того же?

— Возможно, но меня волнует только мой случай. Как вас — ваш.

Они улыбнулись друг другу. Анна сидела напряженная, собранная.

— Правосудие — такая странная вещь,— продолжал Гай,— оно находится в противоречии с другими достоинствами, оно как коричневый цвет, которого нет в спектре,— его нет в спектре морали.

— Не понимаю,— сказала Анна.

— Оно — чистый подсчет.

— А как насчет милосердия?

— Это совершенно другое. В любом случае милосердия быть не может.

— Почему же?

— Потому что преступление — наказание для преступника.

— Если это так, почему вы хотите загробной жизни?

— Но ведь человек не может постичь. Я бы хотел все это понять. Хотел бы, чтобы мне это показали, объяснили. Вот почему идея чистилища столь волнующа.

— А как ад? Он тоже волнующ?

— Нет. Он непостижимо реален. Но чистилище, страдание в присутствии Бога — какая это радость! Просчитанное страдание, страдание с целью, нацеленное на успех,— неудивительно, что души у Данте с радостью ныряют обратно в огонь.

— Но чистилище — это исправление, а вы сказали...

— Чистилище — это магическое исправление, чье действие гарантировано. В реальной жизни наказание может дать любой результат, тут все крайне непредсказуемо. И возмездие важно лишь как предупредительная мера, оно необходимо для того рода примитивного правосудия, которое мы вершим здесь, на земле. Я имею в виду, парень должен совершить что-то, а мы обязаны попытаться определить в обвинении, насколько тяжек или ничтожен его проступок...

— В противном случае мы могли бы наказывать людей им во благо.

— Да, или чтобы это послужило уроком другим.

— Я понимаю, как вы воспринимаете чистилище,— сказала Анна.

— Однажды я видел викторианскую картину, называвшуюся «Смиренная молитва». И позавидовал человеку, изображенному на ней.

— Мне знакома эта картина. О... Господи... да! Это несказанно утешительно и, как вы заметили, романтично, и все же...

— Почему бы не дать утешение бедным грешникам?

— Вы правы. Но относительно возмездия, когда вы говорите, что хотите быть судимы, это просто общая идея, некое «смирение», пользуясь вашим выражением, или же это касается ваших поступков, так сказать?..

— Ну...— протянул Гай. Он снова улыбнулся, теперь печально, внимательно посмотрел на Анну темными глазами, влажно блестевшими на его сухом бледном лице с ввалившимися щеками.

— То есть я не спрашиваю о вещах, за которые вы осуждаете себя, не спрашиваю просто, как вы к ним относитесь...

— Мы практикуем специализацию, вам не кажется? — спросил Гай.— Мы избирательно порядочны, если вообще порядочны. Каждый из нас обладает одним или двумя достоинствами, которые мы культивируем в себе, правда не слишком. Или находим такое положительное качество, которое всегда так или иначе полезно, зачтется как добродетель, это может быть твердость, или добросердечие, или целомудрие, или воздержанность, или честь. Что-нибудь не слишком неподъемное, не слишком обременительное, что подойдет нам...

— Каково же ваше достоинство?

— Мое?.. О, ничего высокого. Что-нибудь вроде точности.

— Не соответствует ли она истине?

— Нет. В действительности мы не слишком широки, когда дело доходит до добродетели, тут мы ужасно ограниченные создания. Насколько жизнь святых способна выдержать критику? Каждый по-скотски относится к другому. Даже ваш друг Иисус, что мы в действительности знаем о нем? Ему повезло быть прославленным пятью литературными гениями...

— Повезло? Ну...

— Наши пороки пошлы и скучны, банальная мерзкая смесь человеческой низости и трусости, бездушия и эгоизма, и даже в своей крайней степени они не менее пошлы. Мы оригинальны только в силу своих достоинств, потому что достоинство трудно дается, и мы должны прилагать усилия, добиваться, преодолевать сопротивление собственной нашей натуры...

— Но разве каждый порок не связан с соответствующей добродетелью? Я имею в виду, не определяются ли они через противопоставление одного другой?

— Только на первый взгляд. Ибо добродетель — что-то ужасно необычное. Она не вписывается в окружающее, она — нечто обособленное, существующее само по себе.

— Вы хотите сказать, демоническое?

— Это еще одна романтическая идея. Нет, я этого не нахожу. Просто... оригинальное... своеобразное... странное... Пороки общи, достоинства индивидуальны. Они не находятся в континууме общего развития.

— Не уверена,— сказала Анна.— То и другое должно быть взаимосвязано и составлять что-то вроде...

— Системы? Иерархии? Это метафизика.

— Но добродетель часто бывает обыденной и скучной, я в этом убедилась. Согласна, она индивидуализирована. Мы однобоко положительны, только там, где нам удобно. Но вам добродетель видится безусловно интересной и оригинальной в своей сути, а я этого не вижу. Это из области... предположений.

— Я не сказал «интересна»... и это — предположение.... Но вы спросили, хочу ли я... когда я пожелал возмездия... пожелал... за что-то в особенности...

Гай пристально смотрел на нее. Анна внезапно испугалась и почувствовала, как лицо ее вспыхнуло. Ей пришло в голову, что он хочет вроде как исповедоваться перед ней. А если он скажет ей сейчас что-то ужасное, что-то тайное, что гнетет его душу? Не для того ли он попросил ее прийти? Будь я священником, моей обязанностью было бы выслушать его признание. Но я не священник. Исповедоваться мне бесполезно, я представляю только себя. Это не по моей части, я не обладаю магической силой, чтобы изменить то, что может произойти, не имею права касаться его души. Я не смогу сказать ему ничего хорошего, и он будет сожалеть, что обратился ко мне.

— Наверное, я утомляю вас,— мягко сказала она.— Гертруда просила меня долго не засиживаться.

Гай по-прежнему не сводил с нее глаз. Потом вздохнул, выдавил легкую насмешливую улыбку и отвернулся.

— Я только что напугал вас, да?

— Да.

— Простите, это так, ерунда. Все... в порядке. Эй, эй, белый лебедь! Сиделка явится через минуту.

— Я должна идти.

Гай обернулся к ней. Чувство жалости нахлынуло на Анну, перехватив дыхание. Она задрожала. В голове мелькнуло: «Я не могу уйти».

Гай протянул ей руку. Анна взяла тонкую, как бумага, ладонь, легкую, как перышко, в ее сильном пожатии, наклонилась и поцеловала ее.

— О, Анна... идите... мы еще поговорим... в другой раз...

Но больше Анна не увидела Гая.

— И это все, что ты достал нам на ужин?

— Да, все.

— Господи боже!

— Думаю, можно купить что-нибудь еще.

— А, черт!

Тим Рид и его девушка, Дейзи Баррет, сидели в пабе «Принц датский». Тим рисовал тамошнего кота. Кот, тощий черный зверюга с широкой благородной мордой и белыми лапами, был равнодушен и высокомерен. Он презрительно поглядел на Тима зелеными льдинками глаз, сладострастно потянулся всем телом и переменил позу. Тим начал новый лист. У этого кота (звали его Перкинс) поз в запасе было больше, чем у любого из котов, которых ему доводилось рисовать, а он рисовал многих котов и кошек. В «Принце датском», пабе рядом с Фицрой-сквер, был также пес по кличке Баркис, мишень для бесконечных насмешек, которого увел заскочивший на минуту клиент. Тим и Дейзи любили это местечко: тихое, без претензий, небогатое. Тут была огромная стойка красного дерева, над которой высилась решетка с небольшими вращающимися стеклянными панелями с викторианским рисунком, напоминая о восточном приделе греческой православной церкви. Тут и в самом деле ощущалась какая-то церковная атмосфера. Тусклое освещение, облака табачного дыма, приглушенные голоса посетителей. Вдоль стены тесные кабинки, как исповедальни. В одной из них и сидели Тим с Дейзи. Музыкального автомата в пабе не было.

Было девять вечера пять дней спустя после того, как (о чем шла речь в начале нашего повествования) Манфред, Граф, Сильвия Викс, Стэнли Опеншоу, миссис Маунт и Тим собрались на Ибери-стрит в «час посещения». С тех пор Тим побывал там дважды, включая сегодняшний вечер. Он не всегда просил Гертруду накормить его, это можно было делать лишь изредка. Он надеялся, что она не обратит внимания на результаты его опустошительных набегов на ее кухню. Если бы он поменьше усердствовал, то урон, нанесенный ее богатым припасам, был бы не так заметен. Тим не хотел заслужить репутацию хапуги. Сейчас он выложил перед Дейзи на мокрый от пива стол: два ломтя хлеба, наспех намазанного маслом, два куска сыра — чеддера и стилтона, две помидорины, четыре овсяных печенья, ломтик холодной баранины и маленький кусочек фруктового кекса.

— Не так уж и плохо,— сказал Тим.

— А холодной картошки у них не было?

— Нет.

Макинтош Тима, во вместительные карманы которого он торопливо напихал добычу, висел на спинке стула, просыхая. На улице лило, и холодный восточный ветер рябил огромные лужи на улицах Северного Сохо, блестевшие под фонарями, как реки. От короткого снегопада не осталось и следа, будто его и не было. Дейзи пришлось дожидаться Тима в пабе.

— Пожалуй, мы становимся слишком бедны. Ладно, мы хотели быть бедными, но это уже просто смешно. Почему у всех есть деньги, а у нас нет? Почему они могут заработать деньги, а мы нет? У нас есть талант, почему мы не можем продать его?

Тим не знал ответа. Безденежье давно уже было предметом шуток у Тима и Дейзи. Они называли себя бродягами, неудачниками, отребьем, сиротами, чьи родители погибли в бурю, детьми, заблудившимися в лесу, нищими художниками, гедонистами-бедняками на бесконечном пикнике. Тим раз в неделю преподавал в Политехническом колледже в Уилсдене. Дейзи, обычно тоже преподававшая рисование, сидела (Тим надеялся, что временно) без работы. Оплата была почасовой, так что за неприсутственные дни Тим ничего не получал. Этот семестр подходил к концу, а на следующий (Тим еще не сказал этого Дейзи) контракта с ним не продлили. Оба они втайне друг от друга получали пособие малоимущим. Только почему-то, может, потому, что неправильно заполнили форму, похоже, никогда не получали столько же, сколько другие. Плата за квартиру (они теперь жили раздельно) сильно поднялась. Они уже подумывали, не начать ли им воровать, но согласились, что неспособны на это, боясь, что позора не оберешься, если поймают; мораль тут была ни при чем. Можно было бы сократить расходы, если заставить себя отказаться от пива или снова съехаться, но не хватало решимости даже заикнуться об этом. Теснота дешевого жилья убивала их. Тим нашел выход както улучшить их положение (чаще Дейзи бывая в обществе), таская еду из домов, куда его приглашали (что, конечно, не было кражей). Любая вечеринка была подарком, особенно большой прием, на котором можно было набить карманы сэндвичами. Массу всего он утащил на бармицве Джереми Шульца. (Подсохшие сэндвичи хороши поджаренными.) Впереди светила свадьба: племянница Мозеса Гринберга выходила за одного из Лебовицев.

Тим и Дейзи уже давно были вместе, и даже им было непросто определить свои отношения. Раньше Тим женился бы на Дейзи, если бы не ее удивительно яростное неприятие самого института брака, который она связывала с «домом, садом, ковром от стены до стены, который надо пылесосить, и вообще это смерть для личности». Особое негодование у нее вызывали пустышки, которые выходили замуж, чтобы не работать, и вели жизнь эгоистичных буржуазок. Эти «богачки» с их мужьями, детишками и особняками, набитыми чертовой мебелью! Никчемные людишки, уверенные в своем моральном превосходстве и презирающие других! Дейзи и Тим гордились тем, что свободны и не отягощены собственностью. Они — по их мнению, намеренно и к счастью — опоздали на поезд. Вместе они были молоды. Теперь, правда, уже не слишком. По-прежнему наивные, они все же видели, что время не стоит на месте, что годы, ее и его, уходят. Они оставались друзьями, у которых были особые отношения. Они давно и после долгих поисков определили, что подходят друг другу, созданы друг для друга и никто другой не нужен ни ей, ни ему. Они до сих пор жили светом романтики, искали друг друга по всему Лондону, встречались в пабах и за стойкой в вечерних клубах, как во времена их студенчества. Эти свидания, случавшиеся ежедневно, были куда увлекательнее прежней скучной совместной жизни, которую они попробовали и отвергли. Они, по их словам, представляли себе дальнейшую жизнь чередой маленьких праздников, а почти ничего для них не было лучше праздника. Они сговорились оставаться вечно молодыми и на то уповали, не без тревоги в душе.

Детство у обоих прошло в несчастливых семьях, и это делало их как бы братом и сестрой, схожими. Отец Дейзи был родом из французской Канады; их фамилия была Барро, но эксцентричный папаша сменил ее на Баррет. Мать была блумсберийкой, дальней родственницей Вирджинии Вулф, бесцветной художницей-любительницей, писавшей в стиле Юстон-роуд, и протеже Дункана Гранта. Их брак распался, когда Дейзи (их единственному ребенку) было четыре года. Мать с дочерью остались в Лондоне, а отец вернулся в Канаду. По словам Дейзи, он был посредственным скульптором и бо́льшего успеха добился, занявшись торговлей произведениями искусства. Мать Дейзи, обожавшая вращаться «в свете», была теперь одна и без гроша и злилась на дочь, считая, что та мешала ей вторично выйти замуж. Мать умерла, когда Дейзи было десять, и она уехала в Канаду к отцу, который, хотя порой и был с ней необычайно нежен, считал дочь досадной помехой в своей жизни. Когда она подросла, он отвез ее в Англию и оставил в Роудине; сам же все чаще и подолгу жил во Франции. В выходные она вырывалась на свободу и наслаждалась сумбурной жизнью в отелях. Роудин Дейзи ненавидела. Затем, заметив, что она подросла и похорошела, папаша забрал ее в Париж, где она жила с ним и его последней любовницей. Однако вскоре он разорился, оставил Дейзи в Нейи-сюр-Сен на попечение дальней родственницы, которую она знала как тетю Луизу, и уехал обратно в Монреаль, где спился и умер. Один из бывших друзей отца вдохновил ее на занятия искусством. Чтобы сбежать от тетки, она переехала в Лондон и стала учиться живописи. Отец, пока был жив, посылал ей, хотя нерегулярно, приличные деньги. У нее обнаружился талант, и вскоре она поступила в Слейд. Там она и встретила Тима, который был на два года младше ее. Она превосходно говорила по-французски, но Францию не любила.

У Тима жизнь складывалась иначе, но тоже не слишком удачно. Его отец, ирландец, постоянно живший в Англии, был адвокатом и музыкантом-любителем. И не юриспруденция, а музыка была его настоящей любовью, и в конце концов он забросил адвокатскую практику. Он был хороший пианист, но не блестящий. Прежде пробовал сочинять музыку, теперь же полностью посвятил себя этому занятию и поначалу даже добился скромных успехов. Это был неординарный человек, огромный, рыжий, веселый, женщины его обожали. Он обладал красивым баритоном и знал все песни на свете. На рояле мог сыграть что угодно. Артист, каких мало, умел развеселить или растрогать — не надо ходить в театр. Отец и муж он был не столь талантливый. Мать

Тима тоже была музыкантшей. В юности играла на флейте в «Jeunesse Musicale»*, а позже в Лондонском симфоническом. Молодая девушка из Уэльса, незнатная, хрупкого здоровья (ребенком болела туберкулезом), красивая поразительной мимолетной красотой. Они, не долго думая, поженились, а чуть поостыв, пожалели об этом, по крайней мере мать Тима пожалела. Отец, оставивший семью вскоре после рождения Тима и его сестры Риты, таких чувств не выказывал. Он отправился в Америку и, хотя дела его на композиторском поприще шли все хуже и хуже, по-прежнему явно радовался жизни. Он снова женился, потом развелся. Время от времени возвращался в Англию повидаться с детьми и при встречах бурно демонстрировал свою любовь к ним. Родители даже не пытались дать Тиму и Рите музыкальное образование. Отец отсутствовал, а у матери, чьей флейты было больше не слышно, не было желания принуждать непослушных детей к занятиям искусством, которое наградило ее лишь горькими воспоминаниями.

Дети обожали отца. В безотрадной и полунищенской жизни с матерью в лондонском предместье он вспыхивал как яркий луч — с другого конца света, кипучее сияющее божество. Дети в восторге смеялись и кричали, когда появлялся красивый рыжеволосый гигант, их папа, и усаживался за фортепьяно. Они горевали, в очередной раз проводив его, с нетерпением ждали его возвращения и жили мечтой, что присоединятся к нему в некоем раю богатства и свободы (они, конечно, считали, что он несусветно богат) по ту сторону Атлантического океана. Болезненная, нервная, раздражительная, разочарованная, измученная бедностью, скупая мать вызывала в них неприязнь. Все разговоры у них были только о том, когда же они наконец «освободятся». Однако мать ушла раньше. Когда Тиму была двенадцать, а Рите десять, вернувшийся туберкулез унес несчастную женщину в могилу, и Тим с Ритой оказались в Кардиффе,

* «Молодые музыканты» *(фр.)*.

в семье их дяди по материнской линии, среди враждебных кузин. Тим, мечтавший об играх со сверстниками в уютной детской, терпел издевательства буйной компании девчонок младше его. Когда Тиму исполнилось четырнадцать, Рита умерла от анорексии, болезни, о которой в те времена мало что знали. Их блестящий отец после смерти матери больше ни разу не появлялся. А вскоре погиб в автокатастрофе.

Однако, сказать по правде, их богоподобный папа сделал последний подарок — позаботился о своих детях, благодаря чему у Тима в должное время установились отношения с семьей на Ибери-стрит. В свою бытность в Лондоне отец подружился с Руди Опеншоу, тоже адвокатом-музыкантом, одним из дядьев Гая. Корнелиус Рид (таково было имя отца) завещал детям некую сумму, поручив доверенное управление вкладом Руди Опеншоу и «семейному банку». В сущности, Руди стал опекуном детей. Он был холостяк, что делать с детьми, не знал и видел своих подопечных только раз, когда приехал в Кардифф заключить определенные финансовые соглашения с дядей Тима. Эти соглашения, весьма выгодные для семьи дяди, никаким положительным образом не сказались на участи Риты и Тима. Рита умерла. Руди умер; и управление деньгами Тима перешло к отцу Гая, а позже к Гаю, таким необычным образом ставшему *in loco parentis** Тиму.

Тиму всегда очень хотелось вернуться в Лондон. Когда ему исполнилось семнадцать, он с согласия отца Гая и благословения дяди, тетки и кузин отправился в столицу учиться живописи. Позже он заподозрил, что эта идея возникла не потому, что родственники распознали в нем талант, а потому, что была возможность без забот и трат дать ему какое-то образование. О чем Тим никогда не узнал, так это о том, что завещанные ему деньги успели кончиться и его довольно продолжительную учебу оплачивали сначала отец Гая,

* Вместо родителей *(лат.)*.

а потом сам Гай из собственного кармана. Гай никому, даже Гертруде, не говорил об этом. Кроме платы за учебу (позже он добился государственной стипендии) он получал еще скромную сумму, на которую жил в студенческом общежитии, а после снял комнатушку. Начинал учебу он в художественной школе в лондонском предместье, после которой, к удивлению преподавателей и своему собственному, сумел перейти в Слейд. Когда он окончил последний курс, Гай объявил ему, что завещанные деньги почти исчерпаны, хватит лишь на то, чтобы выплачивать ему пособие еще шесть месяцев. В конце концов, считал Гай, юноше нужно учиться быть самостоятельным. Тим сам часто спрашивал себя, станет ли он когда самостоятельным. Когда Тим закончил Слейд, ему было двадцать три, Гаю — тридцать четыре.

Впоследствии Тим стал совершенно по-иному думать о матери. Теперь, когда ее нельзя было утешить, любить, его сердце рвалось к ней. Ему снилось, что он ищет ее в темных огромных залах или на бесконечных лестницах. В детстве отец представлялся воплощением свободы, мать же — зависимости; но как же несправедливо было это глубокое безразличие к ней прогнившего мира! Отец был скотина — эгоистичный, безответственный. Мать — одинокой, измученной бедностью, больной, даже дети отвернулись от нее. Естественно, что, сражавшаяся без всякой поддержки со всевозможными трудностями, она вечно была усталой, сварливой. Она нуждалась в помощи и любви; только теперь, когда любовь наконец поселилась в сердце Тима, было слишком поздно. Восхищение отцом и ненависть к матери поменялись местами, когда оба они стали тенями. Он тщетно жаждал загладить свою вину. Говорил с Дейзи об этой своей вине и своей боли. Дейзи отвечала: «Да, наши уроды родители были сплошное разочарование, но, думаю, стоит посочувствовать им. Они были несчастны, мы же счастливы, так что в конце концов мы победили». Тим подумал, что его отец не был несчастливым человеком, а он сам не всегда счастлив, но спорить не стал. Он был не слишком высокого мнения о своих возможностях и талантах и, хотя иногда чувствовал себя неудачником, вынужден был признать, что в его взрослой жизни не случалось никаких катастроф, и приготовился довольствоваться судьбой «человека без прошлого». Порой он смотрел на себя как на солдата удачи, циничного и вольного, пьяницу, бродягу, ищущего, кому бы запродаться, бесшабашного, в потрепанной форме (конечно, не офицерской), живущего одним днем, избегающего неприятностей и позволяющего себе маленькие, относительно безобидные радости. Жизнь не давала ему оснований чувствовать себя счастливым, но он от природы был веселым человеком. Характер имел неунывающий (то есть в его обстоятельствах, считал он, почти образцовый). Он часто вспоминал сестру Риту, только не говорил о ней с Дейзи. (Дейзи в детстве тоже страдала анорексией, в которую вылился ее протест против заточения в Роудине.) Тим с Ритой дрались, но были очень близки, сплотившись в неприятии мира — полной противоположности того, в каком Рита пребывала теперь. Так что у Тима никого не было, кроме Дейзи.

Когда Тим впервые увидел Дейзи, он только поступал в Слейд, а она заканчивала его, и он восхищался ею издалека. Тогда она сражала с первого взгляда: тоненькая, с мальчишеской фигуркой, короткими очень темными волосами и огромными темно-карими глазами, изящным овалом бледного лица и большим чувственным ртом с опущенными уголками. С тонким прямым носом и родинкой у ноздри, цветом точь-в-точь как ее глаза. Она умела забавно двигать кожей головы. Одевалась вызывающе и привлекала внимание сверстников обоего пола. Хотя она не была расположена придерживаться какой-то особой последовательной политики в отношениях с друзьями, на нее тем не менее смотрели почти как на лидера. Она предпочитала противоположный пол, но, бывало, бурная дружба возникала у нее и с женщинами, особенно (в Слейде) с группой горластых поборниц прав американских женщин. Сама она придерживалась анархо-левацких взглядов и, когда спорила с оппонентами, ее карие глаза пылали яростным огнем. Она была талантливой художницей, от которой многого ждали. Когда спустя два года она выбрала Тима в любовники, он был безмерно горд. Такое было ощущение, что для него наступает новая, блистательная эра.

Сейчас Тиму было тридцать три, Дейзи — тридцать пять. Она по-прежнему была красива, похожа на мальчишку и стройна, а взгляд ее прекрасных, подведенных глаз был все тем же, как называл его Тим, «этрусским». Но временами, он вынужден был это признать, она выглядела почти старой. Тонкое лицо преждевременно осунулось, а в коротко остриженных волосах проглядывала седина. Верхнюю губу покрыли морщинки. Лицо стало более нервным и выразительным, так что казалось, будто она гримасничает, когда говорит. Улыбка все больше походила на полубезумную улыбку крестьянина у Гойи. Ей стало трудней, чем обычно, общаться с людьми. Ее речь представляла собой курьезное смешение франко-канадского акцента и материнской блумсберийско-светской манеры говорить, а голос стал еще скрипучее. Она никогда особо не стеснялась в выражениях, а теперь взяла за правило сквернословить и смеялась, когда Тим поеживался, слыша соленое словцо. Тим был по-старомодному сдержан, чтобы протестовать против словечек вроде «дерьмо» или «хрен», постоянно слетавших с языка любимой женщины. Он тоже, конечно, изменился внешне, но чувствовал, что не настолько. В двадцать три у него были длинные вьющиеся огненно-рыжие волосы. Теперь он стригся короче, и волосы уже не вились и потускнели, стали, как он сам говорил, почти «цвета имбиря». Однако бледное веснушчатое лицо как будто ничуть не изменилось. У него был маленький нос, который он часто морщил (из-за чувствительного обоняния), и румяные губы. Голубые глаза, не бледно-мутно-голубые, как у Графа, а густой голубизны сияющего летнего неба. Ирландцы, наверное, распознали бы в нем соотечественника по насмешливому изгибу губ и на мгновение затуманивающемуся взгляду.

(Есть жесткие, свирепые ирландские лица, а есть мягкие, нежные, таким и было лицо Тима.) Он был хрупкого сложения, ростом ниже Дейзи. Сейчас он ходил чисто выбритым; когда он носил усы, то походил на мальчишку лейтенанта времен Первой мировой.

Тим и Дейзи сходились, расходились, снова сходились. У обоих были и другие романы, как правило неудачные, а у Дейзи еще и очень бурные. Дейзи, похоже, на дух не переносила всех своих бывших любовников, тогда как Тим сохранял хорошие отношения с непредсказуемыми девушками-валлийками своего прошлого. (В этом отношении Лондон полностью искупил грехи Кардиффа.) Дейзи вообще была полна ненависти. Она ненавидела буржуазию, капиталистическое государство, институт брака, религию, Бога, материализм, господствующую верхушку, всякого, кто имел деньги, всякого, кто закончил университет, все политические партии и мужчин, за исключением Тима, которого, как она сказала (и он не мог понять, радоваться ему или нет), не считала за мужчину. Рослые шумные американки отправились в Калифорнию, создавать что-то вроде коммуны, но их идеи продолжали жить в беспокойной душе Дейзи. Мужчины были скотами, отвратительными эгоистичными тиранами. «Возьми наших чертовых папаш!» Гетеросексуальные человеческие самцы — самые мерзкие животные на планете. Некоторые из них буквально обезумели в своем эгоизме. Иногда ее всеобъемлющая уничижительная злоба угнетала Тима, но чаще странным образом воодушевляла его. Он видел в ней глубокое благородство души и своеобразную чистоту, которые нейтрализовывали резкость ее суждений. Ее левые взгляды постепенно сложились в некий необузданный анархизм. Больше всего огорчало Тима ее признание в симпатии к терроризму. «Это просто эстетический протест против материализма». Иногда она говорила, что сама хотела бы стать террористкой.

Было не очень понятно, что происходит с Дейзи как профессиональным художником. Она устроилась преподавателем на полставки в известное лондонское художественное училище и выставила несколько перспективных работ, разумеется абстрактных, в те времена все художники были абстракционистами. (Те ранние картины часто представляли собой огромные холсты, педантично покрытые крохотными квадратиками или крестиками, почти монохромными, что напоминало медовые соты.) Потом она неожиданно стала с маниакальным упорством менять одну манеру за другой. То она изображала только груды коробок (спичечных коробков, картонных коробок и прочей упаковки), то одних пауков (жутко реалистичных), то оконные рамы или горящие свечи. Следом наступил период полусатирического «примитивизма», и в то время она продала небольшое количество картин любителям, которые находили ее работы «очаровательными». Однако критики начали покачивать головой: мол, она не развивается, видны ум, переменчивость настроений, разностороннее мастерство, но нет глубины. Сама же Дейзи стала заявлять, что живопись не интересует ее всерьез и, собственно говоря, она вовсе не художник. Она поняла, настоящее ее призвание — литература, и она собирается стать писательницей. Она оставила преподавание в училище и написала роман, который, ко всеобщему изумлению, был опубликован. Он имел некоторый успех, но не был переиздан. Она написала второй, однако его не напечатали. Тим, с которым она снова сошлась, убеждал ее вернуться к преподаванию. Теперь работу было подыскать намного труднее. Она нашла, снова на полставки, место преподавателя истории искусства, в чем не была специалистом (впрочем, особых знаний и не требовалось). Заинтересовалась живописью по шелку и текстильным дизайном, задумала стать независимым дизайнером, ничего из этого не вышло, но преподавание она оставила. Она начала писать третий роман, над которым с перерывами работала до сих пор. Устроилась на другую работу и потеряла ее. Тим понимал, что как художник она лучше, или была лучше, его. Но не знал волшебного средства заставить ее взяться за кисть.

Между тем он, менее одаренный и более изворотливый, умудрялся сам не тонуть и не давать Дейзи пойти ко дну. У него тоже не получалось расти профессионально, «развиваться», но он продолжал усердно заниматься живописью, удовлетворенный положением пусть скромного, но все же художника. В нем не было самобытности, не обладал он и каким-то «индивидуальным стилем», но не горевал по этому поводу. (Гай однажды сказал ему, что отсутствие самобытности не имеет особого значения.) Он заделался кубистом, потом сюрреалистом, потом *fauve**: футуристом, конструктивистом, супрематистом. Примыкал поочередно к экспрессионистам, постэкспрессионистам, абстрактным экспрессионистам. (Но никогда – к минималистам, или концептуалистам, или к поп-арту, всех их ни во что не ставя.) Он подражал всем художникам, которыми восхищался, то есть достаточно современным, писать в манере Тициана или делла Франчески он не умел. (Он и на это решился бы, знай, как за это взяться.) Он писал своих «клее», «пикассо», «магриттов», «сутиных». Написал бы и «сезаннов», да Сезанн был ему не по зубам. Пробовал писать пуантилистские интерьеры в манере Вюйяра, а в манере Боннара – столы, накрытые для завтрака. Один из его учителей сказал ему: «Тим, думаю, тебе на роду написано стать мастером подделок». Увы, Тим не мог подняться до таких высот. Подделка картин требует упорства и познаний в химии, какими Тим не обладал. Она также требует большого художнического таланта. И этого не было у Тима.

Тим не согласился бы с афоризмом Шекспира, что, если бы веселый праздник длился весь год, развлечения стали бы скучнее работы. У него случались приступы детского уныния, но они длись недолго. Редкие уроки, которые он давал, были не слишком обременительны. Когда он уставал от живописи, то шел в паб. Трудягой-художником он не был, больше того, брался за кисть от случая к случаю.

---

* Фовистом *(фр.)*.

Книгами не увлекался. Все, что он знал об истории изобразительного искусства, было почерпнуто случайно, бессистемно или почувствовано инстинктивно. Он ходил в картинные галереи и запоминал то, что понравилось. А еще ему доставляло наслаждение бывать в Британском музее. Его интерес к музейным собраниям был чисто зрительским, историческое содержание экспонатов его не интересовало. Не обремененный знанием лишних фактов, он самостоятельно научился понимать красоту греческих ваз, фрагментов этрусских гробниц и римских фресок, ассирийских рельефов, огромных египетских статуй, крохотных китайских вещиц из яшмы и японских из слоновой кости. Многое поражало его воображение и влекло его жадное любопытство: изысканные римские грамоты, кельтские фигурки животных, драгоценности, часы, монеты. Эти эстетические приключения редко оказывали влияние на его живопись, и ему никогда не приходило в голову черпать вдохновение в том, чему невозможно подражать.

Он пытался продавать свои картины, но делать это было трудно, поскольку никто их не выставлял. Иногда друзья и знакомые по доброте душевной (и задешево) покупали картину-другую. Так, Граф купил вещицу (под Клее), одну — Гай и запрятал подальше. Тим, не будучи слишком честолюбив, а теперь еще и потеряв место преподавателя, продолжал без особой надежды писать картины и рисовать; в конце концов, для него это составляло смысл всей жизни. Он рисовал людей, всяческих личностей в пабах или прохожих на улице, представляя, что они — «зрители, смотрящие на распятие». Человек, пьющий пиво, смотрит на распятие, продавец газет смотрит на распятие, человек в проезжающем автобусе смотрит на распятие. Сама сцена распятия, однако, никогда не присутствовала на его рисунках. Но это придавало им выразительность, а однажды он получил выгодный заказ на серию подробных порнографических рисунков; но после был сам себе противен и никогда больше не брался за такие вещи. Случалось, он рисовал слащавые картинки с цветами или зверушками, к чему относился по-разному и слегка стыдился их, зато по крайней мере иногда их удавалось недорого продать. Если он сбывал их через магазины, то магазины брали с него комиссионные. У него был приятель, Джимми Роуленд (чья сестра, Нэнси, была одной из старых любовей Тима), художник с коммерческой жилкой, и он по воскресным дням развешивал свои творения на ограде Гайд-парка, иногда вместе со своими помещая и несколько таких Тимовых «милашек». Особым успехом пользовалась его «кошачья серия». В Англии рисунки кошек всегда будут продаваться, если они достаточно сентиментальны. И Тим овладел этой нехитрой премудростью. Какое-то время он три дня в неделю преподавал рисунок в Политехнической школе в Северном Лондоне. Потом занятия сократились до одного дня в неделю. Кошки были надежным подспорьем, но он начал уставать от них. Он продолжал заниматься и «серьезной» живописью, хотя без особой надежды на успех.

Когда они с Дейзи вторично объединили усилия, как раз перед ее «литературным этапом», то устроились в славной квартирке в Хэмпстеде. Это был короткий период активности и семейной жизни. Они стали вместе бывать на людях. Ходили на народные танцы; Тим танцевал прекрасно — студентом выступал в фольклорном ансамбле. Они научились играть в шахматы и устраивали потешные неумелые сражения, которые заканчивались тем, что Дейзи швыряла доску на пол. Тим даже немного научился готовить; Дейзи кухню презирала. Однако к тому времени, как Дейзи закончила второй роман, им пришлось перебраться в другую квартиру, в Килберне, крохотную и отвратительную, и они пришли к решению, что хотя не разойдутся, но дальше жить вместе не могут. Они устали постоянно видеть друг друга, и это порождало бесконечные утомительные ссоры, Тим считал виноватой в них Дейзи, а Дейзи — Тима. Он был одержим чистотой, Дейзи — невозможная неряха, так что он вынужден был бежать, чтобы не жить среди вечного хаоса. Ему надоело подбирать с пола ее разбросанные вещи и стирать их. Нужно было пространство, чтобы заниматься живописью, Дейзи же говорила, что его присутствие мешает ей сосредоточиться над романом. Оба вообще очень боялись постоянного присутствия другого под боком, невозможности уединения; совместное житье становилось слишком тягостным.

Тим съехал с квартиры, гадая, означает ли это конец их отношений, но оказалось, что нет. Они вновь возобновились, причем неожиданно став более романтичными и волнующими. Любовная близость, которую Дейзи называла «тоской смертельной», вновь приобрела бурность и непредсказуемость. Когда они решали пойти домой к нему или к ней, это было вновь как в студенческие дни, когда они, хихикая, крались по лестнице. Иногда кто-нибудь из них говорил: «Мы не подходим друг другу», и другой возражал: «Нет, подходим». Или: «Мы просто проносимся сквозь жизнь друг друга, врываемся в дверь и выскакиваем в окно». Или Дейзи говорила ему: «Найди себе красотку помоложе, я уже слишком стара», впрочем, это было не всерьез. В сущности, они чувствовали, что так своеобразно (и гордясь этим своеобразием) остепенились. Тим и Дейзи полюбили пабы, как некоторые любят собак. Пабы — бесхитростные места, где они были бесхитростными детьми. Они вновь стали посещать пабы Сохо, которые были им первым домом и где они в молодости проводили каждый вечер, прежде чем возвратиться каждый в свою унылую нору или общежитие. Такая жизнь была по душе Тиму: переходить из паба в паб, бродить по городу, разглядывая витрины магазинов. Он любил это очарование суматошного, грязного, многоликого Лондона, пешеходные мосты и переходы на опорах, магию Вествея и современных пабов близ шумных кольцевых транспортных развязок. Летний Сохо был его французским Лазурным берегом.

Дейзи съехала с килбернской квартиры, ставшей для нее слишком дорогой, какое-то время снимала дешевую комнату на Джерард-стрит и поначалу забавлялась, когда там к ней приставали на улице, но потом стала бояться. Тим нашел для нее крохотную однокомнатную квартирку с кухонькой в алькове в пыльном районе между Хаммерсмит и Шефердс-Буш, с общей ванной, очень дешевую. Она в то время была без работы, и ему приходилось помогать ей. А еще она начала серьезно пить. Самому Тиму повезло найти просторную комнату, что-то вроде чердака над гаражом, сразу за Чизуик-хай-роуд. Туалет с умывальником во дворе. Он поставил электроплитку, чтобы готовить, и парафиновый обогреватель. Платил он сущие гроши, поскольку помещение не предназначалось для житья. Тим делал вид, что использует его исключительно как студию. Хозяин гаража, Брайан, который принимал его за романтика и богему, закрывал глаза на то, что у Тима свет горел до поздней ночи. Однажды Дейзи, желая сэкономить, на короткое время сдала свою квартирку туристу и поселилась у Тима. В другой раз Тим переехал к Дейзи и, чтобы побудить ее чаще сдавать квартиру, притворился, что сдал свою. На самом деле он ее не сдавал, однако с тех пор опасался расспросов, разоблачения, полиции и неподъемного счета от хозяина за помещение. Тим боялся любых «властей». (Может, поэтому ему так и не удалось добиться повышения скудного пособия, которое он получал.) Гай как-то в разговоре с ним упомянул, в связи с этим состоянием чрезмерной тревоги, которое заметил в Тиме, выразительный греческий глагол *Lanthano*, что означает «не привлекать внимания к своим действиям». Тим решил, что *Lanthano* — его девиз.

Тим был и тронут, и раздражен уверенностью Дейзи, что он должен помогать ей. Иногда, в зависимости от перемен в их отношениях, эта уверенность казалась ему естественной, иногда нет. Всегда могло случиться так, что он получит выгодную работу, что она решит снова пойти преподавать, что ее роман принесет ей богатство. Шли годы, но они не сдавались, неизменно повторяя: «Может, лучше расстанемся, прекратим попытки, может, с кем-то другим лучше получится?» И неизменно отвечали друг другу: «Кому мы теперь нужны?» — а потом шли в паб. Дейзи взяла в привычку запасаться спиртным и до полудня не вылезать из постели. Они никогда не выясняли отношений на людях. Очень скромные развлечения времен жизни в Хэмпстеде прекратились. Старинные друзья по Слейду большей частью исчезли с горизонта. Появилось несколько друзей, с которыми они познакомились в пабах. У Дейзи были подружки, которых Тим не видел, все больше феминистки и отчаянные левачки. Тим, которого политика не интересовала, иногда общался со знакомыми вроде Джимми Роуленда и кое с кем из коллег по художественному училищу. А потом появилось это сборище на Ибери-стрит.

Его связь с Ибери-стрит все последние годы была стабильной, не становясь ни теснее, ни выгоднее. Тима еще студентом после кончины Руди Опеншоу представили отцу Гая, человеку, наводившему на Тима панику, который жил в большом доме в Суис-Коттедж на севере Лондона, куда Тим наведывался время от времени отчитаться в успехах и получить совет по поводу того, как жить еще экономнее. Гай, его сын, недавно женившийся, был в ту пору тенью при отце, изредка мелькавшей в отдалении, когда Тим являлся к ним с визитом. Однажды он увидел Гертруду, юную тоненькую Гертруду, одетую для выхода на светский вечер. Когда отец Гая умер, Тим продолжал приходить, намного реже прежнего, с отчетом на Ибери-стрит. Его никогда не приглашали на званые вечера, хотя Гай, к которому Тим относился с нервным благоговением, обычно угощал его бокалом шерри. Когда Тим закончил учебу и перестал получать свою регулярную сумму на расходы, он предположил, что на Ибери-стрит больше не желают его знать. Вообще он тогда имел смутное представление о том, что Гай за человек, а Гертруду знал того меньше. Остальных он еще ни разу не встречал. Однако, по какому-то таинственному указанию, его положение в семействе, вместо того чтобы сойти на нет, неожиданно упрочилось. Денежная сторона отношений с семьей Опеншоу, отпав, была восполнена другой: дружеской, неофициальной. Тима приглашали на коктейль, он регулярно посещал Ибери-стрит в дни их приемов. Иногда там сходилась масса народу. На одну такую вечеринку Тим взял с собой Дейзи. Она была неприлично молчалива и рано ушла. Тим остался, но потом устроил ей скандал.

Дейзи обрушилась на этих «шишек-буржуев», которые, заявила она, постепенно затягивают Тима в свой мерзкий снобистский мир. Они презирают его, говорила она, смеются над ним, смотрят на него свысока, снисходят до него. Фальшивые, ненастоящие люди, она их ненавидит. Она, конечно, как понял Тим, попросту ревновала. Тем не менее он не собирался порывать с Ибери-стрит. Он старался не упоминать о своих визитах туда, хотя Дейзи постоянно возвращалась к ним и язвила по поводу его «снобизма», говорила, что его «пьянит запах богатства». В некотором смысле внутреннее чутье не обманывало ее. Тим был просто очарован обстановкой в доме на Ибери-стрит, не (как он чувствовал) запахом богатства, а самой атмосферой семейной жизни. У Тима не было ни семьи, ни близких, кроме Дейзи. Сборища на Ибери-стрит имели семейный характер, и ему было приятно присутствовать на них в качестве младшего члена этого круга родных и друзей. И конечно, он не мог оставаться равнодушным, когда после грязи и хаоса квартиры Дейзи и спартанской простоты собственной изредка оказывался в теплом, чистом, обустроенном доме, где шерри подавали в красивых бокалах. В общем, в определенном смысле, в каком именно, он не затруднял себя определением, Ибери-стрит была для него верхом совершенства.

Лучше всего он чувствовал там себя с Графом. (Тим знал, что тот не был настоящим графом.) Граф с самого начала был исключительно добр к нему, и Тим интуитивно почувствовал его особое одиночество чужестранца. Он был благодарен Графу за то, что тот купил его картину (она называлась «Три дрозда в паточном колодце»). Тим надеялся, что Граф пригласит его к себе домой, но этого так и не произошло. Белинтой был тоже добр и ласков с Тимом, но он не мог понять Белинтоя и чувствовал себя неловко с собратом ирландцем. Джеральд Пейвитт раз или два приглашал его в паб на кружку пива, однако Джеральд был слишком странный и весь в себе, и Тиму было трудно с ним разговаривать. Джеральд ничего не знал о живописи, а Тим о звездах (или чем там Джеральд увлекался, он не был уверен). Стэнли Оупеншоу, который тоже был очень добр к Тиму, однажды пригласил его к себе на ланч. Но больше не звал, как Тим подозревал, потому что он не понравился Джанет. С Гаем и Гертрудой отношения всегда были сердечные, хотя и несколько официальные. Он их слегка побаивался. Гай был вполне готов к роли строгого отца, что и продемонстрировал, когда Тим не так давно в отчаянии попросил у него взаймы. Он дал ему деньги, а в придачу прочел целую лекцию. Этот долг остался на совести Тима, он его так и не вернул. И спрашивал себя, знает ли об этом Гертруда.

Известие о том, что Гай смертельно болен, Тим поначалу принял с недоверием. Как возможно, чтобы человек, такой сильный и такой реальный, как Гай, собрался покинуть этот мир в сорок четыре года? Потом он всем своим существом почувствовал страх. Он испытывал почтительную любовь к Гаю. Но куда больше испугался за себя. Что будет с ним без Гая? Дело было не просто в деньгах, или коктейлях, или советах, которые Гай мог дать ему. Гай был Тиму вместо отца. Так долго у него был Гай, спасительная опора, последнее прибежище. Если «все рухнет» (реальная, совершенно непредсказуемая возможность, которой Тим постоянно опасался), всегда был Гай, чтобы собрать осколки. Существование Гая где-то на заднем плане в каком-то отношении даже помогло Тиму наладить жизнь с Дейзи. Благодаря этому «последнему прибежищу», Тим смог вести себя увереннее и разумнее (не только в том, что касалось финансов). А еще были мудрость, авторитет, непоказная искренняя привязанность. Гай всегда добивался от Тима, как ему обычно удавалось добиваться от всех, полной прямоты.

Ему была непонятна непостижимая потребность людей во лжи, даже бескорыстной. Тим по природе был уклончив, привычно лгал, сам того не замечая; но он рано научился говорить Гаю только правду. Что же, теперь правды больше не будет?

Был, возможно, один случай *suppressio veri**. Тим никогда не говорил Гаю о Дейзи. Конечно, к тому не было какого-то особого повода. Гай не спрашивал Тима о его личной жизни вообще, и в частности о Дейзи, на которую (на той злополучной вечеринке), несомненно, вряд ли обратил внимание. Тим после того (а прошло уже несколько лет) ни разу не упоминал о Дейзи в доме на Ибери-стрит. Было ясно, что больше он не сможет взять ее с собой, даже если она изъявит желание пойти. Тогда она выказала столько спокойной злобы, столько «хамского презрения», что он лишь надеялся, что ее там забыли. Позже Тиму показалось, что когда он просил у Гая денег, то упомянул о Дейзи, отвечая на какой-то из вопросов Гая. Но удержался и ничего не сказал о разгульной жизни, которую вел со своей милой, дотошному, несмотря на всю его сдержанность и снисходительность, Гаю Опеншоу.

Поскольку Тим никогда не заглядывал вперед, то и не говорил себе, мол, Дейзи и я будем вместе вечно, я умру в ее объятиях, она в моих. Но сам дух их отношений как бы подразумевал это, хотя Дейзи тоже не говорила об этом. Они были неразделимы. Тим рисовал их в виде птиц, лис, мышек и прочих пар пугливых, невероятно единых созданий, живущих, не привлекая к себе внимания. *Lanthano*. Они были как Папагена и Папагено. Он сказал об этом Дейзи, которая, хотя и не любила оперу, согласилась с ним. Папагено должен был пройти через суровые испытания, чтобы заслужить свою истинную половину; и подобно ему Тим в конце концов тоже будет спасен, несмотря на свои недостатки. И теперь, чувствуя, сколь неразрывно, но сколь еще

* Утайка правды *(лат.)*.

неполно он связан с Дейзи, Тим порой спрашивал себя, не предстоят ли и ему испытания, чтобы окончательно обрести ее.

Вернемся назад, в «Принца датского», где к этому времени Тим проглотил один из двух кусков хлеба, чеддер, одно овсяное печенье, помидор и половину кекса. Дейзи съела кусок хлеба, стилтоновский сыр, три печенья, помидорку, холодную баранину и остаток кекса. Еще они купили здесь же сэндвич с ветчиной, один на двоих, решив, что яйцо по-шотландски позволить себе не могут.

— Кто там был сегодня? — спросила Дейзи, имея в виду Ибери-стрит. Презирая «мерзкую компанию», она тем не менее иногда заставляла Тима навещать их и со злорадством интересовалась, что там происходит. Она даже переняла выражение Гая *les cousins et le tantes*.

— О, Стэнли, Граф, Виктор, Манфред, миссис Маунт...

— Но не Сильвия Викс?

— Нет...

— Она единственная из пассажиров той инфернальной *galère**, кто понравился мне. Жертва своего проклятого мужа.— По случаю незабвенной вечеринки Дейзи выведала всю историю замужества Сильвии.

— Вот тебе новая подставка под кружку. Нравится?

— Да, спасибо.— Дейзи собирала подставки под пивные кружки.— Посмотрим правде в лицо, мужчины — звери. Ну, кроме тебя. Спасибо за жратву. Когда ты пришел, дождь еще не кончился?

— Нет, шел, небольшой.

— Тут Джимми Роуленд с этим идиотом Пятачком опять нажрались.

— Дейзи, я кое-что не сказал тебе.

— Что-нибудь ужасное? Заболел?

— Нет. Я не буду преподавать в следующем семестре.

---

* Галера *(фр.)*.

— То есть тебя выгнали с работы?

— Можно и так сказать.

— Проклятье! И я тоже кое-что не сказала тебе. Мне снова повысили плату за квартиру. Я б еще выпила двойной.

Тим пошел за виски. У стойки он оглянулся на Дейзи и улыбнулся ей. Иногда она ходила в джинсах и старой фуфайке. Иногда обряжалась, как на маскарад. (Не могла расстаться с детской жадной привычкой покупать грошовые тряпки.) Этим вечером на ней были черные колготки в сеточку, широкая хлопчатая юбка густо-синего цвета, туго стянутая на тонкой талии, и нелепая желтоватая блузка с отделанным кружевом декольте, купленная в магазине подержанной одежды. Тонкую шею тесно охватывало стеклярусное ожерелье. Темные с седыми нитями волосы зачесаны за уши, так что вырисовывался узкий череп. Губы ярко-красные, румяна на щеках, под большими удлиненными глазами положены темно-синие тени. (Бывали дни, когда она не пользовалась косметикой.) Лохматый старый шерстяной кардиган, который она надевала под пальто, лежал у нее на коленях. Юбка поднята очень высоко. Было в ней что-то экзотическое, привлекательное, грубое, вульгарное, что трогало его сердце. Несмотря на всю свою рисовку, она была совершенно беззащитна.

Тим был в узких серых твидовых брюках, старых, но приличных (джинсы он не любил), и свободном бирюзового цвета шерстяном свитере поверх светло-зеленой рубашки. По счастью, с лучших времен у него осталась хорошая и практичная одежда; шерстяные вещи стоили сейчас кучу денег. Он любил, чтобы вещи подходили друг другу по цвету, и часто собственноручно красил их с величайшей осторожностью.

— Спасибо, мистер Голубые Глаза, ты очень добр. Что будем делать без денег, черт бы их подрал? Деньги — вещь серьезная, деньги — вещь нешуточная. Дойдем до того, что будем пить опивки в пабах, как ирландцы католики — остатки вина причастия.

— Я хочу, чтобы ты вернулась к живописи,— сказал Тим,— по-настоящему.— Он не уставал время от времени повторять ей это, вдруг подействует.

— Забудь об этом, дорогой, я не могу писать. Я имею в виду, не буду. Знаю, ты думаешь, женщины неспособны заниматься живописью, потому что у них нет сексуальных фантазий...

— Я так не думаю.

— Во всяком случае, денежный вопрос это не решит, если я возьмусь за живопись. Я прозаик. Пишу роман. Лучше ты еще нарисуешь несколько своих кошечек. У каждого в этой дурацкой маленькой стране есть картинка с кошкой, и они хотят купить еще.

— Я рисую Перкинса, сделаю серию, но это даст сущие гроши.

Тим понимал, что Дейзи с ее претензиями на духовность ни за что не станет рисовать сентиментальные картинки с кошками, и хотя это было в каком-то смысле прискорбно, однако он ценил этот факт как свидетельство несгибаемости, до какой ему было недостижимо далеко.

— Господи, если б мы только могли сбежать из проклятого Лондона, я уже начинаю психовать, до того устала от все той же надоевшей картины, хорошо было б для разнообразия перебраться куда-то в другое место.

— Да, хорошо бы.

Это они тоже часто говорили друг другу.

— Как было бы хорошо не думать все время о деньгах!

— Я подыщу другую работу, любую работу, а тебе нужно пить поменьше, черт, не можешь хотя бы попытаться?

— Нет, черт, не могу! Я бросила курить, чтобы доставить тебе удовольствие, это что касается самоограничения. И не прикидывайся, что собираешься пойти мыть посуду в ресторане или сделать что-нибудь в этом роде, ты же знаешь, это не по тебе, последний раз все кончилось слезами.

Это было близко к правде.

— Может, удастся протянуть на пособие?

— С моей квартплатой — не удастся. А что до алкоголя, согласна, но куда без него, это суровая правда жизни. В конце концов, ты тоже пьешь и только делаешь вид, что можешь обойтись без выпивки. Извини, но я не миллионерша, как твои благородные друзья с Ибери-стрит. Держу пари, что все в этом пабе живут на пособие, и держу пари, они больше нашего выжимают из этого Государства Благоденствия.

— Мы лентяи, вот в чем наша беда,— сказал Тим. Иногда он думал, что в этом и есть глубинная правда.

— Мы безнадежны,— поддержала Дейзи.— Не понимаю, как мы выносим друг друга. По крайней мере, как ты выносишь меня. Тебе следует найти себе девчонку, их тут много по пабам, которой ты понравишься, хотя и начал лысеть.

— Я не лысею. И у меня уже есть девчонка.

— Да, у тебя есть твоя старушка Дейзи. Мы давно играем в игру «полюби меня—покинь меня», и вот, мы по-прежнему вместе. И все у нас отлично.

— Все у нас отлично.

— Кроме того, что не знаем, чем будем платить за еду, за выпивку, за одежду. Ч-черт, если б мы только могли уехать куда-нибудь из Лондона, я б сумела закончить свой роман! Но пока тебе лучше продолжать рисовать кошечек. Если б кто-то из нас смог заарканить богача или богачку, а потом помогать другому!

— Если умудришься выйти за миллионера, я бы стал у вас дворецким.

— Ты бы пьянствовал в буфетной, и я с тобой.

— Мы с тобой прислуга.

— Говори за себя, я не прислуга! Твои богатеи друзья строят из себя важных особ, но они просто *nouveaux riches**. Вот моя мать, та была настоящая аристократка.

— Согласен.

— Ты не можешь занять у кого-нибудь из этой шайки? Для чего еще существуют *les cousins et les tantes?* Или вы-

---

* Нувориши *(фр.)*.

тянуть из Гая еще немного, пока он не сыграл в ящик? Как думаешь, он отпишет тебе что-нибудь в завещании?

— Нет. Нет и еще раз нет. Не могу я сейчас просить деньги у Гая, слишком поздно.

— Что меня раздражает, так это как ты их всех уважаешь, а они такое ничтожество.

— Они не ничтожество.

— И к тебе относятся как к лакею.

— Прекрати...

— Беда в том, что ты делаешь вид, будто все у тебя в порядке, оба мы делаем вид. А следовало бы выглядеть как бедняк. Но куда там, ты щеголяешь в своем лучшем костюме. Никто не имеет ни малейшего понятия о том, насколько мы нищи. Подозреваю, они думают, что у нас «имеются деньги», замечательное выражение! Господи боже! А как насчет Гертруды?

— Нет.

— Почему нет, ты можешь попросить у нее. Да смелости не хватает. Господи, она же стерва тоскливая, все рядом с ней вянет, и ты тоже.

— Ты только раз видела ее.

— Одного раза достаточно, дорогой мой. Тоже мне гранддама! Отродье ничтожных шотландских учителя и училки. Да я бóльшая аристократка, чем она.

— Я не могу просить у Гертруды.

— Не понимаю почему. А их оркестр фарфоровых обезьянок! Боже, оркестр фарфоровых обезьянок! А как насчет его превосходительства графа?

Тим ради забавы не говорил Дейзи, что Войцех не настоящий граф. Это подпитывало ее ненависть, делая ее счастливой.

— Граф совсем небогат.

— Им и не нужно быть богатыми. А Манфред, уж он-то наверняка богат.

— Нет, и он...

— Ты его боишься.

— Да.

— Думаю, ты всех их боишься. Но придется у кого-нибудь попросить, иначе будем голодать. Может, настанут для нас счастливые времена, но сейчас момент критический. А у Белинтоя?

— Нет.

— Ты всегда как-то странно реагируешь, когда я упоминаю Белинтоя. В чем дело?

— Ни в чем.

— Ты ужасный лгун, Тим. Некоторых людей сама природа награждает лживостью, как рыжими волосами.

— У него вообще нет средств.

— Ты говорил, что благородный лорд побывал в Колорадо. Как человек, не имея средств, умудряется побывать в Колорадо, когда мы не можем уехать хотя бы в несчастный Иппинг-Форест? Может, миссис Маунт?

— Нет, она бедна.

— Она змея.

— Значит, бедная змея.

— Ты вечно таскаешься к своим шикарным друзьям, но, похоже, ничем не можешь разжиться у них, кроме пары помидоров да кусочка заветрившегося сыра.

— Он не был заветрившимся.

— Мой был. Оркестр фарфоровых обезьян! Вот кто они такие. Черт, где же выход? Должен же быть какой-то.

— Дейзи, мы должны справляться самостоятельно.

— Мы это постоянно твердим, но живем все хуже и хуже. Что за радость жить в нищете? Думаешь, мне нравится брать у тебя те несчастные гроши, что ты зарабатываешь? Вовсе нет! *Rien à faire**, одному из нас придется жениться на деньгах.

— Жениться на деньгах и примкнуть к буржуазии?

— И пусть, по крайней мере мы свободны, и были свободны, оставаясь вне их общества, в гуще настоящей жизни.

---

* Ничего не поделаешь *(фр.)*.

Мы не живем искусственной, фальшивой жизнью, как твои богатенькие дружки. Можешь представить их здесь? Или питающихся, как мы, замороженными рыбными палочками? Жаль, что воспитание не позволяет нам воровать в супермаркетах. Ты уверен, что Гай не оставит тебе денег?

— Более чем.

— Держу пари, что он жульничал, распоряжаясь твоими деньгами. Ты ведь даже не видел никаких бумаг, не так ли? Наверняка тебе оставили намного большую сумму, чем они сказали. Тебе следует попросить показать те документы.

Тим действительно никогда не видел никаких документов, ему и в голову не приходило попросить показать их ему. Опеншоу имели возможность смошенничать, но он просто знал, что они неспособны на такое. Временами его угнетала злоба Дейзи, ее желание принизить людей, которых он уважал. Разумеется, в каком-то смысле это говорилось не всерьез, просто она так выражала недовольство миром вообще. Иногда он молча соглашался, и это было проще, чем спорить с ней.

— Время, господа, закрываемся.

— Тут и дамы присутствуют! — взорвалась Дейзи, стукнув по столику очками.

Это повторялось в «Принце датском» каждый вечер. Бывало, из «Фицроя» через дорогу приходили люди, услышать сакраментальную фразу.

— Хотела бы я, чтобы ты видела Гая раньше,— сказала Гертруда.— Он был так красив.

Она и Анна сидели в гостиной. День клонился к вечеру. Анна пришивала пуговицы к одному из Гертрудиных плащей. Гертруда пыталась, под влиянием энтузиазма Анны, вновь открывавшей для себя литературу, читать роман, но слова «Мэнсфилд-парка» плясали у нее перед глазами, складываясь в какую-то бессмыслицу.

— Он и теперь красив,— сказала Анна.

Чтобы сделать приятное Гертруде, она купила другое платье, простое темно-синее твидовое платье с кожаным поясом. Она пригладила белокурые с проседью короткие волосы и посмотрела на Гертруду пристальным любящим взглядом, который иногда облегчал, а иногда лишь обострял горе подруги. В последнее время Гертруде стало труднее сдерживать свои чувства, свое отчаяние, и она понимала, что Анна уловила эту перемену в ней. У нее было такое ощущение, будто она неожиданно стала стареть. Я старею, а Анна молодеет, говорила она себе.

Гертруду удивила острая ревность, которая вспыхнула в ней, когда накануне вечером Анна так долго и с таким увлечением разговаривала с Гаем. Она даже слышала, как они смеялись. Она, разумеется, не подслушивала. Потом Гай лежал совсем без сил, и она подумала: он умрет, и Анна, которая как с неба свалилась, окажется последней, кто говорил с ним. Анна вышла от Гая сама не своя и со слезами на глазах. Гай оправился, но говорил с Гертрудой холодно, с какой-то смутной горечью, почти язвительно. Иногда он смотрел на нее безумным тусклым взглядом, как совершенно иной человек — дышащий слепок ее любимого, в котором некая сверхъестественная сила поддерживает жизнь. Это уже не он прежний, подумала она; но как ужасно умереть, утратив свою личность. Она подумала так, еще не воспринимая смерть как реальность. Тем утром Гай решил больше не бриться. Темная тень щетины изменила его лицо. Он был похож на раввина. Никогда больше она не увидит знакомого лица.

Пока Гай разговаривал с Анной, появился Граф вместе с Вероникой Маунт, оба с теплотой отозвались о Гертрудиной «монашке». Виктор не пришел, занятый на эпидемии азиатского гриппа. Явился, как всегда, Манфред, за ним — Стэнли, который привел с собой Джанет. Ей только что пришлось выслушать от него целую лекцию о том, как следует вести себя. Она принесла еще цветы и была очень мила с Гертрудой. Миссис Маунт рассказала о пышной экзотической еврейской свадьбе у родственников покойного мужа, на которой она присутствовала,— там были восточная музыка и танцующие раввины. Потом она перешла к бармицве Джереми Шульца и критиковала, как там все было устроено. Стэнли говорил о палате. Позднее всех появился Мозес Гринберг, семейный адвокат, вдовец средних лет, породнившийся с Опеншоу через жену. Этот говорил о своей племяннице, собиравшейся замуж за Акибу Лебовица, своеобычного психиатра. Он также упомянул, что Сильвия Викс заходила к нему попросить от имени подруги совета по кое-каким правовым вопросам. Сильвия не появлялась на Ибери-стрит с того вечера, когда пыталась увидеть Гая. Гертруда чувствовала, что была сурова с Сильвией. Гай не желал видеть Графа и позже тем вечером был сдержан с Гертрудой. Она не стала спрашивать Анну, о чем был их с Гаем разговор, а Анна промолчала.

День сегодня был туманный, и Гертруда с Анной не выходили из дому. Лондон ежился под сырой холодной коричневатой пеленой. Уличные фонари горели весь день, и Гертруда уже в три часа задернула шторы на окнах. В камине пылал огонь. Хризантемы Джанет Опеншоу в вазе с буковыми и эвкалиптовыми веточками на инкрустированном столике были еще вполне свежи. Новые цветы от Джанет, букет розовато-лиловых и белых анемон, Гертруда поставила в овсяного цвета стаффордширскую кружку и водрузила на каминную полку, рядом с одной из ваз богемского стекла. (В эти вазы цветы никогда не ставились, чтобы на стекле не остался след от воды.) Физически мучительная тревога пронзила душу, хотелось зарыдать в голос. Она бросила книгу на пол, чувствуя на себе брошенный украдкой взгляд Анны.

В дверь просунулась голова сиделки.

— Миссис Опеншоу, мистер Опеншоу хочет видеть вас.

Гертруда вскочила на ноги. Это было необычно. Дни шли по заведенному порядку. Сейчас было время отдыха Гая.

Потом к нему заходила сиделка. Дальше наступало время Гертруды. Неожиданное желание Гая обеспокоило ее. Но сиделка держала дверь открытой, сухо улыбаясь профессиональной улыбкой.

Гертруда вошла, затаив дыхание от страха. Единственная лампа горела возле кровати. Гай сидел, опираясь на высокие подушки. Его обросшее лицо поразило Гертруду. Было необычно и другое: он протянул к ней руку.

Она завороженно взяла хрупкую ладонь и опустилась на стул у кровати, содрогаясь от сдерживаемых слез. Гай вдруг вернулся к ней, вернулся весь, со всей его нежностью, всей его любовью, всем его существом. Он сказал:

— Крепись, дорогая, сердце мое, моя любовь, моя единственная, моя...

Гертруда тихо плакала, наклонясь к нему, слезы капали на его руку, на простыню, на пол.

Он сказал:

— Ты все понимаешь. Мы нераздельны. В каком-то смысле мы никогда не разлучимся. Прости, если я казался таким далеким.

— Знаю... знаю...— проговорила Гертруда.— О Гай, как я перенесу?..

— Ты можешь, а если можешь, то должна. Я до того напичкан наркотиками, это отчасти мешает. И... не хочу встречать смерть слезами. Лучше быть спокойным и безразличным. Не хочу видеть, как ты сходишь с ума от горя, не хочу этого видеть. Мы знаем, как прекрасны были наша любовь и наша жизнь. Не следует все время повторять это, рыдая и стеная. Ты меня понимаешь, дорогая моя?

— Да, да...

— Хорошо, не плачь, я хочу сказать тебе кое-что.— Он со стоном переменил позу, на мгновение сжав другой рукой волосы.— Мы очень хорошо поговорили с Анной.

— Я рада.

— Один остроумный француз как-то заметил, что представление о Небе у него сложилось *discute les idées générales avec les femmes supérieures**. Но не волнуйся, в иную веру меня не обратили. «Светлеет Небо новою зарей и обращает в бегство мрак тщеты земной!» Помнишь, дядя Руди напевал это?

— Он знает все англиканские гимны.

— Одной вещи мы учимся в английской средней школе. Песне, великолепно подходящей для пения в церкви. Я рад, что Анна с тобой.

— Я тоже.

— Я хотел...

— Что-то сказать?

— Да.

— А тебе не трудно, боль...

— Я в порядке...

— Ты вдруг стал выглядеть намного лучше... о боже, если бы только!..

— Гертруда, не надо. Теперь слушай, моя дорогая, единственная... поцелуй меня сначала.

Гертруда поцеловала его в губы, непривычно обросшие бородой. И ощутила давно не приходившее желание. Она застонала и выпрямилась, гладя его руку с неожиданной страстью.

— Девочка дорогая, Гертруда, я хочу, чтобы ты была счастлива, когда я уйду.

— Я не могу быть счастлива,— сказала она.— И никогда не буду, не смогу. Я не покончу с собой, в этом нет необходимости, потому что я буду ходить, говорить, но буду мертва. Я не имею в виду, что сойду с ума, но счастлива не буду, это невозможно. Без тебя. Так я устроена. Я не была счастлива, пока не встретила тебя.

---

* В беседах с необыкновенными женщинами на отвлеченные темы *(фр.)*.

— Это заблуждение,— сказал Гай,— и в любом случае речь совсем не о том. Ты воспрянешь.

— Что это значит?..

— Мы прожили прекрасную жизнь.

— Да.

— Слушай, я должен все сказать, пока еще способен рассуждать здраво. Я всей душой желаю, чтобы ты была счастлива, когда меня не станет. Говорят, что, мол, поступать по принципу «он бы этого хотел» лишено смысла,— неправда, не лишено. Я утверждаю это сейчас, чтобы ты знала, понимаешь? Не трать время на страдания. Я хочу, чтобы ты нашла счастье, сумела найти в себе решимость жить, не сдаваться. Ты умная и сильная женщина. Молодая. У тебя может быть еще целая жизнь после того, как я умру.

— Гай, я не могу. Я тоже умру... буду ходить, разговаривать, но буду мертва... Пожалуйста, не пытайся...

— Ты любишь меня, но не скорби вечно. Я хочу, чтобы ты радовалась жизни, и радовалась ей с умом. Прошу, умоляю, не мучай себя. Знаю, сейчас тебе это трудно представить, но ты выйдешь из этого мрака. Я вижу для тебя свет впереди.

— Без тебя не...

— Все, Гертруда, хватит. Ты должна попытаться, ради меня, проявить волю сейчас, чтобы радовать меня в будущем. В том будущем, где меня больше не будет. Меня не будет ни в каком виде, никогда, так что долго скорбеть — глупость. Люди носят траур, потому что думают, что совершают нечто благое, что это вроде дани. Но того, кому она предназначена, не существует.

> Много людей по нему скорбит,
> Но они не узнают, где он лежит...

Что там еще говорится, помнишь?

— Это старинная шотландская баллада, но я не помню...

— «У его супруги другой супруг...»

— О... Гай...

— Только без эмоций, попытайся думать, думать вместе со мной. Понять меня сейчас, даже если это тяжело. Почему бы тебе снова не выйти замуж! Ты могла бы найти новое счастье с другим человеком. Я не хочу, чтобы ты оставалась одна.

— Нет. Я — это ты.

— Это ты сейчас так чувствуешь. Позже будешь чувствовать иначе. Жизнь, твоя природа, время скажут свое слово. Я размышлял над этим и хочу, чтобы ты вышла замуж. К примеру, за Питера. Он хороший человек и любит тебя. У него чистое сердце. Ты заметила, что он любит тебя?

Гертруда колебалась, не зная, что ответить. Ее это никогда не волновало.

— Граф? Да. Иногда мне казалось... но я...

— Я говорю это, просто чтобы ты собралась с мыслями. Бог знает, что случится с тобой через год. Может произойти что-нибудь совершенно непредвиденное. Но я так... хочу, чтобы ты была... под надежной защитой... и счастлива... когда меня не станет...

Он откинулся на подушки.

— Я хочу умереть спокойно... но как это делается?

Граф, стоявший за приоткрытой дверью на лестничной площадке, застыл на месте. Он пришел раньше и тихо поднялся по ступенькам. Дверь в гостиную была закрыта, в комнату Анны тоже. Сиделка была на кухне. В тишине и одиночестве он услышал слова Гая о нем. Он повернулся и на цыпочках спустился вниз.

ЧАСТЬ ВТОРАЯ

Прошло время, и Гай Опеншоу умер. Он прожил дольше, чем ожидалось, но подтвердил прогноз врача, скончавшись в канун Рождества. Его прах был развеян по ветру в безвестном саду. Был ранний апрель следующего года; Гертруда Опеншоу, урожденная Маккласки, смотрела из окна на холодный солнечный пейзаж с бегущими облаками. Справа, совсем близко, уходил в море небольшой скалистый мыс, покрытый густой изумрудной травой, похожей на причесанный ветром ворс шляпы, напяленной на серую выпуклость отвесного утеса, который, блестя крохотными кристаллами породы, спускался в высокую воду прилива. В отлив скалы упирались в бледно-желтую узкую полосу усеянного камнями пляжа. Камешки были серые, продолговатые и плоские, одинакового размера и формы и издалека походили на рыбную чешую. За тысячелетия море уложило их плотными рядами и отшлифовало до абсолютной гладкости. Лишь изредка тут и там выдавался щербатый, ржавый или покрытый руническими царапинами камень. Взбираться на утес было легко, только накануне Анна Кевидж проделала это. Прямо перед Гертрудой простиралось море, холодное темно-синее море с пышными белыми облаками над ним. В полукруге каменистой бухточки, в вершине которой находился дом, разбивались волны. Между домом и каменистым пляжем шли открытый всем ветрам сад, выщипанная овцами поляна и две полуобвалившиеся каменные стены, спускавшиеся к воде, вдоль них рос высокий, потрепанный непогодой боярышник, сквозь который часто пробирались дожди. Вся земля под боярышником была усеяна цветущими подснежниками. Слева от Гертруды, там, где земля покато спускалась к морю, виднелись лоскуты полей, тоже огороженных каменными стенами, находившимися в куда лучшем состоянии, которые отбрасывали резкие тени, когда облака не закрывали солнце. Гертруда и Анна жили в загородном доме Стэнли Опеншоу в графстве Камбрия. Три недели назад Манфред отвез их сюда, на север, в своей большой машине.

Гай больше не просил позвать Анну, казалось, он забыл о ней. Один раз он виделся с Графом, но недолго. Он больше не говорил с Гертрудой, как в тот вечер, когда просил ее быть счастливой после его смерти. Позже дневная сиделка сказала Гертруде, что он, должно быть, испытывал ужасные боли во время того разговора, потому что отказался от укола, чтобы сознание было ясным. После того вечера Гертруда отменила «часы посещения», и *les cousins et les tantes* держались в отдалении, почти перестали спрашивать о состоянии Гая и ожидали конца. Гай стал отчужденным, отрешенным, молча лежал, устремив взгляд мимо Гертруды на то, что его ожидало. Захотел увидеть Мозеса Гринберга, но беседа была короткой. Все распоряжения юридического характера были давно отданы. Виктор избегал расспросов, говорить ему было нечего. Перед самой кончиной Гай вдруг стал заговариваться, бредить, бормоча что-то о «колечке», «логическом пространстве», «верхней стороне куба» и «белом лебеде». Еще говорил о Хайдеггере и Витгенштейне. Потом стал с волнением просить позвать отца и дядю Руди. Он умер один, ночью, вероятно, во сне, сказала ночная сиделка (хотя откуда ей было знать). Сиделка, а не Гертруда нашла его мертвым. Гертруда взглянула разок на его мертвое лицо и отвернулась. Тело ее судорожно напряглось, словно в родовых схватках.

Она присутствовала на кремации. Стояла, не опираясь ни на чью руку. И потом несколько недель не выходила из дому. Лежала в постели и пила все пилюли и снотворные, которые ей прописал Виктор. Тихо плакала или рыдала, захлебываясь криком и задыхаясь. Наглотавшись таблеток, проваливалась в сон, чтобы, проснувшись, вновь окунуться в ужас. Анна взяла в свои руки уход за ней. Гертруда слышала неясные, иногда приглушенные знакомые голоса миссис Маунт, Стэнли, Манфреда, Джеральда, Графа, переговаривавшихся в холле с Анной, взволнованные, вопросительно звучащие голоса, что-то обсуждающие, предлагающие. Она никого не видела, кроме Анны, хотя в первые дни не в силах была общаться даже с ней. Потом однажды, в январе, она вдруг прекратила рыдать и стенать и встала, хотя глаза у нее по-прежнему были красные и мокрые. Она приняла от Анны слова, ласку, любовь — пищу утешения, правда сначала больше ради Анны, чем думая о себе.

Появился Мозес Гринберг с портфелем, полным документов, и занял ими весь обеденный стол. Гай, конечно же, позаботился, чтобы бумаги были в идеальном порядке. Завещание было лаконично. Все, чем он обладал на момент смерти, отходило его любимой жене Гертруде. Других наследников не было. Мозес постарался что-то объяснить Гертруде относительно вложений капитала, но она, сидевшая, прижав к губам платочек, ничего не понимала. Она никогда не задумывалась о таких вещах, а Гай не обсуждал их с ней. Она призвала на помощь Анну, которая в этом разбиралась. Анна и Мозес обговорили все вопросы, касавшиеся налогов, страховки и банковских счетов. Мозес Гринберг не мог быть более любезен.

Гертруда развила лихорадочную деятельность, затеяв кардинально изменить квартиру. Она продала кровать, на которой умер Гай, и другую, на которой они вместе спали все годы. Она предпочла бы сжечь обе в море, погрузив их на лодку. Все поменяла местами, устроила новые спальни для себя и Анны, перевесила картины и по-иному расположила коврики на полу и безделушки, которые не переставлялись годами. Потом, неизменно в сопровождении Анны, нанесла визиты, словно исполняла долг, членам семейства. Она будто хотела «показаться» родственникам Гая в роли его вдовы. Многие, даже седьмая вода на киселе, вроде Шульцев, уговаривали ее остаться пожить у них. Несколько дней она гостила, вместе с Анной разумеется, в лондонском доме Стэнли Опеншоу. Затем по предложению Джанет они отправились на север, в их сельский дом в Камбрии. Горе Гертруды несколько улеглось, она стала спокойнее, но это был беспросветно-мрачный покой, прерываемый вспышками прежнего неистового отчаяния, и тогда она, громко стеная, бродила одна вдоль берега.

Ждала ли она, что смерть Гая принесет какое-то облегчение? Когда она не будет видеть тень прежнего Гая, испытывать мучительную боль, страдать от с каждым днем рвущихся духовных связей, смотреть в затуманенные, безумные, даже враждебные глаза? Но нет, его смерть, отсутствие, абсолютное отсутствие были еще хуже, настолько, что она и не представляла. Пустота, ничто на месте того, кто когда-то жил, дышал, утрата ощущения его существования *где-то*, придававшего миру устойчивость. Гай умер, и ее сердце, искавшее утешения, находило лишь пустоту. Даже отчужденный, страдающий, Гай оставался тем, к кому она могла прийти, чтобы успокоить свою боль. Теперь она была одна. И память о ней умерла, думалось ей, никто больше ничего о ней не знает; она тоже оставила этот мир. Все, что он мог бы сказать ей, умерло, все, что они оба знали и любили, исчезло бесследно. Совместная их с Гаем радость не могла возвратиться ее одинокой радостью. Да, отсутствие — это хуже всего. Эту пустоту она заполнила новым существованием, созданным из слез. Она слышала пение птиц туманным английским утром, но в мире больше не было радости.

Однако мало-помалу страшное горе утихло, прошло время, когда Гертруда чувствовала, что в буквальном смысле умирает, потому что сердце ее разбито. Она не могла представить, как бы выжила без Анны Кевидж, и возвращение к ней Анны теперь придало смысл ее жизни.

— Я была одержима дьяволом, и ты спасла меня.

— Почему дьяволом? — спросила Анна.

Они гуляли в полдень у моря, шагая в грубых башмаках по плоским серым камням, которые обтесал прибой, придав им неброскую красоту.

— Даже не знаю... я уступила ему. Может, когда так сильно желала умереть. Может, когда боролась с миром и жаждала причинить ему боль.

Гертруда вспоминала, как Гай хотел, чтобы она была счастлива. Она никогда не будет счастлива, но обязана сопротивляться отчаянию.

— Человек обязан сопротивляться отчаянию,— сказала Анна.— Это одно из правил, действительных везде и всегда. Думаю, это долг человека даже в камере пыток, хотя никто никогда не узнает, следовал он этому долгу или нет.

— Одному Богу известно.

— Одному Богу известно.

— Полезная выдумка.

— Да!

Гертруда поняла слова о долге. Мелькнула мысль, что Гай с удовольствием порассуждал бы на эту тему.

Свет изменился, и по темному морю под теплым солнцем протянулись таинственные искрящиеся светло-голубые полосы.

Анна задумалась о том, что сейчас Великий пост. Что-то будет с ней к Пасхе? Пасха всегда представлялась ей огромным медленным взрывом слепящего света. Мысли обратились к невинному, незапятнанному. К детям во время Рождества, детям во время Пасхи. Детям, разыгрывающим рождественскую историю. Может, для нее сейчас лучше невинность, а не этот нестерпимый свет? Сначала она чувствовала себя как человек, успешно совершивший преступление. Теперь она стремилась обрести убежище в мире, спасение от греха.

Гертруда же думала, что хорошо бы Анна осталась с ней навсегда, она теперь жить без нее не может. Присутствие Анны в доме необходимо для долгого возвращения к жизни. Пока Гертруда не сказала этого Анне прямо, но намекнула.

— Я не смогла бы выжить без тебя, Анна. Бог мне послал тебя.

— Еще одна удобная выдумка.

— Нет-нет, ты знаешь, что я имею в виду. Ты появилась тогда, когда была необходима мне. А это что-то да значит.

— Это суеверие, дорогая. Но я рада... рада... что была полезна.

«Да, суеверие,— сказала себе Анна.— Отныне любая мысль, что моя жизнь подчинена воле Божьей,— не более чем суеверие». И все же ей хотелось, чтобы Гертруда оказалась права.

— Анна, милая, оставайся со мной... останешься?

— Я ведь уже сказала, что...

— Нет, я имею в виду — всегда. Вечно. Ты должна. Мы будем вместе. Душой вместе. Конечно, мы уедем и будем заниматься каждая своим делом, я не буду связывать тебя, но будем жить одним домом. Почему нет? Для меня это так ясно. Ты свободна, Анна, свободна, и все сейчас по-другому. Соглашайся, прошу тебя. Думаю, ты согласна. Быть со мной всегда.

«Гертруда повторяет,— думала Анна,— что я свободна, но что это значит?» Она не стала сейчас вникать в это Гертрудино «вечно», хотя ее это тронуло. Она сказала:

— Я никогда не оставлю тебя, ты знаешь...

«Больше ничего не буду говорить пока,— думала Гертруда.— Скорее всего, она останется, должна остаться».

— Хочу, чтобы ты помогла мне тратить деньги,— сказала Гертруда.

— Путешествия, шампанское?

— Ну и это тоже, почему нет! Я имела в виду благотворительность.

— Ты знаешь об этом больше моего. Как насчет той твоей работы с женщинами из Азии?

— Я так еще неопытна. Они красивы и духовны, это им следовало бы учить меня! Может, я вернусь к преподаванию в школе, не знаю. Но что бы я ни делала, хочу делать это с тобой вместе. Ты теперь наша монахиня, как говорит Граф о тебе. Ты наша святая и необходима нам. Вдова — это своего рода монахиня, мы вместе будем монахинями и будем совершать благие дела! Не вижу причины, почему бы детям Стэнли не получить все деньги Гая.

Гай не отдавал письменного распоряжения, но, можно сказать, между ними была безмолвная договоренность, что Гертруда, по крайней мере, составит промежуточное завещание в пользу Уильяма, Неда и Розалинды Опеншоу. Гертруда, у которой не было близких родственников, всегда относилась к семье Гая как к собственной. Теперь, однако, она чувствовала, что они не только не близки ей, но даже неприятны. Гай, украшение этого семейства, был мертв, а они продолжали жить.

— Ты можешь снова выйти замуж,— сказала Анна.

— Никогда! И спасибо, дорогая, что не подпускала их ко мне. Без тебя они съели бы меня живьем.— Гертруда имела в виду *les cousins et les tantes*. Анна стояла на страже, охраняя от них Гертруду. Они все были недовольны.

— Они любят тебя.

— Да-да, конечно...

— Как бы то ни было, я рада, что ты изучаешь урду.

В свое время они установили распорядок дел. По утрам расходились заниматься языками: Гертруда сидела в маленькой гостиной, Анна — у себя в спальне. Гертруда учила урду. Анна совершенствовала свой древнегреческий. Не столько монастырская привычка, сколько характер не позволял ей бездельничать. Она, по крайней, мере могла попытаться приобрести профессию. Гертруда тоже была не расположена к праздности, правда, она не обладала таким же упорством и вскоре забросила учебники. Анна увидела в подруге беспокойную, растерянную вдову средних лет. Вся ее прежняя жизнь была в муже. Теперь, не имея ни детей, ни занятия, она утратила путь. Но разве Анна тоже не утратила его? Был однажды Тот, кто сказал ей: «Я есмь Путь».

Перед ланчем они спускались к морю, потом пили шерри, сидя под боярышником, если хотя бы немного проглядывало солнце. Анна никогда не училась готовить и сейчас дала ясно понять, что не собирается учиться, так что ланчем занималась Гертруда. (Готовила она посредственно, а национальные блюда — и вовсе не умела, не то что другие еврейские женщины. Джанет Опеншоу славилась своей *gefilte fisch**.) После ланча они занимались домашними делами, а потом обычно шли прогуляться вдоль берега или к полям, шагая по узким извилистым тропинкам между каменных стен, где росли лиловые и белые фиалки, и любовались изгибами дальних прозрачно-зеленых холмов, усеянных белыми точками овец, и безостановочно бегущими тенями облаков. Неподалеку от дома была маленькая ферма, но до ближайшей деревни — два часа приятной прогулки. Деревенская лавка закрывалась вечером в один час с открытием деревенского паба, так что, отправляясь в лавку, Анна и Гертруда могли получить удовольствие от местного сидра, прежде чем возвращаться домой к обеду и чтению у зажженной лампы. Анна читала «Эдинбургскую темницу». Читала очень медленно, вдумчиво. Гертруда — «Разум и чувство». Она читала с грустным спокойным чувством воз-

* Фаршированная рыба *(идиш)*.

врата в другие времена своей жизни, к забытым уже радостям. В свое время, до появления Анны, она забросила романы. (Гай предпочитал книги по философии и истории. Для развлечения же читал биографии знаменитостей.) Анна читала с неубывающим изумлением. Что за необыкновенная форма искусства — эта литература, обо всем рассказывает! Сколько в ней всего познавательного, увлекательного, нравоучительного, сколько чувства! Иногда они с Гертрудой спорили о прочитанном. (Их мнения о Джейни Динс разошлись.) Ложились они рано.

— Эй, эй, белый лебедь.

— Не могу ничего сказать,— ответила Анна. Гертруда спрашивала ее об этом белом лебеде Гая. Что это значит? Анна не знала.

— Теперь я об этом никогда не узнаю, и о кубе тоже,— проговорила Гертруда со слезами на глазах.

Анна была удивлена силе и продолжительности ее горя. Со своего рода профессиональным бесстрастием она могла судить, что острота его долго не продлится, хотя боль утраты никогда не пройдет.

— Она никогда не пройдет, эта боль,— сказала Гертруда. Иногда Анне казалось, что они читают в мыслях друг друга, столь близки они были.— Припоминаю, раньше он обычно повторял эту присказку, когда мы видели паб, называвшийся «Лебедь». Но я никогда не спрашивала его, а теперь чувствую, что этим разочаровала его, мне все же следовало поинтересоваться. Но что-то останавливало — может, это как-то связано с религией.

— Я не знаю,— сказала Анна.— Тут нет твоей вины, не надо выдумывать. Хватит и этой боли.

— Я продам квартиру,— сказала Гертруда.— Мы уйдем от мира. Одна я не смогу.

«Я бросила монастырь,— подумала Анна,— чтобы быть бездомной. Лисицы имеют норы, но Сын Человеческий не имеет, где преклонить голову. Я должна идти дальше с моим Иисусом, если у меня еще есть Иисус. Если останусь с Гертрудой, дом у меня будет вечно». (Она старалась не думать, какое это счастье — дом!) Идея Гертруды уйти от мира означала поселиться в маленьком домике в Челси.

Анна неожиданно засмеялась, и Гертруда чуть не засмеялась тоже. Так они смеялись прежде, особым, сумасшедшим, им одним понятным смехом, каким они смеялись в колледже; этому смеху Анна вновь учила Гертруду, забывшую, что такое смех.

— Над чем смеешься, дорогая?

— Над твоей идеей уйти от мира!

— Интересно, вот ты когда-нибудь по-настоящему уходила от мира? — спросила Гертруда.

— Хороший вопрос.

«Насколько же гордость придает мне сил,— думала Анна,— насколько же она еще крепка. Да изменилась ли я на самом деле, и могут ли люди измениться?» Та смерть в жизни, которую она попробовала осуществить: отвергнуть ложных богов, уничтожить свое «я», понемногу каждый день, как срывают листья или счищают чешую... Не было ли это кажущимся? Гертруда видела в вере Анны тюрьму, из которой она вырвалась, навязчивое заблуждение, от которого излечилась. До чего это неверно на самом деле! Но все же что с ней произошло? Она продолжала молиться, но просила не «дай уйти», а глубинно, истово «дай войти». Куда она и ее Христос пойдут теперь и что будет с ними? Она оставила монастырь ради истины, и одиночества, и чистоты. Если бы ей пришлось искать обитель, где она могла жить как отшельница и хранить чистоту, было бы это тоже кажущимся? Или, как ламе с Кимом, остаться с Гертрудой? Куда тогда любовь и долг могут завести ее? Она легко могла бы сделать это, думала Анна. То «навечно» временами казалось таким близким ее сердцу.

— Ты пыталась уничтожить себя,— сказала Гертруда,— но тебе это не удалось.

Иногда в словах Гертруды было столько горячности, почти заикающегося негодования, желания уязвить, уколоть.

По утрам и вечерам Анна спокойно сидела в доме. Порой машинально опускалась на колени. Суеверие? Да много ли значит, что есть и что не есть суеверие? Сможет ли она когда-нибудь говорить об этом с кем-то? Ранние птицы напоминали ей о поющих монахинях.

— Сегодня воскресенье.

Возобновившийся далекий звон церковных колоколов, донесшийся из-за прозрачных, усыпанных овцами холмов, еще раньше возвестил им эту новость. Церковь находилась в деревне, возле паба,— невысокое серое прочное строение с толстыми нормандскими колоннами и узким входом. Анна заходила в нее, с Гертрудой и одна. Она показалась ей пустой и красивой. Кто бы ни обитал в ней, он давным-давно покинул ее.

— Да. Паб не откроется до семи. На прошлой неделе мы забыли туда сходить.

— Я подумала о еще одной причине, почему ты должна остаться со мной навсегда,— сказала Гертруда.

— И что это за причина?

— Мне нужен кто-то, кто умеет водить машину.

— Я и забыла,— сказала Анна.

— Когда-то ты гоняла как черт.

В прежние времена Анна в самом деле обожала водить. Но теперь растеряла все умение. Манфред хотел, чтобы она села за руль его огромной машины на пустой дороге на север, но Анна отказалась.

— Ты отказалась сменить Манфреда за рулем,— сказала Гертруда.— Испугалась.

— Испугалась. Манфред ездит слишком быстро.

— Ты строга, я это заметила. Может, это единственное, что ты по-настоящему вынесла из монастыря. Ты судишь людей. Вчера вечером сказала, что я чересчур много пью.

— Так и есть.

— Ну, точно судья, я воспринимаю тебя как судью, святого судью наших жизней. Я не смеюсь, дорогая, мне, нам это нравится, мы в этом нуждаемся. Ты осуществляешь справедливый суд над нами.

Неужели я строга, недоумевала Анна. Она, конечно, обнаружила, что принимать *tempo** жизни в миру, где она теперь жила, оказалось труднее, чем она ожидала. Люди раздражали ее, в том числе и Гертруда. Ей не нравилось, когда ее называли «святой» или «монахиней». Но разве она не чувствовала себя иной, чем они, выше их? Чувствовала. Ужасно сознавать это.

— Кто это «мы»? — спросила она Гертруду.

— Ох... да не знаю... Дорогая моя, останься со мной. Я люблю тебя, почему мы не можем быть вместе? Пропади он пропадом, этот мир! Гай хотел, чтобы я была счастлива.

— Он был прав, тебе это нужно.

«Но не мне,— подумала Анна.— То, что вело меня прочь из монастыря и должно вести дальше, не имеет никакого отношения к счастью».

— Разумеется, обе мы будем работать. Ты сможешь преподавать. Или почему бы тебе не написать книгу о том, как ты утратила веру? Она поможет многим людям.

— О господи!

Господь мой и Бог мой, когда же начнется настоящее страдание? Утешать Гертруду было лишь ничем не грозящим преддверием к нему. Тем не менее ее любовь к Гертруде была первым реальным испытанием, с которым она встретилась за воротами монастыря.

Прими она сан, осталась бы она тогда там, вдохновленная некой идеей служения? Подняло бы священство ее выше того уровня, на котором она временами чувствовала, что не имеет значения, каковы ее мысли или поступки, потому что она женщина? Она не несла драгоценную чашу, из ко-

* Ритм *(ит.)*.

торой многие питались. Анну смущало такое предположение, часто казавшееся ей несомненно дьявольским. Лучше не думать об этом. Да, с Гертрудой ей спокойно. Однако именно здесь она должна ждать, когда придет ночь. А она придет.

Во время утренней прогулки Анна и Гертруда доходили до конца пляжа, до того места, где из волн прибоя вставал утес. Волны неистово били в его каменный бок, а резкий ветер швырял тучи брызг. Могучее море было неспокойно. Женщины повернули назад, шагая по серым камням в самой близи от пены, с шипеньем подкатывавшейся к ногам. Мокрые камни были почти черными. Сухие — матово-серыми, так что самое яркое солнце не способно было отразиться в них даже намеком иного цвета. Анна подобрала небольшой камешек. Они все были так похожи и в то же время так непохожи один на другой, словно фишки в игре какого-то бога. Схожие по форме, они никогда в точности не повторяли друг друга. Каждый, если внимательно присмотреться, обладал какой-нибудь крохотной индивидуальной особенностью: вмятиной или зазубренным краем, короткой и почти неразличимой полоской. «Какое значение имеют мои мысли,— подумала Анна,— какое значение имеют эти мелкие частности, какое значение имеет то, спас Иисус Христос мир или нет? Никакого, наш ум не в силах постичь подобные вещи, все это слишком темно, слишком неопределенно, матрица меняется, и мы меняемся вместе с ней. Какое значение имеет что-либо, кроме помощи человеку, другому, который рядом с тобой, кроме ясного дела? Мы столь мало можем понять в этой великой игре. Посмотри на эти камни. Господь мой и Бог мой!» Она повторила вслух:

— Господи!

— Что ты сказала?

— Только посмотри на эти камни,— ответила Анна.

Она отбросила свой камешек, потом с каким-то первобытным инстинктом собственника нагнулась, чтобы снова подобрать, но не смогла найти среди других, неотличимых.

— Да,— сказала Гертруда.— Камни как камни. Что в них такого?

— Камни как камни.

— Жарко,— сказала Гертруда.— Если ветер на минуту стихает, становится просто жарко при таком солнце. Подержи, я сниму пальто.

Анна взяла у нее маленький букетик подснежников и фиалок с короткими стебельками, которые Гертруда нарвала на зеленой кромке берега и под боярышником, когда они спускались на каменистый пляж.

Гертруда сняла пальто. Обе они оделись в расчете на холодную погоду, но апрельское солнце было неожиданно теплым, даже горячим. Высокая ростом Анна для прогулок теперь надевала сине-белое шерстяное клетчатое платье, купленное в деревенской лавке еще в той, казавшейся далекой, предыдущей жизни. (Вечерами она переодевалась в новое темно-синее твидовое.) На шее у нее был длинный розовато-лиловый индийский шарф, подаренный Гертрудой. Она не позволила Гертруде приодеть ее. Ходила в черных шерстяных чулках до колен и прочных монастырских башмаках. Волосы у нее отрастали, но она решила стричь их покороче. Гертруде так тоже нравилось. Она помнила пышную золотистую гриву Анны в годы их студенчества, но этот серебристо-белокурый ежик очень ей шел. От прогулок, от пребывания на весеннем солнце тонкое лицо Анны покрылось загаром, но очень легким, слабым. Ее довольно узкие голубовато-зеленые глаза смотрели на мир, как выразилась Гертруда, мглистым, затуманенным взглядом, в котором еще стояло ошеломление от увиденного. На Гертруде под пальто было коричневое почти летнее легкое трикотажное платье в желтовато-коричневый цветочек. Ее лицо мало изменилось, разве, может, слегка постарело и было постоянно напряженным. Такой след оставили на нем долгие слезы, словно его касался, как этих камней, с легким нажимом некий палец. Ясные карие глаза ушли глубже в глазницы, кончики губ еще больше опустились, удлиненные двумя тонкими морщинками. Однако волосы, которые она только недавно опять стала мыть регулярно, не потеряли прежней красоты, скорбь на них не сказалась, темно-каштановые, длинные, сейчас спутанные ветром, они падали на воротник платья. Она похудела, стала стройней и, хотя была ниже Анны ростом, в ходьбе не отставала от нее.

Солнце залило всю округу. Над изумрудно-зеленым мысом безумствовал жаворонок.

— Ох... солнце... это впервые...

— Да.

— Анна, посмотри на море, какое оно синее и вспыхивает, будто сигналит...

— Да. Почти можно купаться.

— Ты была отчаянным водителем. И отчаянной пловчихой.

— Я думала, что никогда уже не поплаваю.

— Может, сейчас поплаваешь, а?

— Это что, вызов? Или думаешь, у меня духу не хватит, как вести машину Манфреда?

— Ну конечно же, еще слишком холодно, я пошутила.

— Совсем даже не холодно. Думаю, ты сказала это, чтобы я попробовала.

— Ты имеешь в виду сейчас? Анна, не глупи... вода ледяная! Ты же это несерьезно...

— Серьезно,— ответила Анна.— Прекрасная идея. Если хочешь посмотреть, как я поплыву, я поплыву!

— Не хочу! Пожалуйста, пожалуйста.

Анна уже сбросила башмаки и стягивала носки. Плоские серые камни под босыми ногами были гладкими и холодными. Она сняла шарф и пояс платья.

— Анна, не сходи с ума, посмотри, какие волны... это не был вызов, нам же не по девятнадцать!

Анну вдруг охватило дикое, неистовое желание окунуться в море. Странное острое чувство, похожее на плотское желание, пронзило ее нутро. Она рывком стащила через голову полурасстегнутое платье. Через мгновение, оставшись только с маленьким золотым крестиком на цепочке вокруг шеи, она ступила в шипящую кремовую пену и быстро пошла вперед, чуть оскальзываясь на камешках, перекатывавшихся под ногами, пока белая вода не стала ей выше колен.

— Анна... Анна... остановись...

Она не ожидала, что море окажется таким ледяным. Оно в сумасшедшем возбуждении лизало ее нагое тело. Дно круто уходило в глубину, волна ударила ее в грудь и окатила с головой. Хватая ртом воздух, взвизгивая от холода, она потеряла дно и, бросившись в набежавшую волну, поплыла, колотя ногами, поднимаемая новыми мощными волнами, сквозь брызги видя сине-зеленые, в белых хлопьях пены набегавшие валы и синее небо за ними. Она кричала от безудержной радости, чувствуя, как становится тепло рукам и ногам в обжигающей воде, и мощными гребками удалялась от берега, уверенно отдаваясь могучему колыханию моря.

Молодой Анна любила спорт: играла в гольф, теннис, плавала. Она не могла помыслить себе жизнь без физической силы и удали, которые придавали ей спокойное чувство превосходства, никогда не подвергавшегося сомнению, пока оно закономерно не переросло в экстатическую покорность Всевышнему. Она прежняя Анна Кевидж. Она поняла это, переворачиваясь на спину и молотя ногами по воде. Достаточно. Она сделала дельфиний кульбит и поплыла к берегу быстрым изящным кролем, которому, оказывается, не разучилась, во всяком случае не больше, чем ходьбе. Море и впрямь было очень холодным.

Но вскоре, как неожиданный удар, почувствовала внезапную усталость. Куда девалась сила, которой минуту назад она радовалась? В руках, которые только что двигались легко и без усилий, появились слабость и боль, нагое тело объял ледяной холод. Монахини гордились тем, что были в хорошей физической форме. Прогулок по саду было недостаточно. Анна соблюдала режим, делала упражнения. Наверное, с годами он стал менее строгим. Энергия юности исчезла. Что со мной, я ослабела, плавать, конечно, не разучилась, но эта слабость, нет сил работать руками и ногами. Анна хватала ртом воздух, глотая морскую воду. Она продолжала плыть к берегу, но очень медленно, преодолевая страшную усталость. Над гребешками пенистых волн виднелась фигура Гертруды на далеком берегу, а за ней серый куб дома. Наверное, это течение относило ее обратно в море! Не может же быть такого, чтобы просто усталость была причиной, что земля отдалялась? Она попыталась грести сильней, охваченная страхом. Неужели она тонет, так глупо, бессмысленно, на глазах у Гертруды? Вчера она взобралась на утес, чтобы произвести впечатление на Гертруду. Было по-настоящему трудно.

Гертруда видела, что Анна плывет обратно с трудом, словно преодолевая сопротивление некой силы. Видела она и с каким неистовством разбиваются волны о камни. Легче было выпрыгнуть из тех волн, чем преодолевать их вплавь. Казалось, за то короткое время, что Анна была в море, оно стало еще громадней и яростней. «Это моя вина, я подтолкнула ее,— говорила себе Гертруда.— И теперь, не успела я найти ее, она погибает у меня на глазах, тонет беспомощная». Гертруда плавать едва умела. Она всегда боялась моря. «Анна! Анна!» — кричала она, заламывая руки.

Анна, видневшаяся уже ближе, тоже начала понимать, насколько мощны и огромны волны, с какой силой они разбиваются о берег. Она воспринимала их оглушительный грохот не как звук, а как сокрушительное сотрясение. Она оглянулась назад. Солнце, должно быть, заволокли тучи, поскольку высокие спины накатывающихся валов были почти черные. Мужество оставило ее, и она принялась плавать вдоль берега, не решаясь на последнее испытание. Ее тело в ревущем хаосе водоворота чувствовало невероятную силу приливных волн, теперь тянущих к берегу, так что приходилось сопротивляться их натиску, чтобы оставаться на месте. Она попыталась снова отплыть в море. Наверное, уже ничего не соображала от холода. Она была игрушкой немыслимых неодушевленных сил, способных в секунды убить ее. Она попыталась думать.

Дело было в том, что, когда она приблизилась, несомая волной, к полосе прибоя, у нее уже не осталось достаточно сил быстро выбраться из воды или крепко стоять на ногах, чтобы следующая волна не сбила ее и не унесла обратно, накрыв с головой. Входя вначале в воду, она в своем ликовании не заметила то, что увидела и почувствовала сейчас: насколько круто спускался берег, так что в месте, где разбивались волны, она едва могла достать ногой дно. Она увидела, что отступающие волны тащат за собой камни.

О Боже, Боже, помоги мне! — молила Анна. Нужно рискнуть, и немедленно. Она настолько ослабела, что только старалась держать голову над поверхностью, хватая ртом воздух вместе с водой. Она снова оглянулась на приближавшиеся огромные черноспинные волны, выбрала одну, чуть поменьше, и, яростно гребя, поплыла прямо к берегу. Вот совсем близко показались темные перекатывающиеся камни и кремовая бешеная пена. Когда несшая ее волна стала рассыпаться, она остановилась и попыталась нащупать дно. Белая кипящая вода хлынула назад, накрыв ее с головой, нога коснулась, глубоко внизу, катящихся с отступающей водой камней. Чуть обернувшись, она увидела высокий заворачивающийся гребень новой волны. Попыталась броситься вперед, чтобы ее не захлестнуло, но это было невозможно. Невозможно было опереться о дно, вода была слишком глубокой и слишком быстро откатывалась под надвигавшуюся волну, которая уже нависла над Анной, как полупрозрачная черно-зеленая стена. Она потеряла равновесие, силы ее оставили. Волна обрушилась и поглотила ее. Голова была под водой, рот открыт.

Гертруда, парализованная ужасом, увидела и поняла, в каком критическом положении оказалась подруга. Она тоже оценила бездушную мощь волн, прибоя, крутизну каменистого берега, скорость откатывающейся воды, невозможность встать в ней на ноги. Она видела, что пытается сделать

Анна и насколько это трудно. Она видела тело подруги, беспомощное, мечущееся, нагое, как тела грешников в аду, готовое исчезнуть навсегда; и в тот момент, когда голова Анны скрылась под сокрушительным крутящимся потоком второй волны, Гертруда шагнула в воду.

Когда Анна увидела над собой громаду волны, когда дно ушло из-под ног и она погрузилась в тусклую пещеру пенного водоворота, когда вода хлынула ей в рот, открытый, чтобы глотнуть воздуху, то подумала, что все, она тонет, это конец. Прости, прости! Следующее, что она увидела, был дневной свет, человеческая рука и коричневая ткань Гертрудиного платья, потемневшая от воды. Ноги вновь коснулись камней и удалось глотнуть воздуху. Она, спотыкаясь, сделала два мучительных шага вперед и ухватилась за руку, за коричневую ткань. Обе женщины упали в шипящую пену. Потом встали, и Гертруда потащила Анну на берег, подальше от воды.

Они сели на камни, Анна хватала ртом воздух, отплевывалась, но постепенно ее дыхание успокоилось.

— Как ты? — спросила Гертруда.

— Нормально. А ты?

— Я тоже.

— Спасибо, что спасла меня.

— Я уж перепугалась, что ты не выберешься.

— И я тоже. Прости меня.

— Ты настоящая идиотка.

— Да. Да. Да.

— Слушай, набрось мое пальто. Идти можешь?

Анна накинула на себя пальто Гертруды и подобрала собственную одежду. Держась за руки, дрожащие от холода, они поднялись на лужайку перед домом. Потом внезапно остановились и, не разнимая рук, засмеялись, как прежде, в дни их юности, разве что слегка истерично.

— А все-таки,— сказала Гертруда,— ты выглядела очень мило голышом, с одним только крестиком на шее.

В день возвращения Гертруды в Лондон Граф сидел в буфете вокзала Виктория. Он заказал чашку кофе, но пить его не мог. Только пролил на пластиковую поверхность столика и теперь сидел, глядя тусклыми глазами и водя пальцем в кофейной лужице. Было четверть шестого. Сердце Графа бешено колотилось. Сердце — мощная машина. У Графа оно сейчас громыхало, будто какой-нибудь заводской пресс. Граф приложил руку к груди, словно стараясь не дать сердцу в отчаянии выскочить наружу. Ибо то, что он чувствовал, было отчаянием. Или надеждой? Как можно совмещать столь безудержное отчаяние и столь же безудержную надежду? Его душа и тело, все его существо были охвачены необоримым чувством. И он знал одно из названий этого чувства: любовь. Он был влюблен. Граф не мог унять дрожи и завороженно смотрел на свои трясущиеся руки.

Прошлой ночью ему приснилась мать. Он был с ней в большой темной церкви. Она громко молилась, и он хотел молиться вместе с ней, но не понимал слов. Это не польские слова, подумал он, какие же, что это за язык? На матери была темная вуаль с вышитыми на ней красными и голубыми цветочками, и он неожиданно подумал, как странно, я и не представлял, что она иудейка. Потом он подумал: нет, она не иудейка, она мертвая.

Варшавское гетто становилось все меньше и меньше. Люди уходили и больше не возвращались. Но оставшиеся не верили, кроме немногих, что тех, кто ушел, убили. Даже когда они почти поверили в это, каждый думал: со мной такого не произойдет. Граф читал в книгах, что многие поляки, несмотря на собственные страдания, ненавидели евреев, выдавали их немцам, радуясь, что кто-то страдает больше их, что кому-то еще хуже. И все же были среди них такие, кто помогал евреям, даже погибал вместе с ними, когда рухнули тщетные надежды и гетто в страшном святом мужестве отчаяния бросилось в последнее сражение. Троя горит, Варшава горит, и гетто подожгли и затопили канализацию.

Граф знал, что если бы жил сейчас в Польше, то невольно переиначил в душе прошлое, чтобы оно не выглядело столь невыносимым. Было ли это прошлое *его* прошлым? Как оно должно было повлиять на него? Иногда все это казалось «литературой», далеким, как эпическая поэма, как Фукидид. Как следовало поступить Бор-Комаровскому, когда Красная Армия подошла к Висле? Как следовало поступить Никию после поражения в гавани Сиракуз? Безусловно, над страданиями и унижением людей должна вознестись Справедливость — ради очищения и искупления, не как возмездие, но как правда. Иногда он мог почти спокойно размышлять над этим страшным прошлым, которое не было и в то же время было его прошлым. Иногда оно внезапно обрушивалось на него, как мучительный непостижимый кошмар, от которого он не мог защититься здравым смыслом; оно переполняло его, порождая страх, сострадание, стыд, и смешивалось, как это произошло сейчас, с какой-то совершенно иной болью.

Время после смерти Гая было для Графа очень тяжелым. Он с чувством странного облегчения, почти благодарности оплакивал Гая. Его смерть взволновала Графа даже сильнее, чем он ожидал. Он привык к отсутствию Гая в офисе. Другое дело — привыкать к его отсутствию в мире. Гай был для него не только мудрым и доброжелательным товарищем, но и авторитетом. Одним из тех, кто внушал окружающим доверие своей нравственностью, цельностью, являвшихся не результатом влияния какой-то теории, но исходящих из самого Гая, как из чего-то монументального. (Граф знал, как Гай насмехался над подобным «выводом».) Граф чувствовал, что после смерти Гая могло произойти что угодно. Он потерял лучшего друга, с которым всегда мог поговорить, обратиться за советом или поддержкой. Теперь призрак собственного ужасного одиночества вырос выше, подкрался ближе, и по временам Граф видел на лице этого призрака печать безумия.

Скорбь по Гаю милосердно отсрочила иное и еще более ужасное сумасшествие. Граф пытался не думать об этом, заглушать в себе это чувство, но увы. Он знал, что оно скоро начнет бушевать во всю силу, подкравшись, как тигр, и его будет не удержать. Пока он заставлял себя думать, что он лишь слуга, слуга Гертруды, вроде ливрейного лакея или конюха. Конечно, он старался быть ей полезен. Помогал в устройстве похорон. Составил список друзей Гая по службе, которых следовало известить. Помогал переставлять мебель в квартире. Был всегда под рукой, безотказный, почтительный. Но, как оказалось, он, со своим стремлением услужить, не был так необходим, как ему мечталось. Иные, более полезные помощники оттеснили его, и ему пришлось признать, что в тяжелую для Гертруды минуту он менее важен для нее, чем они. Манфред и его большая машина бывали на Ибери-стрит каждый день. После похорон — Мозес Гринберг, внимательный, значительный, нагруженный непонятными, жизненно важными документами. И место главного утешителя, главного наперсника, на которое Граф изредка осмеливался надеяться, конечно, тоже было занято — Анной Кевидж. Гертруде действительно было «безопаснее» с Анной. Графу она очень нравилась, и он испытывал перед к ней нечто вроде священного трепета, как перед неземным существом; однако он не мог не возмущаться тем, что, возникнув внезапно из ниоткуда, она перехватила его роль.

Порой, сидя поздним вечером в одиночестве и слушая сообщения о шторме, надвигающемся на ирландскую Фастнет, Гебриды, Шетландские и Фарерские острова, Граф укорял себя за столь горячее желание утешать возлюбленную. Не значило ли это, что он хотел, чтобы она страдала и он мог бы утешать ее? Нет, его действительно потрясло ее горе, ее ужасные слезы на людях. Он и сам проливал слезы, непривычно скупые польские слезы, сидя ночами у радиоприемника или за исторической книгой. (Читать Пруста он больше не мог.) Видя рыдания Гертруды, он трясся всем телом, мучимый отчаянной жалостью, тем более ужасной, что не мог выразить ее открыто. Ему хотелось заплакать навзрыд, упасть перед ней, обнять ее колени, целовать ступни, но все, на что он решился,— это стоять с неловким видом рядом и бормотать бессмысленные слова соболезнования, чувствуя их неуместность. Он напоминал себе множество историй, где речь шла о несбыточных надеждах, некоторые из них кончались трагически. Но был не в силах заставить себя прекратить думать: *его время придет.*

Но тогда, «позже», когда он, возможно, станет ей более близким другом и помощником, что будет тогда? Мозес Гринберг выполнит свои обязательства, Анна уйдет, большая машина Манфреда будет реже появляться у дома Гертруды. Что будет тогда между ним и Гертрудой? Граф прекрасно знал: не случись так, что он подслушал те решающие слова, произнесенные Гаем, он сейчас испытывал бы совершенно иные чувства. Конечно, он уже давно влюблен в Гертруду, влюблен. Но ту любовь он легко удерживал в рамках, и помогало ему в этом уважение к ее браку, дружба с Гаем, невозможность каких-либо перемен. Помогало и то, что он хранил ее в полной тайне. Но они догадались! Так что даже прошлое получало новую и странную каузальность. Конечно, теперь, когда Гертруда стала вдовой, появилась надежда, но эта надежда была небольшой и не позволявшей забываться, и он мог успокаивать себя мыслью, что наверняка после Гая она никогда не выйдет замуж. Но слова Гая «выходи за Питера» навсегда засели в душе, и как могла его надежда не вырваться тигрицей на волю? Выключив радио и лежа в темноте, он в безумном отчаянии говорил себе: она может выйти за любого из них. Он никогда не ревновал ее к Гаю. Но как он вынесет, как сможет жить, если она выйдет за кого-то другого? Она виделась ему окруженной, осаждаемой соискателями ее руки, интересными, привлекательными, достойными. Очередь их терялась в бесконечности. Гай желал, чтобы она была счастлива. Она так и поступит, почему нет? Она может выйти за любого из них: Джеральда, Виктора, Мозеса, Эда, Белинтоя, Манфреда.

Граф посмотрел на часы. Казалось, он ждет невероятно долго, но было лишь тридцать пять минут шестого. Гертруда написала ему из Камбрии, что вернется в Лондон сегодня днем. (Драгоценное крохотное письмецо без указания точного времени прибытия лежало в нагрудном кармане Графа.) Будет ли Анна с ней? Граф очень надеялся, что не будет. Граф написал ответ (короткий, сдержанный), сообщая, что надеется увидеть ее вечером на минутку, когда она приедет, и позвонит в шесть, узнать, можно ли ему будет зайти. Он (движимый этой ужасной надеждой) отпросился на службе на два дня. Граф встревоженно вскочил. Надо найти телефонную будку. Чтобы была не занята и телефон в ней работал. Он не мог ждать до шести. Ему необходимо видеть ее, чувствовать ее присутствие рядом. Как он перенесет вечер, если она не примет его, об этом он и не подумал. Нет, он отправится на Ибери-стрит, пусть даже придется ходить вперед и назад, глядя на ее окно. Милосердное время ее отсутствия закончилось. Подожду год, подумал он, а потом попрошу выйти за меня. В нем зашевелилась надежда на сумасшедшее счастье. Наконец телефонная будка нашлась.

— Это был Граф,— сказала Гертруда Анне.— Хочет заскочить на минутку. Я сказала, пусть заходит. Ты ведь не против?

— Конечно не против, с удовольствием увижу его.

— Я получила очень милое письмо от Розалинды Опеншоу, ну, ты знаешь, дочери Стэнли.

— Дорогая, я так рада, что тебе хочется чьего-то общества. Ты, должно быть, устала видеть только меня.

— Мне не нужно ничье общество. Никто мне не нужен, кроме тебя. И я не... ох, не говори глупостей... нет сил спорить с тобой, я слишком устала.

— Манфред ехал чересчур быстро.

— Он всегда гонит. Ты это говорила. И все равно не села за руль.

— Я не привыкла к таким большим машинам.

— О боже, так непривычно вновь оказаться тут. Ты никогда не покинешь меня, будешь со мной всегда-всегда, правда?

— Я всегда буду рядом, как же иначе? Приготовить ужин, просто чтобы показать тебе, что я не забыла, как это делается?

— Уверена, что не забыла, не могу понять, с чего это я взялась учить тебя, ты не желала учиться. Ну ее, эту готовку, пойдем поужинаем где-нибудь.

— С Графом?

— Нет. Только вдвоем. Как только мы втащили чемоданы, мне сразу захотелось бежать из этой квартиры.

Гертруда оглянулась вокруг. Когда она вставляла ключ, чтобы запереть квартиру, ей стало нехорошо, она почувствовала тошноту, как бы не упасть в обморок. Вот когда это началось по-настоящему, ее жизнь без Гая. Поездка в Камбрию была интерлюдией. Перед отъездом она спокойно и предусмотрительно все поменяла в квартире. Она не хотела возвращаться в тот самый дом, который создала и в котором жила вместе с Гаем. Не хотела, чтобы на нее вновь обрушилось то ужасное ощущение его отсутствия. Но что поразило ее сейчас, так это насколько ничего не изменилось и что ощущение отсутствия не исчезло: ощущение особой формы смерти Гая, неотделимое от квартиры и теперь вернувшееся, требуя свою дань — возобновление скорби. Мебель в гостиной была переставлена. На инкрустированном столике все так же толпились бутылки, но теперь он помещался не между окон, а у двери. Ваза с цветами (свежими нарциссами — должно быть, заходила Джанет Опеншоу) переместилась на высокий бамбуковый табурет возле камина. Испанский коврик из комнаты Анны лег вместо прежнего золотистого с математическими знаками, который в свою очередь заменил дорожку, отправленную в коридор. Но оркестр фарфоровых обезьянок остался где был, на каминной полке, потому что Гертруда не могла придумать для него другое место. И картины остались висеть, как их повесил Гай. Гертруде не хватило решимости коснуться их. Они были такие тяжелые, так уверенно висели на своих местах. Она посмотрела на лица предков. Предков Гая, не ее. Какими они казались чужими и далекими, словно тоже умерли только недавно.

Чтобы не дать хлынуть отвратительным слезам, она подумала, что вот-вот явится Граф и надо будет делать вид, что она рада ему. Гертруда не забыла слов Гая относительно Питера, но не думала о них в первое время траура. Она как бы упаковала их и спрятала подальше. Она не выйдет замуж. Ей нельзя плакать. Того и гляди придет Граф, и она должна быть рада ему. Зазвенел звонок.

— О, Граф, как мило, что вы пришли, входите.

Гертруда провела его по коридору в гостиную. Холодный блеск предвечернего апрельского солнца тускло золотился на спокойных умных еврейских лицах предков. В комнате пахло нарциссами и робкой весенней тревогой. Ради гостя Гертруда сменила платье и прическу, зачесав назад пышные волнистые волосы. Они смотрели друг на друга с крайним волнением, у Гертруды неожиданным, а у Графа достигшим высшей точки после долгого и мучительного ожидания. Граф чувствовал, что впервые оказался лицом к лицу с новой, внушающей надежду Гертрудой, и это было как встреча с незнакомой, однако такой желанной, такой близкой женщиной. Он почувствовал, что было бы естественно обнять ее. Его змеино-голубые глаза не отрываясь смотрели на Гертруду, бледное лицо исказилось, превратившись в маску страдания. Чуть ли не дикое, лицо его с мокрыми губами и выражением невыносимой боли вызывало жалость. Было заметно, что он весь дрожит. Гертруда, пораженная его столь сильным волнением, и сама взволновалась. Она неожиданно оказалась один на один с человеком, который желал ее, любил, и надо было чем-то ответить на эту любовь. Сердце ее заколотилось, она поднесла руку к горлу.

Появилась Анна с подносом, на котором стояли бокалы.

— Вы сделали перестановку в комнате,— произнес Граф.

Он давно знал это, поскольку сам помогал Гертруде передвигать мебель, но необходимо было что-то сказать.

Анна, от взгляда которой не ускользнула их напряженность, подумала: «Граф влюблен, как это странно, ненужно!» Он почему-то представлялся ей таким же, как она: обособленным, замкнутым в себе. А Гертруда взволнована, да, взволнована, даже покраснела. Анне вдруг стало грустно.

Граф поздоровался с Анной. Завязался общий разговор.

Тим Рид слонялся по своей студии над гаражом близ Чизуик-Хай-роуд. Снизу, как обычно днем, доносились голоса, шум моторов. Запах бензина и масла из гаража мешался с запахом скипидара и краски в студии. Тиму нравились все эти запахи. Он посмотрелся в зеркальце для бритья, висевшее над раковиной возле электрического звонка. Он был в запачканной краской синей артистической блузе, которую надевал с тех самых пор, как исполнилась его мечта и он мог сказать себе: я тоже художник. Глаза его были такие же синие, как прежде, но волос на голове стало поменьше, а только что выбритый подбородок, который некогда был сплошь усыпан рыжими веснушками и сиял, как ячменное поле, теперь выглядел темным, даже грязным. Он утер лицо влажным полотенцем. Кто-то в «Принце датском» (тот идиот Пятачок, приятель Джимми Роуленда) сказал, что ему, мол, стоит больше беспокоиться о Дейзи. Тим задумался над этим загадочным предупреждением. Хотя, пожалуй, не такое оно и загадочное. Это очевидно, что многое в Дейзи вызывает беспокойство. Но достаточно ли Тим беспокоился о ней? Время от времени он пытался, но это было противно его природе. В любом случае, куда это беспокойство заведет их? Саму Дейзи ничто не беспокоило. Она беспрестанно жаловалась, но чтобы обеспокоиться — нет. Это было одним из свойств ее удивительной великодушной силы, в которой Тим, сознавая это, черпал поддержку. Он полагался на ее силу, а не она — на его. Она была полна некой глубинной, будто электрической, энергии, которой Тим был абсолютно лишен. Он жил, подпитываясь этой ее энергией. И если люди считали, что он ведет себя безответственно по отношению к ней, то они просто не понимали, что сильной стороной была она. Тим часто позволял ей принимать решения, даже если они на поверку оказывались безумными, позволял потому, что, если он что-нибудь решал и ошибался, она потом бесконечно пилила его, пусть поначалу и соглашалась с его идеей.

Вот сейчас как раз никаких четких идей не было. Дейзи задолжала за квартиру. Тиму совсем не улыбалась перспектива жить с ней в своей конуре над гаражом, не готов он еще к этому. То была бы одна нескончаемая ссора, обычная односторонняя ссора, когда Тим ничего не отвечает, но чувствует горечь и грусть. Однажды Дейзи в ярости сунула розу, которую он ей поднес, длинный в шипах стебель и все остальное, ему за ворот рубашки, и та острая колючая боль вдоль позвоночника возвращалась к нему во время ее злобных монологов. К тому же он не мог пустить к себе Дейзи. Брайан, хозяин гаража, смутно догадывался, что Тим жил на чердаке, а не просто использовал его как студию. Дейзи довольно часто приходила туда к ланчу, больше того, придет и сегодня, а однажды несколько дней оставалась у него, когда сдавала свою квартиру, но если она станет появляться здесь постоянно и начнет вывешивать свое белье в окне или вытворять что-нибудь подобное (она была неспособна вести себя так, чтобы не привлекать внимания), у Брайана может кончиться терпение, и он укажет ему, что чердак — не жилое помещение. Потом дойдет до местных властей (Тим ненавидел власти), и ему учинят допрос, оштрафуют, вышвырнут из помещения, его имя появится в газетах. Все эти ужасы обрушатся на него. Он потеряет свое последнее прибежище. О, *Lanthano*, подумал он, девиз мой, *Lanthano!*

Итак, Дейзи жить здесь нельзя, и, конечно, никто из них даже не заикался об этом, хотя оба об этом думали.

Однако что-то надо было делать. Тим улыбнулся, размышляя над тем, как часто возникала подобная неразрешимая ситуация — и ничего, всегда она как-то разрешалась и, несомненно, разрешится на сей раз. В прошедший семестр он не преподавал и в грядущий, вероятно, тоже не будет, хотя есть возможность, что в сентябре он получит работу на два присутственных дня в неделю. Это, безусловно, означало свет в конце туннеля. Дейзи отказалась искать работу. Писала свой роман. Тим уже почти получил заказ иллюстрировать поваренную книгу в комиксах, но потом фирма решила не издавать ее вообще. На короткое время Тим устроился смотрителем в небольшую картинную галерею — сидел за столиком, следя, пока редкий посетитель с хмурым видом не обойдет развешанные полотна. Но галерея, которая дышала на ладан, могла платить ему сущие крохи, не хватало на дорогу до Хэмпстеда, где она располагалась.

Кошки расходились очень прилично. Главное было придумать неотразимый образ. Он нашел несколько, похоже, удачных вариантов, когда Перкинс сидит на подоконнике возле вазы с цветами (Тим любил изображать цветы), а на втором плане — пейзаж. Цветы — Одилона Редона, пейзаж — Роланда Хилдера, кот (надеялся Тим) — Тима Рида. Результат, пришлось признать, был так себе (но с точки зрения коммерции это не имело значения). Теперь он работал над более интересным вариантом: занимающийся своим туалетом Перкинс, одна лапа торчит вертикально вверх, вызывающе смотрит на зрителя. Фон не давался, кот вообще плохо вписывался в любое окружение (с точки зрения коммерции это не имело значения). Но проблема была в том, стоило ли в данном случае говорить о коммерции. Тим сейчас писал на дощечках, выуженных из мусорных баков. (Кошки не смотрятся в акварели.) Он использовал акриловую краску, которая дорого стоила. К тому же его клиентура обожала рамки с лепниной, которые придавали кискам вид «настоящих картин», но Тим не мог мастерить такие рамки сам, а у старьевщиков хороший багет найти было трудно. Если покупать готовые, не будет никакой прибыли. Он использовал дешевые простые рамки, и кошки выглядели не столько как подарок, сколько как дурная живопись. И потом, как их сбывать? Он поссорился с двумя сувенирными лавками, потому что те хотели брать комиссионные и опять ему ничего не оставалось, только покрыть расходы. О галереях не могло быть и речи. Выставлять же у себя было нельзя, чтобы не привлекать внимания к студии. Джимми Роуленд, который помогал ему, был (по словам Пятачка) в Париже. Тим иногда пробовал продать свои изделия в пабах (не в «Принце», где ему было стыдно заниматься торговлей): в Чизуике, в тамошних пабах между Тейбардом и Барли Моу, а также в ирландских пабах Килберна, где пользовался ирландским акцентом, вытаскивая его из кладовых подсознания. Таким способом изредка получалось сбыть картинку, сбросив цену почти до нуля, но чаще хозяин заведения приказывал ему убираться прочь. Тим чувствовал себя совсем несчастным, когда встречался с откровенной грубостью. А напористости торговца у него не было. Но что оставалось делать?

Рассчитывать на Ибери-стрит не приходилось. Гертруда уехала на север с подругой, Анной Кевидж, так она написала в короткой записке, которой после долгого ожидания ответила на его вымученное письмо соболезнования, и, хотя она, наверное, уже вернулась в Лондон, он чувствовал, что связь его с Ибери-стрит оборвалась. Да ощущал ли он когда, что эти люди — его «семья»? Он не мог придумать ни способ, как восстановить эту связь, которая когда-то была столь естественной, ни предлог, под которым мог бы вновь явиться в тот дом. Без Гая это было невозможно. Он был там не нужен, нежелателен, никто теперь и не вспомнит о нем. Он для них перестал существовать. Разве Гертруда напишет ему, чтобы поинтересоваться, как он справляется? Такое представить невозможно. Однажды (это было в феврале) он осмелился позвонить Графу в офис, просто «поздороваться». Граф поинтересовался, как он живет, и Тим ответил, что живет прекрасно. Тогда он надеялся, вдруг Граф, который нравился ему, пригласит его, но куда там. Возможно, Граф вообще никого не приглашал к себе, а предложить Графу встретиться в пабе у Тима не хватило мужества. Стэнли Опеншоу был, разумеется, слишком важной особой, да все равно Джанет относилась к Тиму неодобрительно. (Теперь он пожалел, что не воспользовался возможностью подружиться с Уильямом Опеншоу.) Он подумал было позвонить Джеральду Пейвитту, но в телефонном справочнике не оказалось его номера, а потом Тим случайно узнал из газеты, что Джеральд — всемирно известный физик. Это открытие потрясло его. В его представлении Джеральд смутно связывался с телескопами, но он и думать не мог, что этот косматый оригинал, с которым он выпивал пару раз в «Пшеничном снопе»,— великий человек, кандидат на Нобелевскую премию. (Они иногда сталкивались в Сохо с тех пор, как Джеральд, настоящий гурман, зачастил в находившийся неподалеку от «Принца датского» ресторан, славившийся своей кухней.) Тим чувствовал, что теперь Джеральд, скорее всего, перестанет его замечать. Белинтой был все еще в отъезде, да и в любом случае он странный тип. На свадьбу Мойры Гринберг Тима не пригласили. Его вычеркнули полностью и окончательно, и это было огорчительно.

Стоял апрель. Внизу, в гараже урчали моторы, машинам не терпелось покатить по проселочным дорогам. Солнце понемногу пригревало, и Тим уже не нуждался в шерстяных митенках для этюдов на свежем воздухе. Голубой небесный свет, проникавший сверху через фонарь, в мельчайших подробностях высвечивал рисунок голых досок пола с брошенным на него матрацем, на котором Тим просыпался по утрам с мыслью: я свободен. (Это означало, что он больше не в Кардиффе — чем он утешал себя до конца жизни.) На кухонном столике был накрыт ланч для двоих. По углам, образованным скатами крыши и полом, в образцовом порядке были сложены доски и банки с краской. Тим был аккуратен. Две противоположные вертикальные стены были побелены. Дверь, покрашенная Тимом в зеленый и голубой, вела на наружную лестницу, к туалету внизу и во двор перед гаражом. Имелся у Тима радиоприемник, но телевизора не было, не мог себе позволить, да и презирал как преступление против реального мира. Рядом с дверью стоял деревянный кухонный шкафчик с красиво расставленными тарелками и старый сундук, в котором хранилась одежда. На другой, против двери, стене он прикрепил большой лист фанеры, к которому прикнопил свои любимые рисунки. Это были кое-какие из его настоящих работ, его, а не заимствованные: распятия, старики, кормящие голубей, молодые люди, пьющие пиво, ждущие девушки. Эти рисунки тоже ждали — своего часа.

Уже давно Тим вел образ жизни одинокого художника. Он был честолюбив, но оставил честолюбивые замыслы, был разочарован, но и разочарование прошло. Он знал про себя, что он художник до мозга костей и всегда им будет. Кто он еще? Любовник, защитник, друг Дейзи. На целую жизнь хватит. Он продолжал поиски, хотя никогда не проявлял особого упорства. Всякий художник, если он не начинающий, сталкивается с проблемой расширения той границы в творчестве, которая отделяет «предисловие» от «окончания». Интенсивная работа идет в том промежутке, когда предварительный этап пройден, а конец еще не заставляет каменеть форму. Промежуток стремится сжаться, и художник должен прилагать все силы, чтобы не допустить этого. Тим смутно сознавал существующую опасность, но был беззаботен и недостаточно уверен в себе. Подсознательно он понимал, что ежедневно совершает компромисс, выбирая серость. Его попытки большей частью заканчивались «набросками» или «неудачами». Однако он продолжал рисовать, и постепенно в его рисунки возвращалась некая утраченная свежесть. Он ничего не знал, ничего не читал, но продолжал наблюдать. Тим обладал природным даром, которому завидовали мудрецы древности,— способностью просто, без усилий мысли, постигать суть! (Ему было невдомек, что это исключительное качество, он думал, каждому это доступно.) Сей дар, конечно, не был залогом того, что его обладатель непременно станет прекрасным художником или вообще станет им. В случае Тима такой дар был чуть ли не помехой. Он получал такое наслаждение, любуясь миром, что иногда думал: зачем его рисовать, вот он, здесь, передо мной, если только ты не великий, к чему все хлопоты, почему просто не жить в счастье с Природой, пока глаза могут видеть? Даже Сезанн сказал, что ему вряд ли по силам создать цвета, какие он видел вокруг.

Тим был неуч. Один из преподавателей в Слейде (тот, что предрек ему будущее фальсификатора) убеждал его заняться математикой, но Тим был ленив и просто знал, что ему это будет не по зубам. Однако, как ласточка, которая летит из Африки в свой амбар в Англии, где она родилась, так и Тима направляло наитие. Он подхватывал идеи, касавшиеся «формы», у преподавателей и сокурсников, хотя казалось, что нет ничего такого, чего бы он уже не знал. Он «чувствовал» растения и как сочетаются их части. Инстинктивно понимал, как растут перья, образуя крыло. Собственное тело поведало ему о гравитации, тяжести, падении, течении. Он увиливал от полезных уроков анатомии, но, рисуя Перкинса или полураздетую Дейзи на кровати, «знал», что у них под кожей. Знал все о свете, не заглядывая в научные книги. Еще пятилетним рисовал цветные круги. Наверное, если бы его убедили, что необходимо изучать геометрию, он бы, к собственному изумлению, больше зарабатывал. Но и при его невежестве казалось, будто в какой-то иной жизни он мельком увидел некоторые из рабочих чертежей Бога, а в этой почти забыл их, но не окончательно.

Когда товарищи по Слейду своими насмешками отвадили его от натурных классов, он с фанатичным упорством занялся абстрактной живописью. Он жил в море миллиметровки. Квадратики сменились точками, потом булавочными уколами, потом чем-то вовсе невидимым. Это походило на то (говорил в то время кто-то), как если бы не слишком способный дикарь пробовал изобрести математику. Он будто пытался раскрыть код мира. Его картины походили на тщательно выписанные диаграммы, но диаграммы чего? Если б он только мог покрыть все достаточно тонкой сетью... Если б только у него это получилось. Иногда ему грезилось, что это ему удалось. Никому эти «фанатичные» картины не нравились, и в конце концов они стали для Тима напрасной пыткой. Потом в один прекрасный день (он не смог объяснить, каким образом) сеть начала сворачиваться и вздуваться, и сквозь нее очень постепенно проступили иные формы. Когда он вернулся к органической жизни, то все было, как раскормленное в неволе. Все теперь в его картинах было тучным, обвитым лианами, тропическим. Где никогда не было и признаков жизни, там она теперь всюду бурно проявляла себя. Он изображал очеловеченных рыб, очеловеченные фрукты, глубокие моря, кишащие проницательными эмбрионами, и пляшущий ювенальный бульон. Никому эти картины особо не нравились, говорили, что они вторичны, какими они, по правде, и были. Разумеется, это тоже был только очередной этап.

Кто-то (а точнее, Нэнси, сестра Джимми Роуленда) сказал Тиму: «Вы, художники, должны чувствовать, будто творите мир». У Тима никогда не было такого чувства. В самые лучшие мгновения работы к нему приходило ощущение безграничной легкости. Конечно, он не творил мир, он его открывал, и даже не так: просто видел его и давал ему продолжаться на полотне. Он даже не был уверен, в эти лучшие свои мгновения, что то, что он делает, является «воспроизведением». Он просто был частью мира, его *прозрачной* частью. Дейзи, которая терпеть не могла музыки, как-то сказала, желая принизить это искусство: «Музыка похожа на шахматы, все это уже существовало ранее, и нужно лишь найти его».— «Ты права»,— ответил Тим. То же самое он чувствовал в отношении живописи.

Впрочем, этапы «сети» и открытия мира заново были в далеком прошлом, хотя изредка он писал тушью жирных монстров, потом размывал контуры акварелью или изображал себя и Дейзи в виде шаров или проклевывающихся икринок. Теперь Тиму нравилось рисовать распятия. Почему он, чтобы позаботиться о них с Дейзи, должен был считать своих персонажей сторонними наблюдателями чего-то ужасного? Он никогда не видел и не писал распятие. Великая драма и страдание мира обошли его стороной; и ему подумалось, что испытание, которое он должен был выдержать, чтобы обрести свою Папагену, обернулось просто вот этой жизнью, что нет никакого испытания, просто человек продолжает упорно трудиться, постепенно старея, лысея, теряя талант. Ему предстояло отслужить в рядовых без всякой славы. Тем временем существовали вещи, приносившие большое утешение: живопись, Дейзи и выпивка, а еще походы в Национальную галерею. Великие картины были для Тима небесами обетованными, где боль становилась красотой, покоем и мудростью. Пергаментно-белый умерший Христос лежит, окруженный святыми женщинами, чьи чистые слезы брильянтами сверкают на полотне.

Но порой ночами ему снился ад. Он находился в Национальной галерее, и картины все исчезли или были так погружены во тьму, что едва было можно разобрать, что на них изображено. А то еще, что было страшнее всего, он вдруг видел, что великие произведения банальны, ничего не стоят, глупы.

— Опять чертовы бобы! — проворчала Дейзи.

Тим и Дейзи сидели за столом. Ланч состоял из тушеных бобов на гренках, вареной капусты, ржаного хлеба, светлой патоки (которую Дейзи любила больше всего) и бутылки белого вина.

— Ты сказала, что тебе надоели спагетти, и картошка, и...

— Картошкой и макаронами, по крайней мере, наешься. Ладно, не бери в голову, выглядит все очень аппетитно. Налей-ка мне, дорогуша.

— Утро хорошо прошло? — спросил Тим.

Когда появлялась Дейзи, у него всегда поднималось настроение. Он налил ей, потом вывалил бобы со сковородки на гренки.

— Отвратительно. Как твои киски?

— Нормально. Уже четыре готовы.

— Неплохо. Не могу понять, как это тебе удается: одну от другой не отличить. Мне больше нравится, когда у него лапы торчат, как палки.

Дейзи имела в виду позу Перкинса, когда он сидел прямо, вытянув задние лапы вперед. Сегодня Дейзи решила снова выглядеть сексуальной. На ней было длинное платье из индийского ситца яркого зеленовато-голубого цвета с рисунком из стилизованных коричневых деревьев. На веки своих этрусских глаз она густо положила тени в тон платью. Темные короткие волосы блестели, будто мокрые. На изможденном красивом лице с тонкими чертами, излучавшем энергию, было написано недовольство.

— Почему бы тебе не взяться за собак? Ты сделал несколько приличных набросков с Баркиса и того несчастья в парке. Ты их потерял?

— Я никогда ничего не теряю.

— Ты аккуратен, как старая дева. Почему бы не доработать их? Ты же знаешь, что есть и любители собак.

— Можно.

— Интересно, где теперь старина Баркис? «Принц» без него стал не тем. Держу пари, тот бледнорожий американский актер увез его в своей машине. Ни одну живую душу не люблю, кроме Баркиса и, может, тебя. Где он теперь, благородный пес?

— Что толку штамповать картинки, если их не продашь!

— Хватит нудить! Придумай чего-нибудь. Что мы будем есть, где будем спать?

— Король Эдуард Исповедник спал под кухонным столом, а когда надоело, перешел спать в коридор.

— Да, да, да, не смотри на меня так, знаю, я вечно сорю вокруг, когда ем, это ты ешь, как кот, ты бы закапывал свое дерьмо, если б мог.

— Не будь такой чувствительной и обидчивой.

— Я не чувствительная и не обидчивая, хочешь, чтобы я что-нибудь разбила? Ладно, я чувствительная и обидчивая. Ладно, Бог нам подаст. И не жмись, налей еще, мой юный Рид.

— Я же говорил, поваренная книга накрылась.

— Да, говорил, дважды. У тебя хорошо получаются комиксы...

— У тебя тоже.

— Не начинай, парень. У тебя получаются комиксы, ты мог бы иллюстрировать учебник по языку, ну, знаешь, английский для иностранцев или что-нибудь подобное. Почему не обойдешь издателей и не покажешь что-то из того, что у тебя есть? Хорошо, ты слишком напуган. Кто-то скверно обошелся с тобой. Думаю, ты самый малодушный тип, какого я встречала. Я, может, и корова, но я не малодушна.

— Да, мы бедные, зато честные.

— Честные? Это ты честный? Ты самый большой лжец в Северном Сохо, жаль, не могу выразиться посильней. По-моему, ты положительно получаешь удовольствие от вранья, бескорыстного вранья, лжешь ради лжи. Боже, подумать только, когда я впервые увидела эти очаровательные голубые глаза, я поверила всему, что ты говорил!

— Хорошо, хорошо, так придумай, что нам делать.

— Уже придумала, вчера придумала, забыла сказать. Почему бы тебе не пойти в Национальную галерею и не сделать копии животных, просто одних зверюшек, вставить их в лаковые рамки, как этих твоих кошечек? Копиист ты прекрасный. Они будут смотреться невероятно очаровательно, эти зверюшки.

— Ты имеешь в виду маленькую собачку у Ван Эйка, и большущую слащавую из «Смерти Прокриды», и?..

— Точно, там их полно.

— Попробую... Что, хозяин опять приставал насчет платы за квартиру?

— Приставал, но не будем об этом думать. Господи, в апреле я становлюсь просто как безумная! Как бы мне хотелось выбраться куда-нибудь из Лондона, в Маркет-Харборо, Саттон-Колфилд, Стоук-он-Тренд, куда угодно.

— Да. Мне тоже. Черт, патока кончается.

— Не выливай всю мне, мистер Голубые Глаза, старина Голубые Глаза, ты почти такой же милый, как Баркис.

— Завтра же пойду в галерею и взгляну на эту живность.

— Нет, ради бога, оставайся здесь и рисуй кошек, это единственная наша надежда заплатить за мою квартиру и купить патоку. Ах ты, господи, можешь ты сходить еще раз в ту сувенирную лавку в Ноттинг-хилле? Они возьмут их. Знаю, они платят гроши, ты говорил, но нищим выбирать не приходится.

— Ладно, ладно, схожу.

— А таскаться в Национальную галерею — только напрасно тратить время. Зря я это предложила.

— Там я найду вдохновение.

— Это чистое заблуждение, что одни художники вдохновляют других. Ты или способен писать, или нет, есть в тебе это или нет... Это как способность двигать ушами или кожей на голове — я это могу, а все, кого я знаю, не могут. Живопись — вещь реальная, ничего общего не имеющая с колдовскими чувствами. Знаю, какой ты бываешь в Национальной галерее — бродишь по залам, погруженный в мир фантазий, где все легко и мило.

— Не мило, а прекрасно. И совсем не легко.

— Легко и мило. Украшательство — вот чем твои приятели Тициан, Веронезе, Боттичелли, Пьеро делла Франческа, Перуджино, Учелло и прочие из той старой шайки знаменитостей занимаются. Берут все, что есть ужасного, кошмарного, подлого, зловещего, мерзкого, гнусного, злого, грязного, отвратительного и ничтожного в мире, и превращают в нечто приятное, милое и псевдоблагородное. Это такая ложь! Живопись лжива, по крайней мере в большей своей части. Неудивительно, что у Шекспира не упомянут ни единый художник.

— Нет, упомянут. Джулио Романо. Гай говорил мне.

— Ну и ну, Гай восхищался Джулио Романо!

— Не восхищался, он просто сказал...

— В книге еще можно сказать какую-то правду. Но почти вся живопись существует для услаждения, она приятна, она как торт, посмотри на Матисса, посмотри на...

— Тебе не нравится ни один художник, если он не такой садист, как Гойя.

Это был старый спор, который мог вспыхнуть из-за чего угодно. Начав его, они не могли удержаться от того, чтобы не вернуться проторенной дорожкой на все то же минное поле.

— Садист! Ты хочешь сказать: правдивый. Это твои христианские дружки — настоящие садисты со своими распятиями, бичеваниями, обезглавливаниями и пытками огнем. Возьми святого Себастьяна, как он демонстрирует свои стрелы и при этом улыбается зрителям. Понятно, что это значит. Ни намека на настоящую боль во всех их муках.

— Раз нет боли, нет и садизма.

— Это искусство, оторванное от жизни. Гойю, по крайней мере, волнует происходящее. Господи, неужели мы уже все съели? Налей мне, ради Христа, еще вина. Твоя живопись всегда была слащавой, верней, ты выбирал что-нибудь слабое, сентиментальное и копировал, никогда у тебя не было собственных идей, во всяком случае ты никогда не вкладывал в свои поиски какой-то смысл и правильно сделал, что бросил попытки.

— Я не бросил!

— Я-то считала, ты можешь рисовать, и, подумать только, хотела, чтобы ты когда-нибудь нарисовал вместо жаворонка меня в виде мадонны!

— Кто действительно бросил, так это ты. Могла хотя бы попробовать продолжать, пусть и ради заработка.

— К черту живопись. Я писательница. В книге можно сказать что-то важное.

— Что ж, может, ты правильно сделала, что бросила. На свете никогда не было хороших художниц и никогда не будет. Ни эротичности, ни воображения. Не было женщин-математиков, женщин-композиторов...

— Хватит нести чушь! Сам знаешь, что говоришь это, только чтобы задеть меня. С тех самых чертовых пор, как этот чертов мир начал крутиться, чертовы мужики сидели, развалясь, а женщины им прислуживали, и даже когда женщины имели какое-то образование, они не могли сосредоточиться, потому что должны были вскакивать, когда заявлялся их разлюбезный муженек...

— Ну да?!

— Да кто ты, черт возьми, такой, Тим Рид? Напялил сногсшибательную блузу и пыжишься, думаешь, от тебя глаз не отвести? Ты ни на что не способен, от тебя миру пользы не больше, чем от любого чертова мужика, который тянет чертово пиво в чертовом пабе, ты паразит, халявщик, живешь тем, что слямзишь из чужого холодильника, приживальщик, несчастный попрошайка, у тебя лакейская душа, чертов мошенник...

— Дейзи... дорогая...

— Проклятье! Не называй меня дорогой, не напоминай мне, что платишь за мою квартиру.

— Я и не собирался...

— Ладно, хорошо, уходи, проваливай, если сыт по горло, я не прошу тебя остаться со мной, иди и найди себе смазливую машинисточку, она хотя бы сможет что-то заработать, чтобы прокормить тебя. Не будет больше бобов на тосте.

Сможешь завести хорошенький домик в Илинге, под хорошенький процент, и парочку чертовых детишек, как любой другой, с тем отличием, что ты будешь сидеть на шее у своей женушки. Ты просто сводишь меня с ума, ты так чертовски доволен собой...

— Я не...

— Думаешь, что в тебе этого нет, но ты ошибаешься. Я смотрела на тебя, когда тебе казалось, что тебя никто не видит: такой самодовольный, беспечный, как бентамский петух, поглядываешь на себя в зеркало, прихорашиваешься, ухмыляешься. Ты считаешь, что ты такой душка, такой жутко милый, и очень даже умный, и совершенно безобидный, и симпатичный, и славный. О боже! Посмотри правде в глаза, нам лучше разойтись, мы только мучаем друг друга, тянем вниз, все это наше притворство и ложь, это же все ложь, Тим, давай покончим с этим... Мы не подходим друг другу. Ты хочешь уйти, так почему не сказать прямо, зачем прикрывать это злобными нападками? Оставь меня одну. Думаешь, я без тебя не справлюсь? Прекрасно справлюсь. Возьму себя в руки и займусь чем-то, если ты не будешь суетиться и прикидываться, что заботишься обо мне.

— Дейзи, прекрати. Все это пустые слова, ничего они не значат. Мы — это мы, какие есть, мы вместе, это главное. Будем любить друг друга, что нам остается? Выпей еще вина.

— Похоже, каждый раз «выпей еще вина» становится окончательным решением. Ладно, ты платишь за мою квартиру, думаешь, я рада этому?

— В сентябре у меня будет работа.

— В сентябре!

— Протянем, если будем поменьше пить и не покупать одежду.

— Хочешь сказать, если я буду пить поменьше и не покупать тряпки. Да, это платье новое, по крайней мере для меня. Я купила его в секонд-хенде. Оно стоило...

— Ну что ты! Я сказал «мы протянем».

— Думаю, не умрем. Иногда мне хочется умереть. Жизнь с тобой — кошмар. Другая может быть лучше. Я просто не умею устраивать жизнь. Как ты говоришь, мы такие, какие есть, и лучше нам любить друг друга. Мой роман принесет какие-то деньги. Знаю, ты сомневаешься! Только сейчас я не в состоянии писать, пытаюсь каждый день, но не выходит. Нелепая мы парочка. Тяжкое бремя друг для друга. О черт, вино кончилось! Ну и что будем делать, в конце концов?

— Ты могла бы переехать ко мне.

— Вместе в этой конуре мы убьем друг друга.

— Дейзи, мы можем попытаться.

— Квартира у меня дешевая, да, согласна, нет ничего дешевого для того, кто сидит без гроша, но квартплата стабильная, и мне никогда не найти другой за такую цену.

— Можешь сдать ее, ты уже делала это прежде.

— Жильцу запрещено сдавать квартиру кому-то другому.

— Ну, можно найти...

— Ага, богатого американца, приехавшего на три недели в Лондон и желающего пожить в вонючей комнатенке в Шефердс-Буш и пользоваться одной замызганной ванной вместе с грязными ублюдками!

— Раньше тебе удавалось.

— Просто повезло, да и было это в туристический сезон. Кроме того, ты не хочешь, чтобы я жила у тебя, я не хочу жить у тебя: ты не сможешь работать, я не смогу работать.

— Могла бы работать в публичной библиотеке.

— К чертям публичную библиотеку! Ведь знаешь, что она закрыта.

— Так что же нам делать?

— Попробуй сходить на Ибери-стрит.

— Я говорил тебе, нет больше никакой Ибери-стрит. Я для них не существую. Гай был единственным, кто беспокоился обо мне. Теперь я для них пустое место, они забыли меня, не вспомнят даже, как меня зовут!

— Так напомни им. Попроси взаймы у Графа. До сентября осталось не так уж много.

— Дейзи, не могу...

— Ты такой бесхарактерный. Можешь ты сделать хоть что-нибудь для нас? Они все купаются в деньгах...

— Вовсе нет...

— А мы сидим без гроша. Это в порядке вещей. Естественное право. Господи, будь у меня ружье, я б, черт возьми, пошла и заставила их отдать деньги!

— Не вижу тут никакого права,— сказал Тим,— я имею в виду — ждать, что они помогут нам.

— А ты попробуй, попытайся понять, что у нас есть такое право!

Тим попытался. У него почти получилось. В конце концов, он всегда был среди них вроде ребенка.

— Уверена, что они надули тебя с теми доверенными деньгами.

— Ты ошибаешься.

— Как я устала от твоих отговорок! Неужели нельзя сделать хоть что-нибудь? Пойди к Гертруде.

— Не могу.

— Почему? Боишься ее.

— Хорошо, боюсь.

— Наверняка она была отличницей в школе.

— Во всяком случае, она независимая женщина, с этим ты должна согласиться.

— Гертруда — независимая! *Laissez-moi rire!** Она просто новый вид рабыни. Она до сих пор в отъезде?

— Должна была вернуться. Но я никогда не имел никаких дел с Гертрудой. Это Гай заботился обо мне. Он умер, и я не могу беспокоить Гертруду, об этом не может быть и речи. Я для них никто, забытое прошлое, нас больше ничего не связывает.

— Хочешь сказать, что она укажет тебе на дверь?

---

* Смешно слышать! *(фр.)*

— Нет, но я просто не могу прийти туда без приглашения, а они не пригласят.

— Значит, из-за светских условностей мы будем голодать!

— Дорогая, не преувеличивай наши страдания, мы выживем!

— Думаю, ты не понимаешь. Я прошу сделать, ради тебя и меня, элементарную вещь. Что ты теряешь? Хорошо, она, возможно, только посмотрит на тебя своими стеклянными глазами и сменит тему, но что ты потеряешь?

— Не желаю, чтобы на меня смотрели стеклянными глазами... и... ох, как тебе объяснить?.. это связано с Гаем.

— С Гаем? Но он умер!

— Дейзи...

Тим действительно не мог этого объяснить, даже себе, и то с трудом. Это было как-то связано с особыми отношениями между ним и Гаем, его уважением и привязанностью к Гаю, интимным ощущением потери. Это не касалось никого, кроме него и Гая. Оно и не давало пойти с протянутой рукой к вдове.

— Ты боишься этой жирной самки.

— Она не жирная.

— Она обожравшаяся коротышка.

— В любом случае...

— Значит, признаешь, что боишься?

— Нет... Дейзи, прекрати. Лучше ляжем. Всегда одно и то же.

— Всегда одно и то же! О боже!

— Ты хочешь сказать, что тебе не хватает денег? — спросила Гертруда.

— Мм, да...— ответил Тим. Суть была именно такова.

Дейзи наконец уговорила его, и теперь Тим жалел, что поддался. Он был при галстуке, в костюме, сохранившемся с лучших времен, который он обычно надевал на те вечера, что безвозвратно ушли в далекое прошлое. Было шесть часов, он и Гертруда стояли у камина в гостиной, попивая шерри. Тим поставил бокал и вертел в пальцах фарфорового флейтиста из обезьяньего оркестра. Он надеялся, что хмурой Анны Кевидж не будет при их разговоре. Она очень холодно посмотрела на него, когда перед Рождеством застала его шарящим в Гертрудином холодильнике и складывающим добычу в целлофановый пакет. Сейчас ее не было видно, слава богу.

Гертруда молчала и, казалось, была в замешательстве. У Тима душа в пятки ушла. Похоже, дело кончится стеклянным взглядом и указанием на дверь. Конечно, Гертруда была доброжелательна...

Ее сейчас явно нельзя было назвать «жирной». Она похудела и выглядела старше. Пожалуй, это шло ей. Она была в темных жакете и юбке, белой блузке с высоким воротничком, на шее повязан желто-коричневый шелковый шарф, на ногах коричневые узорные чулки. Одной маленькой ножкой в изящной коричневой кожаной туфельке она постукивала по каминной решетке. Пышные слегка вьющиеся волосы были теперь коротко подстрижены и гладко причесаны. На смуглом и, как всегда, презрительном лице с тонкими ноздрями проглядывало легкое беспокойство. Карие глаза неодобрительно смотрели в темно-голубые, темно-голубые смущенно смотрели в сторону.

Испортил, думал Тим, погубил прошлое, совершил грех по отношению к Гаю, к тому, что всего на какое-то мгновение показалось ему его семьей; и, когда он верил в это, они действительно были ему семьей. Почему не подождал? Гертруда, возможно, написала бы, пригласила прийти. А сейчас он не вовремя, она расстроена, раздражена и будет презирать его. Даже если даст сотню фунтов, это не стоит того. Он даже не хочет от нее ничего. Зачем он только дал Дейзи уговорить себя? Он подонок, и Гертруда тоже так думает.

Тим долго мучился над письмом к Гертруде. Что лучше — прикинуться, будто хочет навестить знакомых, или сразу взять быка за рога и изложить свою просьбу? Письмо он порвал, не мог он об этом писать. В конце концов просто позвонил по телефону, сказал, что этим вечером будет в районе вокзала Виктория, и спросил, нельзя ли зайти к ним. При виде улыбающейся Гертруды у него пропало всякое желание притворяться. Он с места в карьер, неуклюже, прямо, грубо дал понять, что пришел потому, что ему нужны деньги. О господи!

— Понимаю,— сказала Гертруда и принялась водить пальцем по фарфоровому скрипачу.— Но... гм... если не возражаешь... я хотела понять... я думала... мне казалось... что ты преподаешь... а еще продаешь свои картины... и полагала...

— Я должен объясниться,— сказал Тим,— дело всего лишь в том, чтобы продержаться лето. Осенью у меня будет работа. Сейчас работы у меня нет...

— А ты пытался искать? Наверное, ты мог бы получить какую-нибудь работу?

Тим похолодел. Да, пожалуй, мог бы. Но какая пропасть разделяет его с его жизненным опытом и Гертруду! Да, в конце концов Дейзи была права!

— Разве что какую-нибудь, но я хочу заниматься живописью,— ответил Тим.

И сразу понял, что в этой гостиной, со стен которой на него глядели лица трудолюбивых евреев-пуритан, это был худший из ответов. Будто он просит Гертруду поддержать его, ведущего жизнь непрактичного себялюбца.

— Тогда ты можешь продавать свои картины? Зарабатывать этим?

— Нет. Или очень мало. Дело в том, что, пока напишешь, пока продашь...

— Но у тебя ведь есть готовые картины... я имею в виду, которые ты мог бы продать? Убеждена, художники иногда не желают продавать свои произведения, не желают расставаться с ними, мне это понятно.

— Кое-что у меня есть,— сказал Тим,— но не думаю, что много выручу за них. Я не очень модный художник.

Это был единственный способ оправдаться, но Гертруде такой ответ понравился.

— Я рада, что ты это сказал. Конечно, ты не должен стараться быть модным художником ради денег. Что сейчас пишешь?

Тим засомневался, стоит ли объяснять Гертруде ситуацию с кошками. Решил, что не стоит. И ответил полуправдой:

— В настоящий момент рисую людей, людей, которых вижу в парках и так далее... и животных... и...

— Рисование — это то же самое, что ежедневные упражнения для музыкантов, да?

— Да, почти то же, то же самое...

— Полагаю, ты рисуешь все время, пока готовишься к очередной большой картине?

— Мм... да...

— И что это будет?

— Я... еще не уверен...

— Но ты не хочешь прерывать работу и идти преподавать? Ты ведь уже преподавал, не так ли?

— Да,— терпеливо ответил Тим,— было такое, но я потерял это место. Все художественные школы страдают от нехватки средств и экономят в первую очередь на почасовиках. В настоящее время я не могу найти другой преподавательской работы, ищу постоянно, но таких, как я, претендентов много. Так что до сентября я безработный, поскольку не хочу браться за... ну...

— За что-то совсем неподходящее?

— Да. Но даже и такую работу сейчас трудно найти. Вообще любую. Скверные времена.

— Конечно, я понимаю,— проговорила Гертруда.

Он, думал про себя Тим, выставляет свои раны и упрекает ее в том, что она вроде Марии Антуанетты! Неудивительно, что она выглядит раздраженной. Он все сделал не так!

— Извините...— заговорил Тим.

— Но ты, наверное, можешь обратиться за пособием по безработице? — спросила Гертруда.

— Обращался, и уже получаю,— безнадежно ответил Тим.— Это, конечно, не бог весть сколько... но, как вы говорите... обращусь еще раз и получу больше... конечно, я могу отлично прожить... за роскошью не гонюсь... извините, что обеспокоил вас, право, это все ерунда.

— Тебе не приходится кого-то содержать? — спросила Гертруда.

Вопрос не вызвал у Тима затруднений.

— Нет-нет... никого... только себя... иждивенцев не имею.

— Прости, что спросила. Я так мало знаю о тебе.

— Пустяки...

— А эта работа в сентябре тоже на неполную неделю? Ты точно ее получишь или только возможно?

Тим не знал, что сказать. Он и сам не был уверен. Дейзи он убедил, что работа точно будет, чтобы подбодрить их обоих. Но в подобных обстоятельствах никогда не знаешь, чего ждать.

— Ни в чем нельзя быть уверенным,— ответил он,— но надеюсь... то есть думаю...

— Какие-то сбережения у тебя есть?

— Нет... ну, почти нет... то есть... Нет.

— Значит, дела плохи.

— Да нет, не так уж плохи, правда,— сказал Тим.— Вполне можно жить, не знаю даже, на что я жалуюсь...

— А где ты живешь?

— У меня что-то вроде однокомнатной квартирки, в Чизуике, и обходится дешево.

— Извини, что так подробно расспрашиваю,— сказала Гертруда,— просто, уж если я собираюсь помочь тебе, то должна понять ситуацию, должна все видеть.

Перспектива столь безжалостного, беспристрастного разбора привела Тима в полное смятение. Не захочет ли Гертруда увидеть его жилище, взглянуть на картины? Ох, зачем, зачем, зачем он пришел!

— Подобные вопросы,— сказала Гертруда,— задал бы и Гай.

Справедливость ее замечания тронула Тима. Он возвратил фарфорового флейтиста на место. Поднял глаза от изящной, в коричневом чулке ноги Гертруды и встретился с устремленным на него озабоченным взглядом.

— Гай был безгранично добр ко мне. И мне очень его не хватает. Простите...

Он подумал, не стоит ли ему теперь признаться, что Гай одалживал ему деньги, но решил умолчать об этом.

— Я собиралась позже написать тебе, узнать, как твои дела,— сказала Гертруда.

Легкий стук, с которым она поставила скрипача на каминную полку, прозвучал как упрек. Во время своих расспросов она была решительной, деловой. Теперь она снова была в замешательстве, а может, и раздражена.

— Сожалею, что не дождался письма,— сказал Тим.

Это прозвучало грубо.

— Не могу понять, почему Гай не купил ни одной твоей картины?

Гай, конечно, купил одну, но явно так и не показал ее Гертруде.

— Наверное... они недостаточно хороши...

— Ты где-то показывал их, на каких-то выставках?

— Какое там, нет!

— Извини,— сказала Гертруда,— могло показаться, будто я хочу сказать, что купить твою картину было бы все равно что оказать тебе милость, я вовсе не имела это в виду.

Разговор становится ужасным, думал Тим, того и гляди появится кошмарная Анна Кевидж и увидит, как я снова клянчу. Надо убираться.

— Простите, что побеспокоил вас. Даже просто высказать, что тебя гнетет, способно принести облегчение. Мы поговорили, и одно это помогло. Больше того, теперь я вижу, что могу прекрасно справиться. Всего-то и надо протянуть до сентября. Я лишь хотел повидать вас, правда, зайти поздороваться. Думал, приятно будет... снова увидеть вас... эту комнату. Я так много думал о Гае... о том, как это тяжело...

вы понимаете... просто хотелось навестить вас. Извините, что наболтал тут всякого о своих пустячных неприятностях. В любом случае теперь их как ветром сдуло. Спасибо за шерри... ого, сколько времени... мне пора...

— Тим, пожалуйста, прекрати действовать мне на нервы,— сказала Гертруда.— Садись вот здесь, а я налью тебе еще.

Тим покорно двинулся к мягкому креслу с прямой спинкой.

— Я просто хочу подумать.

Тим понял, что она пытается представить, как Гай поступил бы на ее месте. Он не ошибся.

Гертруда налила ему шерри в один из хрустальных бокалов, которые вызвали такое презрение у Дейзи. Он с благодарностью принял его. Первая порция лишь раздразнила аппетит. Гертруда пододвинула другое кресло и села напротив. Это походило скорее на небольшое деловое совещание, чем на дружескую встречу.

— Я могла бы дать тебе сколько-то взаймы,— сказала Гертруда.

— О нет, нет! — смутившись, замахал руками Тим (он уже проглотил свой шерри).

Ему так и слышался голос Дейзи: «Если можно, не позволяй ей называть это займом — вряд ли мы отдадим деньги, не сможем, но, когда это называется долгом, это висит над тобой, ты палец о палец не ударишь, чтобы вернуть его, но все равно будешь мучиться». Тим признал точность ее диагноза. Потом подумал, пусть, пусть это будет называться займом, долгом, только бы это были деньги. Но он уже выкрикнул: «Нет!»

Гертруда тем временем продолжала:

— Но куда лучше будет, если я найду какой-нибудь способ, как тебе зарабатывать деньги. Надо самому зарабатывать на жизнь. Хочешь?.. Я должна помочь тебе...

Не хочу, думал Тим, хочу только деньги! Но ответил с неопределенным энтузиазмом:

— О... да... да!..

— Если бы ты уехал из Лондона, мог бы ты сдать свою квартиру?

— Мою... да... да, мог бы.

Не мог бы, думал Тим, но какое это имеет значение. Гертруда не знает, как от меня избавиться, никаких денег мне от нее не получить, надо просто вежливо убраться из этого дома. И откажись, если она снова предложит выпить, или так и будешь сидеть и ждать, пока еще поднесут.

— Ты не против пожить где-то в другом месте? Ты ведь можешь писать где угодно, я права?

— Разумеется... где угодно...

— Что, если ты поселишься в нашем доме во Франции? — предложила Гертруда.

— Во... где?

— В моем доме во Франции,— поправила себя Гертруда.

Они сидели выпрямившись, глядя друг на друга, с поднятыми бокалами, словно о чем-то спорили.

— Но,— сказал Тим,— я... не понимаю.

— Я подумала, что ты мог бы делать для нас... для меня... какую-то работу... и в то же время писать картины... и, если ты еще сдашь квартиру...

— Все равно ничего не понимаю.

— Видишь ли, у меня есть дом во Франции, скорее летний домик, среди холмов, не совсем в Провансе, но близко. Мы с Гаем купили его сто лет назад, привели в порядок и ездили туда почти каждый год, а иногда сдавали...

Тим слышал что-то неопределенное о «французском доме».

— Ясно.

— Ну, я не думаю, что снова буду ездить туда. Вероятно, продам его. Между прочим, ты говоришь по-французски?

— Конечно,— ответил Тим.

Он едва мог связать два слова по-французски, но мысль его бешено работала.

— Мы... Сейчас, когда начинается туристический сезон, лучше, чтобы в доме кто-нибудь был, вроде сторожа. А если надумаю продать дом, неплохо было бы позаботиться, чтобы все там было в порядке: электричество, водопровод, что-то там с крышей или с окном, уж не помню. Если ты просто поторопишь строителей и... Тебе это не трудно? Ты там будешь совершенно один, или ты не любишь одиночество?

— Я обожаю одиночество,— сказал Тим.

Собрав волю в кулак, он посмотрел Гертруде в глаза.

— Ты мог бы остаться там на какое-то время, сколько захочешь. Просто жить в доме, разобраться, что там работает, что нет. Электричество там есть, вода тоже, вот телефона нет, и, боюсь, обстановка очень примитивная. Я расскажу, как поладить с людьми в деревне. Дом стоит в стороне от нее, но есть велосипед. А еще в доме есть запас еды: консервы, спиртное, можешь пользоваться не раздумывая. А в деревенской лавке есть все самое необходимое. Тебе не будет одиноко? Конечно, я буду тебе платить за охрану дома, и ты сможешь заниматься там живописью, так?

— Да... да... да...

— Ты пейзажи пишешь?

— Ну, разумеется... я все пишу.

— Что ж, Тим... ты можешь сделать кое-что, что всегда хотелось Гаю, но что нам почему-то не удалось... Он хотел, чтобы художник написал картину, где был бы этот дом и, ты это поймешь, когда увидишь, окружающие холмы. Как ни печально это теперь, но я очень хотела бы, чтобы ты выполнил мою просьбу. Я куплю все твои картины, связанные с этим местом.

— Гертруда, минутку,— сказал Тим. Он овладел собой и подался вперед. Едва не похлопал ее по колену в коричневом чулке, но удержался.— Послушайте. Я не очень хороший художник. Так что, если дело в этом...

— Нет, не в этом... я имею в виду, что уверена в тебе, пейзаж вдохновит... но хочу, чтобы ты побывал там...

Тим выпрямился и сказал:

— Так и быть, сделаю все, что смогу. И я там буду один, никого больше? Мне это нравится.

— Да, только ты, никого больше. Вокруг никаких других домов, одна природа, но, если захочется, можно познакомиться с деревенскими жителями. Там все прекрасно отнесутся к художнику. Можешь оставаться там вечность, до самого сентября. Конечно, там ужасно жарко. Если я решу продавать дом, будет очень кстати иметь на месте человека, говорящего по-французски и по-английски, чтобы все показать. Право, теперь я вижу, что это была прекрасная идея.

— Гертруда, вы гениальны! — воскликнул Тим.

Какая фантастическая удача для них с Дейзи, думал он. Она может сдать свою квартиру, и сдаст, хотя говорит, что нельзя. Проведем целое лето во Франции! Она болтает по-французски. Гертруда еще и заплатит мне. Мы с Дейзи будем питаться хлебом, вином и оливками, как блаженные, вкушающие лотосова плода.

— О, спасибо, Гертруда! — кричал Тим.— Спасибо, спасибо!

Раздался звонок. Анна Кевидж нажала кнопку, открывающую замок парадного. Потом открыла дверь квартиры. По лестнице поднимались Манфред и Граф.

— Мы столкнулись у подъезда,— объяснил Манфред, смеясь.

Граф уставил светло-голубые невидящие глаза на Анну.

— Гертруда разговаривает с Тимом Ридом,— сказала Анна, впуская их.

Гертруда распахнула дверь гостиной.

— Тим как раз уходит.

Следом появился Тим, проговорил: «Спасибо, Гертруда. О, здравствуйте! И всего хорошего!» — вышел, споткнулся на ступеньке и покатился вниз. Поднялся, еще раз крикнул: «Всего хорошего!» — и выбежал на улицу.

Что-то есть такое в этом молодом человеке, подумала Анна, что не вызывает у меня доверия. Ее нерасположение, она это знала, конечно, в какой-то мере питалось ощущением, что он испытывает к ней неприязнь.

Манфред и Граф прошли в гостиную. Анна отправилась к себе. Причесалась, глядя в зеркало на себя, худую и бесцветную. Неужели годы, проведенные в монастыре, и впрямь сделали ее невидимой? Не есть ли невидимость дар всевидящего и справедливого Бога вместо той бесценной жемчужины, того великого дара, которого она жаждала? Невинности, отсутствия всякой силы причинять страдание, даже тревожить, невинности невидимого бессильного наблюдателя! Не станет ли то, что она теперь чувствует, постоянным ее состоянием, или это — анестезирующее оцепенение, предшествующее страшной муке, которая сопровождает перерождение? Кроткое существо, которое жило и передвигалось незаметно на мягких лапках, сворачивается клубочком и засыпает, наполовину зарывшись во влажную землю, а потом пробуждается в мучительной боли и конвульсиях и видит, что превращается в кого-то совершенно иного, в свою противоположность, крылатое существо, даже обитающее в другой стихии. В случае Анны все было наоборот; ей было предначертано стать бескрылой, слабой и маленькой. Только сейчас Анна была безжизненной, бледной, невидимой и не ждущей ничего значительного в жизни.

Больше всего помогло ей, возможно, то, что Гертруда, ее дорогая Гертруда, приняла ее возвращение, ее помощь, как вещь абсолютно естественную. Вопросы Гертруды о монастыре были наивными и небрежными. Разумеется, Анна должна была уйти оттуда (почему она так долго откладывала уход?), и, разумеется, Анна должна теперь почему-то всегда быть с Гертрудой. Да, думала Анна, почему-то предполагается, что она будет с ней или поблизости. Если когда-нибудь кто-то был послан кому-то, то она послана Гертруде. Но жизнь меняется, и как исполнить эту частью ее миссии, ибо Гертруда должна быть только ее частью? А у нее в самом деле есть миссия, иначе зачем она была послана обратно в мир?! Или замысел не в слепом утешении? Почему она верна идее послушания, тогда как отвергла всяческую власть? Неужели всё: позолоченные одеяния, херувимы и серафимы, и Всевышний, сидящий среди них,— средоточие немыслимого света, действительно ушло? Анна повернулась к зеркалу, посмотрела в свои узкие зелено-голубые глаза и взмолилась: «О, пусть это будет не так, дай мне узреть, дай мне узреть!» Как это нелепо, молиться, глядя в зеркало.

Она отвернулась от зеркала и огладила платье. Теперь их у нее было несколько. Гертруда называла их квакерскими, поскольку они были сизо-серого цвета и с белым воротничком. Анна открыла дверь и секунду прислушивалась к приглушенным голосам в гостиной. Она снова раздраженно отметила возбуждение Графа, его недовольство присутствием Манфреда. Так значит, ее задача будет просто препроводить Гертруду в объятия второго мужа? Что ж, пусть будет так. Анна быстрым шагом пересекла коридор и присоединилась к компании.

— Здравствуйте, Анна, выпейте с нами, вы ведь уже позволяете себе вино, не так ли?

— Налей ей немного белого вина с содовой, ей это нравится.

Манфред, улыбаясь, вежливо поднялся. Он всегда был исключительно внимателен к Анне.

Граф, сидевший на стуле возле кресла Гертруды, хотел было тоже подняться, но оступился и, покачнувшись, сел обратно.

— Я слышал, Анна, вы сдали экзамен по вождению,— сказал Манфред.

— Да, думаю, теперь получу права.

— Прекрасно.— Манфред налил Анне и спросил Гертруду: — Чего хотел Тим Рид?

— Денег! — ответила Гертруда. Все засмеялись.

— Как я понимаю, это главный вопрос, который интересует молодежь,— высказался Манфред.

— Боюсь, мне этого никогда не понять,— вздохнула Гертруда.

— Гай помогал ему материально?

— Насколько мне известно, нет.

Гертруда думала: «Как грубо и глупо я вела себя с Тимом. Конечно, я должна была попытаться понять, в каком он положении. Гай сделал бы именно так. Но я была такой бестактной, будто какой-нибудь подозрительный чиновник. А он действительно любил Гая, как это трогательно. И Гай любил его, относился к нему как к сыну. Я, должно быть, оскорбила его чувства. Он искал доброты и не нашел ее во мне. Правильно я сделала, что придумала для него способ заработать деньги. Хорошая идея — чтобы он пожил в "Высоких ивах". Но слишком уж мне удалось представить все так, будто я делаю это ради собственной выгоды! Наверное, следовало сразу сказать ему: Тим, не беспокойся, ты член нашей семьи, я, конечно, помогу тебе».

Граф думал: «Я должен сдерживать свои чувства. Перестать болеть любовью. Но не могу, не хочу. Нестерпимо мучительно находиться рядом с Гертрудой, и все же, если остаюсь наедине с ней, я рискую привести ее в ужас какой-нибудь неподобающей выходкой, могу схватить ее в объятия, я опасен, безумен. Она в горе, в трауре. Она не должна знать, что во мне кипит любовь к ней. Она улыбается Манфреду, их пальцы соприкасаются, когда он протягивает ей бокал. Мне следует уйти, но я не могу, не хочу. Она не должна ничего знать».

Анна думала: «Вскоре нужно будет уйти от мира. Не в монастырь, конечно. С Пасхой это никак не связано. Возможно, следует пренебречь Пасхой, отказаться от нее, как от неуместного развлечения. Я должна быть одна, не могу выносить компанию, даже компанию Гертруды. Я не была по-настоящему одна с тех долгих прогулок, что совершала сразу после ухода из монастыря. Я должна научиться новой молитве, узнать, что она значит. Если предстоит что-то обрести, я могу обрести это только в одиночестве. О Гертруде нечего беспокоиться, она окружена семьей, друзьями, поклонниками, она не заметит потери. Я, конечно, вернусь. Но на время должна уйти для разговора с моим другим "я". Может, получится уехать обратно в Камбрию или в дом Гертруды во Франции».

Гертруда думала: «Милый, милый Граф, как он смотрит на меня, как дрожит. Манфред заметил и забавляется. Не подарить ли Графу книги по философии, оставшиеся после Гая? Мне радостно, что он любит меня. Это не может не радовать. Но как он далек мне, как все далеки мне! Они смотрят, нет ли признаков того, что мне стало легче; нет, не стало. Горе возвращается, как дождь, как ночь. Я — сплошная рана, я вся — утрата, хотя улыбаюсь. Раздавлена горем. О, муж мой любимый, зачем ты оставил меня? О, Гай, Гай! Только не плакать».

О чем думал Манфред, мы узнаем позже.

ЧАСТЬ ТРЕТЬЯ

Тим Рид был один во Франции. Он был властителем всех разведанных просторов. Безумная радость переполняла его.

Он стоял на веранде «Высоких ив» и смотрел на небольшую долину, простиравшуюся внизу. Буйно разросшаяся трава перед домом, явно кошенная последний раз в прошлом году (назвать это лужайкой язык не поворачивался), пестрела голубыми цветами, очень похожими на кисти гиацинтов, только поменьше. Над поляной, как постоянно живое конфетти, висело трепещущее облако крохотных синих бабочек, еще более крохотных коричневых мотыльков и бесчисленных пчел. Солнце было еще не слишком жгучим, дневная жара и звон цикад были еще впереди. За поляной склон спускался к неухоженной оливковой роще, в которой деревья стояли группами по три, и обрывался, размытый, вниз огромными глыбами земли, похожими на гротескные полулежащие фигуры с вытянутыми лицами и сведенными судорогой телами. Земля под деревьями, покрытая редкими пучками травы, видно, когда-то распахивалась, и ее комья застыли вокруг оливковых стволов. По дну долины бежал невидимый ручей, питая огромные серебристосерые ивы, которые и дали название дому. В этих местах ивы обычно не росли, и эти были посажены предшественником Гая. Извилистая линия уже высокого камыша отмечала дальнейший путь ручья. По ночам оттуда доносился лягушачий хор. На противоположном склоне виднелись ровные ряды тополей со стволами цвета коричневатой бумаги и мерцающей листвой. Затем маленький виноградник на крутом откосе, а за ним блестящие на солнце скалы, которые могли казаться белыми, или голубыми, или розовыми, или серыми и которые поднимались, усеянные точками кустов, травянистыми выступами и одиночными пиниями, к низкому и не очень далекому горизонту.

Дом из серого камня, когда-то фермерский, был красив, но невелик. С одного конца массивное строение поднималось наподобие башни. Крыша из потускневшей красной полой черепицы выступала вперед, накрывая террасу, сложенную из потрескавшегося булыжника и частично затеняемую смоковницей. На полоске между террасой и поляной Гертруда когда-то безуспешно пыталась высадить цветы. Остались лишь розмарин, лаванда с геранью да заросли лучистых, лиричных олеандровых кустов, усыпанных цветами такого неистового розово-белого цвета, что Тима буквально бросало в дрожь. Изящные квадратные окна второго этажа повторяли форму первоначальных каменных проемов. Гай переделал нижнюю часть дома, в которой когда-то были амбар и хлев. Сводчатый проход, перегороженный раздвижной дверью, вел в летнюю столовую с потолком в виде купола и большой застекленной дверью в гостиную. В другое квадратное окно в кухне в конце дома виднелись заросли ежевики, гараж из дырчатого кирпича, кусты вьющейся розы рядом с ним (лепта Гая в украшение участка), эвкалипт и короткий выезд на узкую гравийную дорогу. Уставленная книжными полками комната рядом с кухней явно служила кабинетом Гаю. Наверху были три спальни, две ванные комнаты и комната в башне, куда вела лестница и в которой ничего не было, кроме кучи пожухшего лука на полу. Тим подумал было затащить туда матрац, но подзабытая возможность спать не на полу была слишком привлекательна, и он выбрал маленькую угловую спальню, откуда можно было видеть и лощину с ивами, и сквозь разрыв в скалах треугольник далекого зеленого холма. Ни следа человеческого присутствия вокруг — совершенно безлюдный пейзаж, несмотря на всю свою окультивированность.

Обживаться в доме было захватывающе интересно и рождало чувство «взломщика»: смесь боязни и странного торжества. Тим наслаждался просторностью дома, тихими и предупредительными прекрасно обставленными комнатами — все это теперь принадлежало ему. Дом давал ощущение глубокого покоя, надежности, какое он испытывал в детстве, когда отец еще жил с ними. Он спал спокойно, лежа на спине, что всегда хороший признак. Вначале было чуточку жутковато вставлять ключ, который Гертруда дала ему в далеком Лондоне, открывать дверь и входить в молчаливый и столько всего хранящий в себе дом. Он мог понять, почему Гертруда не хотела приезжать сюда: не могла видеть книги на столе, прошлогодний номер «Таймс», бумаги и ручку на письменном столе Гая. Тут был и написанный строгим почерком Гая список указаний, несомненно, предназначавшийся временным съемщикам. Нагреватель для ванных комнат включался в сушильном шкафу с вытяжкой. Мусор следовало отвозить на деревенскую свалку, а ни в коем случае не сжигать. Немедленно убирать садовые кресла в дом, если задует мистраль. Вам советовали прочитать находящуюся в аптечном шкафчике инструкцию, как действовать в случае, если кого-то укусит гадюка. Разбитую посуду следовало (что было вполне разумно) заменять целой. «И пожалуйста, не перекладывайте книги и не перевешивайте карты». Помня о своих обязанностях, Тим первым делом, насколько мог, проверил состояние дома. С облегчением обнаружил, что водопровод и электричество в полной исправности. Крыша с виду казалась крепкой, но еще требовалась проверка дождем. Оконное стекло в кабинете треснуло. Маленькая, заросшая виноградом лоджия снаружи столовой частично обрушилась, но Тиму удалось подпереть балки прочными столбами, найденными в гараже.

До места Тим добрался, пересекши всю Францию на поезде, потом автобусом до деревни, от которой до дома было семь километров. Из деревни он, запасшись хлебом и вином, отправился пешком. Войдя в дом, он первым делом обследовал кладовую. То, что предстало его глазам на этом складе, превосходило самые смелые его мечты. Ряды консервных банок уходили вглубь, казалось, бесконечного помещения, банки с абрикосами, инжиром, сливами, персиками выстроились на верхних полках, а в углах притаились громадные бутыли с оливковым маслом, на стеллажах поблескивали бутылки с вином, стояли картонные коробки с виски. Тим подумал, что может прожить на эти запасы все лето, в конце концов, Гертруда разрешила брать, что понравится, и так сэкономить деньги, плату за службу, которую она выдала ему вперед! Жизнь на необитаемом острове! «Я знал, что мне тут будет отлично. Я по природе отшельник, у меня просто никогда не было возможности пожить в настоящем одиночестве»,— говорил он себе. В гараже он обнаружил два велосипеда, мужской и женский, оба в отличном состоянии. Тим (шел четвертый день его пребывания на «необитаемом острове») дважды съездил в деревню за хлебом и молоком, фруктами, овощами и местным вином (он чувствовал, что не следует слишком опустошать стеллажи). Он уже успел подружиться с хозяевами лавок, хотя и не знал французского. Уединение принесло новое и упоительное ощущение независимости. Впервые за многие годы он был совершенно один.

Однако его одиночеству не суждено было продлиться долго. Вскоре к нему должна была присоединиться Дейзи. Тим ожидал ее приезда, предвкушал, как покажет ей все, что стало здесь для него своим. (У него было такое чувство, что он прожил здесь уже несколько месяцев.) Но было и чуточку грустно. При Дейзи с ее неугомонностью пропадут те тонкость и богатство ощущений, которые он испытывал тут; ему хотелось быть действительно одиноким в доме Гертруды, это в определенном смысле было бы и честней. Он, конечно, ни слова не сказал Гертруде о Дейзи. Не то чтобы боялся, что та будет возражать, скажет: «В таком случае, нет» или что-то подобное. Он был не совсем уверен почему, но странным образом понимал, что не следует спрашивать Гертруду, можно ли взять с собой подружку. Чутье подсказывало. Дейзи он не стал ничего объяснять. (О ней же заботился.) Гертруда смутилась бы, неправильно поняла его и так или иначе была бы оскорблена, ее душевный порыв совершить доброе дело не предполагал такого поворота. Хотя не оскорбляет ли он ее сейчас своим обманом? Как часто бывало в его жизни, Тим чувствовал, что ненароком оказался в несколько сомнительном положении. Конечно, это было не так уже важно. Гертруде незачем знать о Дейзи, а если потом узнает, что здесь была женщина, Тим может сказать, что Дейзи, путешествуя по Франции, завернула к нему на день-два. Куда грустнее был не этот маленький обман, а то, что сейчас, как никогда, ему хотелось быть здесь, в этом раю, одному.

Гертруда действительно была невероятно добра. Еще до его ухода в тот вечер, когда он заговорил о том, что ему «не хватает денег», она дала ему чек на значительную сумму: аванс за предстоящую работу сторожем и за картины, которые он, возможно, напишет во Франции. Пораженный, смущенный, Тим предложил, если она пожелает, притащить в квартиру на Ибери-стрит все свои *oeuvre**. Гертруда со смехом согласилась принять «маленький рисунок» в качестве подарка. Вернувшись в конуру над гаражом, Тим долго и серьезно обдумывал, что ей подарить. Разглядывая под этим углом свои работы, он в миг откровения увидел, насколько большинство из них плохи. Кошек он исключил сразу. Несколько рисунков распятия были хотя и довольно изысканны, но, пришлось это признать, легковесны. Наконец он откопал одну из ранних работ, эскиз пастелью к так и не законченной картине «Леда и лебедь» — изящную ве-

* Произведения *(фр.)*.

щицу, в которой явно что-то было, хотя без названия (подписать Тим не позаботился) трудно было сказать, что на ней изображено. Эту вещицу он наклеил на картон, вставил в раму, упаковал и отнес на Ибери-стрит, малодушно надеясь, что удастся избежать нового разговора с Гертрудой, настолько исчерпывающим был последний. Ее, по счастью, не было дома, и он вручил рисунок в дверях холодно и придирчиво посмотревшей на него Анне Кевидж.

Он, естественно, сразу поспешил рассказать обо всем Дейзи, на метро доехал до Уоррен-стрит, а оттуда бегом помчался к «Принцу датскому», где Дейзи ждала, чтобы услышать, как прошла его встреча с Гертрудой. Дейзи отреагировала в точности так, как он ожидал: ругательства в адрес «поганой Франции», «сволочных лягушатников», заявление, что она ногой не ступит во владения Гертруды, но потом тем не менее она поддержала его план и даже пришла от него в детский восторг. Уже на другой день она ворошила свой гардероб, решая, что из одежды возьмет с собой. Тим подбодрил ее обычной своей ложью, сказав, что сдал студию племяннице хозяина гаража, которая хотела побывать в Лондоне. Дейзи забыла о невозможности сдать квартиру и тут же намекнула, что есть одна девушка-американка, приехавшая в Англию на каникулы,— почти наверняка она снимет квартиру на все лето. Однако пока девушка уехала на неделю, и Дейзи осталась ее ждать, чтобы договориться. Тим вычистил ее квартирку до последнего угла, так что она стала более привлекательной и презентабельной. Затем отбыл во Францию. У него было минимум четыре дня до появления Дейзи. Да, он знал, что, как только она приедет, он будет рад ее компании. Но сейчас, глядя на голубовато-серое мерцание скальных откосов, он чувствовал, насколько счастливее был бы, удайся ему пожить здесь одному. Починку разбитого окна он решил оставить до приезда Дейзи, свободно владевшей французским. Времени была масса, а французское слово, обозначающее окно, никак не давалось, и даже, черт его дери, слово «стекло».

С безоблачного неба подсолнух солнца слал огненные лучи на землю, еще холодную после ночи. Резец тени беззвучно менял форму скал. Маленькая долина тонула в необъятной тишине. Над бело-розовым олеандром порхали бабочки с крыльями в виде ласточкина хвоста. На низкой стене террасы, подняв рептильи головы и раздувая бока, замерли ящерицы. По каменным плитам дорожки двигались две армии муравьев: одна из муравейника под смоковницей, другая в него. Тим глубоко вздохнул, наслаждаясь покоем. Стеклянные двери в гостиную за его спиной были распахнуты. Мохнатые многоножки в доме и снаружи, поначалу разбежавшиеся, застыли коричневыми мазками на теплом сером камне и прохладных беленых стенах. Громадные темные мотыльки в сопровождении москитов летели в полумрак комнат. (Москитные сетки были только на окнах верхнего этажа.) За приоткрытой ставней в раздумье сидела зеленая жаба.

Тим уже позавтракал свежим хрустящим деревенским хлебом с бледным и мягким деревенским маслом и апельсинным джемом из кладовой, запивая все это кофе с молоком. На ланч он прихватил хлеб и масло, баночку паштета, сыр, желтое яблоко и бутылку вина. Все это было в корзинке, а что нужно для рисования — в рюкзаке. Во Францию он, поразмыслив, взял с собой только акварель, гуашь и пастель. Тим вдохнул всей грудью, огляделся, собрал вещи и отправился — через «лужайку», оливковую рощу, через ручей по деревянному мостику в гуще ив и зеленого камыша, между рядами тополей, поднялся на кручу по винограднику и направился к скалам. Поначалу Тим далеко не отходил: так много интересного было возле дома. Он зарисовал смоковницу, узколистые ивы, старые оливы со скрученными блестящими стволами и завесой серебристой листвы. Тополя не удались. Многие импрессионисты сумели передать их прямые гладкие стволы, текстуру коры, их высокие облака дружно трепещущей листвы; но Тим не сумел. Помня о долге, он сразу же попытался изобразить дом, но это тоже оказалось необычайно трудно. Особенность дома заключалась в квадратных окнах верхнего этажа, в том, как башня вырастала из крыши, в живом мягком цвете плотно пригнанных прямоугольных камней, из которых он был сложен, пологом скате крыши и выцветшей черепице. На его набросках дом выглядел каким-то странным и ужасно английским. В любом случае сейчас Тима захватили скалы.

Узкая тропинка, которой он шел, металась из стороны в сторону между стремящимися вверх скалами, непостижимым образом не теряясь среди них. Дом уже пропал из виду. Солнце пекло шею, приятно щекочущая струйка пота ползла по лбу к щеке. Тим взбирался все выше. Внизу в долине пели цикады, а тут стояла тишина, нарушаемая лишь его дыханием да изредка скрипом подошвы, скользнувшей по камню. Вдалеке крикнула птица. Но ее одинокий крик лишь подчеркнул совершенную безжизненность этих мест. Единственные существа, которых он заметил очень рано утром, были кролики, резвившиеся в оливковой роще. То, что он прежде принимал за кости животных, оказалось обломками сучьев с ободранной корой, белыми, гладкими и ровными. Он прихватил с собой несколько. Вблизи камень скал оказался беловато-серым, мелкозернистым, чрезвычайно твердым, с крохотными черными крапинками. Небольшие выступы на его поверхности словно предназначались для того, чтобы хвататься за них. Скалы шли вверх уступами, образуя подобие лестницы, и по этим уступам, перескакивая с одной покрытой дерном площадки на другую, следовала тропа; это была именно тропа, проложенная путниками, хотя места, по которым двигался Тим, были самыми безлюдными, какие он когда-либо видел. Несмотря на оливковые рощи, и абрикосовые сады, и виноградники внизу, вокруг не было абсолютно никакого следа человеческого присутствия. Несколько домов, которые он заметил, все ближе к деревне, оказались брошенными или с заколоченными ставнями, как маленькие крепости: их хозяева были далеко, в Париже или Лондоне. Деревня была довольно многолюдной, но вокруг нее больше никто не жил. Раз, когда он увидел далеко впереди на дороге человека, сердце у него екнуло от страха. Наверху среди скал никого не было, но тропа продолжала вести вперед.

Целью Тима было изумительное местечко, которое он обнаружил накануне, когда уже собрался возвращаться домой. Наступающие сумерки заставили его поторопиться. Он боялся остаться ночью среди этого скалистого безлюдья, да, по правде говоря, он и днем его опасался. Он зарисовал ясень, висевший над неглубоким ущельем. Потом попытался зарисовать необыкновенную скалу. Как уже упоминалось, изобразительное искусство Тим изучал в университете, но, за отсутствием упорства и последовательности, вышел оттуда эклектиком и эксцентриком. Совсем молодым он был под большим впечатлением некоторых горных пейзажей Рёскина. Он думал, что, если одна десятая (сотая) часть его рисунков будет так же хороша, как Рёскина, можно будет считать, что он не зря прожил жизнь (он и сейчас продолжал так думать). Обнаружив (вчера днем), что серые крапчатые скалы почему-то не даются ему, он оставил дальнейшие попытки, вернулся на тропу и стал карабкаться выше, надеясь добраться до гребня, который казался таким близким, и взглянуть (чего он еще не сделал) на долину по ту сторону, на другой пейзаж. Откровенно говоря, он искал местечка, где можно было бы искупаться. Тим любил плавать, это было одно из его любимых удовольствий, когда он жил в Уэльсе, но в последние годы он был практически лишен такой возможности. Ручей возле дома был слишком мелок, хотя обещал что-нибудь более полноводное, и Тим карабкался вверх, ожидая увидеть оттуда, может, прямо внизу, реку с зелеными заводями среди тенистых деревьев. До гребня он не добрался; за тем, что казалось вершиной, открылись другая, дальше еще одна. Но он нашел нечто совершенно неожиданное. Тропа в очередной раз оборвалась, на сей раз перед похожим на дверной проем узким квадратным проходом в скалах. Поразмыслив, Тим решил взглянуть, куда он ведет. Опираясь руками о стены, он вспрыгнул на площадку, вроде порога перед «дверью», потом спустился ниже по двум или трем каменным ступенькам. Проделывая все это, он не смотрел вокруг, пока не оказался на ровном месте с неожиданной травой. Тогда он поднял голову и увидел *это*.

Это было утесом, лицом утеса, и действительно неким необъяснимым образом походило на лицо, вставшее перед ним ярдах в пятидесяти ниже в просвете между скалами. Неровные каменные стены по сторонам заслоняли лучи садящегося солнца, потому там было сумрачно. В дальнем конце расщелины высился утес, отличавшийся от бесконечной зубчатой цепи окружавших скал. Примерно на середине его высоты находился участок заметно светлей окружения и похожий на мраморный, который в неверном свете казался висевшим отдельно. Поверхность камня здесь была более гладкой, словно отполированной, а сам участок был почти овальной формы и испещрен тенями. Он тускло светился, как зеркало. Выше этого пятна утес был темнее и прочерчен очень тонкими, будто карандашными, линиями. Взаимосвязь частей была неопределенной. То казалось, что нижняя, более светлая часть — лицо, а то — голова с короной. То весь этот большой участок выглядел как неразборчивое ужасное лицо. Выше, насколько высоко она уходила, Тим не мог определить, виднелась большая темная неровная черта, скорее всего, большая трещина, в которой росла трава. Откуда-то сверху свешивались длинные пряди ползучих растений. Но больше всего Тима поразило нечто, что он заметил не сразу и что открылось ему, когда он подошел ближе. У основания утеса, под «мраморным» участком находилось довольно большое круглое озерцо с прозрачной чистой водой. Поблескивавшее озерцо было исключительно правильной формы, а края невероятно гладкими — с трудом верилось, что это работа природы. Тим с благоговением смотрел на него. Потом вдруг ощутил абсолютную тишину, абсолютную уединенность этого места, сгущающийся сумрак. Он повернулся и поспешил назад, пробрался сквозь расщелину-вход и помчался, не останавливаясь, вниз по тропе, вьющейся среди скал, по винограднику, аллее тополей, темному мостику, между кривых олив, через поляну, террасу и в дом, зажег везде свет, закрыл и запер на засовы двери.

Сегодня, под ярким утренним солнцем чувствуя себя куда как смелей, он намеревался вернуться к «лику», возможно, даже зарисовать его. Найти его оказалось не так просто, поскольку тропа будто изменилась со вчерашнего дня, прирастила ответвления, потеряла определенность в верхней части, и он открывал новые и отвлекающие чудеса, вроде окруженных скалами площадок, где на миниатюрных лужайках росли маленькие розовые и белые тюльпаны. Наконец, уже думая, что заблудился, и решив подниматься на вершину бесконечной груды скал, он неожиданно увидел в отдалении и ниже знакомую расщелину-дверь и принялся спускаться к ней, тяжело дыша и обливаясь потом. Он протиснулся сквозь проход и мгновенье спустя вновь стоял на уединенной зеленой лужайке перед «ликом».

При дневном свете огромный «лик» выглядел иначе, но не менее впечатляюще. Теперь Тим заметил на высоте трещину в форме буквы «V», из которой торчала какая-то растительность вроде папоротника. Свисавшие плети ползучих растений начинались где-то еще выше, на вершине, терявшейся в листве и тенях. Там, где поверхность утеса казалась покрытой «карандашными штрихами», теперь были заметны полосы желтоватого мха, росшего в узких углублениях и выделявшего линии, отчего верхняя часть скалы и казалась заштрихованной мягким поблескивающим карандашом. Овальная область ниже была примечательна: слегка выступающая вперед, чистая, без намека на растительность, еще находящаяся в тени, но поблескивавшая в ярком отраженном свете. Она нависала над Тимом, нижняя часть была над самой его головой, и диаметром была, наверное, больше двадцати футов. Под ней стена уходила вглубь, образуя нишу. Подойдя ближе, Тим увидел, что вся округлая поверхность светлого кремоватого оттенка, контрастирующая с окружающим камнем, блестела от воды, видимо, проступавшей сквозь бесчисленные поры. Вода покрывала стену, но не капала в озерцо под ней.

Каменная чаша озерца, что стало ясно при дневном свете, была творением природы, хотя и удивительным. Она была округлой, приблизительно того же размера, что бледный сочащийся камень над ней. Края чаши были из серого крапчатого камня, который здесь вертикально вставал из травы, обрамляя воду своего рода широкой волнистой оборкой и соединяясь с основанием утеса в глубине каменной ниши. Чаша была глубокой, как и предположил вчера Тим, необычайно чистой и прозрачной, почти сияющей. Трудно было сказать, насколько она глубока, может восемь или десять футов в середине, к которой плавно и ровно сходило дно. Оно все было усеяно маленькими прозрачными камешками белого или кремового оттенка, словно каменными слезами, скатившимися с «лика» над озерцом. Глядя на это странное озерцо, Тим вновь поразился, увидев, что вся масса прозрачной воды очень слабо дрожит, вибрирует, но так незаметно, что это не влияет на ее прозрачность, настолько почти неразличима, неподвижна быстрая рябь на поверхности. Чашу, несомненно, наполнял родник, но откуда поступала вода и куда утекала, Тим не мог определить. Она не перетекала через край, и поблизости не было никакого ручейка. Прекрасное лучащееся озерцо просто дрожало, вечно пополняясь загадочным образом и так же загадочно обновляясь.

Тим стоял, упиваясь необыкновенным зрелищем, и его сердце так колотилось от радости, что в какое-то мгновение он схватился за грудь. Белое круглое каменное пятно висело над ним, похожее на громадный щит древнего героя. Оно тихо струилось в волнах горячего воздуха (или это казалось?), хотя солнце, возможно, никогда не попадало на него. Тим осторожно оглянулся вокруг: лужайка с тонкой и такой короткой травой, словно ее ощипали овцы (только не бывало здесь ни одной овцы); тесный проход в серых скалах, образующий узкий амфитеатр и скрывающий это место от глаз посторонних. Наконец сердце успокоилось, и он вернулся к расщелине, в «дверном проеме» которой оставил рюкзак и корзинку с едой.

Мыль искупаться в озерце сразу пришла Тиму в голову, но тут же была отвергнута. Не мог он пачкать эту чистую воду своим потом или, плещась в нем, прерывать его сивиллину дрожь. Он позволил себе лишь коснуться пальцами поверхности воды. Вода была страшно холодной. Тим достал складной стульчик, альбом, карандаши, мелки, акварель и кисти, фляжку с водой, набранной на кухне. Его переполняло желание приняться за работу. Совершенно счастливый, он принялся рисовать.

К четырем часам дня он еще работал. Неимоверно устав, он сделал перерыв на ланч. Выбрался через «дверь» на другую сторону, поскольку ему показалось негоже есть в присутствии утеса и озерца. Он уничтожил все, принесенное с собой, кроме вина, которого выпил совсем чуть-чуть, боясь, что его разморит. Он был в целом доволен сделанным: несколькими рисунками «лика». Округлый участок утеса со странными прямыми линиями сверху был столь необычен, что Тим боялся, что не удастся передать на бумаге его особенность. Однако «лик» настолько захватил Тима, что удалось ухватить его грандиозность. Еще он сделал несколько больших акварельных эскизов, наброски коричневой тушью — всего «лика» целиком, включая растительность. Потом, примостившись в «амфитеатре», попытался, пастелью на серой бумаге, передать лучистый свет, исходящий от кристальной воды озерца. Это удалось меньше. Пора было заканчивать. Он собрал вещи, подхватил корзинку, бросил последний торопливый беспокойный взгляд на начинавшую темнеть поляну и выбрался сквозь расщелину наружу. Тут голова у него закружилась, как при перепаде давления.

Снаружи было светлее. Скалы, на которые попадало солнце, излучали волны блеска. Приставив ладонь козырьком к глазам, он посмотрел вверх, думая, что еще рано возвращаться домой, и решил еще раз попытаться взобраться к зубчатому горизонту скал и посмотреть, что находится за ними. Тропка скоро исчезла, или он потерял ее. Может, единственное ее назначение было привести его к «лику».

Он стал карабкаться на кручу, цепляясь за неровности скал, хватаясь пальцами за трещины. Восхождение не было опасным, однако становилось все труднее, к тому же мешала корзинка, пока он не оставил ее под низенькой лохматой смоковницей, которая могла послужить ориентиром на обратном пути. Лишь когда скала, по которой он полз, ушла из глаз, он понял, что достиг наконец верха. Тяжело дыша, он встал на самом гребне. И правда, перед ним внизу расстилалась другая земля. Вдалеке можно было различить залитую солнцем равнину с возделанными полями, а за ней горы, настоящие синие горы, много выше его «холмиков». Близ него, как бы гофрированные, скалы уходили вниз неглубокими складками и ущельями, которые уже заполнились сумраком. Однако прямо под собой Тим увидел нечто, что приковало его взгляд. Там, у самого подножия скал, на которых он стоял, и куда, казалось, легко было спуститься по природной лестнице из камней и по зеленому травяному склону, блестела река. Она была неширока, но даже оттуда, где он находился, Тим видел веселую игру ее обильных вод. С восторженным криком он начал спускаться, и вскоре его слух и зрение были вознаграждены. Отчетливо стал слышен шум воды и отдаленный гул, который мог означать водопад где-то впереди; и тут Тим осознал, что, не считая песни цикад внизу среди деревьев и редкого скорбного крика птицы, это был единственный за целый день звук, которым его удостоила безмолвная, сонная от жары природа.

Спуск занял больше времени, чем он ожидал: пришлось обходить глубокий овраг, заросший самшитом и ежевикой, но в конце концов, снова обливаясь потом и тяжело дыша, он преодолел последние метры до покрытого травой берега и остановился у кромки воды. Он сразу понял, что этот сверкающий стремительный поток не река, а канал. Прямой как стрела, он прорезал пейзаж, начинаясь от подножия скал невдалеке, и терялся в дымке молодого сосняка впереди. Какое чудо, что на этой сухой земле драгоценная влага не пропадала втуне, а радовалась собственному бытию природной стихии! Там, где он стоял, берег был крутым, ровным и покрыт травой, вода — мутная, словно подкрашенная мелом. Она бурлила, образуя быстро исчезающие неглубокие пенные водовороты, бесконечно притягательная для потного усталого человека. Вокруг, разумеется, ни души. Тим сбросил рюкзак, разделся догола. Сел на свежую прохладную ярко-зеленую траву берега у самой кромки и соскользнул в мчащийся поток.

Водяной демон мгновенно подхватил его. Было такое ощущение, будто крепкие легкие серые руки стиснули его талию, приподняли и понесли вперед, крутя, окуная с головой. Поток был очень холодным. Словно из окна движущегося поезда, он видел проносящиеся мимо берега, покрытые травой, потом внезапно нырнул в тень сосен. О том, чтобы пробовать плыть, не могло быть и речи, всякая такая попытка подавлялась в зародыше. Сила течения прижала его руки к телу, словно водяной демон превратил его в простую палку, которую вертел и крутил как хотел. Он пробовал колотить ногами, удерживать голову над водой, но при такой скорости течения это было бесполезно. До дна было не достать. Отплевываясь, Тим наткнулся на что-то, ухватился обеими руками, и его резко дернуло, закружило на месте, швыряя о крутой берег, под воздействием объединенной силы мчащейся воды и упругой сосновой ветви, низко свесившейся над потоком. Ветка обломилась, но в следующее мгновение Тим уже держался за густую колючую акацию. Его подняло горизонтально берегу и тащило дальше, но он не отпускал ее ветвей. Он сражался с течением, чувствуя коленями подводную траву. Постепенно силы вернулись к нему, и с огромным облегчением он почувствовал под ногой каменистое дно. Так он некоторое время висел, частично высунувшись из воды, хватая ртом воздух, отдыхая. Потом ему удалось подтянуться, держась за акацию и хватаясь за пряди свисавшей крепкой травы. Берег был не слишком крутой, под ногами — песчаная опора. Он поднялся до уровня земли и в изнеможении упал грудью на траву; снизу его обдавали брызги, ладони кровоточили от колючек акации, ноги болели от ударов о камни.

Он продрог от пребывания в холодной воде и чувствовал тепло крови, струившейся по ладоням; мало-помалу солнце согрело его, и он встал. Казалось, он пробыл в воде долго, но, не пройдя и сотни ярдов, он увидел сквозь ветки сосен свою одежду и рюкзак, к счастью, на том же берегу канала, на который выбрался. Он зашагал назад, ощупывая себя, все ли цело. К тому моменту, как он начал одеваться, солнце успело обсушить его. Он с удивлением смотрел на бурный серый поток, мчавшийся по своему глубокому узкому руслу. Теперь он видел, сколь невероятно тот опасен. Взвалив на плечо рюкзак, Тим прошел вдоль берега, миновал сосны, и то, что он увидел впереди, ужаснуло его. Канал внезапно поворачивал направо и еще более сужался, стиснутый красивыми стенами из ровно обтесанного серого камня, по верху которых шла ровная, как тротуар, дорожка. Тим подошел к краю и заглянул вниз. Вода тут убыстряла свой бег, бурля, оглушая, вздымая высокую волну в месте поворота. А затем он испытал потрясение, глядя с похолодевшим сердцем и тем чувством собственной смертности, которое посещает нас редко и тут же забывается, на представшую ему картину. Вода обрушивалась вниз в узкую каменную пропасть. Еще ниже она в исступлении вырывалась на свободу и, неожиданно став гладкой, как стекло, текла по длинному каменистому склону водосброса, покрытому зеленой слизью. У подножия склона она вновь вскипала белым пенистым хаосом, устремляясь в черную дыру подземного туннеля. Туннель находился чуть ниже уровня воды, и поток вынужден был опускаться и тесниться, прорываясь в него. И так, с ревом и бессвязным грохотом, поток скрывался в черной глубине, бесследно исчезая с залитой солнцем земли. Тим содрогнулся. Ему захотелось побыстрее вернуться домой.

В долине были уже сумерки, когда наконец он неожиданно увидел внизу знакомые извивы ручья среди деревьев и красную черепичную крышу дома. Он, конечно же, заблудился на обратном пути. Забыл о корзинке и смоковнице, которая должна была служить ориентиром. Скалы при свете садящегося солнца казались плоскими, трещины сгладились, став похожими на прожилки мрамора. Было трудно различать рельеф и судить о расстоянии. Один раз пришлось продираться сквозь густую дубовую поросль, которой он раньше не видел. Он спустился, а потом обнаружил, что надо вновь подниматься.

Он устал, но, когда оставил канал позади, забыл о страхах, которые доставило ему его приключение. То, что он с трудом избежал смерти, возбуждало его. Если бы водяной демон протащил его еще немного дальше, он беспомощно соскользнул бы по тому зеркальному склону, и его засосало бы в черную бурлящую дыру. Тела никогда бы не нашли, даже рюкзак могли не заметить несколько недель. Он представил приезд Дейзи, ее раздражение, озадаченность, потом тревогу. Ну, для него это было бы концом всех неприятностей, а для Дейзи, возможно, лучшим выходом из положения. Всем остальным, подумал он с грустью, было бы наплевать. На Ибери-стрит было бы отпущено немало шуточек по поводу того, что Тим Рид таинственно исчез где-то во Франции.

Увидев знакомую долину, Тим почувствовал облегчение. Он принялся спускаться со скал к винограднику. Ощутив наконец после жесткого камня мягкую вспаханную землю под ногами, он остановился передохнуть. Дом отчетливо виднелся внизу. И тут его вновь охватил страх.

Показалось, что на террасе кто-то стоит. В усталых глазах все расплывалось. Он на мгновенье зажмурился, потом посмотрел снова. Тень на террасе двигалась. Явно какой-то человек. В воображении Тима, измученном сегодняшними опасностями, всплыли истории о бродягах-головорезах и туристах, убитых в уединенных домах. Подобные страхи постоянно посещали его с наступлением темноты. Первым его порывом было просто спрятаться. Он осторожно двинулся вперед, держась за рядами виноградных кустов, пригнувшись и пристально вглядываясь сквозь их молодую листву в досадно темную и нечеткую фигуру внизу. Старательно щурился и тер глаза, но это мало помогало. Прокравшись немного вперед, присел на открытом месте, продолжая смотреть на террасу. Отсюда, с удивлением и ничего не понимая, он разглядел, что таинственная фигура — женская.

Но кто бы это мог быть? В конце концов, на свете полно женщин-террористок, еще похлеще мужчин. Вдруг они использовали этот обычно пустующий дом как свое убежище? Или это Дейзи, которая приехала раньше времени, сдав свою квартирку быстрее, чем рассчитывала? Неясная фигура, снова принявшаяся расхаживать по террасе, отнюдь не напоминала Дейзи. Однако было в ней что-то смутно знакомое. В какой-то момент Тим с ужасом подумал, что она похожа на Анну Кевидж. Но тут же и с таким же смятением понял, что женщина на террасе — Гертруда.

Гертруда, когда начало темнеть, а никто не появлялся, тоже заволновалась. Пустой дом, затянувшееся отсутствие Тима — все это вселяло дурное предчувствие. А когда наконец, глядя вниз на склон холма, она увидела человека, появившегося от ив и начавшего подниматься через оливковую рощу к дому, ее охватил настоящий ужас, пока она не узнала приветливо машущего Тима и не услышала его голос.

Гертруда была не в состоянии жить в Лондоне. Дом на Ибери-стрит напоминал о былых страданиях. А потом Анна объявила, что хочет на время уехать, чтобы побыть одной. Разумеется, она вернется, но сейчас должна недолго пожить в одиночестве, пусть это будет хотя бы гостиница в Пимлико. Гертруда подумала, что Анна, возможно, ожидает, что она предложит уединиться в «Высоких ивах», но она ничего не говорила ей ни о доме во Франции, ни о том, что сейчас там живет Тим. Больше того, она никому не рассказывала о свой оригинальной придумке, как помочь Тиму, стесняясь упоминать об этом. Другие могли подумать, что Тим «навязался» ей. Возможно, это вообще была неудачная идея. Гертруда позвонила Стэнли, и в конце концов Анна вернулась в его загородный дом в Камбрии. После этого Гертруда почувствовала, что должна покинуть Лондон. Без Анны оставаться в квартире было невыносимо. Не было никого, с кем она захотела бы разделить свое одиночество, хотя Джанет приглашала пожить у нее, а потом и Розалинда. Когда Манфред предложил отправиться с ним и миссис Маунт в автомобильное путешествие по Европе, она от отчаяния согласилась. Конечным пунктом поездки была квартира Манфреда в Риме, но план состоял в том, что они поедут не спеша и Гертруда вольна будет покинуть их, когда пожелает.

Гертруде не очень хотелось оставаться наедине с Манфредом, которого почему-то немного стеснялась, но, когда они отправились в путь, выяснилось, что больше всего ее раздражает компания миссис Маунт. Манфред был неизменно обходителен с немолодой дамой, но Гертруде хотелось бы не такого (Манфред тактично помалкивал) чичероне. Как только они оказались во Франции и покатили на юг, у нее возникло желание заехать в «Высокие ивы», чтобы узнать худшее, увидеть худшее: выдержит ли она встречу с призраком Гая уже не в Лондоне, а в другом месте, где они были так счастливы. Ей хотелось покончить с этим раз навсегда и решиться наконец продать дом. Она не могла поручить сделку Тиму, необходимо было сделать это, сейчас или позже, самой. Присутствие Тима в столь непростой момент было не слишком большой помехой. Тим мало что значил для нее, так, безобидный, слабый человек. В любом случае в доме его не будет, уйдет рисовать на весь день. Ни он не будет обращать внимание на нее, ни она на него. Она задержится в «Высоких ивах» на несколько дней, возможно, договорится с местными властями о продаже дома и вернется в Лондон. А там недолго останется ждать возвращения Анны, пока же она поживет со Стэнли и Джанет, они неоднократно часто приглашали ее, их детей она очень любит, особенно Неда.

Гертруда ничего не говорила о Тиме ни Манфреду, ни миссис Маунт и не позволила подъехать близко к дому. (Сказала, что ключ у нее есть, на самом деле не было, но Тим, по счастью, оставил дверь незапертой.) Убедила их, что должна пойти туда одна, так будет лучше. Они протестовали, но все же высадили ее у дорожки к дому, и она с облегчением услышала, как замирает вдали шум большой машины.

Первой мыслью Тима, когда он увидел на террасе Гертруду, было: «Черт, Гертруда, прощай покой, она все испортит, и что ее принесло сюда? Интересно, с кем она? Надеюсь, они не останутся надолго». Потом он подумал: «Боже! Дейзи! Она скоро приедет, если не удастся как-то предупредить ее».

Он поднялся по ступеням на террасу.

— Тим, как я рада видеть тебя! А я уж было испугалась, что тебя нет. Думала, ты не вернешься, что с тобой что-то случилось...

Гертруда и впрямь казалась обрадованной, что удивило Тима. Он сказал:

— Да, чуть было не случилось...

Гертруда продолжала:

— Извини, что появилась без предупреждения...

— Ничего, пустяки...

— Вдруг захотелось приехать и избавиться от этого дома.

— Кто здесь еще, кто привез вас?

Они говорили одновременно.

— Манфред и миссис Маунт, они подвезли меня,— ответила Гертруда.— Они отправились дальше, в Италию. Еще раз извини за неожиданное вторжение.

— Но я очень рад...

— Я не надолго. Нужно поговорить с людьми в деревне насчет продажи дома. Я не помешаю тебе рисовать?

— Нет... конечно нет...

— Надеюсь, ты уже что-то сделал. Надеюсь, тебе здесь понравилось.

— Очень понравилось.

— Пойдем в дом, а то становится прохладно. Какое облегчение, что ты пришел, я боялась, с тобой что-нибудь случилось.

— Вполне могло...

Гертруда прошла в гостиную и включила свет. Пока они разговаривали на веранде, успело окончательно стемнеть. Тим вошел следом, закрыл окна на задвижку и опустил шторы. Гостиная выглядела иначе, чем когда он уходил утром.

Это была большая квадратная комната, на двух побеленных стенах которой узором живого ковра бегали или сидели мохнатые многоножки, а иногда появлялись и ящерицы. Стена, в которой располагался камин, была оставлена как есть, являя взору натуральный серый камень. Мебель была простая, большей частью из тростника, со множеством цветастых подушечек, которые Гертруда с любовью шила долгими зимними вечерами в Лондоне. Был еще превосходный деревянный стол, обработанный золотистой олифой,— произведение местных мастеров, и такой же буфет, на котором стоял поднос с пустой бутылкой из-под джина и стакан. (Все это Гертруда убрала.) На стене висела единственная картина, репродукция Мунка с тремя встревоженными девушками на мосту, которую много лет назад Джанет Опеншоу (очень любившая живопись) подарила Гаю и Гертруде на Рождество.

Тим, который все эти дни ел на кухне, с удивлением увидел, что на столе появилась красная скатерть и он был аккуратно накрыт для обеда на двоих. Даже салфетки не забыты. Сколько лет никто не накрывал стол ради него! Будто феи прилетали.

— Гертруда! Вы накрыли стол!

— Надеюсь, ты не возражаешь против скатерти. Мы... мы всегда стелили ее, чтобы не оставлять винных пятен на столе. Полагаю... теперь это не имеет особого значения...

Хотелось верить, что она не заметила ни следов от бутылки на кухонном столе, которые он не позаботился стереть, ни беспорядка, в котором оставил все, уходя утром.

— Тим, ты порезал руку!

— Да, схватился за колючий куст...

— Наверху есть аптечка.

— Знаю. Пойду перевяжу. Через минуту вернусь.

Он выскользнул из гостиной, заглянул на кухню, где, как он боялся, все уже было убрано, а стол чисто вымыт. (Обычно он был аккуратен и теперь сожалел, что подпортил свою репутацию.) Он взбежал наверх, обратив внимание на чемодан Гертруды в большой спальне. Что же ему делать с Дейзи? Можно ли полагаться на то, что Гертруда уедет раньше, чем она появится? Неожиданная встреча обеих женщин обернется для него настоящей катастрофой.

— Ты ел что-нибудь днем? — крикнула Гертруда снизу.

— Перехватил...

— Я готовлю спагетти, тебя устроит?

— Прекрасно!

Тим ополоснул лицо, вымыл руки. Ладони снова стали кровоточить, и он залепил царапины пластырем. Подумав, переменил рубашку. Надел пиджак. Вечер был прохладный. Галстуков он не привез. Причесался. Ну и подлец он! Немного смущаясь, спустился вниз.

Гертруда тоже казалась смущенной. Она поставила на стол бутылку вина и кувшин с водой, кроме этого, были хлеб, масло, сыр и яблоки. Она только что разложила по тарелкам спагетти, щедро политые оливковым маслом и томатным соусом с базиликом. Еще она сделала салат из зеленого перца (Тим купил его в деревне).

При виде отличной еды и вина Тим воспрял. Он просиял, но потом пришлось напомнить себе, какую печаль должна испытывать Гертруда. Посерьезнев, он дождался, пока она сядет, и сел сам.

— Немного вина, Гертруда? Когда вы приехали?

— Сразу после ланча. Я неожиданно испугалась, потому что никогда не была здесь раньше одна, ни единого часа. А тут очень необычно.

— И я так думаю... я нашел... такие чудесные места... но вы, конечно, и сами знаете.

— Оливковая роща нам не принадлежит. Гай всегда беспокоился, поскольку за ней нет надлежащего ухода. Здесь столько пьяниц...

— Но она все равно красива... и скалы...

— Так что ты нашел?

Тиму внезапно расхотелось рассказывать Гертруде о «лике». И он ответил:

— Канал, в котором вода несется со скоростью ста миль в час.

— Это очень опасно.

— Да, я там едва не утонул!

— Ты хочешь сказать, что полез в него?

— Хотелось искупаться, а в итоге едва уцелел!

— Тим, впредь ты не должен этого делать, обещай мне.

— С удовольствием.

— Несколько человек утонули там, глупые туристы, конечно.

— Согласен, я глупый турист. Но какая там красота!

— Надеюсь, ты рисовал.

— Еще бы, как сумасшедший. Я весь во власти вдохновения, но показать пока нечего, только наброски. Это место — рай. Так сказать, опасный рай, но, возможно, и в небесном раю опасно.

— Я не буду докучать тебе. Рада, что для тебя здесь рай.

Тим покраснел и опустил глаза. Он понял, как рад видеть Гертруду в роли человека, которому он мог рассказать, как прошел день. Он снова забыл, как, должно быть, тяжело Гертруде оказаться после смерти Гая в этом доме, с которым тоже предстоит расстаться. Но говорить об этом с Гертрудой было невозможно. Он смущенно, обеспокоенно, виновато взглянул на нее, подыскивая слова, чтобы выразить вежливое сочувствие, и увидел, что она смотрит на него. Гертруда тут же отвернулась.

Она ясно почувствовала, что выдала свои переживания, и бодрым голосом спросила:

— Ты нашел фонтан мха?

— Фонтан мха?.. Кажется, нет...

— Ты бы понял, если увидел его. Завтра покажу его тебе. Хотя бы... скажу, где найти его.

— Буду... рад...— пробормотал Тим. Разговор начал топтаться на месте.

— Что-то прохладно,— сказала Гертруда. Она поднялась и набросила на плечи кардиган.

Как она постарела, подумал Тим с сердитой жалостью. Ее буйные каштановые волосы были подстрижены, и спереди в них, кажется, проглядывала седина. В уголках чувственных, кривящихся губ легли тонкие складки. На лбу, над одним глазом упорно не желала разглаживаться морщинка. Глаза слегка покраснели. Она плакала, подумал Тим, все время плакала, пока меня не было. Тим расстроился, удивился, немного встревожился. Это было все равно что застать мать плачущей. М-да, как часто он заставал свою мать плачущей и как редко пытался успокоить ее. Он чувствовал себя обескураженным, обиженным, брошенным, одиноким.

— Если я чем-то могу помочь...— сказал он.

— Нет-нет... спасибо...

— В конце концов, я ведь тут вроде охранника! И... мм... Гертруда... долго вы думаете здесь оставаться?

— Недолго... наверное, два-три дня... не хочу мешать тебе.

Не стоит рисковать, думал Тим. Надо предупредить Дейзи, чтобы подождала приезжать. Но как это сделать? Придется завтра улизнуть от Гертруды и отправить телеграмму.

НЕОЖИДАННАЯ ЗАГВОЗДКА НЕ ОТВЕЧАЙ ПОКА НЕ ПРИЕЗЖАЙ ЖДИ ПИСЬМА ТЧК.

Такую телеграмму отправил Тим на другой день после появления Гертруды. Шел уже третий день, как она жила в доме.

Отправить телеграмму оказалось очень легко. Тим с Гертрудой съездили на велосипедах в деревню. Ехать с ней было странно и приятно. В деревне она направилась к агенту, поговорить о доме, а он — за покупками и незаметно заскочил на почту. Кроме телеграммы он написал и отправил обещанное письмо. Вот его текст:

Дорогая, такая досада, ты не поверишь: нежданно-негаданно нагрянула Гертруда с Манфредом и миссис Маунт! Я просто вне себя! А как мне было здесь хорошо, вот только тебя не хватало! Моя дорогая, здесь просто божественно, тебе понравится, хотя тут настоящее лягушачье царство. Никогда не бывает рядом того, кого хочется видеть! Дом забит жратвой и выпивкой, а в соседней деревне есть все, что нужно, и задешево. Что до незваных гостей, не беспокойся, Гертруда заехала, просто чтобы договориться о продаже дома, а потом они уедут в Италию. Она не вернется. Говорит, что хочет избавиться от дома, поскольку он ей теперь не в радость и она больше не желает видеть его. Мне предстоит проследить, чтобы сделка благополучно совершилась, я уже виделся с агентом и все такое, он говорит по-английски. Как только они уедут, можешь приезжать! Я пошлю тебе телеграмму, когда все прояснится, а пока по-

терпи. Интересно, сдала ты квартиру? Очень надеюсь, что ты питаешься как следует, дорогая, как ты только управляешься там без меня? Не пиши, а то вдруг эта шайка задержится на лишние день или два. Я предупрежу.

С любовью к моей дорогой далекой Дейзи от ее голубоглазого дружка,

Т.

Тим, за последние годы редко расстававшийся с Дейзи, почти никогда не писал ей и теперь подумал, что совсем разучился это делать. Да и не любитель он был писать письма. Пришлось изрядно попотеть вчера вечером, и, когда он закончил, письмо показалось ему несколько вымученным. Не беда! Скоро Дейзи будет здесь. О Манфреде и миссис Маунт он солгал так естественно, что и сам не заметил. (В конце концов, это было почти правдой.) Не хотелось, чтобы Дейзи подумала, что он тут один с Гертрудой, не то разозлится, как обычно.

Гертруда в первое утро, после вылазки Тима на почту, представила его агенту, который своим старательным английским помог Тиму скрыть незнание французского (момент был неприятный). С тех пор Тим больше не сопровождал Гертруду в деревню. Он уходил рано, беря ланч с собой (Гертруда, казалось, этого и ждала), и возвращался с наступлением сумерек, заставая ее, как в первый вечер, на веранде, а в гостиной — накрытый стол. Он работал с наслаждением, однако меньшим, чем когда был один, и не столь сосредоточенно. Но зато обнаружил, что ему стало легче общаться с Гертрудой, несомненно еще и потому, что мало видел ее. Совместные трапезы доставляли удовольствие, они болтали, рассказывая друг другу разные банальные случаи, приключавшиеся с ними. Гертруда интересовалась, как идет работа, но не просила показать что-нибудь из сделанного. Она бывала рассеянной, но не угрюмой, обретя с ним прежнюю свою живость. Как бы ни было ей горько, она этого не показывала, и скорбь, вернувшаяся здесь, оставалась скрытой в глубине души. Она стала даже еще сдержаннее, чем в начале их жизни вместе «на необитаемом острове». Тим чувствовал облегчение и вместе с тем разочарование. Гертруда решила держать его на расстоянии, не позволять помогать ей. Тим не представлял, чем бы он мог помочь в подобных трагических обстоятельствах, причем человеку, которого знал так мало, и тем не менее он чувствовал сожаление, что к нему не взывают о помощи. Он сидел ночью на кровати, обхватив колени, и слушал, как она ходит из угла в угол в своей спальне, а однажды до него донесся ее тихий стон.

Было утро, возможно, последнего дня перед отъездом Гертруды; она говорила, уладив дела с агентом, что завтра уедет. Это утро было особым, поскольку Гертруда пообещала пойти с Тимом к месту, где он рисовал, и по дороге показать ему «фонтан мха». После появления Гертруды Тим не возвращался ни к кристальной чаше озерца, ни к «лику». Отложил на потом, когда она уедет. Не возвращался он и к каналу. Это он тоже сделает позже. А пока она была здесь, он шел в противоположном направлении, где уже побывал однажды: переправясь по деревянному мостику, свернул налево от тополей и зашагал вдоль ручья по целине, пока не открылась возможность, продравшись сквозь заросли утесника и самшита, подняться на скалы, правда, вдалеке от места его первых открытий. Здесь были свои чудеса: скалы в розовых пятнах, словно раскрашенные, высокое, заросшее травой плато, узкое, примерно в полмили длиной, целиком окруженное гладкими каменными стенами. В траве желтели маленькие крапчатые ирисы, и там же Тим заметил богомолов. В просвете между скалами виднелись, совсем близко, зеленые террасы внизу, оливы, розовые фермы, поля. Тим быстро повернул назад. Царство скал, которое казалось бесконечным, на самом деле было небольшим, но он не хотел этого знать. Поставил стульчик на траве, достал пастель и попытался передать сочетание тусклых серо-голубых скал и слепящей синевы неба.

Туда-то, в это место Тим намерен был непременно отправиться этим ранним солнечным утром, но прежде предстояло пойти с Гертрудой к «фонтану мха», который, по ее словам, был совсем рядом. Они перешли ручей, миновали тополиную аллею и виноградник, и тут Гертруда свернула на узкую тропу. Тим очень надеялся, что «фонтан мха» находится в другой стороне. Не хотелось ему даже близко проходить от «лика». Но возможно, фонтан расположен, не доходя до него. Так и оказалось. Через несколько минут Гертруда сошла с тропы и повела его вверх к небольшой круглой впадине, затененной деревьями, куда они и спустились по гладкому склону; трава здесь была ярко-зеленой, а земля под ногами влажной. В конце впадины, перед вновь поднимающимися скалами Тим увидел невысокий зеленый столб, похожий на памятник. Приблизясь, он понял, что это одинокая скала футов трех высотой, целиком покрытая красивым густым цветущим мхом, влажным, словно из него сочилась вода. Он прикоснулся к нему ладонью и ощутил прохладу мягкого влажного мха, жесткий холодный мокрый камень скалы и в изумлении обернулся к Гертруде.

— Откуда тут вода?

— Не знаю, похоже, она сочится с самой верхушки и струится вниз.

— А если у подножия находится родник, может мох поднимать всю эту воду вверх?

Тим завороженно смотрел на ярко-зеленый столп, затем обошел его вокруг, нежно гладя рукой.

— Ваши холмы полны чудес.

— Тут есть и более удивительные вещи.

Гертруда пошла обратно вверх по склону. Она была в легких парусиновых туфлях и белых носках, и ее округлые икры, успевшие покрыться легким загаром, были как у девушки. Тим, следуя за ней, видел под подолом голубого платья проблеск белой нижней юбки. Она дождалась его наверху и повела его обратно к тропе. Там, вместо того чтобы отправиться к дому, она, ни слова не говоря, стала подниматься по тропе дальше. На поворотах он видел ее профиль и печальный, отрешенный взгляд, словно она забыла о его существовании.

— Что это за птица?

— Славка-черноголовка. Гаю были известны названия всех птиц.

Вновь воцарилось молчание. Нет, не совсем. Внизу отчаянно стрекотали цикады, в воздухе звенела их сухая нескончаемая, неразборчивая песня. Становилось жарко. Струйки пота бежали по щекам Тима. Рубашка под рюкзаком была насквозь мокрая. Он надеялся, что Гертруда идет не к «лику». Этого ему не хотелось. Но она уже дошла до расщелины и исчезла в проходе. Тим проследовал за ней.

Когда они очутились на лужайке, не перед самим огромным утесом, но в виду его, Гертруда посмотрела на Тима. Это было как вопрос.

И он ответил:

— Да, я был здесь.

Гертруда отвернулась и чуть ли не сумрачно посмотрела на утес. Смахнула со лба капельки пота. Тим подумал, не хочет ли она остаться одна, но спросить не решался. Он смотрел на нее.

— Гай любил бывать здесь.

— Мне уйти?

— Я должна посетить его места, чтобы попрощаться. Прости, пожалуйста...

— Так уйти?..— И тут до Тима дошло, что он неправильно понял ее последние слова. Гертруда развязывала шнурки туфель и снимала носки.

— ...я хочу искупаться, поплавать,— договорила Гертруда и пошла босиком к озерцу, неся в руках туфли и носки.

«Боже, она собирается купаться *там!*»

Он крикнул ей вслед:

— Да-да, конечно, я подожду снаружи, за...

Гертруда подходила к воде, когда Тим пробрался назад через проход. Он сделал несколько шагов по тропе и нашел место, где скалы образовывали неровную площадку с неглубокими трещинами, заросшими мхом и камнеломкой. Сбросил рюкзак, который, казалось, стал неподъемным.

Потом он услышал в звонкой от пения цикад тишине плеск. Ему подумалось, что если она искупается в той воде, то станет богиней или же докажет, что уже богиня.

Он сел, потом вытянулся на каменном ложе и положил рюкзак под голову. Скала под ним была теплой. Палило солнце. И незаметно для самого себя он уснул.

Когда он проснулся, Гертруда сидела рядом, зашнуровывая туфли. Она мельком улыбнулась ему, прошлась пальцами по мокрым волосам, зачесывая их назад, и, прищурясь, посмотрела на солнце. Платье облепило ее еще мокрые ноги. Потом сказала:

— Пловчиха я никудышная, но там неглубоко, разве только на середине.

Тим сел. Вода, наверное, сейчас взбаламучена, понемногу успокаивается. Или уже успокоилась, вновь вернула свой таинственный ритм и сияет, как зеркало?

— Я заснул; долго я спал?

— Нет, я только что пришла.

— Мне приснился странный сон, но не могу вспомнить его.— Сон был дивный, подумал он, но о чем? — Как глупо, что я задремал.

— Давай пойдем дальше,— сказала Гертруда. Ей в голову не пришло, что Тим тоже может захотеть искупаться.

Он взвалил на спину рюкзак и пошел за ней вверх по тропе, а когда тропа исчезла, полез по скалам. Казалось, все очарование этих мест пропало. Прежде они двигались легко. Теперь же неловко скользили на камнях, теряли равновесие, оступались. Тима мучила жажда. В рюкзаке у него были вода и шляпа от солнца, но он не мог остановиться. Он, спотыкаясь, следовал за Гертрудой, утирая пот, заливавший глаза. Она же карабкалась с лихорадочной торопливостью. Он слышал, как она тяжело дышит, почти всхлипывает от напряжения чуть впереди него. Наконец она остановилась на вершине, и, присоединившись к ней, он увидел внизу сверкающую стрелу мчащегося канала.

Гертруда взглянула на него, потом показала вниз и принялась спускаться, медленно и все еще тяжело дыша. Скоро они услышали глухой рев воды, а потом низкий гул водопада. Он догнал ее там, где начиналась трава, и они вместе спустились на берег канала.

Тиму хотелось сесть, отдохнуть. Вода пугала. Что, если Гертруда упадет в канал, что, если она бросится в него? Не для того ли она так спешила сюда? Она направилась вдоль берега, миновала сосняк, и Тим, следуя за ней, увидел каменные стены и мчавшийся между ними пенистый поворачивающий поток. Гертруда шла по верху стены, где камень был стесан, образуя парапет. Развязавшийся шнурок одной туфли волочился по самому краю. Канал резко оборвался вниз, перешел в покрытый зеленой тиной склон, по которому ровным слоем скользила вода, потом вскипал сверкающей белой пеной и исчезал в туннеле. Сколь ужасно и страшно это место и одновременно сколь прекрасно, какая всецело и величественно бездушная мощь. С ума сойдешь оттого, что при такой жаре нельзя искупаться в этой смертоносной, мучительно соблазнительной воде. Он сел на край парапета и свесил ноги вниз.

— Будь осторожен, Тим.

— Куда уходит вода?

— Не знаю.

— Гертруда, уйдемте отсюда.

— О боже, что это? — Она показывала на поток, выше по течению.

К ним несло, крутя и швыряя из стороны в сторону, человеческое тело, безвольное, распухшее.

Тим вскочил на ноги. Затем они разглядели, что это не человек, а большая черная собака, дохлая. Ее бледное раздувшееся брюхо в какой-то момент показалось им человеческим лицом. Розовая шкура вспыхнула на солнце, когда собака, вертясь, проплыла мимо. Тим дернулся было, чтобы спасти ее, но не было сомнений, что она мертва. Труп задержался на вершине покрытого зеленой слизью склона, и их глазам предстала жалобная черная морда, белые зубы, неожиданно поднявшаяся лапа. Затем собака перевернулась и полетела вниз, на мгновение скрылась под водой и исчезла в туннеле.

Гертруда отвернулась и закрыла лицо руками. Тим хотел сказать что-нибудь, но увидел, как ее плечи опустились и затряслись. Гертруда плакала навзрыд.

— Дорогая...— проговорил Тим.

Он растерялся, не решаясь подойти к ней, коснуться. Он чувствовал себя отвратительно, обеспокоенный, испуганный ее слезами и дурным знаком в виде утонувшей собаки.

Гертруда уже рыдала в голос. Все так же закрывая лицо ладонями, она опустилась на колени, а потом упала ничком на траву. Протянула руку и поправила юбку. Тим беспомощно стоял, глядя на подошвы ее туфель.

— Гертруда, ну прекратите же, пожалуйста,— раздраженно сказал он.— Вы меня так расстраиваете.

Гертруда, кажется, перестала плакать. Плечи ее больше не тряслись, и она лежала не двигаясь. Потом сказала в траву твердым голосом:

— Извини. Прошу тебя, уйди, пожалуйста.

— Простите. Я ухожу. Пойду сделаю несколько этюдов. Я все равно собирался в это место.

Себе же сказал, что притворится, будто уходит, а сам спрячется поблизости, нельзя оставлять ее одну.

У подножия скал было множество маленьких овражков и расселин, заполненных сухой растительностью, где можно было надежно спрятаться. Он, нарочито громко топая, отошел, а затем быстро заполз в углубление в скалах, невидимое за какими-то колючими метелками. Снял рюкзак и вперился взглядом в Гертруду. Про себя он думал: если вдруг заметит, что Гертруда хочет броситься в канал, то что он сможет сделать? Вероятно, ничего.

Несколько минут спустя Гертруда села и огляделась, чтобы убедиться, что Тим ушел. Посидела какое-то время, некрасиво сутулясь и потирая лицо. Затем медленно, с трудом, как старуха, страдающая артритом, поднялась, отряхнула платье и долго стояла неподвижно, глядя в даль за каналом. Повернулась и, к облегчению Тима, пошла обратно к скалам. Она прошла совсем рядом, но он, припав к земле, не видел ее лица, и стала взбираться вверх, но уже без прежнего проворства, а нехотя, устало, наклоняясь вперед и помогая себе руками, временами чуть ли не ползком.

Когда она исчезла за гребнем, Тим вскочил. Немного задержался, чтобы выпить воды из своей бутылки, и полез ей вдогонку. С вершины он увидел появляющееся иногда среди камней голубое платье. А еще, совсем рядом, густую смоковницу и под ней корзину, которую оставил здесь в тот день, когда едва не утонул в канале. Подхватив корзину, он последовал за Гертрудой, которая двигалась очень медленно. Она не оглядывалась. Он смотрел сверху, как она идет сиротливой, иногда неуверенной походкой через виноградник, тополиную аллею, ручей и оливковую рощу к дому. Потом повернул назад.

Прошел немного вперед и сел. Глянул на часы. Еще не было одиннадцати. Возвращаться раньше вечера не стоило. Гертруде будет невыносимо, если он станет свидетелем ее горя. Что же делать? Писа́ть не хотелось. Он почувствовал себя глубоко несчастным, и это было как физическое недомогание. Болели ноги, ломило голову, сводило живот. Он с усилием встал, как до этого Гертруда, прошел несколько шагов и остановился, бессмысленно глядя, как собака. Неожиданно вспомнилось купание Гертруды в кристальном озерце, но идти туда не хотелось, не хотелось видеть «лик». Возможно, подумалось ему, он больше никогда туда не пойдет, возможно, забудет туда дорогу.

Что с ним происходит? Он чувствует себя отвратительным, бесполезным, больным от самого себя. Куда он идет, зачем живет? Какова была его жизнь, какой будет? Он жил ложью, обманывая себя. Он неспособен рисовать, неспособен зарабатывать, неспособен вообще ни на что. Лучше было бросить живопись, он очень долго пытается сделать что-то стоящее, но ясно, что художник из него плохой. Лучше отказаться от дальнейших попыток, признать, что он подражатель, жалкий подражатель, и только.

Он снял со спины рюкзак, швырнул его наземь и пнул ногой. Вспомнилось лицо плачущей Гертруды, и самому захотелось плакать, но слез не было. Гертруда завтра уедет. Потом приедет Дейзи. Не хочу видеть ее, не хочу никого видеть. Не нужен я Дейзи, а Дейзи не нужна мне. Все это тоже чертова ложь.

Не хочу, подумал он про себя, показывать Дейзи «лик», канал. Вообще не хочу ее видеть здесь. И сам не хочу быть ни здесь, ни в каком другом месте. Хочу, чтобы кончился проклятый этот маскарад, хочу умереть.

Упав на кровать, Гертруда снова заплакала. Она плакала тихо, устало, буднично. Сил не было даже на то, чтобы подняться и поискать сухой платок. Тот, которым она промокала глаза, был совершенно мокрым, хоть выжимай. Лицо горело от слез. От горя тошнило и кружилась голова.

После смерти Гая она следила за своими страданиями, видела, что хочет страдать, затем очень постепенно ей захотелось перестать страдать, воспрянуть, захотелось, чтобы проснулось желание жить. Казалось бы, здесь, в месте, где всюду Гай, его мысли и его привычки, его знания и счастье, она так прекрасно держится. Она даже выдержала, не испытав особой боли, когда увидела Тима Рида на велосипеде Гая. И вот тонкая пленка, затянувшая рану, содрана. Прежняя страшная боль вернулась. Теперь она никогда не оправится, думалось ей, это тому доказательство.

Присутствие Тима Рида ее не беспокоило, она, поразмыслив, даже была рада, что в доме кто-то будет, что она не останется в «Высоких ивах» одна. Такого никогда не бывало. Всегда с ней был Гай. Она даже никогда не гуляла одна, только с ним. Больше того, как стало ей ясно сейчас, она всегда боялась тех скал и молчаливых безлюдных мест. Гай оберегал ее от этого страха, как от всех прочих.

Тим был полезен как человек, перед которым необходимо делать вид, будто с ней все в порядке. Было и другое преимущество, проистекавшее из полной сосредоточенности Тима на самом себе. Он был до неприличия неспособен вести себя соответственно ее печальным обстоятельствам, что радовало Гертруду, как и его простодушная поглощенность собственными интересами, полное отсутствие желания утешать, приставать, лезть в душу. Ей было легче от его безразличия к ее несчастью, его бесстыдной способности упиваться окружающей красотой. Подобная эгоистичная жизнерадостность была своего рода убежищем от чужой жалости и заботы. Только теперь, сбежав от этого, Гертруда почувствовала, насколько устала от заботливого любопытства и суетливого сочувствия тех, кто окружал ее,— сочувствия, как она догадывалась, во многих случаях лицемерного. Насколько серьезно Джанет Опеншоу или даже Стэнли переживали смерть Гая? Она просто заставила их задуматься о том дне, когда собственные дети унаследуют после Гертруды деньги Гая. Неудивительно, что Розалинда Опеншоу писала такие чудесные, сочувственные и такие взвешенные письма! Теперь Гертруда могла оценить, насколько семья Гая не была ее семьей. Как бы то ни было, люди всегда находят удовлетворение в несчастьях и горестях других, пока на них самих не обрушиваются жестокие страдания. Разве тронула смерть Гая миссис Маунт, или Джеральда, или Виктора, или (еще одного, кто прислал чудесное письмо) Белинтоя? Сильвия Викс даже и письма не прислала. А Манфред? В кафе, пока Манфред парковал машину, миссис Маунт, болтая о всяких пустяках, проговорилась о том, о чем Гертруда и не подозревала, но миссис Маунт ясно дала понять, что знает это наверняка,— что Гай и Манфред всегда не слишком ладили, что между ними всегда существовало соперничество и недоверие. Гертруда припомнила, что у Гая, особенно когда он заболел, Манфред вызывал раздражение. Возможно, в душе Манфред радовался смерти Гая. Они все были в тени Гая. Его явное превосходство должно было досаждать им. Почему Гертруда воображала, будто они должны любить и почитать его? Они завидовали ему, и его очевидная исключительность внушала им чувство неполноценности. Один Граф действительно любил Гая и действительно переживал его смерть как потерю. И еще Анна, ее дорогая Анна, по-настоящему делила с Гертрудой ее горе, по-настоящему беспокоилась и заботилась о ней. И все-таки даже Анна — как могла Анна не оценить того, что, едва она вернулась в мир, нашелся человек, Гертруда, которая так в ней нуждалась? Она должна была обрадоваться, быть довольной, благодарной, что имеет возможность оттеснить всех других и помогать ей справиться с горем!

Слезы Гертруды начали утихать, она представила себе милое, тонкое, бледное лицо, короткие серебристые пушистые волосы, узкие умные голубовато-зеленые глаза. Блистательная, сильная Анна Кевидж. Какой длинный путь они прошли вместе с того вечера, когда Анна позвонила с вокзала Виктория! Она вспомнила Анну, нагую, с крестиком на шее, входящую в море, как мученица. И как у нее на глазах волны швыряли Анну, били, едва не утопили. И как она бросилась в морскую пену, а огромные волны налетели на нее, намокшее платье облепило ноги, сковывало движения. Те яростные воды слились в ее видении со смертоносными бешеными водами канала и раздувшимся крутящимся трупом собаки, отчего ее горе так внезапно вырвалось наружу.

Дыхание у Гертруды перехватило, пришлось сесть, хватая ртом воздух. Она выжала платок и промокнула глаза. Как ей нужна Анна! Зачем она уехала? Какое суждение она вынесла о жизни Гертруды? Она сказала, что должна побыть одна, одобрила ее поездку в Италию с Манфредом и миссис Маунт. Не кончит ли Анна тем, что вновь похоронит себя заживо в монастыре? Она вспомнила слова Анны, верное лекарство от отчаяния: «Человек всегда может найти силы жить в помощи другим, это всегда дает утешение». Смогла бы я жить так, спрашивала себя Гертруда, если бы Анна покинула меня? Конечно, Анна не покинет меня, я это знаю. Но нельзя же вечно жить, лишь полагаясь на Анну, это будет нечестно по отношению к ней. Я помогла Тиму Риду, утешило ли это меня? Да, немного. А как невероятно легко было это сделать! Кому еще могу я помочь, кого еще сделать счастливым? Кто-то сказал, что у Сильвии Викс трудности, но не сказал, в чем они заключаются. Я могла бы помочь Сильвии. И миссис Маунт. Помочь Графу. Она представила Графа, такого худого, такого прямого, с мукой на бледном лице смотрящего на нее светлыми голубыми глазами.

И тут ее как ударило. Почему Гай сказал ей: «Если решишь выйти за кого-то, выходи за Питера»? Да потому, что хотел исключить Манфреда, уберечь ее от подобного ужасного выбора, не дать ей остановить свой выбор на сопернике! Мысль, что он умрет, а Гертруда окажется в объятиях Манфреда, терзала Гая, была его кошмаром, заставившим наконец закричать: «Я хочу умереть спокойно, но как это сделать?» В действительности он не хотел, чтобы она выходила за Графа. Он просто хотел, чтобы она не выходила за Манфреда.

— Позвольте мне готовить,— сказал Тим.— Я это умею.

Был вечер того дня, когда они увидели черную собаку. Они ужинали в гостиной.

Тим оставил свои переживания в скалах, нашел тенистое местечко и раньше времени устроил себе ланч, поел немного, но выпил все вино, что было в рюкзаке и что оставалось в корзине. Потом уснул. Домой он вернулся в половине пятого и постучал в дверь Гертруды, предлагая принести чай.

Гертруда отказалась, но наконец взяла себя в руки. Встала, умылась. Сняла помятое голубое платье и надела более нарядное спортивное, цвета *café-au-lait** и с открытым воротом. Критически глянула на свое опухшее лицо, подкрасилась, причесала спутанные после купания и рыданий волосы. Потом глотнула немного виски из фляжки в чемодане и несколько минут сидела в кресле, закрыв глаза. Да, подумала она, Анна права, буду помогать людям, хотя бы деньгами, по меньшей мере. Она подумала о Тиме, его застенчивости, его простительном эгоизме, мальчишеском живом самодовольстве, его трудностях. Тиму так легко помогать. Она заметила, что улыбается. В половине седьмого вечера она спустилась вниз и, плеснув себе еще глоточек, вышла со стаканом на террасу. Там она нашла Тима, наблюдавшего за муравьями. И вот они ужинали вдвоем.

К ужину был луковый суп, кровяная колбаса с салатом из помидоров и местный сыр с травами.

— Сожалею, но ужин опять очень простой,— сказала Гертруда.— Завтра, когда я уеду, у тебя будет возможность готовить самому. Ты должен позволить мне кормить тебя. Ничего другого я не умею. Художнического таланта у меня нет.

— У меня тоже нет! — сказал он, но сказал весело.

Когда Тим услышал движение Гертруды в спальне и стало подходить время ужина, самообладание вернулось к нему. Странный приступ отчаяния прошел, сменившись чуть ли не радостным подъемом духа. Возможность хорошо поесть и выпить обыкновенно возвращала ему отличное настроение. Он был счастлив, и суп дразнил восхитительным ароматом.

— Ух, как я голоден!

— И я тоже,— подхватила Гертруда.— Надеюсь, тебе хорошо поработалось. Тебе когда-нибудь надоедает сидеть вот так подолгу и рисовать?

---

* Кофе с молоком *(фр.)*.

Тим хотел было попытаться объяснить, что это такое, сосредоточенность художника, но ответил просто:

— Нет,— потом добавил: — Жаль, что вы завтра уезжаете. Было интересно... я имею в виду...

— Мне тоже жаль,— сказала Гертруда,— но мне необходимо вернуться.— А про себя подумала: «Почему необходимо?»

Тим выглядел загоревшим и поздоровевшим, да и немного пополневшим, совсем не тот бледный худющий жалкий юноша, что заявился к Гертруде с виноватым намеком на то, что испытывает нужду в деньгах. Губы сочные. Бритый подбородок блестит, как ячменное поле. В расстегнутый ворот рубахи видны рыжие завитки на груди. Когда, прежде чем приняться за еду, он закатал рукава, на его руках заиграли искры света.

Снаружи стемнело, но детали пейзажа еще можно было различить. От густой листвы кривых олив как бы исходило серебристое свечение, а скалы хранили необычный темно-серый свет, который, казалось, неровно вспыхивал, как некий сигнал.

— Становится темно. Включить лампу?

— Пока не надо. Можешь ты сам налить себе супу, Тим? Я хочу посмотреть на скалы.

Тим подумал, что, возможно, Гертруда видит их последний раз. И сказал:

— Мне бы хотелось, чтобы вы не уезжали. Было так приятно просто ужинать с вами, возвращаться домой и видеть уже накрытый стол... Вы были добры, были мне настоящим другом... виноват, комплимент получился не слишком изящный!

Гертруда засмеялась, сказала:

— Да, мы были хорошими товарищами.

Они молча съели суп. Гертруда принесла кровяную колбасу, салат и сыр, разлила по бокалам местное красное вино. Тим сидел как в трансе, глядя в окно. Он даже подпрыгнул, когда Гертруда зажгла лампу и вид за окном потонул во тьме. Он посмотрел на нее и увидел следы недавних слез на ее лице. Тем не менее ее густые волнистые волосы героически блестели.

— Глупо,— сказала Гертруда,— но я просто не в состоянии вспомнить, как ты появился в нашей жизни. Я имею в виду, как мы узнали о тебе.

— От дяди Руди. Он дружил с моим отцом. А потом стал моим опекуном.

— Ах да. Твой отец был музыкант, не так ли, композитор?

— Вроде того. С музыкой я не в ладах.

— Потом, когда дядя Руди умер, твоим опекуном стал отец Гая?

— Да. А после него Гай. Ваша семья была исключительно добра ко мне,— добавил он.

— И ты был единственным ребенком, как я, как Гай?

— Нет...

Тим замолчал. Что-то он сегодня слишком чувствителен. Перед глазами отчетливо встало лицо Риты, ее первый смех; у нее были огненно-рыжие волосы, спадавшие на плечи беспорядочными кольцами, и синие глаза, как у него. Потом он увидел ее бледной, печальной, худой, ужасно худой, глаза такие испуганные, просящие, боящиеся смерти, но уже обведенные темными кругами. Ее внезапная смерть поразила всех. Ему казалось, что он один замечает, как мало она ест, какая она тоненькая и слабая,— но и он не понял. Помолчав секунду, он сказал:

— У меня была сестра. Она умерла, когда мне было четырнадцать. Умерла от анорексии.

— Ох, прости...— охнула Гертруда.— Я...— Она отвернулась.

Тим щедро налил себе.

— И твои бедные родители, они, должно быть...

— Мои родители! Мой отец смылся, когда мы были еще маленькими. Мать умерла, когда мне было двенадцать. Мы жили в Кардиффе, у брата матери. Это был кошмар. А, ерунда, не будем об этом, извините...

— Ты извини...

— Нет-нет, простите меня, мне все же хочется высказаться. Никто никогда не интересовался... я так обижал мать. Теперь я ее понимаю. Она, знаете, тоже была музыкантом.

Ему вдруг вспомнился звук материнской флейты, всегда такой печальный, который с годами слышался все реже и реже.

— Она была несчастлива?

— Она была в вечных заботах, не оставляла нас в покое, и мы, дети, не выносили этого. Дети ужасны. Всегда не хватало денег. Мы любили отца, потому что он ни во что не вмешивался.

— А что отец?

— Он пропал. Погиб в автокатастрофе, когда мы были в Кардиффе. Позже я, конечно, сбежал оттуда, приехал в Лондон и перешел в собственность вашей семьи!

— Да, семьи Гая. У меня нет семьи. Я имею в виду, что была единственным ребенком. Отец покинул Шотландию, и мы потеряли с ним связь. Он был из Обена. Мать — из Тонтона. Оба — учителя, и мы вечно кочевали, как военные. Они не были состоятельными людьми. Мы жили обыкновенной и однообразной жизнью.

Почему она рассказывает все это сейчас, спрашивала себя Гертруда. Сколько лет не думала об этом. Она просто приняла жизнь Гая, его семью, его мир, его дом стал ее домом. Теперь дома нет. Она никогда не считала, что у нее было мрачное детство, и, конечно, была избалована и счастлива, и вот неожиданно оно показалось таким унылым.

— Я всегда представлял вас богатой и важной, как Гай. Простите, что-то я не то говорю сегодня!

— Нет-нет, Тим, говори, что хочется, так приятно поговорить! Закрою-ка я двери, а то прохладно становится и мотыльки залетают.

Гертруда закрыла стеклянные двери, и темное блестящее зеркало окна неожиданно отразило их. Тим увидел стол, две фигуры, сидящие друг против друга.

— Хорошо здесь,— сказал он.— Печально, что вы уезжаете, мы только начинаем немного узнавать друг о друге; выпейте еще.

— Спасибо. Ты не должен пропадать, Тим. Тебе нужно приходить на Ибери-стрит, как ты обычно приходил. Ты сказал, что был собственностью...

Будет ли на Ибери-стрит, сомневалась Гертруда, попрежнему? Она представила себе, что, как в прошлые годы, развлекает *les cousins et les tantes*. Какую ценность она будет иметь для них, когда пройдет интерес к ее утрате? Значит, тогда им придется ценить ее саму? Она взглянула на красную скатерть, на остатки совместной трапезы, недопитое вино.

— Да, спасибо. А ваши родители еще живы?

— Нет. Отец умер, когда я пошла работать,— ты знаешь, что я тоже была учительницей в школе?

— Конечно, это мне известно!

— Вот как? А мать умерла перед тем, как я вышла замуж. Она успела познакомиться с Гаем. У нее неожиданно обнаружился...

На мгновение Тим подумал, что она снова собирается заплакать. Но Гертруда справилась с собой.

Она думала о том, что — как это печально! — смерть помешала Гаю и ее матери узнать друг друга получше. Они бы сделали ее такой счастливой. Она недостаточно заботилась о матери после смерти папочки. Боже, почему ей сейчас приходят в голову такие мысли? Все рушится, трещит по швам. Всю свою энергию, молодость она связывала с Гаем, как будто Гай придумал ее молодость. Она укрылась в Гае, как Анна в монастыре.

— До Гая вы много раз влюблялись? — спросил Тим и подумал, что, наверно, совсем пьян, если задает такие вопросы.

— Нет. По-настоящему ни разу не влюблялась и, пока не встретила Гая, была бестолковой и несчастной.

Тогда она обрела уверенность. Но не лишилась ли она ее теперь? Разве не Гай создал ее? Останется ли она прежней?

А Тим думал, как она красива — дева Артуровой эпохи, героическая дева с романтического полотна, с тонкими чертами лица, великолепными волосами и ясным, искренним взором карих глаз. Лицо горит, в глазах светится мысль. В задумчивости мягкие губы немного кривятся. Усталость, которую Тим видел в ней прежде, исчезла с ее лица, словно некая внутренняя сила заново лепила и разглаживала его. Грива волос блестела в свете лампы, каждый волосок словно был выписан отдельно и своего цвета: каштановые и золотые, немного рыжих, немного седых. Отдельные завитки падали на шею, и она откидывала их нервным движением загорелой руки, поправляя воротничок платья. А оно своим светлым оттенком кофе с молоком подчеркивало загар, который солнце успело положить на ее кожу. В ней столько жизни, думалось ему, цельности и подлинности, как сияют ее волосы, какого чистого коричневого цвета ее глаза; ему не приходилось видеть таких глаз у женщины. Она выздоравливает, и он очень рад этому. Он так и хотел ей сказать. Но вместо этого сказал:

— Вы красивы, я очень рад.

Гертруда улыбнулась, внимательно взглянула на него, потом отвела глаза. И принялась перебирать, но уже не рассеянно, хлебные крошки на скатерти.

Что-то с ним творится, думал Тим. Что-то, как мысль, или действительно мысль, вспыхнуло, озарив сознание, так быстрая комета озаряет небо. Еще миг, и произойдет нечто вроде взрыва, катаклизма, конца света. И эта мысль или наитие говорило: нужно потянуться, нужно просто потянуться через стол и взять Гертруду за руку. Некая неодолимая космическая сила толкала его: сделай это. Под ее давлением он едва не терял сознание. Он потянулся через стол и взял Гертруду за руку.

Тяжело дыша, Тим смотрел на красную скатерть, на хлебные крошки почти рядом с его тарелкой. Теперь, когда он держал руку Гертруды в своей, ужасная сила на мгновение отпустила его. Он сделал то, что должен был сделать, что космос должен был сделать, даже помимо его воли. Его движение было движением нежного автомата. Почти бесстрастным, как у инженера, который один в огромном машинном зале перевел, по заведенному порядку, некий необычайно важный рычаг.

Гертруда с удивлением смотрела на свою руку, лежавшую, как маленький пойманный зверек, в крепкой ладони Тима. Смотрела на яркие отчетливые волоски на его кисти, запачканную синей краской манжету закатанного рукава. Какое-то мгновение она не знала, что делать, потом убрала руку. Они сидели, откинувшись на спинку стула, и глядели друг на друга.

Тим зажал ладони между колен. Правая, в которой он держал руку Гертруды, горела, и он осторожно стискивал ее левой. С удивительным спокойствием он смотрел прямо на Гертруду. Ему казалось, что его глаза стали огромными, как исполинские, ровно горящие лампы. Он сделал то, что должен был сделать, и теперь ничто, как бы все ни повернулось, не могло его взволновать. Он уже не прежний Тим, а совершенно иной человек. Он почувствовал, как сжатые челюсти расслабились, как напряжение отпустило его. Его послушные сообщники — руки — расслабились. Он почти улыбался. И не сводил глаз с Гертруды.

Затем, как бы отдельная от него, пришла мысль, медленная, спокойная: бедная Гертруда, она в замешательстве. Но это должно было случиться, и ему чудесным образом безразлично ее замешательство. Он так счастлив. Через секунду-другую надо начать извиняться, сказать, что пьян или что-то еще. Но это все ерунда.

Гертруда нахмурилась и опустила глаза. Ее рука теребила воротничок платья. Кажется, она покраснела, выглядела испуганной.

Тим сказал утвердительным тоном:

— Очень сожалею. Надеюсь, я не очень напугал вас. Что-то вдруг нашло на меня.

— Ничего,— проговорила Гертруда.

Пройдет, думал про себя Тим, исчезнет навсегда. Но по крайней мере, *оно* не уйдет, потому что *оно* вечно. А это долгое-долгое мгновение закончится. И тогда я пропаду.

— Прошу прощения,— повторил он.

— Пожалуйста, хватит,— сказала Гертруда.— Я понимаю, это было...— Она немного отодвинула свой стул.

Тим застонал и уткнулся лицом в ладони.

Снова повисла тишина.

«Что происходит,— думала про себя Гертруда,— почему я так потрясена? Мне холодно, тошнит, какая-то слабость. Произошло землетрясение? Да, что-то невероятное. Как сини его глаза и как ужасно он смотрит на меня. Надо что-то делать, но что?»

— Я настоящий дурак,— сказал Тим,— и вы должны простить меня, но прежде, чем вы сейчас уйдете, я обязан сказать, что, по-моему, влюбился в вас. То есть это не просто оттого, что я напился или еще что. Я серьезно прошу прощения.

Он должен был это сказать, билось в голове. Должен, как нечто, что может стоить жизни, но должно быть сказано, вроде главного свидетельского показания. Но он действительно дурак и действительно пьян и все испортил. Миг триумфа уже прошел, словно атомная вспышка. Он был очень короток. И теперь ничего не осталось, кроме боли. Он влюбился. Никаких сомнений.

— Я, пожалуй, пойду спать, Гертруда,— сказал он.

— Подожди, не уходи. Выпей еще вина.

Гертруда налила ему вина. Она держала бутылку обеими руками, но все равно плеснула себе на платье.

Тим не мог устоять перед полным бокалом. Он выпил и подумал: «Просто посижу спокойно минутку-другую, а потом уйду». Он немного отодвинулся вместе со стулом от стола и смотрел на пол, разглядывая рисунок досок. Разные чувства переполняли его: робости, униженности, гордости, печали, одиночества, но с оттенком достоинства.

Гертруда порывалась что-то сказать, но никак не могла решиться. Дважды он слышал, как она уже было набрала воздуху. Наконец она проговорила:

— Тим... дорогой...

— Ох, не трудитесь,— прервал ее Тим.— Я всего-навсего люблю вас. Это не имеет значения. Пожалуйста, не считайте, что должны что-то сказать по этому поводу. Сейчас я уйду. Почему мне нельзя любить вас? Это просто факт. В мире от этого ничего не меняется. Безобидная вещь. Ничего не значащая.

Стул Гертруды снова скрипнул. Тим, думая, что она уходит, хотел встать. Но увидел, что она обходит стол, направляясь к нему, и снова сел.

Гертруда взяла другой стул и поставила рядом с Тимом, так что теперь они сидели, и довольно неудобно, бок о бок.

— В чем дело? — небрежно, почти грубо спросил Тим.

Это на грани, говорила себе Гертруда, она даже переступила ее. Села рядом, вплотную. Что делать, такой момент, она вынуждена, и насколько все сосредоточилось здесь, в нем? Все, что необходимо, здесь, снаружи ничего не осталось, и ей нужно действовать, сделать что-то. Прикоснуться к нему, но как? Голова кружится, руки-ноги не слушаются, будто ее разобрали по частям и потом собрали неправильно. Не глядя на Тима, она чуть повернулась к нему и непринужденным жестом положила руку на стол.

Тим схватил ее руку и стал целовать. Робко, нежно, почтительно, блаженно, жадно, будто ел священную манну.

— Люблю,— сказал он.

— Наверное, и я люблю тебя.

Тим поднял ее руку к глазам. Снова возникло ощущение невероятной испепеляющей вспышки света. Он опустил ее руку на стол и немного отодвинулся вместе со стулом. Тяжело дыша, рванул ворот рубашки. Сказал:

— Гертруда, вы имеете в виду не то, что я. Вы не поняли. Ничего не случилось. Все в порядке. Вы выпили, я выпил.

Находиться здесь вам стоило немалого нервного напряжения. Пожелаем сейчас друг другу покойной ночи. А завтра просто помашем рукой на прощание. Мы были хорошими товарищами, как вы сказали. Я вам очень благодарен. Так не позволяйте моему глупому объяснению все испортить. Да, я люблю вас, простите, что повторяю это. Но вы не обязаны что-то отвечать, проявлять любезность.

— Это не любезность, глупый,— сказала Гертруда.— Но вероятно, ты прав, и нам следует распрощаться, и отправиться спать, и... протрезвиться, и...

Но они продолжали сидеть, в восторге, в ужасе, учащенно дыша, не двигаясь, словно прикованные. Лица страшно серьезные, как у людей, ожидающих известия о том, что казнь совершилась. И в то же время казалось, что оба что-то лихорадочно обдумывают. Тим налил себе еще. Развернул стул параллельно столу и смотрел на профиль Гертруды.

Гертруда сидела, не сводя взгляда с мунковских святых девушек на мосту. Нужно поцеловать его, говорила она себе, нужно. Она вся дрожала. Чувствовала, как горят ее щеки, чувствовала на себе его взгляд. Она тоже развернула стул и оказалась с ним лицом к лицу. Их колени соприкоснулись.

Тим неуклюже обнял ее, одна рука легла на талию, другая на плечи, и привлек к себе. Он увидел близко ее сияющие, изумленные глаза, влажные губы. Они встали. Дальше было просто. Тела их слились, руки стиснули друг друга, глаза закрыты. Наконец Тим чуть отстранил ее и прильнул долгим нежным поцелуем к ее губам. Затем отпустил, она сделала шаг назад, и мгновение они стояли в странном тихом смущении. Гертруда одернула платье.

— Тим... я иду спать... и не хочу тебя снова увидеть этой ночью... побудь здесь немного. Утром мы поговорим. Покойной ночи.

Тим поклонился ей как-то странно, как никогда раньше не кланялся. Она ушла. Он сел, допил бокал. Посмотрел в черное блестящее незашторенное окно и увидел в нем свое отражение: одиноко сидящего мужчину. Он заправил рубашку в брюки, застегнул пуговицы и оглядел себя. Древние молчаливые скалы, думалось ему, смотрели на нас в окно. Все боги и демоны долины могли бы толпиться у окна и наблюдать за нами. Возможно, так оно и было. Она напилась, бедняжка, утром будет меня ненавидеть. Но до утра далеко. Он выпил еще. Голова кружилась, перед глазами все плыло, продлевая состояние вполне понятной эйфории. Он слышал шаги Гертруды наверху. Затем наступила тишина. Он наконец встал из-за стола, выключил лампу и быстро и спокойно направился к себе.

Он думал, что всю ночь пролежит без сна, однако мгновенно уснул сном хорошо потрудившегося человека. Словно провалился в глубокий колодец темного восторга без видений. Гертруда тоже думала, что не уснет, и тоже ошиблась. Она быстро уснула, и ей приснилась Анна.

Тим Рид проснулся. Он лежал на спине. Светило солнце, пела птица. Сначала показалось, что он у себя на чердаке над гаражом, там стояли рядом деревья маленького садика, и на них часто пели птицы. Он лежал и слушал птицу, купаясь в глубоком пронизывающем потоке счастья. Он отметил это ощущение счастья и то, как оно необычно, изумительно. Захотелось снова уснуть. Тут его как ударило: он во Франции. Потом: Гертруда.

Он сел и опустил ноги на пол. Прислушался. Тишина. Отчаянно торопясь, вскочил и на цыпочках проскользнул в ванную комнату. В спальне Гертруды была своя ванная, так что он не опасался столкнуться с ней. Он принял душ, побрился, почистил зубы, бесшумно вернулся к себе и оделся. Поток счастья превратился в поток откровенного страха. Он должен выяснить, должен узнать. Но боже мой, Гертруда, наверное, еще спит! Он снова прислушался. Тишина. Он причесался. Его чуть не тошнило от нетерпения и ужаса.

Он подошел к окну. Гертруда в платье цвета кофе с молоком стояла на маленьком лужке среди крохотных голубых цветов, глядя на скалы, чьи обращенные к дому склоны были еще темны, хотя солнце, светившее из-за их спин, уже заливало долину.

Тим не стал звать ее. Он бросился вниз, едва не упав на ступеньках, и кратчайшим путем — наружу через арку гостиной, через террасу. Гертруда повернулась навстречу ему. Он пошел к ней, путаясь в траве цветущего луга, потом остановился, протягивая к ней руки.

— Гертруда...

— Да-да, все хорошо.

— Что хорошо, о чем ты?

— Это еще здесь.

— О боже!.. — сказал Тим. И потом: — Но *что* еще здесь, что ты имеешь в виду под *этим?*

Утро прошло в совещании. Это слово, «совещание», как нельзя лучше отражает необычайно напряженный, осторожный разговор, который произошел между ними под председательством Гертруды. По ее настоянию не было ни поцелуев, ни объятий, но от этого воздержания спокойствие их разговора было ничуть не менее вибрирующим. Они сидели не в самой гостиной, но друг против друга за столиком в тени сводчатого прохода. О завтраке и не вспоминали.

Они разговаривали, заглушая кажущейся ясностью слов молчаливый хаос невероятного страха. Обоим хотелось успокоить, подбодрить друг друга, сказать: «Все хорошо». В то же время оба были странно, почти стыдливо осторожны, мучительно рассчитывали время, не желая ни слишком торопиться, ни слишком медлить, ни сказать что-то обидное, или возмутительное, или бестактное, или неуместное. Их одолевали глубочайшие душевные сомнения: правильно ли они понимают мысли или желания друг друга. Моментами они запинались и не слышали другого, погружались в ужасное молчание, смятенно глядя через стол. Они должны были понять, что произошло, или пусть пока не понять до конца, не объяснить или уяснить, но просто сделать это возможным, оплетя его сетью обыкновенных слов. И они спорили, едва ли понимая, о чем спорят.

— Прекрасный был миг, когда ты вдруг появился из сумерек в тот, первый, день.

— Думаешь, он был пророческим? Но ведь ты приехала не для того, чтобы увидеть меня.

— И ты не хотел, чтобы я приезжала.

— Это было вечность назад. Мы пережили ночь. Перенесем ли день?

— Нам надо обдумать...

— Лучше не надо. Такого не могло бы случиться на Ибери-стрит.

— Не говори так.

— Представь, что я не взял бы тебя за руку.

— Ты признался, что не мог не сделать это.

— Но представь, что не взял бы.

— Но ты взял.

— Это оттого, что мы здесь.

— Вовсе необязательно оттого, что мы здесь.

— Потом у тебя наступит реакция, я стану тебе отвратителен, ты вдруг увидишь во мне...

— Нет...

— Ты еще в шоке, ты испытала потрясение. Люди в стрессовых ситуациях становятся сами не свои, им изменяет здравый смысл, может пригрезиться, что они влюблены. Под влиянием эмоций они строят иллюзии, совершают роковые ошибки.

— Там увидим.

— Я просто в ужасе.

Гертруда подалась к нему и легко похлопала по руке, как бы говоря: не увлекайся.

— Хорошо,— сказал Тим. Во рту у него стало сухо.— Там увидим. Но у меня такое чувство, что некий бог играет с нами в какую-то игру.

— Ты пытаешься превратить то, что произошло, во что-то другое.

— Но что произошло? Ты не говоришь...

— Тим, я не знаю, что сказать. Но я уверена...

— Извини, откуда в тебе эта готовность ко всему? Я лишь имею в виду, что это так ненадежно, так нереально. Всего этого могло не произойти. Ты еще можешь все перечеркнуть, просто сказав: давай больше не будем говорить об этом, и — прощай.

— Но я не говорю!

— Мне следует быть благодарным, я уже благодарен. Но, дорогая, мы — спим и проснемся. Это слишком хорошо, чтобы быть правдой.

— Тим, перестань, не повторяйся.

— Удивительно! Только сейчас вспомнил.

— О чем?

— В тот день, когда ты купалась в озерце,— кажется, сто лет прошло,— я уснул, сам не знаю как, и мне снился сон, который, проснувшись, не мог вспомнить; так вот, мне снилось, что я обнимаю тебя. Это доказательство.

— Доказательство чего?

— Что здесь, в этом месте, в этом пейзаже что-то есть. Мы с тобой околдованы. Но когда уедем отсюда, чары спадут. Ты увидишь, что я дурак с ослиными ушами. Гертруда, ты обманываешь себя, ты не можешь любить меня, я необразован, неумен, никудышный художник, лысею вот...

— Тим, не надо все разрушать. С нами кое-что произошло. Можешь ты на какое-то время просто подчиниться этому чувству, чтобы проверить его?

— Ты такая храбрая! Знаю, если потеряю то, что возникло между нами, умру. Прежде я существовал без этого, но теперь, когда оно есть, *если* оно есть...

— Тим, я не спрашивала, может, в этом и нет необходимости, я только хочу быть уверенной: у тебя есть кто-нибудь... девушка... или...

Обычно ложь соскакивала с губ Тима так быстро, что он не успевал сообразить, что лжет. Сейчас он секунду колебался, прежде чем ответить.

— Нет. Никого в этом роде в моей жизни нет.

— Я рада.

А не следовало бы ему сказать о Дейзи? — засомневался Тим. Нет, лучше не говорить, а то как он объяснит ей отношения с Дейзи, это тут же произведет неблагоприятное впечатление и все испортит. Нельзя упоминать о Дейзи, иначе Гертруде покажется важным то, что на самом деле неважно. По сути, они с Дейзи давным-давно разошлись, это не настоящие отношения. Кроме того, произошедшее между ним и Гертрудой может оказаться сном, и пока нет необходимости решать, что говорить, а что нет.

— Гертруда, я ужасный лгун...— сказал он.

— Ты имеешь в виду?..

— Я солгал, что знаю французский, на самом деле я его не знаю.

— Хорошо, что признался. Я немного научу тебя...

— Не научишь. Нас здесь не будет. Нас не будет и на Ибери-стрит. Нам некуда податься, мы просто не существуем. Мы не можем быть вместе, как это могут реальные люди. Гертруда, я не реальный человек, не полагайся на меня.

— Я сделаю тебя реальным. Надо подождать и посмотреть, что будет, а до тех пор верить друг в друга. Делать нечего, придется.

— О господи! А что мы будем делать, пока ждем?

Тим Рид проснулся. Блаженное ощущение разливалось по телу. Он был наг, влажен от пота. Кругом стояла тишина. Он вдохнул всей грудью и дышать было блаженством. Такого счастья он никогда не испытывал, сказал он себе, никогда в жизни. Ему так хорошо, он такой тяжелый, горячий, влажный, расслабленный. Он действительно существует, и это так приятно.

Тим открыл глаза. Он лежал в своей спальне, в своей узкой кровати, и Гертруда лежала рядом. Она спала.

Судя по свету из окна, день близился к вечеру. Он осторожно выбрался из постели и посмотрел на Гертруду. Спокойное спящее лицо выглядело незнакомым. Женщина в его постели. Он чувствовал изумление, нежность, страх, что она проснется. Сон несколько изменил привычное выражение ее лица, смягчив защитную маску настороженного достоинства, и оно было неопределенным, беззащитным и милым. Густые каштановые волосы разметались по подушке, упали на лоб и лицо, шевелясь от дыхания, прилипли к шее, покрытой испариной. Выступающие ключицы влажно блестели. Светлела пышная грудь. Гертруда с Иберистрит, богиня кристального источника вновь превратилась в волшебную деву с каштановой гривой, длинными, густыми сонными ресницами, безвольно раскинутыми руками и уютно поджатыми ногами.

Тим, как утром (был все тот же невероятный день), бесшумно выскользнул из комнаты. Отер влажной губкой потное тело и оделся. Тихо спустился вниз и вышел на террасу. Он стоял, глядя, как в лучах заходящего солнца шевелятся, дышат, вздымаясь и сокращаясь, скалы, словно некое живое подводное существо. Что ж, думал он, произошло то, чего не могло не произойти. Но в любой момент... Нет, не надо думать о плохом. Ощущение полного, слепящего счастья вытеснило все, оставив пустоту. А еще было ощущение зверского голода. Хотелось танцевать. Он сбежал с террасы на цветущий луг и проделал несколько коленец старинного пляса. Потом, руки в боки, прошел, отплясывая, до самой оливковой рощи. Там остановился и долго смотрел на скалы. Когда он повернулся, то увидел на террасе Гертруду в чем-то белом и тонком, похожем на ночную рубашку. И пошел тем же манером к ней по цветущему лугу.

Гертруда, словно и она слышала ту же беззвучную музыку, спустилась по ступенькам и присоединилась к танцу. Инстинкт подсказывал им нужные движения, они шли по лугу зигзагообразным, змеевидным рисунком хея, старинного деревенского танца. И как если бы танцевали не одни, встречаясь с воображаемыми партнерами, поворачивались спиной к ним, пока на середине луга, с серьезным видом, без улыбки, прошли таким же образом и мимо друг друга, дошли до края луга и повернули назад. Босые маленькие ножки Гертруды мелькали среди голубых цветов, и Тим не сводил с них глаз, когда они сближались. Наконец музыка иссякла, танец кончился, они взялись за руки и засмеялись.

Они и ланч пропустили. Не до ланча было, как и не до завтрака. Но теперь, к вечеру, собирались устроить пир. Они пили вино на террасе и обсуждали, что приготовить. Был несвежий хлеб, говяжий фарш в холодильнике, помидоры и лук. Оба были голодны, но не спешили. Любовались луной, громадной и желтой на чистой синеве неба. Потом со дна долины донесся негромкий хор лягушек. Тим и Гертруда сидели молча. Робко касались друг друга и смотрели огромными глазами. Изредка говорили о луне, о необычном освещении скал и о том, какими близкими они кажутся в это время. Задерживая дыхание, они пили медвяное счастье, отмеренное им в волшебном круговороте этого дня.

Наконец тьма и прохлада заставили их уйти в дом. Гертруда занялась готовкой, а затем они набросились на еду, после которой, как они оба знали, их ждало продолжение «совещания».

— Ты чудесный любовник, Тим.

— Ты тоже. Правда, это поразительно, это просто невероятно, что с нами случилось такое?

— Да...

— Прежде я никогда такого не испытывал. Что-то сверхъестественное... мифическое...

Гертруда молчала.

Как она может? — не понимал Тим. Он был чуть ли не шокирован. Гадал, о чем она думает. Когда она вдруг почувствует стыд?

Он проговорил, отвечая своим мыслям:

— Ладно, подождем и посмотрим. Не буду «все портить», как ты сказала. Давай выпьем. Пусть это просто продолжается, сколько захотим, как танец. Мне понравился наш танец.

— И мне.

— Вероятно, мы никогда больше не потанцуем, но мы хотя бы станцевали этот танец среди голубых цветов. А теперь небо потемнело, и сияет луна, и я люблю тебя. Я так счастлив, пусть даже завтра придется умереть.

Гертруда сбросила белое платье, наверное, это все же была ночная рубашка, и, конечно, надетая на голое тело, как Тим догадался на лугу, и сменила его на другое, которого Тим не видел прежде: тонкое, струящееся, желтое с узором из коричневых ивовых листьев. Взбила и причесала волосы. Она выглядела прекрасной, холодной и серьезной. С пронзительным чувством, что она принадлежит ему, Тим с нежностью и обожанием любовался этой холодностью, которая не к месту напомнила ему о горделивой даме с Ибери-стрит.

— Я не хочу, чтобы ты завтра умер, Тим. И сама не хочу умирать завтра!

— Кого волнует завтрашний день? Вот забавно! Как же они, шайка с Ибери-стрит, удивятся, если узнают, что ты завела любовника и этот любовник я!

Гертруда нахмурилась.

— Прости,— сказал Тим.

Неверный тон, неверный шаг. Ему вдруг увиделось лицо Гая, озадаченное, дружелюбное, каким оно часто бывало, когда он смотрел на Тима. Не хотелось думать о Гае, но так или иначе не было необходимости отмахиваться от него. Сегодня Гай просто отсутствовал. Но он все еще существовал, символизируя, даже будучи мертвым, иное место, иную сторону той невозможности, о которой Тим кричал раньше. Он не желал знать, что об этом думает Гертруда, Гертруда-вдова. Груз ее вдовства совсем скоро уничтожит медовую магию.

— Я не заводила любовника,— отрезала Гертруда.

— Ты хочешь сказать, что мы больше не будем заниматься любовью. Ладно. Я уеду завтра. Ладно.

— Тим, будь же серьезным...

— Я серьезен. Страшно, отвратительно серьезен. Я не понимаю тебя.

— Ты должен соображать, что о любовной связи не может быть речи.

— Да, конечно, хорошо, я соображаю, что говорю. Это было волшебно, длилось один день, нескончаемый, ослепительно прекрасный день, память о котором я буду хранить вечно. Но, Гертруда, я не могу быть меньше, чем был. Я имею в виду, что не бывает так, чтобы все вдруг стало как прежде. На таких условиях я не желаю оставаться здесь с тобой. Вообще не желаю здесь оставаться. И конечно, мы не можем ехать вместе, то есть я только что, думаю, по-настоящему понял это... вот сейчас. Господи, если мы должны, а мы *должны*, я уеду прямо ночью.

— Тим, не глупи.

— Ладно, оставим трагический тон, уеду завтра. Уеду — испытывая огромную благодарность.

— Прекрати же. Когда я сказала, что не может быть речи о любовной связи, я имела в виду, что... если мы любим друг друга, то... должны пожениться.

Тим посмотрел в ее серьезные карие глаза. Застегнул рубашку на все пуговицы. Раскатал рукава, застегнул манжеты, положил руки на стол и сидел, упершись в них взглядом, обдумывая что-то.

— Но мы не можем пожениться, а значит, не можем и любить друг друга или иметь связь.

— Разумеется, можем, это реально,— нетерпеливо сказала Гертруда.— Это я имела в виду, когда говорила, что надо подождать и посмотреть. То есть все будет продолжаться, но только если исходить из этого, только с мыслью об этом, только в надежде на это. В противном случае, на подобном пределе страсти, это должно прекратиться.

— Значит, ты хочешь выйти за меня?

— Да, дурень!

Гертруда вскочила, принялась с грохотом собирать тарелки, потом опять села.

Тим продолжал рассматривать свои руки. Расстегнул манжеты. Поднял глаза.

— Гертруда, ты выйдешь за меня?

— О, Тим, Тим, дорогой... я люблю тебя... но мы не можем открыться. Возможно, ты был прав, и мы оказались во власти волшебного мгновения, заблуждаемся относительно наших чувств. Но если мы и дальше будем вместе, то лишь надеясь на то, что поженимся. Такими вещами не играют, это будет предательство, преступление. Готов ли ты идти дальше, какое-то время рискуя, надеясь?

— Рисковать,— сказал Тим.— Да, готов. Но, Гертруда, риск... это так страшно... вдруг утратим то, что имеем сейчас.

— Риск!.. Подумай о том, чем я рискую... подумай о моральном риске!

На глазах Гертруды показались слезы, она медленно утирала их ладонью, почти сердито глядя на него.

Тим неподвижно сидел, не вполне уверенный, что правильно понял ее.

— Милая,— сказал он,— если мы собираемся продолжать — а, к черту, никаких «если»,— мы должны и будем продолжать наши отношения. Но пока, что нам делать... с твоими родственниками?

— Я уже подумала,— ответила Гертруда, и в ее голосе послышалась усталость.— Пока мы ничего не станем им говорить.

— Ты имеешь в виду, будем все держать в тайне?

— Да. Не люблю тайн, но так лучше.

— А пока ждем да смотрим, нам не нужны никакие свидетели, так?

— Не нужны.— Они молча посмотрели друг на друга.

Гертруда сидела на обочине дороги. Велосипед она прислонила к крутому, заросшей ежевикой откосу насыпи. Солнце пекло. В багажнике велосипеда были молоко, яйца, кофе, помидоры, сыр, оливки и свежий хлеб.

Сидела на травяной кочке, опершись спиной о насыпь, в тени абрикосового дерева, в полумиле от дома, на пустынной молчаливой дороге и думала. В этот утренний час Тим уходил на этюды, так что она могла спокойно подумать и оставаясь дома, однако предпочла посидеть в одиночестве у дороги, рядом с велосипедом.

Прошло уже три дня с их «совещания», танца и близости. С тех пор они снова занимались любовью. Это действительно было, как сказал Тим, что-то сверхъестественное. И, как сказал тот же Тим, мифическое, невероятное.

Иногда она говорила себе: «Ну я и штучка!» — будто просторечие могло сделать ситуацию простой, обыкновенной. Может, она околдована? Медовая магия длилась, даже стала еще ощутимей, чудесней. Она смотрелась в зеркало и видела в нем иную женщину. Она вспомнила слова Гая, наверное, это была цитата, о том, что воля человека изменяет границы мира и мир «уменьшается или возрастает как целое». Гертруда изменила свой мир, и все в нем было иным, не только виделось в ином свете, но было иным во всех своих клеточках, атомах, глубинной сути.

Факт ее любви к Тиму и любви Тима к ней не вызывал сомнений. Это был реальный, несомненный и властный Эрос — безошибочный сейсмический импульс, полное сосредоточение всего в единое необходимое существование, таинственное, сверхъестественное, уникальное, которое есть одно из необычнейших явлений в мире. Само это событие было как обет, и с этой реальностью она была связана, как с новой невинностью. Ее словно исповедовали и отпустили грехи. Ее сознание было новым, все ее существо пело песнь священной любви. Она любила Тима страстно, нежно, со смехом и слезами, со всей скопившейся энергией интеллекта; хотя бывали достаточно трезвые минуты, когда она спрашивала себя: ну и что из этого следует?

Необычно было то, насколько чистой и незамутненной оставалась эта радость посреди постоянно преследовавшего ее мрачного ощущения себя как осиротевшей, овдовевшей, скорбящей. Как были связаны эти две вещи? И были ли они связаны? А может, они просто сосуществовали? Или одно каким-то образом вызвало другое? А если так, то хорошо это или плохо? Тим говорил об «иллюзиях» как результате потрясения или стресса. Не лишилась ли она разума от горя и в поисках утешения окунулась в необузданные фантазии? Изменилось ли ее горе? Она не была уверена. Или, может, привыкнув любить кого-то, она влюбилась в первого, с кем, после смерти Гая, осталась по-настоящему наедине? Как быстро прошлое способно потерять власть над человеком и что это за власть? Что значит считать недели, месяцы, какую роль тут играет время? Магия места, жары, скал представляет, возможно, меньшую загадку. Тим повторял, что это не могло бы произойти в центре Лондона, и он, несомненно, прав. Но счастливый случай способен помочь зарождению любви. Мучилась Гертруда оттого, что это было связано с Гаем, мучилась глубоко, и не только из-за чего-то мрачного, ужасного, что было ее скорбью, отравленной теперь чувством вины.

Она приехала во Францию, чтобы оплакать Гая, чтобы распрощаться с его тенью, разобраться с печальными остатками его вещей, бумагами и записями, которые она сожгла в камине однажды утром, когда Тима не было, и со всем тем, что они с ним называли «предысторией». Она сожгла в камине все, что напоминало о Гае. Не для того ли она приехала, чтобы не только оплакать Гая, но в некотором смысле еще и избавиться от него, от страха дальнейшего столкновения с вещами, от него оставшимися? Не потому ли, что слишком сильна была боль, она пыталась уничтожить всякое воспоминание о Гае и так освободила в душе место, которое занял Тим? Она не желала участвовать в крысиных бегах мысли. Боялась оказаться в жуткой тюрьме вины и наваждений, что, как она знала, плохо кончилось бы для нее. Гай был мертв. Тим — живой. Но нельзя из сентиментального самоубийственного безумия возносить мертвого, просто принижая живого. Есть такая вещь, как законный траур. Да и Гай очень хорошо понял бы ее трудности.

Он сказал: «Я всей душой желаю, чтобы ты была счастлива, когда меня не станет... ты выйдешь из этого мрака. Я вижу для тебя свет впереди ... Говорят, что, мол, поступать по принципу "он бы этого хотел" лишено смысла,— неправда, не лишено. ...Ты должна проявить волю сейчас, чтобы радовать меня в будущем, когда меня больше не станет». И Гертруда отвечала: «Я больше никогда не буду счастлива... Буду ходить, говорить, но буду мертва». А он сказал: «Я бы очень хотел, чтобы ты вновь вышла замуж». Гай, ее муж, разумный, сильный, добрый, мужчина, которого она любила, перед которым преклонялась. Глаза ее наполнились слезами, тихими слезами из глубины непересыхающего колодца души. Она чувствовала, что не может жить без него. Однако жила. Влюбилась в другого человека, настолько непохожего на Гая, как только один человек способен отличаться от другого.

Есть ли какой-то смысл спрашивать себя, как бы воспринял это Гай? Гертруда снова подумала о Гае и Манфреде. Она уже не была так уверена в своей догадке, что Гай предложил кандидатуру Графа в мужья, чтобы она вдруг не выбрала Манфреда. Это было вероятно. Но вряд ли в характере Гая. У Гертруды голова закружилась на мгновение. Кажется, она уже толком не понимает его. Все мудрые добрые слова Гая совместимы с подлинным его нежеланием, чтобы она не выходила ни за кого. Нет ни малейших сомнений, что он думал о ее «женихах», когда лежал, умирающий, читая «Одиссею». Должно быть, перебирал их одного за другим. Был ли Тим в том роковом списке? Нет, о Тиме Гай никогда не думал. А если бы теперь он узнал, засмеялся бы, пожелал бы им удачи? Что сделала бы тень и можно ли ее представить себе иначе, нежели скорбным зрителем?

Одно Гай наверняка не одобрил бы: скрытность и (за то, что скрытность неминуемо привела бы к этому) ложь. А *те*, что подумали бы они? Что *те* подумают? Тим не уставал повторять это, чем сводил ее с ума, поскольку она вынуждена была признать, что ее это тоже тревожит. Оба боялись, как бы их любовь не стала доступна любопытным взорам. Ощущение тайны, заговора росло между ними и влияло на обоих. Им хотелось скрыться. Это было плохо. Они решили задержаться в «Высоких ивах», во всяком случае, уезжать не планировали. На данный момент это казалось разумным. Им было необходимо побыть вместе, одним, чтобы подвергнуть испытанию реальность, для обоих уже утвердившуюся. В их глазах, когда они смотрели друг на друга, не было и тени сомнения. Но грядут другие испытания и с ними треволнения и изменения. На определенный взгляд их положение было неприличным — но не таков ли и общий взгляд? Да, их любовь изменится. Ее изменит Ибери-стрит. Женитьба, если состоится, изменит ее, у Гертруды был дар (за который она благодарила судьбу) сохранять ясную голову, когда дело касалось главного. Она не может «играть» с Тимом. Если она берет его в мужья, то навсегда и безоговорочно. «Не могу представить себе женатую жизнь»,— сказал Тим. «Брак невозможно представить»,— ответила Гертруда. Этот брак и в самом деле было невозможно представить.

О силе «шайки» свидетельствовал тот уже факт, что она и Тим, сидя за бокалом вина (а пили они немало), обсуждали всю их компанию одного за другим, не упуская даже самых дальних родственников вроде Пегги Шульц, Рейчел Лебовиц и близнецов Гинсбургов (один был актером, второй, более приятный, адвокатом, и они приходились родней миссис Маунт). Тим, конечно, боялся всех. Что скажет Мозес? Что — Стэнли Опеншоу? Что — Манфред? Гертруде интересно было узнать, что Джеральд Пейвитт был добр с Тимом и что Тим относился к нему с любовью и уважением. Она не удивилась, что Тим боялся Манфреда, а больше всех любил Белинтоя и Графа. Особенно Графа.

Перед глазами Гертруды вставала обвиняющая фигура Графа, бледного, тощего, высокого, змееглазого, прищелкивающего каблуками. Его любовь трогала ее, была ей приятна, а потом служила утешением. Перед тем как случилось то, что случилось между ней и Тимом, она с удовольствием ожидала, как вновь увидит его по возвращении домой. Она сказала Тиму: «Мы должны держать все в тайне,— и, помолчав, добавила: — До Рождества». Она не упомянула, но Тим, разумеется, знал, что тогда исполнится годовщина. Долг, благоразумие, стыд, их взаимное испытание друг друга — все это, по их ощущениям, предполагало подобную отсрочку. Объявлять о помолвке сейчас было «слишком рано». Однако в конце года Граф должен был сделать ей предложение. Гертруда уже решила для себя, что он тоже обязан будет ждать, ждать и смотреть, и надеяться. Может ли она вводить в заблуждение Графа, заставлять его тщетно надеяться, лелеять мечты, окрыляясь каждой ее улыбкой? Не будь Тима, полюбила бы она Графа? Бессмысленный вопрос, от которого Гертруда тут же и отмахнулась. Предположим, она собралась бы рассказать Графу о Тиме, взяв с него клятву хранить тайну! Нет, это невозможно. Или провести все время ожидания с Тимом здесь или где-либо еще, никого не видя? Это тоже невозможно.

А еще была Анна. Отважится ли она лгать Анне? Тим избегал упоминаний об Анне, и Гертруда предположила, что ее он тоже боится. Он не мог не воспринимать ее как враждебную ему силу в жизни Гертруды. Что Анна подумает? Не будет ли встревожена, не возревнует ли? Это вероятно. Не она ли сама уговаривала Анну никогда не расставаться, жить вместе, стариться вместе? Да, и этого тоже хотелось Гертруде, страстно хотелось. Она вспомнила их разговоры в Камбрии, их прогулки у моря и как она спасала ее. Разве она не привязана к Анне? Конечно, и думать нечего, не может она терять Анну. От одной мысли, что такое возможно, ее вдруг пронзила такая боль, что Гертруда поспешила отбросить ее. Анна появилась в тяжелую для них обеих минуту. Она тоже утратила — свою монастырскую «семью», своего Бога. Возможно, даже сейчас, вслед за Гертрудой, Анна думает, что она и ее университетская подруга должны и впредь оставаться нераздельны. Подобные гадания очень расстраивали Гертруду. Но тут она находила поддержку в самой Анне. Анна Кевидж — женщина разумная и сильная. Она все сделает правильно. У нее будет своя жизнь. Она всегда будет близко. Она узнает Тима и полюбит его, потому что он будет мужем Гертруды.

«Муж» — благородное слово, волшебное. Выдержит ли она, дождется ли, выдержит ли Тим? Не глупо ли так мучаться относительно мотивов и результатов того, что может, в конце концов, никогда не произойти? Гертруда неустанно говорила ему о том, как они смогут трудиться: он над картинами, она учительствуя. «Мы будем работать».— «Я всегда буду плохим художником».— «Я хочу, чтобы ты стал хорошим художником».— «Если хочешь этого, тогда ты не должна выходить за меня».— «Так и быть, ты будешь работать, оставаясь плохим художником!» Они уже пробовали так жить. Тим каждый день уходил на этюды, Гертруда занималась хозяйством и листала учебник по грамматике урду. Однако не слишком-то продвигалась, без преподавателя это было сложно. Она жила произошедшим, фактом, новым ощущением себя. Она любила Тима, его ребячливость, его неунывающий характер, его недовольную застенчивость, его животную игривость, его любовь к ней, его талант (в который верила), отсутствие претензий, честолюбия, аффектации или гордыни. Это не было (и такой вопрос она задавала себе) вульгарным вожделением, внезапной страстью одинокой зрелой женщины к молодому мужчине. Это была настоящая, глубокая любовь, которая видит впереди лишь неизменность чувства. Конечно, они бы могли быть с Тимом просто любовниками. Да и Тим ожидал этого. Хотя лишь в силу своей скромности и легкого, беззаботного отношения к будущему, что она тоже не могла не любить в нем. С Тимом жизнь так или иначе становилась легче.

Другие, родственники, говорила она себе, вообще ничего не значат. Она не должна отчитываться перед ними. Они ей не семья. Семьи у нее нет, она одинока, и Тим помог ей это понять. Анна — да, она важна для нее, но совсем по-другому, по-особому. И Графа она действительно любит. Но в конце концов, это касается только Тима и ее... и Гая. Ах, Гай, любовь моя! Как все сложится? Это так непросто, это такой риск. Она была не уверена, в чем он состоит, но чувствовала угрозу показаться аморальной, угрозу глубоких душевных мучений, смятения и неверных поступков.

— Гертруда! Гертруда!

Гертруда испуганно вздрогнула и оторвалась от своих мыслей, услышав голос Тима.

Он бежал к ней по пыльной белой дороге, размахивая руками, задыхаясь, и, когда был уже достаточно близко, она заметила, что лицо у него в крови.

— Гертруда, помоги, случилось ужасное!

Примерно в то время, когда Гертруда, прислонив велосипед к насыпи, уселась в траве на обочине, чтобы спокойно поразмышлять в одиночестве, Тим уже направлялся домой. Он ушел на этюды очень рано, однако ему не работалось, да и солнце слишком сильно стало припекать. Он не пошел к «лику», сам не зная почему, а вместо этого сделал несколько зарисовок «фонтана мха». Это было непросто, а после он решил отправиться домой, выпить чего-нибудь холодненького и дожидаться Гертруды, которая должна была к ланчу вернуться из деревни. Ланч, конечно, превратился теперь для них в праздничное событие. Он любил побыть один, но вдали от Гертруды каждое мгновение думал о ней: зарисовывая что-нибудь, ища подходящую натуру, всегда ощущал ее присутствие, словно сам воздух был насыщен ею, как цветочной пыльцой. Гертруда признавалась, что чувствует то же самое. Ей нравилась обыденность его уходов на натуру, ее походов в деревенскую лавку и тихое волнение от знания, что скоро они вновь увидятся. Жизнь обрела изумительную простоту и успокоительную упорядоченность, словно они были вместе уже долгие годы.

Тим, конечно, тревожился, но его тревога была иррациональна, появлялась и исчезала, вызываемая совершенно не связанными и даже противоположными опасениями. Он не боялся, что надоест Гертруде, хотя понимал: такое возможно. Тут он чувствовал нечто вроде смиренной готовности подчиниться, которая уживалась в нем с ежедневно подтверждавшейся способностью прекрасно ладить с Гертрудой, развлекать ее, радовать, «валять дурака» вместе с ней, серьезно разговаривать с ней на самые разные серьезные темы и, разумеется, заниматься любовью. Это сдержанное «разумеется» было важно. В своей страсти они не были неистовыми или бешеными, не старались «показать себя» или «соответствовать». Они были чутки, и неуклюжи, и нежны, и Тим легко и естественно вступил в права властителя, будто был наследным принцем в мирном счастливом феодальном государстве. Эта нежная власть заставляла его порой радостно смеяться, и Гертруда, понимая его, смеялась вместе с ним. Они часто смеялись вместе, но и печалились тоже, и Тим догадывался, что Гертруда думает о Гае. Если в ней просыпалось чувство вины, она держала его при себе и не считала, что должна вдруг становиться холодной, поскольку и тогда испытывала радость оттого, что Тим существует. А он не строил домыслов относительно ее мыслей. Скорбь Гертруды была ее личным делом, как и любые сравнения между покойным мужем и любовником, которые она могла проводить про себя. О таких вещах он с Гертрудой не говорил.

Серьезные темы, которые они обсуждали, большей частью касались их двоих. Конечно, чувствуя себя, сейчас во всяком случае, в безопасности, они рассуждали обо всех возможных причинах, по которым их отношения можно счесть, и, возможно, даже справедливо, ненадежными. Гертруда сказала, что она годится ему в матери и что Тим прекрасно мог бы жениться на молоденькой. Тим сомневался, что не гонится за деньгами Гертруды. И не потому ли только Гертруда полюбила его, что может помогать ему материально? Скорее всего, эти разговоры в действительности не были настолько уж серьезными. Каждый получал от них удовольствие и лишнее подтверждение искренности любви другого. Они вспоминали родителей, детские годы, учебу. Тим рассказал о Слейде и своих ранних экспериментах в живописи. Гертруда — о преподавании в школе и о том, как ей было одиноко в девичестве. Тим избегал всяких разговоров об Анне Кевидж. Не любил вспоминать осуждающий взгляд ее холодных голубовато-зеленых глаз. И разумеется, он ничего не сказал о Дейзи.

Что беспокоило Тима в этот период, на который он впоследствии оглядывался с удивлением, так это трудности отчасти тактического или формального характера. Ему трудно было вообразить их с Гертрудой существование, когда сменятся и это конкретное место, и установившийся порядок жизни. Его фантазии о супружестве и опыт кратковременных попыток сожительства с Дейзи говорили о том, что планирование времени и занятий, сложное и для одного, вдвойне трудно для двоих. Он не сомневался в том, что они с Гертрудой любят друг друга, но не мог представить, как эта любовь будет воплощаться в практической жизни, когда они покинут Францию. Не мог представить себя в квартире на Ибери-стрит и как он переделывает кабинет Гая в студию. Будут ли они устраивать званые обеды? Он не мог увидеть будущее, как если бы некий ангел тем самым открыл ему, что этого будущего не существует.

Конечно, ему постоянно мешала вообразить будущее нерешенная проблема Дейзи. Однако, казалось бы, главная, она не слишком заботила Тима. Ему всегда удавалось справляться с самыми глубокими и неразрешимыми вещами, действуя по методике, которой он, несомненно, был обязан (хотя не отдавал себе в этом отчета) тем, что оставался посредственным художником. Эту методику можно было бы описать как систематическое пренебрежение основательным подходом к делу. Уже говорилось выше, что Тим в своем творчестве безрассудно мчался вперед от этапа обещания к этапу, когда уже слишком поздно рассчитывать сделать что-то серьезное. Схожим образом он вел себя и в моральных вопросах: ему казалось, что не стоит прежде времени стараться разрешить проблему, потому что в конце концов неизвестно, что еще произойдет, и, возможно, все решится само собой, но потом, когда угроза становилась реальностью, приходилось утешаться фаталистическим чувством, что ничего уже нельзя сделать.

В отношении Дейзи он действовал подобным же образом, и тут неспособность представить себе будущее очень помогла ему. Если Гертруда бросит его, то нет и необходимости говорить ей о Дейзи. Да много чего может случиться, вплоть до его смерти, что делает его откровение излишним. И откуда ему, отрезанному здесь, во Франции, от возможного дальнего или ближнего будущего, знать, как лучше поступить? Он сейчас в подвешенном состоянии. С решениями надо подождать. Гертруда иногда мечтательно говорила, что они останутся во Франции до сентября, но он подозревал, что ее собственная тревога будет тому препятствием. В любом случае слишком много неизвестных обстоятельств, с учетом которых умнее не торопиться с исповедью насчет Дейзи. В то, что Гертруда, узнав о Дейзи, разжалует его, он не верил. К тому же существуют разные способы признания, когда можно представить новость безобидным пустяком. Куда больше его, непонятно почему, тревожило то, что признание подействует на его собственное душевное состояние. Он боялся и думать, что скажет Гертруде, если та примется его расспрашивать. Неизбежны психологические последствия, и нет смысла запускать эту цепочку последствий, находясь в такой дали от Лондона. Конечно, если все пойдет хорошо, позже придется рассказать Гертруде что-нибудь о Дейзи, но, когда придет время, он будет знать, что сказать.

Тим понимал лукавость своих мыслей, но это казалось неизбежным. Он не делал попыток в разгар чудесных событий, происходивших с ним, пересмотреть свое чувство к Дейзи, как не старался вообще освободиться от него. Оно оставалось там, где было, существуя отдельно, за скобками, вне игры. И это действительно было полезно в тактическом смысле, поскольку давало силу продолжать вести себя с Дейзи так, словно того чудесного с ним не произошло и то, что он говорил ей, было действительно правдой. Он послал ей еще письмо, сообщая, что Гертруда и Манфред с миссис Маунт по-прежнему сводят его с ума своим присутствием и он даст Дейзи знать, когда они уедут, что, он надеется, скоро случится; а пока она пусть ждет новых известий от него. Солгать, чувствовал он, было просто необходимо, а потому и стоило ему не бóльших усилий, чем двигать ручкой по бумаге. Заставила немного помучаться чисто техническая трудность: как отослать письмо. Он не мог поручить это Гертруде, сам же должен был находиться на этюдах, пока она ездит в деревню за покупками. Он прошел по дороге в обоих направлениях, но почтового ящика не обнаружил. Идти в деревню в то время, когда должен был рисовать, он не осмелился, чтобы не столкнуться там с Гертрудой или чтобы позже деревенские не выдали его. Пришлось в итоге сказать, что он не отказался бы от велосипедной прогулки и поедет вместе с ней. В деревне, пока она была в лавке, он бросил письмо в ящик и вздохнул с облегчением.

В человеческом сознании полно отделений, запертых ящичков и секретных уголков. Тим не думал о женитьбе на Гертруде до того момента, пока она сама не произнесла сакраментальное слово, хотя в равной степени не думал он и о невозможности такой женитьбы. Тот момент произвел в нем глубокие перемены. Что-то новое появилось в его сознании, в сердце, сосуществуя с радостями и тревогами, машинальной уклончивостью и привычной ложью. Это новое можно было определить как моральную надежду, надежду, которая, когда он страдал, причиняла еще бо́льшие страдания. Или это была просто мечта о защищенности, доме и семье, матери? Тим был ребенком, а дети нуждаются в упорядоченной жизни. Нет, это было нечто большее. Желание, которое он теперь испытывал и которого прежде не осознавал столь ясно, было желанием простой, открытой достойной жизни, где любовь выказывалась бы естественно и искренне, прямо и легко,— жизни, которой он никогда не знал.

Тим вошел в дом, бросил рюкзак в гостиной и поднялся наверх, в ванную, ополоснуть лицо и руки. Пустил холодную воду и долго держал ладони под струей, наслаждаясь прохладой. Потом пошел к себе в спальню и остановился у бокового окна, глядя на ущелье в далеких скалах, сквозь которое виднелся зеленовато-голубой кусок еще более далекого склона. Он вглядывался в этот цвет, а в голове назойливо толклись описанные выше мысли. Он жаждал теперь возвращения Гертруды, спокойной уверенности, которую внушало ее присутствие, ее драгоценная, несомненная любовь. Стояла полная тишина, наполненная звоном цикад, природа застыла в неподвижности. Он перешел к другому окну, откуда открывался вид на террасу, склон холма, долину — до самых скал. Казалось, он видит их долгие годы, привык видеть их с детства. Их вечный образ впечатался в сетчатку и сознание. Солнце, встававшее за ними, сейчас освещало их под углом, выделяя провалы и тени, слепя серыми плоскостями. Тим смотрел на них, и лицо его смягчилось, тревожные мысли забылись.

Отходя от окна, он бросил взгляд на террасу. И застыл как вкопанный, дыханье перехватило от страха. Кто-то стоял прямо под ним, на ступеньках, ведущих на цветущий луг. Это был мужчина, который смотрел, как только что Тим, через долину на скалы. Тим узнал Манфреда.

Горячий комок стыда и ужаса подкатил к горлу. Тим был в полном замешательстве. На цыпочках отступил на шаг от окна и снова замер, прижав руку к колотящемуся сердцу. Заметил ли его Манфред? Наверняка нет. А если он поднимется по ступенькам и найдет его? Не стоит ли самому спуститься и встретить его как ни в чем не бывало? Гертруда говорила, никто не знает, что Тим здесь. Как объяснить свое присутствие, как справиться с собой, чтобы не выглядеть виноватым, смущенным, застигнутым врасплох? Что он скажет, чтобы не подвести Гертруду? Такого они не предвидели и не придумали никакого объяснения на случай, если подобное случится, никакой правдоподобной истории. Не следует ли ему скрыться, не должен ли он скрыться, просто вообще не показываться Манфреду на глаза? Необходимо спросить Гертруду, что ему делать, посоветоваться с ней, но как? Если б только Манфред ушел! Тим вытянул шею и посмотрел в окно. Никакого намека, что Манфред собирается уходить. Похоже, он благодушествовал, наслаждался видом.

Если бы, думал Тим, удалось незаметно выбраться из дома, можно было бы попытаться перехватить Гертруду и предупредить ее, но как выберешься, если в доме нет черного хода? Если бы Манфред отошел прогуляться или еще зачем, но, конечно, он не отойдет. Скорее, наоборот, зайдет в дом. Вероятно, он уже заглядывал и решил, что в доме никого нет. Или мне просто оставаться здесь, пока Гертруда не вернется? Нет, нужно узнать, что мне говорить, и к тому же, если ее не предупредить, она выдаст нас одним своим замешательством. Потом Тиму пришло в голову, что он может выбраться через кухонное окно, и лучше попытаться сделать это немедленно, пока Манфред не зашел в дом. Он может наткнуться на входящего Манфреда, но попытаться стоит. В этот момент Манфред спустился на лужайку и принялся разглядывать цветы.

Тим скользнул к двери, спустился вниз и мгновение спустя был на кухне, где взобрался на раковину. На кухонном окне, обычно закрытом, не было москитной сетки. К счастью, оно открылось легко и бесшумно. Тим неуклюже сел на подоконник и спустил ноги наружу. Внизу его ждали буйные заросли ежевики. Минуту он колебался, но, услышав, как ему показалось, шаги на террасе, соскочил с подоконника, стараясь попасть поближе к стене. Земля за домом оказалась ниже, чем он ожидал. Густая листва сомкнулась над его головой.

Он скорчился у стены, совершенно не видимый, но и не способный шагу ступить в непроходимых джунглях жестких колючих стеблей. Какой же он идиот, что прыгнул сюда! Он уже поранил щеку, когда летел вниз, а теперь чувствовал, что несколько шипов впились ему в руки и лодыжки и готовы разодрать его плоть, едва он шевельнется. Десятки крохотных ежевичных пальчиков держали его за брюки и рубашку. Черт бы побрал проклятые кусты! И сам он последний дурак. Что же теперь делать?! Даже не заберешься обратно в окно — слишком высоко. Кончится тем, что придется позорно звать на помощь!

Сидеть на корточках вдруг стало невмоготу, и он двинулся, низко пригнувшись, вперед, а шипы рвали одежду, рвали тело. Он чувствовал, как по рукам, ногам, лицу течет кровь. И наконец, будто некий бог или волшебник коснулся его глаз, увидел возможный путь к освобождению. Впереди, под сводом высоких ветвей, светлело свободное пространство, а дальше, почти у самой земли, виднелось что-то вроде темного лаза. Не обращая внимания на цеплявшие его колючки, он нырнул сквозь стену листвы и шипов и упал локтями на светлое место, потом осторожно подтянул ноги и пополз на коленях в зеленый полумрак.

Он оказался в туннеле, ведущем сквозь заросли ежевики, свободном, чистом, с утоптанной землей. Позади, в стороне, туннель сворачивал к стене дома. Это явно была тропа, протоптанная лисами или еще какими зверями, а площадка под пологом листвы — чем-то вроде места их встреч, игровой или танцплощадки. Тим не стал тратить время на догадки о том, что это были за звери, а углубился в туннель, ведущий от дома. Для человека тут явно было низковато и тесновато, но Тим был худ и гибок; извиваясь, он быстро пополз вперед. Он был уже так разукрашен ежевикой, что не обращал внимания на новые раны.

Ярдов через пять, показавшихся ему невероятно долгими, впереди что-то забелело, он предположил, что это побеленная стена гаража, и оказался прав. Он увидел сверкавший на солнце облезлый ствол эвкалипта. Туннель оканчивался канавой, заросшей другими растениями, вившимися вверх по стене гаража. Тим с облегчением скатился в канаву и уже собрался со всей осторожностью встать на ноги, как осознал, что перед ним что-то чернеет, незнакомое и большое. Он вгляделся сквозь листву. Большой черный предмет оказался машиной Манфреда. А рядом, опершись о капот, не дальше чем в двадцати футах от Тима, стояла миссис Маунт.

У Тима даже не возникло вопроса, заметила ли она его. Сразу стало ясно, что миссис Маунт уверена, что она одна, потому что вела себя как некое животное, полностью поглощенное собой. Нахмурясь, почесала ноздрю, а потом внимательно посмотрела на палец. Подняла юбку и принялась подтягивать колготки. Увидела в них дырку, на бедре, и потрогала вылезавший из нее маленький холмик плоти. Потом, все так же хмурясь, тщательно расправила подол белой сорочки и платья, элегантного шелкового красного с белым платья, в котором ей явно было жарко. Сунула ладонь за ворот, отлепила сорочку от взмокшего тела, вытерла мокрую ладонь о шею и взяла сумочку, лежавшую рядом на пыльном капоте. Заметила, что та в пыли, отряхнула ее, а потом платье и, заняв прежнюю позу, раскрыла сумочку и достала пудреницу. Посмотрелась в зеркальце пудреницы, и лицо ее удивительным образом изменилось. Перестало хмуриться и приобрело выражение ангельского покоя. Минуту миссис Маунт обмахивала лицо, потом решительно улыбнулась в зеркальце, и это был не оскал, а спокойная, милая, задумчивая улыбка. Легко коснувшись лба кончиками пальцев, разгладила морщинки и помассировала кожу под глазами. Припудрилась. Снова глянула в зеркальце и осталась довольна результатом процедуры, видимо, давно заведенной, как средство защиты от морщин. И они действительно исчезли. Загоревшее на южном солнце, ее лицо, по крайней мере ненадолго, стало моложе и почти красивым. В ярком свете дня ее ясные темно-синие умные глаза выглядели еще выразительней. Только легкие морщины на верхней губе и седина в волосах выдавали ее возраст. Она убрала пудреницу, подхватила сумочку, еще раз отряхнула юбку, обошла машину и скрылась в направлении дома. Похоже было, что она чуть подволакивает одну ногу. Звук ее шагов по гравийной дорожке постепенно затихал, удаляясь, а когда она повернула за угол, к террасе, и вовсе стих.

Тим рванулся, как терьер, обежал машину и легко помчался к дороге, где обрамляющие ее деревья вскоре скрыли его. Он бежал к деревне, но скоро начал задыхаться и вынужден был замедлить бег и схватиться за бок. Пот струился по нему, смешиваясь с подсыхавшей кровью. Во всяком случае он знал, что не может разминуться с Гертрудой, поскольку она должна была возвращаться по этой дороге. Прошло немного времени, и он увидел ее, но не едущей на велосипеде, а сидящей на обочине. Он бросился к ней с криком:

— Гертруда, помоги, случилось ужасное!

— Тим, что с тобой, ты в порядке? Боже, ты весь в крови!

— А, пустяк, я полз через ежевику... но, дорогая, случилось самое худшее. Приехали Манфред и миссис Маунт.

— О господи! Что ты сказал?

— Они меня не видели. Я вылез в кухонное окно...

— Ох... бедный Тим... скорее... спрячь велосипед, мы пойдем полем. Они могут решить поехать в деревню, поискать меня. Слава богу, что они приехали с другой стороны.

Спрятать велосипед было негде, кроме как за насыпью. Так они и сделали, перенесли его на другую сторону, выронив при этом яйца из багажника, которые и разбились на дороге. Потом уселись на краю вспаханного поля, на котором стояло множество фруктовых деревьев, похоже абрикосовых, и прислонились спиной к травянистому склону насыпи, невидимые с дороги.

— Теперь давай подумаем... ох, Тим, ты весь расцарапан, как в тот первый вечер, помнишь?!

— А вдруг, не дождавшись тебя, они уедут?

— Нет, только не они, они останутся и устроятся, как у себя дома! — сказала Гертруда.— Кроме того, понятно, что я здесь.

— Тогда... тогда мне лучше спрятаться. Останусь тут, а ты вернешься домой и выпроводишь их, потом придешь и заберешь меня.

— Это не так просто, они могут захотеть остаться на ночь, и к тому же...

— Черт! Я же оставил рюкзак с красками и прочим в гостиной, на рюкзаке мое имя — мы пропали!

Гертруда, сидевшая на маленькой кочке у подножия насыпи, натянула на поднятые колени подол платья с рисунком из ивовых листьев. Потом положила руку на колесо велосипеда, другую на плечо Тима и задумалась.

— Что же нам делать? — спросил Тим.

— Скрыть, что ты здесь, уже не получится. Придется встречаться с ними.

— Но ничего не говорить им?

— Нет. Послушай, Тим, мне очень этого не хочется — но, видимо, нам судьба начать так рано...

— Что начать?

— Лгать. Но другого выхода я не вижу. Слушай, я сейчас пойду, встречу их и скажу, что ты путешествуешь по Франции как художник и вчера неожиданно появился здесь и сейчас где-то рисуешь в окрестностях...

— Лучше сказать: гуляю, на случай если они увидят мои принадлежности.

— Хорошо. И я договорюсь немедленно ехать домой вместе с ними...

— Уехать с ними...

— Да, Тим, подумай. Нам нельзя оставаться в одном доме с этой парочкой, у них на виду. И нельзя позволить им уехать и оставить нас наедине, это даст им повод для пересудов.

— Я могу сделать вид, что ухожу, а потом вернусь, когда опасность минует.

— Слишком рискованно. Даже если они скажут, что уезжают, кто запретит им передумать или покрутиться где-нибудь поблизости и вернуться? Будет лучше мне уехать вместе с ними, и как можно скорее, сегодня же к вечеру. Мы можем ненароком выдать себя, или они что-нибудь заметят.

— А мне что делать?

— Ты скажешь, что намерен продолжать путешествие. Не забудь, ты путешествуешь, делаешь зарисовки. Я велю тебе запереть дом и оставить ключи в деревенской гостинице, только ты этого не делай, возьми ключи с собой и...

— Но разве ты не вернешься?

— Нет. Придется тебе добираться до Лондона самостоятельно, там и встретимся.

— Нет, Гертруда, нет, пожалуйста... И они могут увезти тебя в Рим или еще куда...

— Думаешь, мне это нравится? Отнюдь! Но раз уж они приехали, нельзя испытывать судьбу. Я не могу вдруг взять и помчаться обратно во Францию или исчезнуть. Я возвращусь в Лондон, а если они собираются продолжать поездку, то им нетрудно будет подвезти меня. Тим, прошу тебя, ты должен сделать, как я сказала. Мы расстаемся ненадолго.

Тим опустился перед ней на колени и потянул к себе, пока она не отпустила велосипед и не опустилась рядом. Они смотрели друг на друга, и высокое дробящееся в листве солнце заставляло их щуриться.

— Гертруда, если мы расстанемся так неожиданно, то уже не найдем друг друга. Мы слишком мало пробыли вместе. Я приду на Ибери-стрит, и ты будешь другим человеком, ты забудешь меня. Не уезжай с этими двумя, они одурачат тебя, миссис Маунт сосватает тебе Манфреда.

— Тим, перестань, мы принадлежим друг другу, ты знаешь это, я люблю тебя...

— И выйдешь за меня?.. Прости, я не должен спрашивать...

— Я люблю тебя. Надеюсь... Ох, не мучай меня сейчас. Пожалуйста, будь благоразумным... это лучший выход... любой другой вариант обернется ужасной неразберихой, и все рухнет.

— Но в таком случае, когда я вернусь, то есть как я тебя найду, что мне?..

— Просто позвони. Я буду на Ибери-стрит.

— Но я не скажу... нет, конечно... и не стану заходить, я позвоню... буду осторожен... сделаю, как ты скажешь... Проклятье, почему эти чертова парочка должна была появиться и все испортить!

— Нам в любом случае пришлось бы скоро возвращаться. Наша действительность там, в Лондоне, и мы должны поехать туда и обрести ее. А теперь помоги мне с велосипедом.

— Подожди, я совсем запутался. Мне нужно немного подождать здесь, потом вернуться и сказать, что был на этюдах, то есть на прогулке?..

— Да, и не забудь сделать удивленный вид и упомянуть, что приехал только вчера. Ох, какой ты грязный и весь расцарапанный... бедный Тим... бедный милый любимый...

— Скажу, что свалился в кусты ежевики.

— Дай мне полчаса, дольше не задерживайся. Я накормлю их ланчем, а потом мы поедем.

Они перенесли велосипед обратно на дорогу, и Гертруда взобралась на него. Казалось, ей не терпится уехать.

— Гертруда, подожди... ты будешь помнить меня, ты не...

— Тим, не будь глупцом.

Мгновение, и она была уже далеко; нажимая что есть силы на педали, она выскочила на узкое асфальтовое шоссе и понеслась вперед, встречный ветер развевал подол ее платья.

Тим посмотрел на разбитые яйца на дороге, тронул месиво ногой. Глухо простонал, глянул на часы и остался стоять с несчастным видом. Подсыхавшие царапины жгло, болела голова.

— Так значит, Тим Рид только что приехал и навязался тебе? — проговорила миссис Маунт.— Бедняжка.

— Да, только вчера,— ответила Гертруда.— Я его почти и не видела. Он здесь проездом. Утром ушел то ли рисовать, то ли погулять по окрестностям, не знаю, где он. Я ездила в деревню, в лавку. Думаю, к ланчу он вернется.

— А ничего, что мы увезем тебя? — спросил Манфред.

— Это прекрасно, вас само Небо послало. Я как раз собиралась уезжать. Дело, ради которого я приезжала, сделано. А вы уверены, что не хотите ехать в Италию?

— Нет, наши планы изменились.

— Мы беспокоились за тебя,— добавила миссис Маунт.

Они сидели на террасе в деревянных креслах в тени смоковницы, попивая белое вино.

— А вот и он,— сказала Гертруда.

Возле ручья в долине показался Тим и стал подниматься к дому через оливковую рощу, как в первый день. Они молча наблюдали за приближающейся фигурой.

— А он не захочет поехать с нами? — поинтересовалась миссис Маунт.

— Ну, не думаю.

— Я узнаю у него,— сказал Манфред.

Тим пересек луг, размахивая на ходу руками. Рукава белой рубашки закатаны, лицо красное. Он пристально взглянул на собравшуюся компанию.

— Какой сюрприз!

— Привет, Тим!

Гертруда обратила внимание, что он, должно быть, умылся в ручье и царапины стали меньше заметны, хотя на рубашке виднелись пятна крови.

— Свалился в заросли ежевики.

— Что только люди не терпят ради искусства! — сказала миссис Маунт.— Ну и красный же он, как рак! Дай ему выпить, Манфред.

— Манфред и миссис Маунт так любезны, что согласились отвезти меня домой,— сказала Гертруда.— Мы отправляемся после ланча. Ты можешь пожить здесь немного, если хочешь, оставишь ключи в деревенской гостинице, когда уйдешь.

— Хорошо-хорошо, спасибо. Возможно, останусь еще на денек-другой.

— Мне понравился твой рисунок той скалы,— заметил Манфред.

— Какой скалы? — воззрился на него Тим.

— Той огромной, что над озерцом. Я проглядел твой альбом, надеюсь, ты не возражаешь. Это для продажи?

— Откуда вы знаете о той скале?

— Манфред часто гостил у нас прежде,— объяснила Гертруда.— Ну, вы оставайтесь, а я пойду сооружу что-нибудь перекусить на скорую руку.

— Мне помочь? — предложила миссис Маунт.

— Нет-нет, сиди.

— Так для продажи?

— Нет. Извините.

Что с ней происходит? — чувствуя головокружение и страх, думала Гертруда, накрывая на стол в тени под аркой. Она неожиданно для самой себя наговорила массу лжи, оказалась в ложном положении, однако ничего другого не оставалось, и, наверное, разумно будет немедля уехать с ними, но это так ужасно, и больше не будет возможности поговорить с Тимом, им просто нельзя допустить малейшую ошибку. Ей и Тиму было бы очень трудно решиться на расставание. Пожалуй, хорошо, что Манфред сделал это за них. Но до чего отвратительны всякие хитрости и уловки!

Она посмотрела на троицу, сидевшую на солнце. Каким Тим выглядит хрупким рядом с Манфредом, и весь красный, взволнованный. Он такой худой, сказала она себе; и неожиданно ей представилось, что вот так оно и будет, в будущем. У него такие тонкие руки. Совершенно не представительный. В этот момент Тим наклонился вперед вместе со стулом и, глядя в свой стакан, поскреб лодыжку. Манфред, в темном летнем костюме и при галстуке, несмотря на жару, сидел, вытянув длинные ноги, и рассказывал какую-то автомобильную историю. Миссис Маунт, необыкновенно элегантная в красном с белым платье, смеялась над рассказом Манфреда. У Гертруды вспыхнуло желание прикоснуться к обветренной пылающей щеке Тима, нежно-нежно погладить его, чтобы успокоить.

Ей привиделась призрачная картина из прошлого: двое мужчин были Гай и Стэнли, женщина — Джанет. Это было в последний раз, когда она вот так же смотрела сквозь арку.

— Прощай!
— Прощайте!
— Хороших тебе картин!
— *Bon voyage!**
— Прощай, Тим!

Они уехали. После долгих препирательств Гертруда настояла на том, чтобы сесть сзади. Он видел ее развевающиеся волосы и веселую улыбку.

Он вернулся на опустевшую террасу. Манфред наступил на колонну деловитых муравьев.

Тим отнес тарелки на кухню, вымыл их. Он уже решил, что сразу же уйдет, не станет задерживаться. Не хотелось проводить ночь ни с какими призраками, каких могли бы оживить недавние события. А был еще очень материальный призрак Гертруды, который будет преследовать его.

Он поднялся на второй этаж и собрал рюкзак. Запер велосипеды в гараже. Обежал дом, закрывая окна и ставни

* Счастливого пути! *(фр.)*

и выключая все, что включил, когда появился здесь. Это было девять дней назад. Боже, всего-то!

Ему не терпелось покинуть дом. Манфред и миссис Маунт собирались до умопомрачения долго, и теперь уже вечерело. Тим решил переночевать в деревенской гостинице, а рано утром уехать в Англию. Ланч был пыткой, хотя Тим сам изумился, как хорошо он и Гертруда справились с задачей. Учитывая привычку к этому, человеческая способность к притворству почти безгранична. Было пугающе легко прикинуться равнодушными друг к другу. Оживленный разговор свободно тек, касаясь местного пейзажа, французской и итальянской политики, автомобилей, погоды на родине, возможности сделать остановку в Париже, того, что Белинтой делает в Колорадо, что Розалинда Опеншоу изучает в университете. Тиму пришло в голову, что он никогда не видел Гертруды в такой непринужденной обстановке. Как она была молода и привлекательна, как много смеялась над историями, которые рассказывал Манфред. Тим тоже смеялся.

Он закрыл дверь в гостиную, отыскал в темноте свой рюкзак и чемодан и, выйдя через дверь в арке, запер ее на замок. В спешке сборов он заметил треснутое окно в кабинете Гая. Ни он, ни Гертруда не удосужились сменить стекло. Не оглядываясь, он спустился по ступенькам террасы, прошел по гравийной дорожке до гаража, потом мимо канавы, из которой он наблюдал за миссис Маунт, пудрившей лицо, потом по кочковатому подъезду дошел до дороги и направился в деревню. Дневной зной спал, и теперь прохлада и свет ясного вечера, казалось, шли от самой земли.

Что-то на обочине дороги привлекло его внимание. Это был коричневый бумажный пакет и расплывшиеся остатки дюжины яиц, которые этим утром вывалились из багажной корзинки, когда они с Гертрудой второпях перетаскивали велосипед через насыпь. Тим постоял, глядя на вязкое месиво, уже облепленное насекомыми. Вид у месива был странный и почему-то волнующий. Не разбив яиц, омлета не сделаешь, подумалось Тиму. Да, разбитые яйца есть, но нет омлета! И он пошел дальше.

В деревне, зайдя в маленькую гостиницу, чтобы снять комнату, он с удивлением увидел, что его тут хорошо знают, что он тут даже популярен. Кто это сказал ему, когда-то давным-давно, что «всякий любит художника»? Ах да, Гертруда! Хотя он никогда никого не видел, оказалось, многие видели его, когда он раскладывал свой стульчик то там, то здесь, среди скал или в оливковой роще, и *le peintre anglais**, по всеобщему мнению, был примечательным дополнением к местному пейзажу. Сердечность, с которой его встретили в гостинице, отличная комната с видом на *château***, несколько стаканчиков кира в кафе перед обедом, деньги в кармане; смятенным умом он понимал, что всего этого было достаточно для счастья, но счастливым себя не чувствовал. Этот идиотский, отвратительный ланч. Он и Гертруда во все его время едва взглянули друг на друга. Не удалось увидеться с ней наедине, он не осмелился даже попытаться. Когда она сидела в машине Манфреда, казалось, ее увозят насильно, похитили, и он потерял ее. Что Гертруда будет думать, когда после путешествия с Манфредом и миссис Маунт (они могут даже сделать остановку в Париже) вернется на Ибери-стрит? Что она сможет еще думать, как не то, что на время сошла с ума?

Тим пообедал в гостинице. Обед был превосходен. Отличное вино помогло Тиму обрести надежду. Возможно, все еще будет хорошо. Гертруда спасет его, как в книжках добродетельные женщины спасают мужчин-грешников. Он вновь вспомнил об «открытой достойной жизни» и «новой невинности и новом начале». И даже вопрос, который он задал себе — не зависят ли эти вещи в конечном счете от наличия денег,— не подействовал на него угнетающе, по крайней мере в тот вечер.

---

* Англичанин-художник *(фр.)*.

** Замок *(фр.)*.

ЧАСТЬ ЧЕТВЕРТАЯ

— Ну и как ты? — спросила Дейзи.— Вернулся наконец к своей старушке Дейзи. Думаю, твой французский пассаж слишком хорош, чтобы быть правдой.

— Я тоже так думаю,— ответил Тим.

— У меня так и не получилось сдать квартиру, сделка сорвалась.

— Я тоже не сдал.

— Всегда одна и та же история. Значит, большая Берти устроилась там на лето с мужественным Манфредом и Змеей из Пимлико. Ничего удивительного, что ты слинял. Хотя это подло с ее стороны, после всех ее обещаний.

— Она может скоро вернуться, не знаю... я просто... подумал, что... зайду еще раз.

Надежды Тима улетучились вместе с приятным воспоминанием об обеде в гостинице. Утром он проснулся вновь несчастным и с неистовым желанием мчаться вдогонку за Гертрудой. Поездом и самолетом он вернулся в Лондон и прямо из Хитроу позвонил в квартиру на Ибери-стрит. Никто не ответил. Гертруда, конечно, еще не приехала. Тим вернулся в студию над гаражом. В ней было сыро и холодно. Небо над Лондоном было серым. Он сел на свой матрац на полу и застонал от отчаяния. Потом бросился на улицу, к телефонной будке. Он звонил снова и снова. Ответа не было. Может, Гертруда сидит дома и слушает, как звонит телефон?

На другое утро (трубку по-прежнему никто не поднимал) он решил пойти к Дейзи. Ни у нее, ни у него телефона не было, так что он просто заявился к ней около полудня и застал ее в постели, пьющей вино.

Квартирка Дейзи состояла из одной комнаты с раковиной и газовой плитой за решетчатой перегородкой. Ванная комната в коридоре, одна на несколько жильцов. Комната была довольно большая, с немытым окном, за которым виднелись дерево, стена и узкая полоска неба. Голубые стены комнаты Дейзи иногда украшала постерами, прикрепляя их скотчем. Какие-то из них постоянно отклеивались и свисали со стены, как флаги. На каминной доске и подоконнике, среди грязных стаканов, косметики и пыли, стояли цветы в горшках, оставленные Дейзи друзьями, покидавшими Лондон. Она никогда не отвергала эти дары, даже какой-то безымянный росток, который однажды зацвел, но это случилось единственный раз. Тим, обычно испытывавший симпатию к растениям, не любил этих заморышей в горшках. Он чувствовал, что наилучшим выходом для них была бы эвтаназия. Квартира сдавалась «с обстановкой», но мебели было немного. Несколько незастекленных полок, на которых стояли книги Дейзи, большей частью романы, но среди них и парочка по оккультизму и мистическим учениям. Когда-то она увлекалась чтением, но теперь забросила. Был еще комод красного дерева, приличной работы, но дряхлый и весь в пятнах, дешевый сосновый платяной шкаф, колченогие табуреты, чудовищное кресло, у окна крепкий стол, покрытый скатертью, за которым Дейзи писала (пользуясь машинкой) свой роман, и диван-кровать, на нем сейчас и лежала Дейзи, рядом на полу двухлитровая бутыль вина и стакан. На решетчатой перегородке висела яркая подставка под пивную кружку.

Едва войдя, Тим принялся, как всегда, прибирать в комнате. Подобрал с полу одежду Дейзи, свернул и что-то положил на кресло, что-то убрал в шкаф. Собрал отовсюду тарелки и стаканы и сунул в раковину, отмокать. Из раковины несло прокисшим молоком, а вся комната провоняла спиртным и грязной одеждой. Горячей воды в квартире не было.

Дейзи была в рубашке и халате. Перед неожиданным появлением Тима она подкрасилась, подведя черные брови, ресницы и скорбно опущенные губы. Смотрелась она недурно, хотя и гротескно. Короткие блестящие темные волосы причесаны, и седины не так уж много. Глаза блестят. Она была рада видеть Тима.

И несмотря ни на что, вопреки раю и аду, Тим тоже был рад видеть ее. Привычка говорить — великое дело. Годы, годы и годы разговоров с Дейзи, лежащей рядом. Среди обуревавших его чувств он не мог не выделить знакомой утешительной радости возвращения. Он возвратился, чтобы рассказать Дейзи о своих приключениях, как всегда делал это после долгого отсутствия. Но боже, думал он про себя, что же ему делать! Никакого плана у него не было. Он не собирался видеться с Дейзи, пока не увидится с Гертрудой. Предположим, Гертруда даст ему отставку. Тогда нельзя вообще ничего говорить Дейзи. Все останется как прежде. Останется ли, сможет ли остаться? В любом случае разумнее ничего не рассказывать ей сейчас. Кто знает, что готовит будущее? Он пришел к Дейзи по глупости, по слабости, просто потому, что чувствовал себя несчастным, просто выпить с ней, просто оттого, что он в Лондоне, а Лондон означал Дейзи. Просто потому, что дорога к ее двери была знакомой, притягивавшей, как магнитом.

— Ты потолстел,— сказала Дейзи,— это тебе идет. То есть ты как был щепкой, так и остался, только не выглядишь изможденным и недокормленным. И до чего загорел, никогда не видела столько веснушек, ты прямо как пятнистая собака! Какая там была погода?

— Отличная.

— А здесь мерзкая, как всегда. Дожди не прекращаются, и, похоже, скоро опять зарядит, пропади все пропадом! Черт, стакан опрокинула! Налей мне, парень, и себе тоже. Я скучала по тебе. А ты скучал?

— Да...

— Жаль, что у меня не получилось поехать. К черту Францию, но все равно можно было бы пожариться на солнышке, поразвлечься вместе, хоть немножко разнообразия, надоело все время таскаться в «Принца датского».

— Никаких новостей о Баркисе?

— Нет. Твой приятель кот там командует. Что, опять примешься за кошечек, да? Господи, как мы переживем лето без денег?! Опять все сначала. Все как прежде!

— Видела Джимми Роуленда?

— Нет. Он в Америке, так говорит этот идиот Пятачок. Или в Австралии. Может нам кто помочь перебраться в Австралию? В конце концов, мы белые. Боюсь, беда в том, что мы навсегда приклеились к Лондону.

— Ты права...

— Да прекрати ты прибираться, плюнь на все, какой ты суетливый!

— Что ты тут поделывала, пока меня не было? Все у тебя хорошо?

— Что поделывала? Ничего. Все ли у меня хорошо? Нет. Что за дурацкие вопросы ты задаешь. Был такой холод, что я не вылезала из постели.

— Как роман?

— Застрял. Писательство труднее, чем живопись, могу тебя уверить. Писателю надо иметь мозги.

— Я это предполагал.

— Художникам достаточно просто смотреть. Мозги им не нужны. А писателю без них никуда.

— Никогда не буду писателем.

— Что с тобой, мистер Голубые Глаза? Ты как в воду опущенный. Понятное дело: вернулся на наш сволочной остров.

— Дейзи...

— Секундочку, передай шлепанцы, мне нужно в уборную, а потом можно пойти к старине «Принцу».

Тим принес шлепанцы, Дейзи выбралась из постели и пошлепала из комнаты. Неужели он собирается ей рассказать?

Когда она вернулась и потянулась за джинсами, он проговорил:

— Дейзи, я должен сказать тебе кое-что.

— Что сказать? Да не смотри ты на меня так, старик!

— Я собираюсь жениться на Гертруде.

— На какой еще Гертруде?

— Гертруде Опеншоу.

— Извини, я шучу. Ты пошутил, и я подумала, что должна ответить тем же. Две неудачные шутки. Господи, джинсы рвутся.

— Я не шучу. Дейзи, я собираюсь жениться на ней.

Не может он врать Дейзи, думал про себя Тим, так зачем он пришел сюда? Наверное, именно по этой причине. Он должен рассказать ей. Должен сделать это из-за Гертруды, ради Гертруды. Рассказывая Дейзи, я делаю Гертруду реальной. О, пусть это будет правдой! Но господи, как это все ужасно! И какая почему-то Дейзи реальная и настоящая.

— Ну, пошли. На улице дождь?

— Нет.

— Зачем ты сказал это, насчет Гертруды, игра такая? Черт, мало у меня других неприятностей? Не раздражай меня своими глупостями.

— Я женюсь на ней. Я сделал предложение. Она его приняла. По крайней мере, можно сказать, что приняла, потому что все случилось слишком быстро. Никто еще не знает, это секрет, и...

— Сядь, Тим.

Он сел на стул. Дейзи, уже в блузке и джинсах, села на другой.

— Объясни, что за бред ты несешь, или успел напиться?

— Дейзи, это *не* бред, это произошло, пожалуйста, поверь...

— Тим, ты, должно быть, рехнулся, или принимаешь наркоту, или уж не знаю что. Прекрати, ладно? Понимаю, мы говорили, что кто-нибудь из нас должен жениться на деньгах, но это было несерьезно, во всяком случае, я так считала.

Милый мой, я знаю, у тебя под крышей не густо, но если тебе взбрела такая фантазия, ради меня...

— Это не фантазия...

— Если хочешь бросить меня, дружок, не нужно придумывать никакой смешной истории.

— Я не... то есть...

— Это просто невероятно! Но ты не должен заблуждаться насчет Гертруды. Это все из области вымысла, у Гертруды нет ничего общего с нами. Ты, должно быть, повредился умом во Франции! Ты действительно воображаешь, что мы сможем жить на ее деньги? Что она подумает? Или ты уже сказал ей?

— Нет...

— Слушай, ты еще глупее, чем я думала, и это многое объясняет. Понимаю, мы говорили, что кто-нибудь из нас должен жениться на деньгах и помогать другому, правильно? Но это было так, для потехи, правильно? Это было в шутку, ты же знаешь, что такое шутка, Бог ты мой! Если твоя дорогая старушка Гертруда подарит тебе деньги на день рождения или окажет такую любезность, что умрет и оставит тебе состояние, это прекрасно. Но ты не можешь ради денег для меня жениться на старой корове, хотя, должна сказать, я тронута тем, на какую жертву ты готов пойти, неужели ты правда готов? Понимаю, все это твои фантазии, но правда... слушай, кто из нас пьян, ты или я?

— Дейзи, я говорю серьезно.

— Ты дурачок. Ладно, пошли в паб.

— Я собираюсь жениться на Гертруде.

— И мы станем тянуть из нее деньги, прекрасно! Вот только ты не женишься, и мы ничего не поимеем с этого. Не пори чушь, старик.

— Дейзи, будешь ты меня слушать?..

— Не буду, пока не перестанешь нести ахинею, как какой-нибудь несчастный псих, который талдычит одно и то же. Милый мой, мы не можем жить на деньги Гертруды, даже если женишься на ней, особенно если женишься; понимаю, мы говорили, что это хорошая идея, мы даже несколько раз говорили об этом, или я это говорила, и, наверное, тут я виновата, мне казалось это забавным, не думала, что такая сумасшедшая фантазия застрянет в твоей глупой головенке. В жизни не слышала ничего более дурацкого, должно быть, я совсем пьяна, что разговариваю с тобой о подобных вещах.

— Я и не предлагаю жить на деньги Гертруды!

— Ладно, тогда о чем ты, черт возьми, говоришь?!

— Во Франции со мной кое-что случилось, я влюбился, влюбился в Гертруду, а Гертруда влюбилась в меня.

— Так пойди утопись в Темзе. И Манфред будет у вас шафером, а Змея — подружкой невесты.

— Их там не было. Я лгал тебе. Они только привезли и увезли Гертруду. Мы с Гертрудой жили там одни и влюбились друг в друга.

— И слились в экстазе.

— Да...

— Рассказывай это кому-нибудь другому. Ты такой враль, Тим Рид. Ты живешь в выдуманном мире. Мне следовало бы уже привыкнуть к этому. Чего я не понимаю, так это зачем ты рассказываешь эту чушь? Я думала, ты не шутил насчет того, чтобы жить на ее деньги...

— Я вообще ни слова не сказал об этом, это ты говоришь...

— Хорошо... но тогда к чему эта романтическая история? Если хочешь помучить меня, заставить ревновать, почему не придумал что-нибудь более правдоподобное?

— Знаю, звучит невероятно. Просто это правда!

Дейзи воззрилась на него. Тим внутренне затрепетал, но стойко встретил ее взгляд. Он почувствовал, как сдвигается глубинное основание его жизни, сдвигается мягко, будто на шарнирах, перемещается как бы независимо от него, но все же стронутое во тьме его волей. В дивные часы с Гертрудой он никогда не ощущал такого. Потом он почувствовал гипнотическую силу неизбежного. Он наконец действовал, крушил, ломал, открывая путь иному будущему, этим иным будущим намеренно, бесповоротно изменяя собственное и Дейзи существо. В страхе он вытянул руку. Оказывается в руке он держал стакан. Дейзи ударила по стакану, тот упал на пол и разбился.

— Я еще могу понять эту безмозглую сучку, воображающую, что влюбилась в тебя,— сказала она.— Она не слишком умна и еще не оправилась после смерти мужа, хотя, думаю, могла бы найти себе кого получше среди своего окружения. Но то, что ты вообразил, что полюбил ее... это просто невероятно... или тебя действительно интересуют ее деньги. Интересуют?

— Нет.

Тим стряхнул капли вина с ладоней и закатал рукава.

— Откуда у тебя такие царапины на руке? Следы страсти или вы деретесь?

— Упал в заросли ежевики.

— Ты это можешь. Бедный мальчик, бедные синие глазки, он готов заплакать. Он упал в ежевику, и ему так жалко себя. Я б толкнула тебя в нее, если б она росла поблизости. Давай выпьем еще. Держи стакан. Вот черт, в бутылке пусто. Надеюсь, найдется другая. Ага, есть!

Дейзи откупорила бутылку, наполнила стаканы, и они опять уставились друг на друга.

Похоже, думал про себя Тим, он опять влюбляется, только это не любовь, это смерть, любовь наоборот. О господи, он не может терять Дейзи, невозможно, чтобы это случилось. Разве может он терять ее? После стольких лет. Он залпом выпил вино, надеясь опьянеть. И опьянел.

— Тим, начни-ка сначала и попробуй рассказать, что произошло между тобой и Гертрудой.

— Во Франции мы с ней влюбились друг в друга.

— И спали?

— Да.

— Где она сейчас?

— Не знаю...

— Почему не знаешь?

— Она скоро приедет. Мы поехали отдельно. Это тайна...

— Что за тайна?

— То, что мы любим друг друга. Что решили пожениться. Но конечно, еще слишком рано говорить об этом... не знаю даже, произойдет ли это вообще... не знаю, что будет... не знаю...

— Видно, ты не очень много знаешь. Оно и лучше. Ладно, что-то такое случилось во Франции, но теперь закончилось. И ты ждешь, чтобы я простила тебя. Я подумаю.

— Не закончилось...

— Если б я поверила, что ты действительно способен жениться на этой нафаршированной деньгами куропатке, я бы выкинула тебя из окна.

— Дейзи, это тайна, и...

— Отвяжись ты со своими тайнами! По мне, это такая тайна, что ее просто не существует! Я была очень тронута тем, что ты решился жениться на этой сучке, чтобы мы могли жить на ее деньги. А теперь ты похваляешься, что поимел ее во Франции...

— Я не похваляюсь, и, пожалуйста, не...

— И сходишь с ума от радости, что женишься на ней. Нечего сходить с ума в моем доме. Боже святый, неужели ты так жаждешь ее денег?!

— Дело не в деньгах!

— Конечно в деньгах! Чего в ней есть еще? Что еще заставляло тебя торчать на Ибери-стрит со всеми теми погаными занудными буржуями? Кто спорит, деньги — вещь приятная. А Гертруда — это деньги, она и деньги едины, у нее вид денег, она пахнет деньгами...

— Дело не в деньгах!

— Не кричи на меня, *tu veux une gifle?** Ты сказал ей о нас? Глупый вопрос. Конечно нет. Бедный сиротка хочет богатую мамочку и красивый дом!

— Что в этом плохого — хотеть жену и дом?..

---

* Пощечину получить захотел? *(фр.)*

— Меня сейчас стошнит! Давай, что тебя останавливает? Так ты меня винишь, что у тебя не хватало пороху давным-давно бросить меня и найти себе женушку-буржуйку! Слабак. А теперь скулишь! Я-то всегда думала: как хорошо, что ты не какой-нибудь здоровенный буйный самец, но чтобы быть таким слезливым, это...

— Дейзи, хватит, успокойся...

— И ты спал с этой жирной старой сукой! Удивляюсь, как она не придавила тебя, когда навалилась сверху, старая свинья!

— Дейзи...

— Дай мне знать, когда состоится свадьба. Люблю посмеяться... мы из «Принца датского» придем полюбоваться...

— Вряд ли она состоится...

— Как, ты переспал с ней и не хочешь жениться? Вот они, мужчины!

— Свадьба не состоится... это был сон... я имею в виду, мы любили друг друга... но то было во Франции...

— О, мы знаем, что бывает во Франции!

— Она и не вспомнит, не захочет...

— Когда она возвращается? Думается мне, она не вернется. Но эта история меня больше не интересует. И ты меня больше не интересуешь. Отправляйся к своей богатой вдове, а если она тебя не примет, найди себе другую!

— Дейзи, пожалуйста, не злись, пожалуйста, поговори со мной спокойно, я этого не вынесу...

— Пошел ты куда подальше, мерзкий тип, и не возвращайся, убирайся, убирайся!

Карие глаза Дейзи расширились от ярости. Она бросилась на него, и он отскочил назад, сбив стул. Рядом с его головой пролетел стакан и разбился о стену. Дейзи забежала за перегородку, на кухню. Тим поспешил к двери. У его ног разбилась тарелка. Чашка ударила по руке. С лестничной площадки он услышал грохот бьющейся посуды, а следом громкий треск — Дейзи крушила деревянную перегородку. Он помчался вниз по ступенькам.

Оказавшись на улице, он продолжал бежать, пока не начал задыхаться. Он перешел на шаг, оглянулся и быстро пошел дальше. Поравнявшись с отелем «Брук Грин», зашел внутрь и заказал двойной виски. Карманы были набиты деньгами. В голове мелькнуло, что он забыл оставить немного Дейзи. Не так он рассчитывал расстаться с Дейзи, если это действительно было окончательное расставание. Когда он увидит Гертруду, если, конечно, увидит, стоит ли сразу рассказывать ей о Дейзи? Лучше не сразу. Он должен иметь возможность рассказывать о ней как о чем-то давно прошедшем, а потому лучше подождать, пока она не станет прошлым, или хотя бы больше прошлым, нежели сейчас. Но с какого момента она станет прошлым? Господи, вот влип!

Сидя за стаканом виски, он представлял себе Дейзи, и щемящее чувство любви к ней переполняло его. В сравнении с холеной ухоженной Гертрудой, Дейзи была бесприютной лохматой голодной собакой. А разве сам он не был таким же «бесприютным»? Он не хотел быть позорной тайной Ибери-стрит. Не окажется ли так, что, в конце концов, это лучшее, на что он может надеяться в отношениях с Гертрудой? Не «новое начало», а пошлая и постепенно сходящая на нет тайная любовная связь. Он понимал это и одновременно чувствовал, что ничего не может с собой поделать. Знал, что Эрос безраздельно властвует над его любовью к Гертруде.

В пабе был телефон. Он набрал номер квартиры на Ибери-стрит. Ответила Анна Кевидж. Он повесил трубку.

— Мы с вами — официальный комитет по организации торжественной встречи,— сказала Анна.— Наша обязанность никого не пускать к ней!

Она и Граф, стоя в гостиной, смотрели на Гертруду глазами, полными любви. Гертруда, еще не снявшая пальто, лежала в кресле. Было шесть вечера.

— Я оставила Манфреда и миссис Маунт в Париже,— сказала Гертруда.— До того хотелось домой.

— Я так... мы так... рады вашему возвращению! — выговорил Граф.

— А как мы старались подготовиться к твоему приезду! — сказала Анна.— Не правда ли, Граф? Начали сразу, как только получили твою телеграмму. Конечно, миссис Парфитт тоже была тут, но нам хотелось, чтобы все выглядело идеально. Граф взял на день отгул на работе, и мы навели тут блеск, купили и расставили цветы — надеюсь, они тебе нравятся,— в монастыре я иногда украшала цветами часовню.

— Чудесные цветы, чудесные,— сказала Гертруда и подумала про себя: «Боже, я даже не знаю адрес Тима».

Гертруда приехала на Ибери-стрит и нашла там ждущих ее Анну и Графа. Граф отнес ее чемодан и поставил в спальне. Увидев их сияющие глаза, их любовь, их заботу, она почувствовала себя неуверенной и почти чужой, будто квартира ей больше не принадлежала. Не ощущалось, что она вернулась домой, что было странно, поскольку именно ради этого так преданно старались два дорогих ей человека. На каминную полку Анна поставила букет из листьев и ирисов, а на инкрустированный столик — красные и белые тюльпаны в очаровательной вазе.

Граф обратил внимание на усталый и озабоченный вид Гертруды. Почему она развалилась в кресле? Обычно она так не сидит. Какой она кажется хрупкой и беспомощной. Похожей на беженку. Как прекрасны ее волосы, каштановые, блестящие, рассыпавшиеся в беспорядке. Он смотрел на нее, светясь любовью. От нестерпимого желания прикоснуться к ней и невозможности это сделать его переполняли нежность и волнение. Граф был на удивление счастлив и спокоен во время отсутствия Гертруды. Он даже не переживал оттого, что она уехала с Манфредом. Пока ничего не могло с ней случиться. Он чувствовал, что она невредима, неприкосновенна, защищена, и мог, как никогда, предаваться мечтам о ней, любить ее и ждать ее возвращения. Подобное безмятежное ожидание — возможно, счастливейшее из человеческих занятий.

— Нам так не терпелось увидеть тебя,— сказала Анна.

— Ужасно приятно видеть вас! — подхватил Граф.— Но вы, наверное, устали с дороги. Устали?

— Вид у нее измученный,— сказала Анна.— Не хочешь пойти полежать немного?

— Нет-нет, я прекрасно себя чувствую.

А Гертруда думала про себя: Анна потворствовала любви Графа ко ней. Она разрешила ее, высвободила. Возможно, он изливал перед ней душу, и так его любовь стала более публичной и гласной. И сам он стал увереннее, откровеннее. С Анной в союзницах он чувствует, что может выказывать свои чувства. Они загоняют ее в угол. Это сговор, они загоняют ее в угол своей любовью! Но разумеется, это происходит ненароком, они, может, ни словом не обменялись, просто они оба беззаветно любят ее! О господи, разве она не счастливица?

Глядя на них, она чувствовала раздражение, удовольствие, благодарность. И думала: каким Граф стал привлекательным. Надежда красит его.

— Сними пальто, дорогая,— сказала Анна.

— Я повешу,— подскочил Граф.

— Я чувствую себя гостьей! — сказала Гертруда.

— Да, ты гостья, только на этот вечер!

Гертруда скинула пальто. Зазвонил телефон. Анна взяла трубку и назвала номер, потом, озадаченная, опустила ее.

— Странно, то же самое было утром: кто-то звонит и, едва я отвечаю, кладет трубку. Уж не воры ли звонят, чтобы проверить, есть кто дома?

— Нет, просто набирают ошибочный номер.

«Он позвонит завтра утром,— подумала Гертруда,— надо будет выпроводить Анну куда-нибудь».

Телефон зазвонил снова.

— Я подойду,— поспешила сказать Гертруда.

Она вскочила, но потом засомневалась, как ей ответить. Однако это была Джанет Опеншоу.

— Да, Джанет, дорогая, я только что вернулась. Обед завтра? Прекрасно... да-да... буду ждать с нетерпением...

— Все жаждут тебя видеть,— сказала Анна.— Мы едва отстояли тебя на этот вечер. В следующем месяце у тебя все ланчи и обеды будут вне дома, засыпали приглашениями. Возле телефона длинный список тех, кому тебе надо будет позвонить.

— Я этого не выдержу,— сказала Гертруда.— А давайте сейчас пойдем куда-нибудь втроем. Вы же свободны, Граф? Не хочется сидеть дома. Выпьем где-нибудь, а потом и пообедаем.— А про себя подумала: «Если Тим снова позвонит, не сдержусь, расплачусь».

Анна и Граф растерянно переглянулись.

— А я приготовила такой чудесный обед, чтобы не надо было куда-то идти,— сказала Анна,— кое-что такое, что я научилась готовить, пока ты была в отъезде...

— Раз так, то, конечно, останемся, как это мило, ты очень добра... только не возражаете, если мы не будем отвечать на телефонные звонки? Пойдемте сразу в столовую.

— Уверена, ты хочешь сперва что-нибудь выпить, ведь правда? — предложила Анна.

— Не откажусь.

Бутылки больше не стояли на инкрустированном столике. Анна перенесла их на кухню.

Пока они обедали, до них несколько раз доносился телефонный звонок, даже через две закрытые двери. Шедевр Анны, *coq au vin**, удостоился всяческих похвал. Вопросы сыпались один за другим. Атмосфера за столом царила радостно-возбужденная, праздничная.

— Так ты была одна во Франции?

---

* Петух в вине *(фр.)*.

— Не все время. Сначала и немного в конце со мной были Манфред и миссис Маунт. Только в последний вечер неожиданно появился Тим Рид и попросился переночевать. Он путешествовал по Франции как художник.

— Тим? — переспросил Граф.— Очень рад, что он куда-то поехал на каникулы.

— Он хотя бы хорошие картины пишет? — поинтересовалась Анна.

— Я как-то купил одну,— рассмеялся Граф,— просто чтобы поддержать его. Она называлась «Три дрозда в паточном колодце»! Ничего в ней не понял, как ни пытался.

— Огромное удовольствие получила от обратной поездки,— сказала Гертруда,— вот только на этот раз Манфред ехал медленно и останавливался у каждого собора! А теперь расскажите, как вы тут жили без меня.

— У Анны болел зуб,— поведал Граф.

— Сейчас уже не болит...— успокоила Анна.

— Бедняжка, ты была у дантиста? Тебе надо сходить к нашему, Сэмюелю Орпену, очень хороший дантист, он в каком-то родстве с Гаем. А как прошло твое уединение? Вы знаете, Граф, что Анна укрылась в Камбрии и жила там в полном одиночестве? Не помню, когда была Пасха. Ты ездила туда на Пасху?

— Да.

— Ходила в деревенскую церквушку?

— Нет.

Гертруда взглянула на Анну. Та была в черном платье, которого Гертруда на ней еще не видела. Она выглядела похудевшей и похожей на птицу, не менее красивой, чем прежде, но осунувшейся, как будто постилась. Верно, постилась. Какие они непостижимые, эти монахини!

— Хотелось бы мне иметь религиозное воспитание,— сказал Граф.— В Польше Пасха — это прекрасное время, народ ликует. Религия так важна. Верующие видят в жизни особое содержание.

— Думаю,— заметила Анна,— у Графа романтический взгляд на религию, потому что он поляк!

— Да, полагаю, в этом поляки очень похожи на ирландцев и испанцев,— поддержала ее Гертруда.

— Вовсе нет! — возразил Граф.— Ирландцам недостает гордости, а испанцам — чувства патриотизма.

— На мой взгляд, ваше чувство патриотизма из разряда мистических,— сказала Гертруда.— Всегда считала поляков людьми не от мира сего, нереалистичными.

— Пилсудский в тысяча девятьсот тридцать третьем году хотел захватить Германию. Или это не реализм?

— Уж не хотел ли он захватить ее в одиночку? — поинтересовалась Анна.

— Нет, вместе с Британией и Францией, только они его не поддержали.

— Были слишком реалистами! — сказала Анна.

— Поляки вечно обсуждают свою историю,— заключила Гертруда,— они как ирландцы. Нам нужно возвратиться в тысяча двести сорок первый год, чтобы понять, на каком мы свете!

— Ты часто возвращаешься? — спросила Анна.

— Нет... но, бывало... Вы не собираетесь в Польшу нынешним летом? — обратилась Гертруда к Графу.

— Нет... то есть... пока еще не думал о планах... на это лето...

— Хотелось бы побывать в стране, где есть город, что и не выговорить: Лодзь. Анна, дорогая, не поищешь нам еще бутылку?

Граф подумал: вот бы Гертруда поехала с ним в Польшу. Возможно ли такое, поедет ли она? В его силах спросить ее, только надо сделать это с беспечным видом, а не с серьезным, будто это важно для него. Конечно, нельзя ничего говорить ей о пожелании Гая — но можно предложить поехать со мной ненадолго. Почему бы не предложить? Похоже, ей это интересно. Боже, я показал бы ей памятник жертвам войны и мемориал в гетто, место, где была Равякская тюрьма и комнаты в старом здании гестапо, и... Потом он подумал, что первые места, пришедшие ему в голову, все печальные или ужасные. Опечалится ли она? Гертруда увиделась ему в скорбной Варшаве подобной Христу, сходящему во ад. Не тот ли это ответ, которого он ждал и не находил? Ответ, событие, слепящий свет. Все ужасное, печальное внезапно соединится со счастливым. Произойдет великий акт спасения. Христос воскреснет.

Он улыбнулся Гертруде; его волосы цвета соломы блестели под яркой лампой, бледное лицо казалось гладким, как слоновая кость, а голубые глаза сияли ясным светом чистой любви и радости. Анна тоже улыбнулась, умиротворяюще, приветливо, обратив к ней спокойное лицо.

А Гертруда говорила себе, что это, наверное, действие вина, но она вдруг почувствовала, что все будет хорошо. Она думала о Тиме. И о Графе с Анной. И что так или иначе, но все будет хорошо.

— Все будет хорошо,— сказала она.

— Все будет хорошо,— подхватил Граф.

— Что бы ни случилось, все будет хорошо,— сказала Анна и засмеялась, остальные засмеялись вместе с ней.

Тим и Гертруда стояли в его студии. По застекленной крыше тихими лапками топотал дождик, сквозь стекло сочился мягкий жемчужно-серый свет. Они смотрели друг на друга огромными глазами, словно видели перед собой привидение. Потом шагнули навстречу и медленно, осторожно обнялись, тесно прильнули друг к другу, закрыв глаза и не спеша с поцелуем.

Тим позвонил в девять утра. Он бы позвонил и раньше, да только не мог отыскать будку с исправным телефоном. Гертруда в этот момент сидела у Анны и уговаривала подругу примерить кое-какие украшения. Ей хотелось, чтобы Анна была чем-то занята, и тут раздался звонок. Она как раз спрашивала себя, что делать со своей жизнью и душой, если не дождется его, когда телефон зазвонил. Гертруда пошла к телефону, закрыла обе двери и, услышав голос Тима, просто сказала: «Где ты? Я сейчас приеду». Тим назвал адрес, и Гертруда опустила трубку. Сказала Анне, что ей нужно повидаться с социальным работником по неотложному делу, выскочила из дому и поймала такси.

И вот они вдвоем. Их окружал космос. Их ограждали стены. Они могли дышать близостью друг друга, видеть, осязать и чувствовать время, отмеряемое ударами их сердец. Было какое-то сладостное наслаждение в молчаливости и медлительности их свидания, и странная, почти загадочная полуулыбка была доказательством, что они не грезят.

— И все-таки сбылось? — проговорил наконец Тим, слегка отстраняя Гертруду, чтобы снова посмотреть на нее.

— Да. Сбылось. Я так волновалась...

— И я!

— Но теперь все хорошо.

— Я боялся, ты забудешь меня.

— Я тебя помню. Ты Тим. Дай взглянуть на твои руки.

Она расстегнула манжеты и закатала рукава его рубашки. Худые запястья, покрытые рыжими волосами, тонкие руки, на которых еще виднелись следы глубоких царапин. Она расстегнула пуговички на его вороте и нежно провела ладонью по волосатой груди.

Тим разглядывал ее с сумасшедшей насмешливой радостью.

— Да. Я помню тебя. Моя милая. Сними плащ. Дай его мне. Ну и ну, весь мокрый.

Он повесил плащ на спинку стула.

— Таксист не смог найти дома, и я...

— Люблю тебя.

— Да... да...

— Давай присядем. Хочу смотреть на тебя. Упиваться тобой.

Он усадил ее на стул, сам сел напротив — как они сидели, соприкасаясь коленями, в тот первый вечер в гостиной в «Высоких ивах». Он расстегнул ее серо-коричневый костюм, коснулся груди, потом снова запахнул. Оба вздохнули и наклонились друг к другу, держась за руки.

Тим сказал:

— Я очень хочу тебя, но здесь никак. Брайан, хозяин гаража, любит заходить ко мне. Кроме того, мы тут вроде как живем совместно с одним парнем. Сейчас его нет, но может появиться.

Тим, конечно, думал о Дейзи, что она может нагрянуть. Это было маловероятно. Не в ее привычках было заглядывать к Тиму. Она почти всегда сидела мрачнее тучи у себя в квартире или просто ждала его в «Принце датском». Но теперь ей вполне могло взбрести в голову заявиться, из чистого упрямства. Тим представил себе картину: он в постели с Гертрудой, а в дверь барабанит Дейзи, и похолодел от ужаса. Собственно, поскольку существовал такой риск, он решил вообще не встречаться с Гертрудой в студии, но когда она по телефону неожиданно спросила адрес, он назвал его, в волнении не сумев придумать отговорки. Долго оставаться здесь было нельзя, слишком опасно. Но куда в целом свете они могут пойти?

— Я счастлива, что люблю тебя, и ничего не могу с собой поделать,— сказала Гертруда.

— И я счастлив. Но не совсем представляю, что нам делать. Наверное, просто ждать. А ты что думаешь, милая, дорогая, королева Гертруда?

— Я... не знаю...— беспомощно ответила Гертруда, и тихие слезы подступили к ее глазам.

— Мы не подумали об этом, правда? — сказал Тим.— Слишком неожиданно пришлось расстаться, вдобавок ко всем тем разбитым яйцам. У нас просто времени не оставалось на это. Не плачь, любимая.

Гертруда взяла руку Тима и утерла ею слезы.

— Как бы то ни было,— сказала она, как на том давнем «совещании»,— главное нам ясно.

— Ясно?

— Разве нет?

— Что ты имеешь в виду?

— Ну, что мы любим друг друга...

— Да, да, да. Мы постоянно говорим это, и это так. Но... что нам?..— Тим замолчал, думая про себя, что да, они любят друг друга, в этом, слава богу, нет никакого сомнения, но теперь она в Лондоне и может решить. Он сказал: — Возможно, ты решила, что хочешь простой любовной связи, а не другого, непреходящего. Если так... то скажи... скажи сейчас...

— Ты хочешь просто любовной связи?

— Нет.

— Я тоже не хочу. Я хочу другого, вечного.

— Прекрасно. Ты была права тогда, во Франции. Или все, или ничего. Но, Гертруда, дорогая, я...

— Что?

— Я вижу цель, но не вижу, как ее достичь. Мне невыносимо быть вдали от тебя, даже мгновение. Я бы хотел, чтобы мы с самого начала не скрывались. Наверное, следовало тогда, во Франции, сразу открыться Манфреду и миссис Маунт...

— Мы не могли...

— Меня пугает, что мы все держим в тайне. Я боюсь потерять тебя. И предпочел бы жениться не откладывая. Можем мы пожениться завтра или на следующей неделе?

— Нет, Тим...

Они смотрели друг на друга и сосредоточенно думали.

Тим думал о том, что должен оберечь ее, но как это сделать? Тут ничего нельзя утаить.

— Мы могли бы пожениться и держать это в тайне.

— Нет, Тим.

Тим снова задумался. Господи! Надо немедленно уходить отсюда, ему постоянно чудятся шаги Дейзи на лестнице. Но где еще, черт побери, они могут хотя бы держаться за руки? Он с ума сойдет. Или рассказать ей о Дейзи? Нет, не сейчас, когда они только встретились снова, и без того у них слишком много проблем. Пусть все немного утрясется, а потом он постепенно признается. Ему нужно переосмыслить свои отношения с Дейзи, взглянуть на нее в истинном свете (то есть более критически), прежде чем что-то говорить Гертруде, нужно быть безразличным, иначе она подумает, что это серьезнее, чем есть на самом деле. Как все ненадежно, ему необходимы прочные супружеские отношения с Гертрудой, а она, возможно, в конце концов решит, что ее устроит и любовная интрижка. Боже! Если теперь она бросит его, он умрет.

Я так сильно люблю его, думала Гертруда, но что я могу предложить? Он должен был бы сам все понять, но она даже не знает, как его спросить об этом. Она не может выходить замуж так скоро после смерти Гая, это немыслимо. Даже она не может себе этого представить, что же скажут другие? Она еще носит траур, и она действительно в трауре, все ее существо не знает ничего другого. От этого не уйти, она обязана хранить верность Гаю, свою неизбывную любовь к нему среди этой новой данности, и это — данность, она не выбирала ее, не искала, эта данность просто существует. Да простит ее Бог. Да простит ее Гай. Она не может ни выйти за Тима, ни допустить, чтобы все или хотя бы что-то открылось, и это будет продолжаться еще долго, они просто должны ждать. Поймет ли он? Она не хочет, чтобы он страдал или сомневался в ней. У него может возникнуть столько сомнений, что он сбежит. Вдруг он подумает, что она всего-навсего боится «шайки» родственников? И ей вспомнились оскорбительные слова Тима: «Как же они удивятся, если узнают, что ты завела любовника». Она не может предстать перед ними в таком качестве, она, Гертруда. И это не пустое самолюбие, а нечто более глубокое. Как это объяснить ему?

Тим же мысленно говорил себе, что ее слишком заботит, что подумают другие. Но разве то, что те подумают или сделают, может разлучить их, уничтожить его, прогнать прочь?

— Я не бог весть какое сокровище, Гертруда,— сказал он.— Они удивятся: что это она связалась с таким ничтожеством?

— Прекрати, Тим...

— С таким лжецом, ворюгой. Ты знаешь, что я подворовывал у тебя еду из холодильника? Не очень-то это романтично — связаться с парнем, ворующим еду из твоего холодильника.

— Ты так голодал? Бедняжка.

— Бедняжка Тим. Это лучшее, что они могут обо мне сказать.

— Выкинь ты их из головы. Не в них дело.

— Знаю. В Гае.

— Да.

— Понимаю,— кивнул Тим и подумал: почему бы Гаю не разлучить их, не уничтожить его, не прогнать прочь? Когда романтические чувства чуть поостынут, она задумается: Гай был вот такой-то, а Тим — вот какой. И сама себе удивится.

— Рада, что понимаешь,— сказала Гертруда,— мы должны подождать.

— Подождать так подождать. Я сойду с ума. Но это пустяк. Я уже был на грани, когда мы расстались. Звонил тебе, никто не отвечал, потом эта Анна ответила, потом опять молчание. Я решил, ты передумала! Когда ты вернулась? Где была вчера вечером? Я ничего не знаю. Не знаю, привезли ли тебя в Лондон Манфред с миссис Маунт? Боже, как я ревновал к Манфреду, увозившему тебя на своей машине! Такой важный, такой красивый, да еще с такой огромной машиной...

— Не волнуйся насчет Манфреда. Из Парижа я летела самолетом, а они поехали дальше, на пароме. Я практически не сэкономила время, но просто хотелось избавиться от них. А вчера вечером я сидела у себя дома с Анной и Графом.

— И не ответила на звонок! Я с ума сходил!

— Прости... они были рядом, а при них говорить было нельзя, я даже расплакалась...

— И ты обедала с этой парочкой. Что ж, сегодня обедаешь со мной!

— Тим, не могу, я приглашена на обед к Стэнли и Джанет, отказаться нельзя.

— А, черт!.. Почему нельзя... проклятье! В конце концов они отберут тебя у меня. Их много, я один.

— А ты что делал после моего отъезда?

— Через полчаса меня уже не было в доме. Я переночевал в деревенской гостинице. Потом автобус, поезд, самолет до Лондона, и прямо из аэропорта начал звонить тебе.

— Значит, вот где ты живешь. Я еще даже не осмотрелась.

— Эта комната не моя, я тут временно и скоро должен буду съехать; хозяина зовут Джимми Роуленд...

Гертруда ходила по чердаку, осматривая его. Тим успел спрятать подальше рисунки кошек. Достал несколько своих лучших работ, из старых, и расставил в разных местах. Он попробовал взглянуть на мастерскую глазами Гертруды. Мастерская выглядела романтично. Но для романтических свиданий не годилась. Скоро придется сказать Гертруде, что он должен съехать отсюда. Когда-нибудь заявится Дейзи. Не поможет ли ему Гертруда найти квартиру? Где он будет сегодня вечером? В «Принце датском»? Жизнь лишается своей упорядоченности, теряет смысл. И сейчас Тим впервые понял, сколько упорядоченности и смысла было в его, казалось бы, ненормальной жизни.

— Мне нравится этот рисунок,— сказала Гертруда, указывая на рисунок мальчика, наливающего вино из бутылки.— И тот этюд.— Это было откровенное подражание Эрнсту: птица на приятном голубом фоне беспорядочных горизонтальных мазков.— И вот этот тоже.— Она имела в виду один из кошачьих портретов, пропущенных им при уборке.

— А, это ерунда.— Тим поспешно повернул его лицом к стене.

— Нет, мне очень нравится. Ты замечательный художник.

— Гертруда, дорогая, ты ничего в этом не понимаешь!

— Ты будешь продолжать писать картины, не правда ли, продолжать и продолжать?

— Когда я... Ох, Гертруда, ты ломаешь мне жизнь, уничтожаешь ее. Я не против, я рад. Ее надо сломать, уничтожить. Но мне придется начать все сначала.

Да, это та чистота, которой он жаждал, думал Тим. Ему суждено погибнуть и возродиться, он воссоздаст себя заново, с ее помощью. Да будет так.

Гертруда бесстрашно выслушала его, и Тиму понравилось ее самообладание.

— Но ты начнешь все снова как художник, не бросишь живопись?

— Не брошу. Ах, Гертруда, до чего необычно и прекрасно видеть тебя здесь, это как чудо.

Он не сводил с нее прищуренного взгляда. Она потрясающе смотрелась на фоне студии — это походило на смелый коллаж. Холеная, бронзовая от загара Гертруда в серо-коричневом костюме, голубой блузке с высоким воротничком и круглой золотой брошью. Он бросил взгляд на ее изящные неброские дорогие туфли, на скромную кожаную сумочку. Неужели это его возлюбленная?

— Ты моя возлюбленная?

— Да, Тим.

— Надеюсь, это так. Но я имею в виду, что все рушится... все мои привычки, все мое время... ты ворвалась, как торнадо, от прежнего ничего не осталось, все теперь другое, будет другим, когда мы... Знаешь, пойдем отсюда. Дождь перестал. Который сейчас час? О, они уже открылись. Пошли в паб. Тебе надо привыкать сидеть в пабах, когда...

Будут ли они ходить в пабы? Как они будут проводить время? Нет, и правда невозможно представить их женатыми.

— В паб? Сейчас? Так рано?

— Почему не пойти? А что еще делать? Собирайся, надевай плащ.

Гертруда повиновалась.

Значит, она слушается его, делает, что он велит. Где пределы его власти над ней? Возможность командовать Гертрудой оказалась для Тима новостью. Это было почти забавно. Ему пришла в голову мысль.

— А потом... знаешь, что мне хочется сделать? Пойти на Ибери-стрит. Хочется побыть в той квартире, вместе с тобой, я имею в виду — просто побыть там. Ты не против? Это важно.

— Знаю,— ответила Гертруда,— и понимаю, что твоя жизнь разрушена. Я... моя жизнь тоже разрушена.

— Дорогая... прости... я...

— Нет-нет, так и должно быть. Но на Ибери-стрит мы пойти не можем, там Анна.

— Разве это причина?

— Я думала, ты не захочешь.

— Я боюсь Анны. Чувствую, она станет убеждать тебя бросить меня. Но мне не избежать встречи с ней. Я не должен стать слишком большим сюрпризом для них! Пришло время понять им, что мы с тобой теперь как бы друзья!

Он прав, подумала Гертруда. Он должен там появиться, и будто случайно. Но что им стоит догадаться? И Анна — ведь не попросишь ее переселиться в другое место. Да еще обед со Стэнли с Джанет сегодня вечером. Ну и что, то, как она жила раньше, привычки, светские обычаи отныне ничего не значат, она не распоряжается своим временем, своим днем, все идет кувырком. Хорошо ли это, правильно ли? Как же разрушительна любовь!

— Пойдем на Ибери-стрит,— сказал Тим.— Пойдем сейчас. Там и выпьем. Вместе с Анной.

— Мария Магдалина наоборот! — сказала Гертруда, высыпая на кровать перед Анной содержимое своей шкатулки с украшениями, и обе засмеялись, как в прежние времена, сумасшедшим смехом, напоминавшим о студенческих годах и о том, что их жизни связаны навсегда.— Милая моя, нельзя носить это черное платье без украшений,— продолжала она, раскладывая украшения по двум кучкам. В одной, как догадывалась Анна, оказались вещицы, подаренные Гаем. Из другой Гертруда вытаскивала то одно, то другое, что, по ее мнению, могло подойти Анне.— Это тебе, нет-нет, не отказывайся, у меня, как видишь, их и без того слишком много.

По настоянию Гертруды Анна снова надела черное платье. Гертруды сейчас не было, ушла на встречу со своим социальным работником, и Анна сидела одна перед зеркалом. На шее — ожерелье из темного янтаря с длинной янтарной же подвеской, которая светилась магическим красноватым светом. Невысокий стоячий воротничок платья скрывал ее маленький золотой крестик. Светящаяся подвеска красиво лежала на груди Анны.

Она посмотрела на свое тонкое лицо и узкие глаза. Сидя перед зеркалом, она погрузилась в задумчивое созерцание. Гертруда согласилась, что ее гладкая, как бы тихо светящаяся кожа не требовала никакой косметики. Плотно сжатые бледные губы едва отличались цветом от лица. Тусклые светлые волосы были коротко острижены, что придавало ей мальчишеский вид, вовсе ее не раздражавший. Лоб был чист и гладок, как и тонкая удлиненная шея. Облегающее, прекрасного покроя черное платье очень шло ей, и Гертруда была права, ожерелье просто просилось к нему.

Анна сидела, смотрясь в зеркало, спокойная, расслабленная, руки безвольно опущены, губы разжаты. Но мысль ее сосредоточенно работала, осознавая податливое неподвижное тело. Оно словно бы обладало некой тайной свободой, о которой сознание ничего не ведало. Она посмотрела на свою голову и представила ее такой, какой она была долгое время: в белом повое и черном покрывале, в которые она ловко укутывалась каждый день в своей крохотной келье, торопливо обряжаясь в предутренних сумерках. Анна взглянула на часы. Она точно знала, что сейчас делают в монастыре, готовясь к любимому, святому богослужению. «Ты надеваешь Христа, как облачение». Одежды можно снять и отложить в сторону. Не отбросила ли она сущностное, сохранив несущественное, обрекая себя на неизбежное разрушение личности? Очень вероятно.

Мария Магдалина наоборот! Очень удачное сравнение. Теперь в ней пробудилось тщеславие, она чувствовала, как оно крутится и вертится в ней, высовывает наружу головку. Чувствовала, как разгорелись прежние желания. Она вновь стала думать о себе как о привлекательной женщине, вполне еще молодой. А подобные мысли ей ни к чему, даже вредны.

Бегство в Камбрию пользы не принесло. Недоставало привычной домашней рутины, какого-то глубинного размеренного ритма души. Оказавшись одна в коттедже, она придумала себе занятия и старалась выполнять их, но это показалось ей бессмысленным, несерьезным и, в конце концов, скучным. Даже от новых впечатлений не было никакого удовольствия. Старые молитвы непрошено звучали в ушах, словно их бесы нашептывали. Она с ужасом смотрела на сырые серые камни дома, и уединение, которого она жаждала, не спасало ее. Когда подошла Пасха, время от Страстной пятницы до Светлого воскресенья тянулось, казалось, бесконечно. Она столько раз следовала за Христом по Крестному пути, по пути страданий, озаренных светом космического триумфа. Теперь даже то, что она наконец ощутила (как говорила себе), что он страдал страшно и просто умер, было пустым, умозрительным утешением. Происходившее с ней было еще хуже, это было не выразимое словами отвращение, испытываемое всем ее существом, которое усиливалось в это время под действием старой бессмысленной духовной химии. Впервые в жизни она ощутила страх перед собственным разумом, живущим, словно раковая, постоянно разрастающаяся опухоль, независимой самостоятельной жизнью. Сильной Анне никогда в голову не приходило, что ее постигнет кризис. Настоятельница предостерегала, она и сама себя предупреждала, что настанет черное время, черная ночь, ночь тупика. Конечно, размышляла она, ей не избежать депрессии. Но не предвидела вот этого сухого отчаяния, когда обманом зрения перед ней вспыхивали невероятные и чудовищные образы. По ночам она испытывала непонятные страхи. Она вернулась в Лондон раньше запланированного. Здесь она каждый день ходила по улицам, пока не оставалось сил ни о чем думать. Купила черное платье. Ей немного полегчало, и тогда она поняла, что с нетерпением ждет возвращения Гертруды.

Зазвонил телефон. Анна вскочила и бросилась в гостиную. Назвала номер, как это делала Гертруда, которая переняла это от Гая.

— Извините... это Анна?

— Да. Граф? Доброе утро!

— Анна... а... а Гертруда дома?

— Ее нет. Она встречается с какими-то социальными работниками. Ей что-нибудь передать?

— Нет. Именно вас я и хотел видеть. Послушайте, я сейчас на вокзале Виктория. Могу я заглянуть на минутку? Хочу сказать кое-что.

— Конечно. Жду вас.

Анна опустила трубку и стояла, переводя дыхание, прижав руку к груди, к янтарной подвеске. Голос у Графа был такой взволнованный. Или ей показалось? Наверное, это какой-то пустяк, банальность, маленький подарок, которым он хочет удивить Гертруду, или что-то подобное.

Спустя несколько минут раздался звонок, она нажала на кнопку, отпирая уличную дверь, и услышала шаги Графа на лестнице. Открыла ему.

— Входите. Что произошло? У вас взволнованный вид, что-то случилось?

Граф прошел в гостиную. Снял свой черный плащ, едва смоченный дождем, подержал в руках, а потом бросил на пол. Анна не стала поднимать его. Она напряженно вглядывалась в беспокойное лицо Графа. А тот, не сводя с нее глаз, неожиданно улыбнулся кроткой извиняющейся улыбкой.

— Анна, я виноват. Простите, что напугал вас.

— Да, напугали. Что происходит?

— Не знаю, что и думать,— ответил Граф,— и, вероятно, мне не следовало тревожить вас, но мне было просто необходимо спросить у вас кое о чем. Я позволил себе... я должен сейчас быть в офисе...

— Граф, говорите все, ничего не таите. Позвольте помочь вам.

— Вы такая замечательная... и потому что вы... я всегда это чувствовал... так беспристрастны, умны...

— Да говорите же!

— И вы так любите Гертруду и так хорошо знаете ее. Думаю, она доверяет вам, как никому другому.

— Это касается Гертруды?

— Да.

Анна опустилась на стул. «Гертруда больна раком,— пронеслась мысль,— а мне никто не сказал». В глазах у нее потемнело.

— Гертруда больна, серьезно больна?

— Нет-нет, ну что вы!

— Пожалуйста, присядьте, Граф, и объясните.

Граф не стал садиться. Он отошел к окну, посмотрел на дождь, на Ибери-стрит. Потом вернулся и взглянул на Анну.

— Возможно, я не должен этого делать. Возможно, следует игнорировать подобные вещи. Но я так не могу, не могу...

— О чем вы, ради всего святого?

— Я получил анонимное письмо... касающееся Гертруды...

— Но... что в нем?

— Вот, взгляните.— Он извлек из кармана листок бумаги и протянул Анне.

Она развернула его. Напечатанное на машинке и не подписанное послание было коротко: «У Гертруды роман с Тимом Ридом».

Ее словно ударили, так велико было потрясение. Чудовищно!

Анна приложила ладони к пылающим щекам. Придя в себя, она воскликнула:

— Не верю! Это ложь! Отвратительная шутка. Это не может быть правдой!

— Рад, что вы так говорите,— мрачно кивнул Граф.— Это мне и хотелось услышать. Моя первая реакция была такой же. Но потом... если это ложь, то почему именно такая, если шутка, то весьма странная. А вы сами... простите меня... Гертруда ничего вам не говорила?

— Нет, конечно нет! Это немыслимо! Когда вы это получили?

— Сегодня утром. Отправлено прошлой ночью из Центрального Лондона. Вот конверт.

— Невероятно,— сказала Анна,— кто бы мог пойти на такое? Какая мерзость!

— Да... пакость. Мне хотелось порвать его и постараться забыть о нем, выбросить из головы... но я не смог. Я очень огорчился, а потом почувствовал, что должен спросить вас, не знаете ли вы...

Гертруда ошиблась, вообразив, что Граф излил душу Анне. Он ничего не сказал ей о своей любви. Но Анна, разумеется, все поняла некоторое время назад, когда Граф зашел к ним после их возвращения с севера и стоял перед Гертрудой, дрожа и не сводя с нее беспомощного взгляда. И снова она увидела нечто подобное совсем недавно после собственного возвращения, еще несомненней и ясней, когда Граф сперва позвонил узнать, когда приезжает Гертруда, а потом пришел поприветствовать ее. Он был так счастлив тогда. Анне не нужно было и говорить, сколь глубоко и нежно Граф любит ее подругу.

— Анна, дорогая,— проговорил Граф,— неужели это правда?

— Не знаю, но выясню и дам вам знать.

Ее деловой тон, похоже, еще больше встревожил Графа. Видно, его резанула эта деловитость, словно он для того забежал к Анне, чтобы сделать из нее доносчицу.

— Нет, я не этого хотел... а лишь спросить вас, не знаете ли вы чего... лучше будет ничего не говорить... считаю, следует просто игнорировать анонимные письма, уничтожать, я порву его...

— Нет, не надо, сохраните.

— Но если вы уверены, что это неправда... Гертруде будет так больно думать, что мы всерьез... я хочу сказать, мы не можем поверить, что она... так скоро после... совершила такое... и с кем...

— Не тревожьтесь, Граф. Оставьте мне разбираться в этом. Вы правы, нельзя игнорировать подобные вещи, необходимо все выяснить. Не волнуйтесь. Вероятно, это просто чья-то необъяснимая ненависть, что-то такое, чего нам с вами никогда не понять, или же...

— Вы уверены, что это неправда?

— Да. Но я хочу лишний раз убедиться в этом, и лучше сделать это не откладывая.

— Вы не расскажете ей о письме или о том, что я приходил?..

— Оставьте это дело мне. И возвращайтесь-ка на службу. Так будет лучше всего.

Графу не торопился уходить. Ему хотелось остаться, чтобы его успокаивали, говорили, как это все ужасно. Но Анна подняла с полу его плащ и проводила до двери.

— Вы позвоните мне в офис? Я напишу номер телефона.

— Не обещаю,— ответила Анна.— Хотя ладно, позвоню. Только перестаньте терзаться, идите и работайте. Идите, идите.

Граф ушел.

Анна вернулась в гостиную. Да, забавное предположение. Она вспомнила, как застала Тима Рида на кухне Гертруды: одна рука шарит в холодильнике, в другой пакет с украденной едой. Их глаза встретились. Он раскрыл рот от неожиданности, на лице виноватое выражение. Она нахмурилась и вышла из кухни. Ее Гертруда, королева, и это ничтожество? Нет.

Анна пошла в спальню. Сняла с шеи ожерелье и положила на туалетный столик к другим украшениям, которые Гертруда хотела подарить ей. Потом сняла черное платье и переоделась в старое голубовато-серое с белым воротничком. Тронула щеку, почувствовав зубную боль. Да, нужно пойти на прием к Сэмюелю Орпену. Ей вспомнился угрюмый монастырский дантист, который, устанавливая ей замысловатый мост, признался, что утратил веру. Она посмотрела на стопку книг. Их у нее было не много: требники, латинские авторы. Большую часть она, уходя, оставила. В монастыре книги не делили на свои и не свои. Гертруда предложила ей книжный шкаф, но она предпочла сложить их на столе без всякого порядка. Она подержала в руках латинскую грамматику и положила обратно. Романы читать она больше не любила. «Эдинбургскую темницу» так и не дочитала. Плохо, что у нее не было каких-то систематически дел. Вообще, многое теперь было плохо. Она жила в постоянном лихорадочном состоянии подавляемого возбуждения и страха, возможно, от ожидания ночи, когда темнота играла с ней чудовищные шутки. Дьявол присутствовал в ее жизни и, казалось, порой брал на себя обязанности Бога. Она подумала об ужасном письме. Оно тоже было из серии ее кошмаров.

Анна покинула спальню и принялась бродить по квартире. Зашла в комнату, в которой лежал больной Гай и где он умер. Гертруда убрала кровать, наверняка продала. Небольшая комната теперь лишилась своей индивидуальности: чистая, прибранная, с остатками мебели, в том числе книжным шкафом, который Гертруда хотела переставить к Анне. Гертруда разрознила библиотеку Гая, какие-то тома отдав Графу. Она избавилась от всего, что было в квартире связано с Гаем, слишком болезненные воспоминания это вызывало. Анна не забыла разговор с Гаем, его ястребиный профиль и блестящие глаза, его стремление к точности мысли и его адские страдания. Порок однообразен и естествен, добродетель исключительна, оригинальна, неестественна, тяжела. Гай догадался бы о ее дьяволе, ее монстре. Он тоже сторонился бестолочи жизни. Его добродетелью была точность. Она была его истиной. Жажда справедливости — его очень личной заменой святости. Он трудился ради других, ради семьи, был добр, великодушен и порядочен, но не ставил себе этого в заслугу. Требование определенности и ясности он в равной мере предъявлял и к себе, в соответствии с этим втайне судя и себя. Мысль, что он собирался признаться ей в чем-то, теперь казалась не более чем романтическим предположением. Вероятно, он просто хотел назвать вслух кому-то определенные слова: справедливость, чистилище, страдание, смерть. Хотел почувствовать, что их точный смысл присутствует где-то, сохраненный кем-то, хотя бы одно мгновение реально сформулирован. Он лежал здесь в последнем гаснущем свете сознания, думая, пытаясь что-то прояснить для себя, что-то понять. И однажды все кончилось, лихорадочный зудящий электрический ручеек иссяк, искра погасла, комната опустела, и Гертруда завыла, как раненый зверь.

На лестнице раздались шаги, звякнул ключ, вставляемый в замок, и Анна быстро и с виноватым видом вышла из комнаты. Появилась Гертруда, но не одна, а с мужчиной. С Тимом Ридом.

Тим и Гертруда были красны от смущения и нервно улыбались.

— Я тут встретила Тима. И пригласила зайти выпить стаканчик.

— Дождь еще идет? — спросила Анна.

— Нет, кончился.

— Входите. Я принесу выпить.

Они оставили плащи в прихожей. Анна сходила за бокалами и шерри, вермутом и джином.

— Думаю, можно оставить бутылки на инкрустированном столике, как было всегда,— сказала Гертруда.— Ни к чему каждый раз уносить их.

— Постараюсь запомнить. И виски тоже принести?

— Нет, шерри — то, что нужно. Шерри, Тим? Тебе что-нибудь налить, Анна?

— Нет, не хочется.

— Не увлекаетесь? — улыбнулся Тим.

— Ну, не совсем.

— На севере, когда мы с ней там были, Анну за уши было не оттащить от местного сидра.

— В Лондоне тоже можно найти хороший сидр,— сказал Тим.— Я знаю местечко на Харроу-роуд.

— Правда, восхитительные цветы? Это Анна у нас такая мастерица составлять букеты.

— Да, восхитительные.

— В монастыре обычно она этим занималась.

— Ну, не одна я,— заметила Анна.

— Они чудесны,— сказал Тим. Улыбнулся Анне и снова повернулся к Гертруде.

А та слегка отодвинулась от него и деланым жестом коснулась каминной полки. Потом быстро взглянула на Тима и снова отвела глаза.

Так это правда, пронеслось в голове у Анны, и чувство ужаса перед жизнью накатило на нее, как приступ тошноты. Это была та горячка, бестолковость жизни, от которой она бежала в монастырь и которую Гай так хотел изгнать, как бесовщину, педантично верша над ней свой личный суд.

— Ты не хотела оставить его на ланч? — спросила Анна.— Я все пыталась угадать, что ты задумала.

Тим ушел, после того как они поболтали двадцать минут.

— Нет-нет, я его пригласила только выпить. Приятный парень, правда? Кстати, а что у нас на ланч, есть что-нибудь?

— Есть, со вчерашнего дня осталось.

— Твой шедевр? Холодный он должен быть изумителен. Или лучше разогреем?

— Ты оставайся и допивай. Я все сделаю.

— Ты ангел.

Анна заранее решила ничего не говорить Гертруде об анонимном письме. Она даже сердилась на Графа за то, что он показал ей его. О подобной грязи не следует распространяться. Мог же он просто сказать, что, мол, «ходит слух»? Но подобная разумная уклончивость, подобная тактичная ложь были не в характере Графа. В голове Анны крутился вихрь сердитых, сумасшедших, горьких мыслей, в крайнем раздражении она гремела тарелками. А Граф между тем сидит на работе, мучаясь и ожидая ее телефонного звонка. Возможно, интуиция подвела ее. Остается только надеяться, что сейчас Гертруда сама ей все расскажет. А если не расскажет?

— Что с тобой, Анна, ты чем-то расстроена? — спросила Гертруда, стоя в дверях кухни с бокалом в руке.

В ее тоне и позе сквозило какое-то наигранное спокойное безразличие. Мы начинаем удаляться друг от друга, думала Анна. Она начинает обращаться со мной, как со служанкой. Потом она решила, что думать так — безумие. Значит, не служанка? Тогда кто я теперь?

— Пожалуй, я все-таки выпью,— сказала Анна.— Ланч может немного обождать. В любом случае от меня тут ничего не требуется.

Они вернулись в гостиную, и Анна налила себе шерри. Гертруда налила себе тоже.

Они стояли друг против друга у разных концов каминной полки и прихлебывали из бокалов; каждая, хорошо зная подругу и обладая пытливой чуткостью, старалась проникнуть в ее мысли. Анна смотрела на обезьяний оркестр, Гертруда — на составленный Анной букет из голубых и белых ирисов с зелеными веточками самшита.

Гертруда проговорила примирительным тоном, поняв реакцию Анны на свое последнее замечание:

— Надеюсь, тебе в самом деле понравились те ожерелья и остальные вещицы. Мне будет так приятно видеть их на тебе.

— Да... да... очень понравились... спасибо...

— Я хочу сказать, оставь их у себя, они теперь твои.

— Ох, не надо все...

— Это платье мне тоже нравится,— сказала Гертруда,— только хорошо бы его погладить, складки появляются. Я поглажу его тебе. Но тебе нужно что-нибудь приличное на лето. Думаю, скоро наступит жара, все-таки май уже, можно завтра пойти и купить, хочешь?

Гертруда непринужденно болтала, хотя и нарочито мягким тоном. Анна говорила себе: Гертруда просто хотела, чтобы Тим лишний раз показался здесь. А теперь хочет загладить произведенное впечатление, предотвратить разговор на эту тему.

— Мне нужна работа,— сказала Анна,— я должна найти что-нибудь постоянное, без работы я становлюсь невыносимой. Может, твои знакомые социальные работники помогут? Как, кстати, прошла сегодняшняя встреча?

В тот же момент Анна поняла, что, конечно же, никакого «социального работника» не было. Гертруда провела утро с Тимом Ридом. Она взглянула на покрасневшую Гертруду.

— Хорошо, хорошо. Я тебя с ними познакомлю, если хочешь.

— Гертруда...

— Что?

— Тебя и Тима Рида связывают известного рода отношения.

Гертруда посмотрела на Анну.

— Почему ты так решила?

— Интуиция. Так это правда?

— Да.

— Ладно, меня это не касается. Я иду заниматься ланчем.

— Анна, не глупи. Останься, пожалуйста.

Анна внезапно растерялась. Она жалела, что вынудила Гертруду признаться. Теперь ей не хотелось обсуждать услышанное. Она перенесла стул к окну и, усевшись, смотрела на Ибери-стрит, где вновь начался дождь.

— О боже!..— вздохнула Гертруда.

— Прости,— сказала Анна,— мне не следовало спрашивать тебя.

— Это так заметно?

— Ну...

— Кто-нибудь что-то сказал тебе?

— Н-нет,— поколебавшись, ответила Анна.

Она никому не говорила, думала про себя Гертруда. Или Тим сказал кому-то?

Анна же спрашивала себя: заметила бы она что-то, не будь анонимного письма, догадалась бы? Нет.

— Полагаю,— проговорила она,— это тайна. Не беспокойся, я не проговорюсь.

— Я не беспокоюсь. Поступай, как знаешь.

— Нет, не проговорюсь.

— Что ты обо всем этом думаешь, Анна?

— Я ничего не думаю. Это твое дело. Меня оно совершенно не касается.

— Отвратительный ответ, и ты это знаешь.

— Извини, но что я могу ответить? Я этого не понимаю и не прошу тебя объяснить...

— Ты злишься. Почему? Неужели завидуешь?

— Завидую? Тому, что у тебя появился мужчина, а у меня его нет, это ты хочешь сказать? Гертруда, до такой глупости мы с тобой еще не опускались.

— Нет, дурочка. То есть... прости, я идиотка, что сказала такое.

— Это точно.

— Ты понимаешь, что я имею в виду. Я считаю тебя своей собственностью. Почему бы и тебе не относиться ко мне так же?

Довольно странно, но Анна сразу же после ужасного потрясения от письма не подумала о подобной стороне их отношений. А эта сторона существовала.

— Наверное,— сказала она задумчиво,— я чувствую то же самое, но не настолько, чтобы обижаться...

— На что?

— Если позднее ты всерьез надумаешь выйти за кого-то, кого-то достойного... я очень надеялась, что когда-нибудь ты оправишься от своей утраты и выйдешь замуж... кажется, я говорила об этом... И если ты найдешь счастье, я буду очень рада. Я люблю тебя и желаю тебе блага, и, возможно, я слишком самонадеянна и оптимистична, но считаю, нашу дружбу ничто не разрушит.

— Ничто и никогда, на том и порешим. Но ты все равно сердишься.

— Не сержусь, Гертруда. Я поражена, почти шокирована.

— Потому что это произошло чересчур рано?

— Да. И потому... кто это оказался. У тебя действительно с ним роман?

— Да.

— Я удивлена.

— Мы влюбились друг в друга во Франции. Это было как *coup de foudre**.

— Кто-нибудь еще знает?

— Пока нет.

— Ну что же, хорошо. Думаю... потому хорошо, что это пройдет, не так ли? В любом случае... извини, я, должно быть, тебе надоела. Давай поедим.

— Это не пройдет,— сказала Гертруда.— Я собираюсь замуж за Тима.

— Будь я на твоем месте, я бы немного подождала и малость подумала. Идем за стол.

---

* Удар молнии *(фр.)*.

— Я подожду. И я думаю. Я собираюсь замуж за Тима. Почему ты такая бессердечная и противная?

— И сколько продолжался этот *coup de foudre?*

— Секунды четыре. Ровно столько, сколько нужно для того, чтобы для двоих изменился весь мир.

— Вижу, ты довольна собой. Но ты обманываешься. Я не верю в «удар молнии» и в «любовь с первого взгляда». Любовь — это серьезно, влюбленность же — лишь временное помрачение ума.

— Возможно, с тобой так и было. Ты считаешь, мне следует просто ограничиться тайной любовной интрижкой?

— Да. Я считаю, что это — случай, достойный сожаления, но раз уж это произошло, то, думаю, будет продолжаться. Говорят, влюбленные не в состоянии обуздать свои чувства. Вот почему их по традиции обычно прощают.

— Я подумаю об этом, в прежние времена ты не говорила «влюблена», ты говорила «увлечена».

— Забудь о прежних временах, моя дорогая, мы были детьми, были дурочками.

— Ты думаешь, я до сих пор дурочка. Ты слишком долго пробыла в монастыре.

— Давай прекратим этот разговор.

— Ты сказала, дело не только в том, что еще слишком рано... это действительно так, и я сама себе удивляюсь... но еще и в том, кто мой избранник. Но что ты имеешь против Тима? Ты не знаешь его, ничего не знаешь о нем. Если это потому, что ты застала его, когда он крал еду, то он рассказал мне об этом: он был голоден и беден, и, полагаю, это не преступление...

— Нет-нет, тогда я просто почувствовала себя неловко. Я ничего не имею против него. Хотя... разве...

— Что «разве»?

— Он тебе не ровня, дорогая, ничтожный человек, ты настолько выше его. Ты могла бы сделать куда лучший выбор. Он кажется мне неосновательным и не настолько надежным, чтобы можно было на него положиться. К тому же он ленив и слишком любит удовольствия... прости, я могу ошибаться. Но ты сама просила сказать, какое у меня сложилось о нем впечатление.

— Я вовсе не спрашивала о твоем впечатлении. Я спросила, что ты имеешь против него. Похоже, он просто не нравится тебе.

— Не в том дело, нравится он мне или не нравится, я лишь не понимаю, чем он привлек тебя. Но давай прекратим подобный разговор. Это моя вина. Кажется, что мы спорим, но на самом деле никакого спора нет. Мы просто заняли непримиримую позицию и оскорбляем друг друга. Так мы обычно не разговариваем. Это не способ общения. Да, я огорчена, ты совершенно права, и, возможно, тут не обошлось без легкой, как ты говоришь, «ревности». Но главное, я огорчена тем, что, по моему мнению, ты готова совершить безрассудство, о котором потом пожалеешь. Понятие «слишком рано» не имеет особого смысла, если не связано с глубоким религиозным чувством. В конце концов, время — вещь довольно абстрактная. Почему тебе нельзя снова полюбить, сейчас, когда ты одинока? Но очевидно, что сейчас — момент не подходящий для принятия важного решения, поскольку и твоя жизнь, и твоя душа еще не успокоились. Это могло бы стать веской причиной не заводить романа, но, возможно, и роман тоже не имеет большого значения. В некотором смысле это всего лишь признак того, что ты еще пребываешь в состоянии шока и растерянности. Я лишь советую тебе пока даже не думать о таких вещах, как замужество. Не давай никому никаких обещаний. Ты не в том состоянии, чтобы связывать себя обещаниями. Твердо скажи: ты не можешь предугадать, что с тобой будет, просто потому, что не можешь. Не знаю, насколько серьезно твое намерение выйти замуж, но если серьезно, то вот тебе мое мнение. И еще одно: на мой взгляд, он не подходит тебе. Недостаточно хорош. Я могу ошибаться насчет его характера, и, может, он не обманет твоих надежд. Но уверена, он тебе надоест.

Гертруда, сидя в другом конце комнаты, молча выслушала Анну. Потом с грустным смешком сказала:

— Если ты так думаешь, то что уж говорить о других!

— Какое тебе дело до того, что подумают другие?

— Никакого. Нет, есть дело. Из-за этого я чувствую себя такой одинокой. А ты вынуждаешь меня чувствовать себя еще более одинокой.

— Прости. Я не для того возвратилась к тебе, чтобы принуждать тебя еще больше чувствовать одиночество.

Анна думала: ей нужно уйти, съехать куда-нибудь. Если у Гертруды любовная связь, она захочет быть одна в квартире! Надо было предвидеть это и ничего не говорить! Но откуда было знать? И зачем только Граф показал мне это ненавистное письмо! О боже, надо позвонить ему, он ждет, а придется сообщить такую ужасную новость. Возможно, он перенес бы то, что не добился ее любви, но потерять ее таким образом! Как он переживет?

Гертруда думала: для чего Анне нужно было говорить все эти кошмарные, откровенные, бесповоротные вещи? Почему Анна всегда судит? Ну да, нельзя так разговаривать. Тогда почему Анна сама так говорила? И наверняка теперь Анна уйдет, уйдет насовсем, чтобы «предоставить ей свободу», замкнется и исчезнет. Она потеряет ее и перестанет что-либо понимать. Она не понимает ни Анну, ни себя, ни Тима. А все было совершенно ясно. Не следовало приводить сюда Тима, надо было сообразить, насколько это опасно для него, но он хотел этого, и казалось, ничего страшного не случится. Не следовало уступать ему и заниматься любовью в той его жуткой мастерской. Неосновательное место, такое же неосновательное, как сам Тим, по мнению Анны, и лежать было все равно что на эшафоте, ветер поддувал со всех сторон. Дело в том, что Тим и Гертруда не могли покинуть студию без того, чтобы не прилечь на его матрац, но все делалось кое-как, Тим был не похож на самого себя и беспокоился, вдруг кто войдет.

Глаза Гертруды наполнились слезами, и, глядя сквозь них на дверь, она увидела призрак, ей почудилась смутная тень из прошлого, мысленный образ, забытый и все еще присутствующий где-то среди мебели на своем привычном месте, и она подумала: все будет хорошо, она расскажет обо всем Гаю, он поможет, он знает, что делать.

Граф сидел у включенного радиоприемника. Был поздний вечер. Он прослушал концерт симфонической музыки, беседу об археологии, программу «Калейдоскоп», поэтические чтения, книгу на ночь, вечерние «Финансовые новости», еще раз новости, молитвы под джаз, прогноз погоды для морских судов. Радио замолчало. В Фулеме и Челси царила тишина, лишь изредка проезжала машина или грохотал грузовик. Музыка и голоса, составлявшие Графу компанию весь вечер, смолкли. Голоса звучали тихо, а под конец едва слышно, поскольку он боялся потревожить соседей: ему долго было не по себе после того, как однажды, несколько лет назад, сосед принялся барабанить в его дверь и орать, чтобы он выключил приемник. Сегодня он, собственно, едва прислушивался к радио. Прошло время простого одинокого удовольствия, которое составляли эти мирные звуки.

Он ничего не ел. Выпил немного виски. Анна позвонила днем около трех и сообщила, что все правда, между Тимом и Гертрудой роман. Гертруда призналась, что они любят друг друга и собираются пожениться. Пока они держат это в тайне. Анна добавила, что не рассказала Гертруде ни о визите Графа, ни об анонимном письме. Просто задала вопрос, и Гертруда во всем призналась. Так что Графу не только не следует что-либо говорить кому бы то ни было, но и сама Гертруда не должна знать, что ему все известно. Гертруде будет больно думать, что Граф все знал до того, как она решила рассказать ему или объявить об этом миру. Анна выразила надежду, что Граф это понимает. Под конец она добавила, что, по ее мнению, история эта, возможно, долго не продлится и не приведет ни к чему серьезному, но строить какие-то догадки бессмысленно, и она лишь рассказала ему то, что ей известно.

Граф, конечно, не тешил себя надеждой, это было не в его натуре. Он воображал, что знает о страдании не понаслышке. Ему были знакомы горе, разочарование, одиночество, ощущение неудавшейся жизни человека, который по-настоящему не понимал своей жизни, ностальгия по родине человека без родины. Он привык говорить своей меланхолии, даже горестям: приходите, друзья, побудем спокойно вместе. Так за долгое время Граф решил, что он неуязвим. Ему не довелось узнать на собственном опыте, что такое концлагерь или камера пыток, но передряг обычной заурядной жизни хватило, чтобы он считал, что достаточно вкусил горечи и смирился с подобной диетой. Он ничего не добился в жизни, да и не слишком стремился; так откуда же на него, жившего между Фулемом и Челси и ежедневно ездившего в Уайтхолл на службу, могла обрушиться боль, какой он еще не знал? Однако он ошибался. И теперь понял, что его меланхолия была все равно что мягкое успокоительное ложе, а горечь — как вино, и ему захотелось умереть.

Он подумал о ночи, когда умер его брат. Ему рассказали об этом, сам Граф этого не помнил, потому что был тогда слишком мал. Это случилось перед самым Рождеством. Отца, который к тому времени ушел из авиации, дома не было, вероятно, засиделся, как часто бывало, на Бейсуотер, в ставке польского правительства в изгнании. Мать жила с двумя сыновьями в Кройдоне, южном пригороде Лондона. Мать и другая полячка, жившая у них, тогда поссорились. Женщина, которая очень любила Юзефа, брата Графа, хотела взять его с собой в церковь, чтобы он увидел Младенца Христа в яслях, и вола, и осла. Мать же Графа боялась отпускать его и хотела, чтобы оба ее сына оставались при ней. Юзеф плакал, потому что ему хотелось посмотреть на Младенца Христа. Отца не было. Мать наконец уступила. В церковь попала бомба, брат и жиличка погибли. Лучше бы он сам погиб, думал Граф, лучше бы он пошел в церковь с Юзефом или вместо него. Граф представил, что он — выживший Юзеф. Он был бы тогда сильным.

Граф жил почти счастливо со своей тайной любовью к Гертруде. Жил слабой надеждой и редкими поощрениями. Казалось, она выделяет его среди других, обращаясь к нему с особой улыбкой, особой интонацией. Как спокойны, как счастливы были все они. Так можно прожить целую жизнь в молчаливом, затаенном доверии, мирно и не давая воли сокровенному чувству, а тот, кто, по доброте души, позволяет любить себя, не дает, даже и бессознательно, угаснуть сиянию любви во спасение одинокого. Замужнее положение Гертруды сделало ее недостижимой и святой, но вместе с тем безопасной, словно Гай действительно берег ее для Графа, ее — надежно хранимый предмет его любви. Больше того, благодаря ее счастливой, неизменной семейной жизни он и мог тихо и спокойно любить ее.

Со смертью Гая надежда стала нетерпеливой, страсть рвалась из тайного убежища души. Но Граф никогда не позволял себе слишком надеяться, а при глубоком неподдельном горе Гертруды, при ее трауре и утрате ему было легче запретить себе, хотя бы на какое-то время, определенные мысли. И он смотрел на нее влюбленными глазами, ожидая, что она поймет его печаль. Теперь, оглядываясь назад, ему хотелось бы, чтобы она нуждалась в его любви и постепенно, без страха нашла в ней свое утешение. Все это, проходя через шок от смерти Гая, сплавилось с его жизнью с того момента, когда он увидел ее впервые. За время после звонка Анны всего несколько часов назад все было полностью уничтожено. Только редкие языки пламени вырывались из обугленного континуума его бытия, превращая последние угольки в пепел. Он еще мог бы вынести, если бы Гертруда осталась его другом, не принадлежа никому. Больше того, он предполагал, даже приучил себя ожидать именно такого исхода. Но когда другой отнимает ее — совсем иное дело, хотя он покорно пытался свыкнуться с подобной возможностью в отдаленном будущем. Однако потерять ее сейчас, еще и уступив такому человеку,— это повергло его в безумие горя, отчаяния и ярости, и казалось, что дальнейшая заурядная жизнь невозможна.

К страданиям примешивалось почти циничное сожаление. Не надолго же ее хватило. Если бы он мог вообразить, что ей нужен мужчина, нужны объяснения в любви и страсти, разве он не объяснился бы, и не только стоя на коленях? Может ли женщина быть такой, и такая женщина? Какой глупостью, казалось ему теперь, было скрывать свою любовь! И все же, не думал ли он с двойственностью влюбленного, что она должна знать, как сильно он любит ее? Как можно постоянно думать о другом без того, чтобы тот что-то не почувствовал? Или она ошибочно решила, могла решить, что за его тактичностью, его джентльменской почтительностью и благопристойностью скрывается любовь холодная и рассудительная? Дерзкое объятие больше понравилось ей, когда хотелось более пылкого проявления чувств. Этим и должен был привлечь ее Тим Рид. Граф всегда испытывал приязнь к Тиму, но теперь понял, сколько презрения было в его приязни. Она была следствием покровительственного отношения к молодому человеку. Тим не был соперником, не был ровней ему. А теперь — жгучее воображение рисовало Гертруду: чуждую, изменившуюся, безвозвратно испортившуюся и потерянную навсегда.

Граф вдруг резко вскочил от своего молчащего радиоприемника и бросился на кухню. Там он сорвал со стены картину Тима «Три дрозда в паточном колодце». Пристально посмотрел на нее. Картина была ужасная. Он хотел было разорвать ее в клочья и швырнуть в мусорный бак, когда что-то невидимое не дало проявиться его слепой ярости. Сердце бешено колотилось. Он вернулся в спальню и, выдвинув глубокий ящик комода, сунул картину на дно. Рука его коснулась мягкого свертка: польский флаг, понял он, одна из памятных вещей, которые он унес с собой, покидая дом, где прошло его детство. Готовый расплакаться, он принялся собираться ко сну. Уснуть ему не удастся. Эта ночь — первая ночь его полного и окончательного одиночества, первая ночь на темной дороге, идущей теперь прямо к смерти.

Тем не менее Граф уснул, и ему привиделся кошмар, казалось (только он не был уверен), уже являвшийся ему много раз. Ему приснилось, что он еврей в варшавском гетто. Идет война, и немцы оккупировали Варшаву. Выходы из гетто закрыты. Каждый день пригоняют новых евреев из других районов города, из других районов страны. С каждым днем территория гетто становится меньше и меньше. Евреи дерутся, как крысы в тесном загоне, за исчезающее пространство, за исчезающую еду. Беда не делает людей друзьями. Однако постепенно, когда проходит первое потрясение, наступает спокойствие, спокойствие порядка, спокойствие уцелевших. Теперь евреи одни, без гоев, все вместе. В гетто они отгорожены от внешнего мира, они живы и могут в покое заботиться друг о друге. Их еврейство очищается, расцветает: свои театр, музыка, литература, обычаи. Если бы только их оставили одних, как замечательно они бы устроились, какие были бы спокойные и покорные, каждый в душе знает: уж он-то выживет. В конце концов, еды достаточно. Есть работа, правда, работать приходится на немцев, но разве эта работа сама по себе не гарантия выживания? Граф нашел себе угол в комнате. Остальные добры к нему и разрешают остаться. Он знает, что делать. Если только люди будут добры и покорны, каждый выживет. На какие только чудеса терпения и стойкости не способен еврейский народ! Благодаря подобной стойкости он сохранился — и сохранится впредь. В ответ на все провокации — великое терпение и стойкость духа. Никогда не отвечать ударом на удар. Не давать повода для обиды. Быть неприметным. Безгласным. Ждать. Граф чувствует себя в безопасности. Никто не угрожает ему, никто его не замечает. В гетто царит мир.

Разве в нем нет своего, еврейского руководства? Чтобы уцелеть, соблюдай установленный порядок, возвращайся в свой угол в комнате и живи дружно, помогай больным и слабым. Так что горстка немцев может держать в кулаке такое количество евреев, потому что евреи чутки и умны. Они — здравомыслящий народ, который претерпел столько горя. Будь смирен, мой народ, такая у тебя судьба — страдать безропотно. Иногда евреи уходят. В Треблинке есть земельный участок, на который они ходят работать. Там хорошо, больше еды. Кто-то видел открытку от чьего-то друга. А еще доходят слухи из Вильно, но никто в них не верит. Кто-то сказал, что немцы убьют всех евреев, но в это тоже никто не верит. Надо быть сумасшедшим, чтобы поверить в такую нелепицу. Евреи спокойны, евреи полезны, немцы — цивилизованные люди. Кто-то рассказал историю о газовых камерах, о смерти от газа, но это выдумки, научная фантастика. Конечно, из Треблинки действительно ни один не вернулся. Но люди видели письма: кормят там хорошо, работа не слишком тяжелая. В сердце Графа закрадывается страх. Он гонит прочь ненависть, словно смертельную болезнь. Он гонит прочь гнев и жажду мести, потому что знает, они означают смерть, а он так хочет жить и знает, что должен уцелеть и потом рассказать обо всем. Он не желает умирать в гетто. Не желает слышать никаких героических историй. Не желает, чтобы ему рассказывали о Масаде. Но теперь он видит молодых людей с оружием в руках и безумным алым огнем ярости, полыхающим в глазах. Безумные молодые преступники, которые принесут всем нам смерть. О, только не это! Он видит убитого немца, лежащего на дороге, убитого немца! Граф ищет, где бы укрыться, только где тут укроешься! Стрельба повсюду. Куда бежать? Появляется человек в военной форме, с оружием и польским флагом. Он машет Графу, хватает его за руку и кричит, чтобы Граф следовал за ним. Это Юзеф, который, оказывается, не умер. В пламени взрывающихся снарядов Граф видит лицо Юзефа, такое же прекрасное, как лицо отца. Юзеф взбирается на кучу щебня и исчезает в облаке дыма. Взрывается снаряд. Граф не следует за братом, а бежит прочь. Но спрятаться негде. Подземная канализация заполнена газом. Гетто в огне. Люди вопят, плачут и выпрыгивают из окон. Посреди всего этого развеваются два флага: красно-белый польский и сине-белый еврейский. Рядом пулемет, единственный на все гетто. Пулемет стреляет. Гетто горит. Граф бежит. Пулемет замолкает. Гремит голос: «Блажен человек, которого вразумляет Бог, и потому наказания Вседержителева не отвергай». Но слишком поздно звучит эта истина, никого не осталось, кто мог бы услышать ее. Стрельба прекращается, огонь догорает. Тишина. Гетто больше не существует. Графа забрали, бросили в вагон и повезли в Треблинку. Варшава *judenrein**.

— То есть ты хочешь все отменить? — спросил Тим.

— Нет! — ответила Гертруда.

— А что тогда? Я тебя не понял.

— Я сама не понимаю. Мне плохо. Я с ума схожу.

— Прошу тебя, успокойся.

— Думаю, нам надо подождать.

— Мы уже решили, что подождем.

— Да, но не так... по-другому...

— Это как — по-другому?

— Отложить на неопределенный срок.

— Отказаться от наших клятв? Только не говори, что мы не давали друг другу никаких клятв.

— Тим, пожалуйста, помоги мне, не злись.

— Гертруда, я люблю тебя и злюсь на то, что ты говоришь, потому что твои слова меня убивают.

— Я сама не знаю, что говорю. Я люблю тебя. Но просто... просто я не я сейчас. Никогда такого не чувствовала. Мой разум, мое существо мне самой стали невыносимы. Я не могу так жить. Я должна что-то сделать с собой.

---

* Свободна от евреев *(нем.)*.

— Но что сделать и почему? И не можем ли мы сделать это вместе? Гертруда, милая, ты меня до смерти пугаешь, я в ужасе. Пожалуйста, прекрати это безумие, просто оставайся со мной, я тебя успокою, буду оберегать.

— У тебя не выйдет, дело и в тебе тоже. Мне необходимо какое-то время побыть одной. Нам надо это отменить.

— Ты хочешь, чтобы я исчез и никогда не возвращался?

— Нет! Но мы должны отложить... отменить... обручение.

— Обручение! Мы никогда не обручались. Ох, Гертруда, ты даже не можешь больше нормально говорить со мной, ты... ты словно чужая. Тебя словно подменили. Ты стыдишься меня.

— Тим, не говори чушь, ты меня обижаешь.

— Так, значит, вот в чем дело. Ты не можешь признать меня при них, от одной только мысли тебя в дрожь бросает. Тебе кажется, ты теряешь лицо. Я тебя не упрекаю. Наверное, они догадались, и кто-то донимает тебя, кто-то восклицает: «О, могу себе представить, о чем они разговаривают!» Все пропало, Гертруда... я так этого боялся...

— Пожалуйста, Тим... не говори глупости...

— Это ты говоришь глупости! Что хочешь расторгнуть помолвку, отослать обратно кольцо, только не было никакого кольца! Я просто люблю тебя, хочу на тебе жениться, это и ты мне сказала, и это были самые дивные слова, которые кто-нибудь когда-нибудь говорил мне, и я хочу, чтобы мы были мужем и женой и жили, ни от кого не таясь. То, что было между нами,— это что-то совершенно особое, ты это знаешь, ни одному человеку не понять, что мы значим друг для друга, или вообще представить себе такое. Неужели у тебя не хватает смелости быть верной тому, что мы знаем, мы двое, только мы?..

— Милый, дорогой, только, прошу, не кричи на меня, мне так больно. Нам нужно время, мне нужно. Тим, если любишь меня, дай мне это время, эту отсрочку. Дело во мне. Другие тут роли не играют.

— Играют.

— Если кто играет, так только Гай.

— О боже!.. С Гаем я не могу бороться. Я все понимаю. И уйду.

— Нет-нет, не покидай меня...

— Так лучше, Гертруда. Ты сделала ошибку.

— Нет, мне просто нужно время...

— Господи, если бы мы только могли забыться сном на полгода!

— Тим, прошу тебя...

— Побудем просто друзьями какое-то время.

— Да, да...

— Я пошутил. Мы не можем быть друзьями.

— Тим, будь разумным. Рассуди сам: жить вот так, таясь ото всех, невозможно. Мы запутались во лжи. Я должна остаться одна и страдать в одиночестве или буду нечиста. Мне всего лишь нужно уехать ненадолго и побыть наедине с собой. Давай оба поживем... отдельно... как в затворничестве... по-прежнему любя друг друга... а позже снова встретимся...

— Что значит «позже» — через месяц, через год? Не притворяйся, Гертруда, все кончено, ты просто передумала, что тут такого? Я знал, что это случится. Знал еще во Франции. Как только ты увидела меня здесь, ты поняла, что это было временное помешательство! Так отпусти меня сейчас, сердце мое, моя королева, не терзай, я могу уйти, способен уйти, я переживу, мы оба переживем. Не делай из этого трагедии, кровавой драмы. Не плачь так. Боже, ты разбиваешь мне сердце!

— Я не знаю, что мне делать!

— И я не знаю. Это твоя подруга Анна все разрушила. Я предвидел. Уверен, она догадалась.

— Ты сам захотел встретиться с ней.

— Мне хотелось встречаться с людьми вместе с тобой. Надоело быть твоей позорной тайной! Ты говоришь, мы запутались во лжи. Мы можем просто выйти на свет рука об руку. Только ты не желаешь этого. Я сделал глупость, что поселился здесь, тебе явно невыносимо видеть меня в своем доме. Я уйду. Простим друг друга и... я... уйду...

Гертруда сказала Анне, что была одержима бесами. Но настоящие бесы появились сейчас. Рассудок ее мутился, и она не могла ничего с этим поделать. Он был словно пьяный, шатался, спотыкался, совершал неожиданные нелепые кульбиты, отчего ей физически становилось плохо. Анна съехала. Анна поселилась в гостинице. Одного этого, чувствовала Гертруда, было достаточно, чтобы свести ее с ума. Тим жил у нее на Ибери-стрит, они скрывались ото всех, не подходили к телефону. Гертруда сказала Джанет Опеншоу, что уезжает, но все это не имело смысла.

> ...Никто не знает, где он лежит без могилы,
> Кроме гончей, да сокола, да супруги милой.
>
> Гончая без него преследует зверя,
> Сокол приносит добычу к двери.
> У его супруги другой супруг...
>
> ...Много людей по нему скорбит,
> Но никто не знает, где он лежит.
> Над костями его, что в поле белеют,
> Вечный ветер печально веет.

Соглашаясь с тем, что звучало почти порочно-соблазнительно, Гертруда заглянула в балладу, которую цитировал Гай. Он цитировал эти строки, когда говорил, что хочет, чтобы она была счастлива, когда он умрет. Но сколько же ужасной горечи в этих стихах, и что еще, как не ощущение горечи, они могли оставить на губах и в сердце умирающего. Гай, благородный, смелый и добрый, сказал Гертруде то, что, как он чувствовал, должен был сказать, и отказался от укола наркотика, чтобы сделать это, будучи в ясном сознании. Но эти героические слова скрывали — и скрывали даже от Гая, хотя всего лишь мгновение — черную ненавистную отчужденность смерти. Неудивительно, что Гай стал чужим в мире живых, замкнутым и говорящим на непонятном языке. Его чуткая любящая жена больше не могла утешить его, ничто больше не могло утешить его.

Гертруда, словно облако-дьявол обволокло ее, стала одержима невыносимой жалостью к Гаю. Смерть, побеждающая земного Эроса, сделала ее уязвимой и безрассудной. Любовь к Гаю захватила ее, она текла по ее венам, как мощный наркотик, она была больна от безнадежной любви. Гай снился ей каждую ночь. Она простирала руки к его смутной и ускользающей тени. Она жаждала одиночества, чтобы отдаться этой ужасной любви, и в то же время оно страшило ее. Тим был во всем этом невероятной случайностью. Она с изумлением смотрела на него, видела его новыми ясными глазами: худощавый мужчина с рыжими волосами и робким, застенчивым, виноватым взглядом синих глаз. Тим — что-то вроде квартиранта, студента, своего рода иждивенца, ребенка. Она жалела и Тима тоже и не переставала его любить.

Они с неистовством предавались любви, словно наркотику, но после этого им хотелось метаморфоза, полета: они засыпали или же быстро вскакивали, одевались и смотрели друг на друга при ярком свете удивленными, испуганными и нежными глазами и пили вино. Они оба много пили. Гертруда чувствовала, как все это эфемерно, как зыбко. Это было не многим лучше, чем та ужасная торопливая близость в студии у Тима: лежать «будто на эшафоте», прислушиваясь к шагам на лестнице. Здесь они прислушивались, не раздастся ли звонок в дверь, который они пережидали, затаив дыхание, или звонок телефона, зуммер которого им так и не удалось окончательно заглушить, хотя они закрыли его, сделав несколько бумажных колпачков. Каждый день, по отдельности выходя из дому, они растворялись в Лондоне. Устраивали себе праздничные ланчи и обеды. Показывали друг другу разные места. Ходили по музеям и художественным галереям, о которых Гертруда, как она призналась, имела смутное представление. Раньше ей и в голову не приходило ходить туда. Тим водил ее в любопытные пабы на окраинах. Они заглядывали в мрачные сомнительные заведения у реки. Они не делали вид, что им хорошо вместе, каким-то чудом им действительно было хорошо, хотя в душе Гертруды разверзся ад и, как иногда ей казалось, в душе Тима тоже. Его голова, лицо выглядели особо растерянными, беззащитно трогательными, когда он был обнажен, тогда он казался совсем другим, и она жалела его глубоко собственнической эротической жалостью и укрывалась в его яростных потерянных объятиях, покоясь в них с неожиданным ощущением силы. Они прятали глаза, утыкаясь лицом в плечо друг другу, и даже не осмеливались откровенно говорить о будущем. Страсть не покидала их, но порой казалась безумной, обреченной. В самом воздухе, которым они дышали, висело ощущение временности и запретности. Но хотя их «новая жизнь» длилась лишь несколько дней, они говорили друг другу, что чувствуют, будто уже давно живут вместе.

Уход Анны потряс Гертруду, хотя было совершенно ясно, что та уйдет и должна уйти. Анна была очень мягкой с Гертрудой, какой только добрая, любящая умная Анна умеет быть. Она говорила о нерушимости их любви. Сказала, что всегда доступна, всегда рядом. Они больше не обсуждали Тима. Анна собрала вещи и переехала в маленькую гостиницу в районе Паддингтонского вокзала. Говорила, что поищет квартиру. Они попрощались, как на долгую разлуку, и с тех пор не общались.

Гертруду поразила реакция Анны, ее нападки на Тима, ее «выходи за кого-нибудь более достойного». Конечно, Анна значила для нее больше, чем *они*, но это показывало, каково будет мнение других, чего она, оказалось, не ожидала: она не «стыдилась Тима», такого не было. Но чувствовала — перед Анной — непонятный и отвратительный стыд за себя. И все представлялось непоправимой ошибкой. Конечно, Тим должен был переехать на Ибери-стрит. Его студия была ненадежным уголком, а им хотелось быть вместе. Конечно, они условились пока никому ничего не говорить. Но это означало, что они жили, как преступники.

Все эти мысли варились в голове Гертруды, как ядовитое ведьмино зелье. Пробуждающаяся после снов о Гае инстинктивная потребность в его помощи была сильней ее упорной способности возвращаться в бодрствующий мир. А теперь еще добавилась отдельная своеобразная пытка. Это было связано с Графом. Гертруда неопределенно намекнула Джанет Опеншоу о своем возможном отъезде ненадолго, полагая, что новость не замедлит разойтись среди всех, кто ее знает. Она даже сказала, проявив безотчетную способность ко лжи, которой быстро научаются даже правдивые люди, когда вынуждены что-то скрывать, что хочет повидаться со старинной школьной подругой, живущей в Херефорде. (Данная личность, Маргарет Пейли, действительно существовала.) Однако потом испытала непонятную, особую жалость к Графу. Он действительно был особым человеком, требовал особого обращения, занимал особое место, он не был просто одним из тех, кто клюнет на слух, что она уехала из Лондона. Она было собралась позвонить ему, но затем, поддавшись порыву, написала записку, приглашая зайти на бокал шерри, добавив, что, возможно, скоро уедет. Она все рассказала Тиму, и они решили, что он тоже будет присутствовать, а потом уйдет, и это послужит намеком на то, что они в конце концов остаются друзьями. Это было то, чего хотел Тим, правда, Гертруда не сказала ему, какие катастрофические последствия имела его идея в случае с Анной. Граф — другое дело. Он ничего не заподозрит и ни о чем не спросит.

Граф письмом ответил, что, к сожалению, занят в означенный вечер. Письмо было написано в его обычной довольно сдержанной, хотя и дружеской манере. Гертруда вообще нечасто получала от него послания. Но сейчас не эта его чудаковатая манера заставила ее неожиданно сходить с ума от новой и непредвиденной тревоги, а тот простой факт, что он не явился. Гертруда в душе всегда полагала, что стоит ей позвать Графа, как он тотчас же примчится, какое бы дело ни пришлось ему для этого отложить. Не существовало препятствий, которые могли бы помешать ему. То, что он не пришел, могло без сомнения означать только одно. Он все знал. А если знал он, то, возможно, знали все. Неужели Тим проговорился кому-нибудь? Он клялся, что чист. Тогда Анна? Исключено. Но даже не мысль, что им всем «известно», так мучила ее, как ужасающее чувство, что Граф осуждает ее, что он страшно оскорблен, несчастен, потрясен, полон ненависти. Что никогда больше между ними не будет прежних отношений. Она почувствовала, что ничто на свете не было так важно для нее, как доброе мнение о ней Графа. Ей хотелось в тот же вечер помчаться к нему домой, где она никогда не бывала. Хотелось увидеть его, увидеть его нежные светлые глаза и убедиться в его уважении, в его любви. Она будто вдруг влюбилась в Графа! Она, которая уже любила Гая и Тима.

Опоры, на которых стоял ее мир, рухнули. Гай умер, Анна ушла, Граф больше не любил ее, и она с ясностью поняла, что не может ни продолжать эту сумасшедшую преступную жизнь с Тимом, ни представить его миру как своего возлюбленного и мужа. Не может. Если бы только все вновь стало как прежде или таким, каким никогда не было, но каким могло бы быть, если бы только все пошло по-другому, что было невозможно. Ей хотелось быть былой Гертрудой, Гертрудой Гая, центром всеобщей любви и восхищения, и чтобы рядом были Анна, и Граф — и Тим тоже, и та любовь, что они принесли с собой из Франции. Но быть с Тимом отверженной, скиталицей, бродягой она не могла. Тим теперь виделся ей цыганом, вырвавшим ее из ее мира и увлекшим в свою жизнь. Только у него не было своей жизни, своего места в жизни. Она спросила его о друзьях. Друзей у него не оказалось. Он пришел к ней в поисках жизни и места. Деньги тут были совершенно ни при чем (она никогда так и не думала). Но она все больше видела в Тиме бездомного бродягу, без корней, без пожитков, без своего мира. И она тоже станет бездомной бродягой, если не покончит с этим, если каким-то образом не решит абсолютно неразрешимую проблему.

«Новости, новости, Гертруда завела любовника!» — «Да что вы! И кто это?» — «Тим Рид!» — «Вы имеете в виду того тощего малого, художника? Вы шутите!» Известно ли им? Если она прекратит это сейчас, обойдется лишь смутными слухами, которые стихнут и забудутся. Никто ничего не знает наверное; в конце концов, это так неправдоподобно. На чаше весов так много против бедного Тима. Тут и Гай, и Анна, и Граф. А теперь еще ее отвратительная ничтожная гордость, ненавистная, но тем не менее тоже глубоко ей присущая. Казалось, это так разумно держать все в тайне, не торопиться позволять себе новую любовь. Теперь же, похоже, становится невозможным вообще позволить ее. И все же мысль расстаться с Тимом, по-настоящему расстаться, была невыносима. Мысль Гертруды металась и петляла, как заяц. Оставался единственный выход, не бог весть какой и временный, но при котором можно сохранить главное. Она должна попросить у Тима мораторий, перерыв, время, чтобы все обдумать, или скорее безвременье, пока все не успокоится.

Гертруда и думала над этим, и не думала, спасаясь от этой мысли в объятиях Тима. Она хотела, чтобы Тим подтвердил неизбежность такого выхода. Решающий, откровенный разговор произошел совершенно случайно. Они только что закончили один из своих долгих праздничных обедов и сидели, непринужденно болтая о том о сем. Им было так хорошо вместе! Это было вечно новое чудо, которое, с удивлением отметила Гертруда, дарила им их любовь. (Анна сказала: «Он тебе надоест». И не могла ошибиться сильнее.) Как шпионы с их раздвоенным сознанием, Гертруда испытывала чувство покоя и влюбленности. Они сидели в столовой, при зажженной лампе, за неубранным столом и пили вино. Неожиданно Гертруда сказала: «Так дальше не может продолжаться», и Тим ответил: «Господи, конечно не может, знаю!» — и между ними начался тот убийственный разговор. Они с ужасом и мукой смотрели друг на друга, но остановиться не могли и продолжали говорить вещи, которые навсегда разъединяли их.

— Гертруда, это правда. Тебе просто хочется покончить со всем. Покончить, пока никто не узнал о нас. Хочется, чтобы этого вообще никогда не было. Хочется, чтобы я исчез. Хорошо, я исчезну.

— Я не хочу этого...

— Хочешь, очень хочешь, чтобы я был так добр и ушел сам и ты не чувствовала бы потом, что вынудила меня уйти. Ты права, мы изгадим нашу любовь, если будем продолжать. Лучше расстаться сейчас, пока она еще чиста. Иначе кончим тем, что возненавидим друг друга, или скорее ты возненавидишь меня, я стану камнем у тебя на шее. Конечно, это было слишком хорошо, чтобы быть правдой. Это было прекрасно, и я благодарен и совсем не зол, не испытываю вражды к тебе, но, боже, так несчастен!..

— Тим, я тоже несчастна, я страдаю, я в страхе, а еще полчаса назад была счастлива с тобой. Это безумие. Ах, Тим, почему мы не можем сделать друг друга счастливыми?

— Потому что ты, дорогая, недостаточно любишь меня. Это не неожиданность, не случайность, что мы оказались в этой точке.

— В какой точке?

— Откуда наши пути расходятся.

— Нет, нет, нет. Тим, любимый, мы не можем расстаться. Прекратим этот разговор, пойдем в спальню. Мы слишком много наговорили друг другу.

— Ладно. Ты иди. Я скоро приду. Вот только допью.

Тим почти церемонно встал одновременно с Гертрудой. Она подошла и прижалась к нему, к его обвисшей белой рубашке. Тело его было влажно от пота.

— Иди ложись, дорогая.

— Хорошо, Тим. Приходи скорее.

Гертруда заснула. Она сбросила туфли и легла на кровать. Сейчас она проснулась, прислушалась. Свет в спальне был выключен. Сомнений не было: она одна в квартире. Она соскочила с кровати и обежала комнаты, зовя его. Никого. Затем она увидела, что его рюкзак и старый чемодан исчезли из прихожей, где они всегда находились.

Гертруда отправилась в гостиную, полностью включила свет. На столе лежало письмо.

Моя дорогая, ты хотела, чтобы я ушел, и я ушел. Ты права, нам следует мирно разойтись. Я чувствовал, что так дальше продолжаться не может. На самом деле ты не хочешь замуж за меня, а никакие другие отношения мне не подходят, слишком все серьезно; я не хочу сойти с ума. Я не могу быть тайным любовником. Не ищи меня в студии, ты меня не найдешь ни там, ни в других местах, где мы встречались. Если мы увидим друг друга, все начнется снова. Ты должна вернуться в настоящий твой мир к настоящим твоим друзьям. Скоро ты почувствуешь себя счастливее. Почувствуешь облегчение. Моя дорогая, мне очень жаль, что у нас ничего не вышло. Моя любовь к тебе корчится от боли.

Т.

Гертруда рванула ворот платья. Запустила руки в волосы. Губы скривились в гримасе боли и ярости, из глаз ливнем хлынули слезы. Она опустилась на стул и с полчаса сидела совершенно неподвижно.

Затем встала и налила себе виски. Она так желала Тима, что тело, казалось, разваливается, рассыпается на части. Она с трудом удержалась, чтобы не заметаться по квартире, как обезумевший зверь. Она никогда по-настоящему не признавалась себе: «Это просто плоть, вожделение, взрыв страсти, бегство от горя», не призналась и сейчас. Но ощущала свое физическое влечение к Тиму как нечто отдельное от нее и постороннее, как род эманации, второе тело, она жаждала его тонких рыжеволосых рук, и гладкой нежной кожи, и его поцелуев, которые разрешали все проблемы и давали ответы на все вопросы.

Гертруда выпила виски и спокойно призвала на помощь разум, как зовут слугу. Тим сказал: «это не случайность». Не было случайностью то, что они начали этот разговор, хотя сперва казалось, что он возник непроизвольно, по воле случая. Он должен был состояться. Они уже несколько дней были готовы к нему, почти с того момента, как Тим переехал на Ибери-стрит. Она чувствовала, что они оба репетируют его, что оба уже знают, что скажут. «Это правда,— произнесла она вслух,— я не могу выйти за него». Она всеми силами пыталась вживить Тима в свою жизнь, но он, как чужеродный орган, не приживался, и спасительная кровь ее души не поступала в его душу. В конце концов она отторгла его. Она не пыталась понять, почему так произошло. Причин было множество. Она могла влюбиться в кого-то другого, но по недоразумению влюбилась в Тима. О том, в каком состоянии сейчас Тим, она старалась не думать, да и не могла его себе представить.

Она взглянула на часы и удивилась, поймав себя на мысли, что хотела узнать, не поздно ли еще будет позвонить Графу. Разумеется, было уже поздно. Почти два часа ночи. Она встала, раздвинула шторы на окне и посмотрела на пустынную Ибери-стрит. Больше ей было нечего скрывать. И в самом этом движении, которым она распахивала шторы, было ощущение освобождения. Ложь, секретность отравили их обоих. Их любовь была чем-то изумительным и прекрасным, но не была ни сильной, ни здравой. Наверное, в этом ее вина, подумала Гертруда, но мысль эта не слишком трогала. Ей нужно просто прийти в себя, оправиться. Она увидится с друзьями, соберет их вокруг себя, так она станет жить отныне, в окружении друзей. Она вернет Анну и завтра же увидится с Графом, пригласит на ланч и увидит его счастливые глаза. Это настоящая жизнь. И устроит небольшую вечеринку, позовет на нее Манфреда и Джеральда, и Виктора, и Эда, и Мозеса, и Джанет со Стэнли, и миссис

Маунт. И пригласит Сильвию Викс отдельно ото всех, потому что кто-то говорил, что она несчастлива. И отправится куда-нибудь в путешествие, в Афины или в Рим, и возьмет с собой Розалинду Опеншоу, и Анна тоже поедет. Они там весело проведут время, и она будет добра к людям и узнает, как они живут. И все вновь будет прекрасно, и просто, и открыто, и чисто. Тим поступил порядочно. Умно и смело. Лучше расстаться так, как расстались.

И никто ни о чем не узнает, продолжала она говорить себе. Все останется в тайне. А даже и пойдет слух, так никто не поверит, если она будет вести прежнюю жизнь. В некотором смысле это навсегда сохранит ее, их любовь. Она останется в их прошлом прекрасной, незамутненной. Ее не отравят ни ссоры, ни ненависть, ни скудоумная вульгарность людей, которые презирали бы за нее. Никто бы не понимал их, кроме их с Тимом. А теперь она в прошлом и в безопасности. Так лучше.

На Ибери-стрит ложился бледный предутренний свет, в котором, как в перламутровом тумане, постепенно тускнели уличные фонари. Скоро наступит июнь, середина лета. Дома застыли в неподвижности, словно приговоренные.

Гертруда отошла от окна, собираясь лечь. Хмельная бодрость улетучилась. Голова болела. Она разделась и выпила таблетку аспирина. Села на кровать, и слезы снова ливнем хлынули из глаз. Она одинока. Она надеялась, что не останется одинокой, но вот осталась. Она потеряла его, свою любовь, своего плейбоя. И над костями его, что в поле белеют, вечный ветер печально веет.

— Значит, вернулся,— сказала Дейзи.— Так и думала, что приползешь обратно.

— Да ну? — скривился Тим.— А я не думал. Дай мне, ради бога, чего ты там пьешь.

— Тут на донышке. Надеюсь, ты раздобыл денег, у меня ни гроша.

— Денег полно.

— Ну, хоть вернулся с деньгами в кармане.

Тим колебался: может, отослать деньги Гертруде? Потом решил, что не стоит.

Он сел на рахитичный расшатанный стул. В душную пыльную комнату светило солнце. Дейзи, которая сидела на кровати, подложив под спину подушки и задрав колени, сегодня сражала наповал своим нарядом. Когда неожиданно появился Тим, она заканчивала подкрашиваться. На ней была шелковая блузка в черно-белую полоску, перехваченная блестящим черным пояском, черная кофта в белый цветочек и с мягким воротничком, подвязанным черно-оранжевым шарфиком. На ногах — черные колготки и черные лакированные туфли с огромными металлическими пряжками и на высоченных шпильках. Лицо было как сине-белая клоунская маска.

— Как продвигается роман?

— Лучше не бывает. Писала без продыху, пока ты был в самоволке.

— Замечательно.

— Что, разочаровался в Гертруде?

— Мы оба разочаровались. Это было краткое затмение.

— Я предупреждала. Ведь предупреждала же?

— Да. Для кого наводишь красоту?

— Для тебя.

— Ты не знала, что я приду.

— Я ждала тебя каждый день.

— Как трогательно.

— Ну конечно не для тебя. Я как раз собиралась пойти в «Принца» перекусить.

— Нашла себе кого-нибудь, пока меня не было?

— Нет. Но не потому, что не хотела. Я не простила тебя, так и знай.

— Но простишь.

— Ладно, неважно, это все дело настроения. Я по тебе скучала! Тоже по настроению. А ты скучал?

— Думаю, да,— кивнул Тим.

— Он думает, надо же! Славный ответ, достойный Тима Рида! Значит, между вами все кончено?

— Да.

— И к лучшему. Как все происходило? Жду подробного отчета.

— Я не могу, Дейзи. Давай забудем. Прости и забудь. Это прошло, развязано, как развязывают узелок, и тесемки снова болтаются свободно.

— Очень наглядно. Я часто думала, что наша с тобой жизнь, как кусок веревки, грязной старой веревки, обтрепанной на концах.

— Ты не пыталась связаться со мной? — спросил Тим.

Он заглянул в студию, но никакого письма не видел. Проведя день и ночь в одиночестве в студии, он побежал к Дейзи. Он боялся прихода Гертруды и не мог вынести одиночества. И внезапно почувствовал, что ему совершенно необходимо поговорить с Дейзи.

— Пошел ты подальше, с какой это стати? Ты смылся, сказав, что собираешься жениться. Или ты ждал, что я побегу за тобой? Да скатертью дорога, так я подумала.

— Но ты рада, что я вернулся?

— Наверное. Я тут не просыхала, буквальным образом. Я привыкла к тебе, парень. Я могу говорить с тобой. Думаю, ты ничтожный себялюбивый лживый подонок, как большинство мужиков. Просто других я еще больше ненавижу.

— Дейзи...

— Сходишь нам за вином или пойдем в «Принца»? Между прочим, Джимми Роуленд вернулся.

— Отлично...

— Он говорит, Америка пуста, как внутренность чистой белой картонной коробки.

— Дейзи, не возражаешь, если я останусь тут на какое-то время?

— Ты имеешь в виду, пожить, спать в моей постели?

— Да, ненадолго...

— Ладно уж. «Вечно одно и то же», как ты говоришь, когда хочешь переспать. Неудивительно, что все девки за тобой бегают. А что твоя студия?

— Оттуда меня гонят.

Это была неправда, но Тиму не хотелось мучиться ожиданием, что вдруг нагрянет Гертруда.

— Действительно! Небось опять врешь. Ну, это не важно. Меня больше не интересует, правду ты говоришь или нет. Но для твоих чертовых картин здесь нет места.

— Отдам на хранение хозяину гаража. Спасибо, дорогая.

— Тебе лучше подсуетиться и найти квартиру. Сам знаешь, как мы уживаемся, когда заперты в одной конуре, как крысы. Нам было бы хорошо во дворце. Деньги положительно повлияли бы на наши характеры.

— Я подсуечусь. Так мне сходить за вином или отправимся в «Принца»?

— Ох, сходи и прихвати какой-нибудь жратвы. Не хочется тащиться в «Принца», слишком далеко для такого раннего времени. Там Джимми Роуленд будет сидеть и ржать над собственными шуточками, а я не выношу его ослиного рева и писка бедняги Пятачка. Погоди, не уходи. Сядь рядом и попроси прощения, как смиренный кающийся грешник.

Тим сел рядом с ней и посмотрел в ее огромные темные карие глаза, подведенные синим, с торчащими от туши ресницами. Он коснулся маленькой коричневой родинки у ее носа.

— Старая знакомая.

— Больше так не поступай, Тим Рид. В другой раз я могу и не простить. Забавно, я сперва решила, что ты делаешь это ради нас, чтобы тянуть с нее денежки, ты, чокнутый, способен на такое. И была очень тронута. Интересно, если бы она терпела это долгое время, ты мог бы всегда врать ей, что встречаешься со старыми друзьями по Слейду, ты же такой мастер по части басен. Ты рассказывал ей обо мне?

— Нет.

— Точно? Ни слова?

— Ни слова.

— Хорошо. Бьюсь об заклад, ты врал ей, какой ты одинокий. Думаю, от тебя пахнет ею. Ты мерзкое животное.

— Скинь туфли,— попросил Тим.— Острые, черт, как копья.

— Скинь сам. Я не могу достать до них. Ты мешаешь. Ты любишь меня?

— Люблю.

— Не чувствую особого пыла, где твои знаменитые страстные восторженные ирландские признания? В жизни не видела человека, больше похожего на побитую собаку. И седеть начинаешь.

— Да ну?

— Шучу. Погоди, ты мнешь мне воротник, я сниму шарф. Боже, ну и жара!

— Ох, Дейзи, как я был одинок, как это было ужасно!

— Хочешь, чтобы я утешала тебя, потому что Герти поняла, какой ты крысеныш? Бедный маленький Тимми. Положи голову вот сюда. Женщины для того и существуют, чтобы утешать, они — верное средство. Ты возвращаешься к женщине, которую бросил, и просишь утешить, потому что там у тебя не выгорело. Господи, какие мы дуры! Хотелось бы мне найти себе мужчину получше.

— Хотелось бы мне быть лучше.

— Бедненький Тим, бедненький грешник. Полно, обними меня. Не горюй, здесь тебе бояться нечего.

Все, размышлял Тим позже, пошло не так с того момента, как он наспех овладел Гертрудой у себя в студии. Его чрезмерная боязнь, что им помешают, вызвала у Гертруды раздражение и чувство неуверенности. Она нервничала и стеснялась. Обижалась на его неспособность обеспечить ей безопасность. Потом провальная встреча с Анной (его идея): в голове пусто, ни одной умной мысли, а она сверлит холодным взглядом, словно видит его насквозь. Он был уверен, что Анна заставила Гертруду выложить правду (хотя Гертруда и отрицала) и велела ей все прекратить! При первом же столкновении с людским мнением Гертруда сдалась. Глядя на свою любовь чужими глазами, она увидела, насколько это нелепо. Хорошо еще, что он ни словом не обмолвился ей о Дейзи. А если бы сказал и Гертруда ушла бы от него после этого, он вообразил бы, что причина в Дейзи, и лишь еще больше мучался бы, упрекая себя в бесстыдстве. Он мог представить себе, в каком был бы отчаянии, если б думал, что без этого фатального откровения мог сохранить свою любовь. А так у него хотя бы было утешение: Гертруда бросила его не в результате какого-то его промаха или случайно открывшейся лжи, но по глубинной непоправимости самой ситуации. Гертруда стыдилась его, вот к чему все пришло. Тим не чувствовал ни обиды, ни удивления. Ему было стыдно за самого себя; только в обычных обстоятельствах это не имело бы никакого значения, и он едва ли обратил бы на это внимание.

Во Франции легко было говорить: какое-то время будем держать все в тайне. Это казалось разумным и простым. Но подобная тактика оказалась для них губительной. Если бы у Тима было надежное убежище, возможно, было бы легче, а так факт его связи с Дейзи все же навредил ему. Срочный отъезд Анны (Гертруда наверняка все рассказала ей) будто бы к старинной школьной подруге в Герефорд (Гертруда становилась такой же ловкой лгуньей, как Тим) открыл ему доступ на Ибери-стрит; но там они тоже не были в безопасности. Вежливые, знающие правила родственники без приглашения не заглядывали, но давило само их присутствие на горизонте. Гертруда не могла игнорировать этих людей, хотя делала вид, что не зависит от них. Оставался Лондон — громадный дворец развлечений, и урывками, бродя по нему, как пара отпускников, они чувствовали себя счастливыми. Тим показывал ей картины, здания, места. Гертруда до удивления плохо знала Лондон. Они часто бывали в Британском музее. (Там был уединенный диванчик в этрусском зале, где можно было целоваться.) Тим водил ее в пабы, подальше от «Принца датского» и от «Герба Ибери»,— пабы в Чизуике и те, что он запомнил в северной части Лондона (но не в Хэмпстеде, где полно было родни Гая). Они побывали в убогом кабачке на Харроу-роуд, где подавали сидр, и ей там понравилось. Они были как влюбленные студенты или пародия на счастливых детей.

Они гуляли, пили вино, предавались любви. Здесь было все, что отличает тайную любовь. Больше того, это была самая настоящая тайная любовь. Невероятная страсть, которая внезапно обрушилась на них во Франции, настойчиво бия крылами,— это неодолимое необъяснимое обоюдное влечение плоти не отступало и здесь, в Лондоне. Такой явный, Эрос не обессилел, не исчез. Они предавались любви с яростью, закрыв глаза, со стонами. Затем рывком вскакивали, глядя друг на друга чуть ли не с подозрением, и торопливо одевались, словно собираясь удариться в бегство. Тима удивляла страстность Гертруды, которая во Франции, осененная изумительностью случившегося, воспринималась как вполне естественная. На Ибери-стрит же это выглядело очень странно, и он заметил, что и она, должно быть, это чувствовала. Кроме того, эта квартира ужасала его тем, что вызывала рой обвиняющих воспоминаний, а уж ее-то, наверное, еще сильней. Но они не говорили об этом.

Несмотря на свой девиз «Lanthano», то есть «не привлекай внимания», и веселую способность болтать о чем угодно, но не о главном, Тим прежде никогда не скрывал своих связей с женщинами. Ему тяжело было жить с тайной, которую они даже не обсуждали, по поводу которой даже не шутили. Это наполняло его мучительными сомнениями. Да, в один прекрасный день, когда-нибудь, Гертруда введет его в круг своих знакомых как друга, потом как особо доверенного друга, а потом и как *fiancé**. Они согласились,

* Жениха *(фр.)*.

что не могут любить друг друга иначе, как имея в перспективе женитьбу, только это не даст их великой любви зачахнуть и погибнуть. Но он чувствовал, что перспектива эта закрывается. Они начали жить настоящим моментом, как все обреченные любовники. И неуклонно, как в море, погружались в уныние.

При всем том Тим никогда не говорил себе, что они совершили распространенную ошибку, приняв банальное плотское влечение за великую любовь. Он все еще верил в великую любовь. Просто не всякой такой любви удается утвердиться в мире. Он часто думал о скалах близ «Высоких ив», прозрачном озерце и «лике». Все, можно сказать, началось там; но при этом он разделял эти события. «Лик» сохранился в его памяти как реальность, он связывал его со своей работой, с собой как художником. Он вспоминал его странные очертания, светлое округлое пятно с влажной рябой поверхностью, «карандашные линии» мха, подобно колоннам, тянувшиеся вверх, темную расщелину наверху, из которой свисали папоротники и ползучие растения, скрывая вершину утеса. Сверхъестественная сила скалы потрясла его, даже сейчас в воспоминаниях (внутренним взором он видел ее предельно отчетливо) вызывая благоговение сродни любовному. Это было как явление истины, и до сих пор он чувствовал ее магнетическое притяжение, как прочную связь, сохраняющуюся между ним и скалой. Ему верилось, что скала стоит и сейчас, продолжает стоять, спокойная и одинокая, тусклая в тени и сияющая на солнце, чернеющая в теплой ночи. К озерцу у него было иное чувство. Страх перед «ликом» был неотделим от благоговения. Страх, внушаемый озерцом, а он страшился его, был иным, более острым, страхом перед чем-то колдовским, опасным. Ему было трудно представить, что оно все так же блестит там сейчас, что, возможно, птица пьет из него и плывет змея.

Пытаясь осмыслить произошедшее в последующие дни своего отчаяния, он порой думал: они просто оказались во власти чар после того, как Гертруда искупалась в том озерце.

Это было как наркотик, как любовный эликсир. Что-то в нем колдовски подействовало на нас, может, совершенно случайно, и они на время лишились разума, а теперь эти чары теряют силу. По-другому этого нельзя было объяснить. Но в самой глубине души Тим отвергал это. Подобная опасность не коснулась их. Это не было как магия, это не было магией, хотя в обычном понимании было — магия, колдовство. Это была абсолютная истина, нечто от целостности и добра, взывавшая из темного сумбура в нем самом. Он любил Гертруду любовью, которая была лучше его. Не требующей подтверждения, несомненной, чего он прежде не чувствовал. Она проявлялась в нем в виде радости, которая охватывала его даже теперь, когда они с Гертрудой пили сидр в кабачке на Харроу-роуд.

Но то, что истинно и высоко, может быть физически уничтожено, и его истинность и высота останутся неуловимой чистой аурой в мире идей. Он и Гертруда не смогли помочь своей любви, не смогли выдержать ее. Она дрогнула, он отчаялся. Если бы только, говорил он себе, прошло чуть больше времени со смерти Гая, еще несколько месяцев, и он был бы спасен. Впрочем, еще несколько месяцев, и Гертруда была бы уже другой женщиной, ее потрясенная душа не зазвучала бы в унисон с его душой. То, что это произошло по воле случая, его не тревожило. Он был достаточно умен, чтобы понимать: обоюдная любовь зависит от случая, что не делает ее непрочной. Но он чувствовал печаль, почти горечь, думая, что всего лишь свежая память о Гае, его довлеющее отсутствие оказались фатальными для их любви.

Оба они в этот свой лихорадочный «отпуск» предвидели конец. И были готовы. Тиму не хватило духу начать решительный разговор. Гертруда завела его. Но едва она заговорила, он уже знал, что сказать. Оглядываясь назад, Тим думал, что проявил смелость. Но какой у него оставался выход? Плакать и умолять? Это лишь на какое-то время оттянуло бы конец. Он увидел в глазах Гертруды досаду и раздражение. Как адской боли, он боялся увидеть в них ненависть. И Гертруда попалась в ловушку. Он устраивал ее в качестве любовника, но не в качестве мужа. Теперь ей хотелось вернуться к прежней жизни, к своим старым драгоценным друзьям, к тому, что было мило всему ее семейству. Если бы он «загостился», то стал бы ненавистной обузой. И Гертруда со всей прямотой, насколько хватило духу, сказала ему, что пора и честь знать.

Теперь никогда, думал Тим, не станет он таким, как прежде, просто по-собачьи счастливым. Никогда он по-настоящему не верил, что Гертруда выдержит. Он верил в две несовместимые вещи: что Гертруда любила его безоглядно и всем сердцем и что она любила его недостаточно.

Лежа голым в объятиях Дейзи, обвеваемый ветерком из вечернего окна, приятно охлаждавшим мокрую от пота кожу, Тим говорил себе: если бы они могли умереть сейчас, то отправились бы прямиком в ад, даже не надо собираться. Эх, как бы ему хотелось, чтобы они умерли сейчас!

— О чем задумался, мистер Голубые Глаза?

— О смерти и аде.

— Шутник ты.

— Помнишь о Папагено и Папагене?

— Помню.

— Думаю, мы прошли свое испытание.

— Как бы не так! Стоит мелькнуть очередной юбке, как ты снова смоешься. Герти — лишь начало.

— Ты очень добра, очень мила.

— Ха-ха-ха! Просто надоели мужики, на которых мне начхать.

— Я проголодался.

— Я тоже.

— Так пошли в «Принца датского».

— Пошли. Хорошо в такой летний вечерок посидеть в старом добром «Принце».

ЧАСТЬ ПЯТАЯ

Это свершилось. Гертруда Маккласки, ставшая Гертрудой Опеншоу, теперь была Гертрудой Рид. Тим и его жена изумленно, растерянно, радостно, смущенно и с ужасом смотрели друг на друга. Бракосочетание состоялось в местной мэрии. Присутствовали Анна, Джеральд, Граф, миссис Маунт, Джанет со Стэнли и Мозес Гринберг. Манфред тоже получил приглашение, но ему необходимо было быть в Брюсселе по служебным делам.

Они поженились в июле. Сейчас было начало августа. Решение Тима и Гертруды положить конец их любви оказалось невыполнимым. Как они сотню раз повторяли позже, они вновь сошлись, потому что не могли оставаться в разлуке, не могли быть врозь. Слишком тяжело это было, слишком велика была взаимная тяга, слишком остра потребность друг в друге, слишком неотвратима судьба быть вместе — они говорили еще много подобных слов, улыбаясь и держась за руки. Тим смог уйти лишь на одну ту ночь, а Гертруда вынести ее, пережить его уход, потому что внутренний голос говорил каждому — это не конец. Расставание было драмой, которую они должны были сыграть. Это была необходимая стратегия Эроса, связавшего их узами, прочность которых они, сами того не подозревая, должны были испытать. Они должны были проверить, насколько каждый из них необходим другому, попробовать обойтись друг без друга и понять, что это невозможно. Это их испытание, говорили они, которое они прошли с победно развевающимися знаменами,— такое сравнение понравилось обоим. Тим сделал для нее множество рисунков, на которых он сам и Гертруда сходились, высоко подняв знамя, как на поле боя, или танцевали среди голубых цветов.

Все это, конечно, заняло какое-то время. Ни он, ни она не выносили страдальческой позы оставшегося одиноким лебедя. Тим поздно вечером ходил по Ибери-стрит и смотрел на ее светящиеся окна. Он решил не звонить Гертруде и даже не подстраивать как бы случайную встречу. Он просто должен был устроить такую пытку своему уязвленному сердцу. Он героически говорил себе, что «сделал это», взял на себя инициативу, чтобы снять с нее моральное бремя разрыва. Потом он страшно сожалел об этом и корил себя за необъяснимо опрометчивый и тщеславный поступок. Если бы он только подождал еще день, все было бы по-другому. Гертруда просто испытывала его, побуждая твердо сказать, что она может быть совершенно уверена в нем. Он обязан был оправдать ее веру и надежду. И Гертруда думала: зачем она сказала ему все это, ведь она даже так не думает, машинально произнесла пустую фразу. Она прогнала его — и вот потеряла с ним свет и радость жизни, и чистое неподдельное счастье, которое она могла обрести, ушло с ним навсегда. В сердце своем она говорила Гаю: ты хотел, чтобы я была счастлива, но ты видишь, я не способна. И эта мысль была ей вроде утешения.

Анна не вернулась, хотя они встречались в квартире на Ибери-стрит, и Гертруда рассказала ей, что Тим ушел и все между ними кончено. Они не обсуждали эту тему. Как Гертруда ни умоляла Анну вернуться, та осталась в гостинице. Она вела переговоры с хозяевами двухкомнатной квартиры в Сент-Джонз-Вуд. Контрактом занимался Мозес Гринберг. Гертруда съездила посмотреть квартиру. Она виделась с Анной каждый день. Они вместе выбирали мебель, занавески. Их дружба попала в своего рода «воздушную яму», из которой, они знали, скоро выберется. Иное дело Граф. Гертруда, как и намеревалась, увиделась с ним на другой день после бегства Тима. Она позвонила ему на службу, и они вместе позавтракали. Граф по ее голосу понял, что случилось. И когда они встретились, Гертруде стало ясно, что Графу наверняка было известно о Тиме. А Граф понял, что Гертруда знает, что он все знал; разумеется, они не упоминали имени Тима, и только легкое облачко в улыбавшихся глазах Графа указывало (как предположила Гертруда) на сожаление, что накануне он уклонился от драгоценного ее приглашения. Он винил себя за не вполне достойное поведение и что не сделал того, что обязан был сделать порядочный польский мужчина: повиноваться желанию своей дамы и прийти, пусть даже придется встретиться с соперником. Граф, как оказалось, имел впоследствии множество возможностей проявить себя джентльменом, но в тот момент ни он, ни Гертруда не предполагали, какой разворот назад приготовило будущее. Гертруде было приятно, что она так легко может сделать его счастливым. Они отправились в небольшой итальянский ресторанчик в переулке, отходившем от Уордор-стрит, и порядочно выпили там (обоим было не до еды), разговаривая о политике, Польше, Лондоне, своем детстве, работе Графа, теориях Джеральда, квартире Анны. Граф рассказал Гертруде историю гибели своего брата на войне. Он еще никому не рассказывал об этом так подробно. В первый раз после смерти Гая он был вдвоем с Гертрудой, не считая кратких моментов. И по-настоящему впервые они разговаривали друг с другом так долго, так легко и открыто, с такой теплотой и расположением. В офис Граф вернулся не помня себя от восторга.

Однако ощущение Гертруды, что она вернулась в настоящий мир своих драгоценных друзей, длилось недолго. Тим все же заронил в нее семена неудовлетворенности. Она уже не могла быть прежней. Тим открыл ей как бы простор наслаждения, молодости, и это было ново для нее. Он был чудесным незнакомцем в ее жизни. А желание жгло, терзало ее, она не ожидала, не могла вообразить, что огонь страсти вновь вспыхнет в ней с такой неистовостью. Она делала здравые вещи, как задумала, вернулась к прежнему рациональному существованию. Пригласила *les cousins et les tantes*, и они казались прежними: почтительная толпа, любящая, веселая, не удивленная и успокоительно знакомая. Но всего того, что, как она говорила себе, ей необходимо, оказалось недостаточно, и скоро возникла пустота. Она чувствовала, что не может справиться с собой без поддержки Графа и Анны, без их любви. Поддержка Графа, теперь, когда она вновь получила ее, казалась не столь насущно необходимой. Что до Анны, особенно когда Анна отказалась вернуться на Ибери-стрит, то тут было сложнее. Они с Анной всегда мчались вместе в той несокрушимой колеснице. Только раз уж она столь несокрушима, не было, наверное, необходимости проезжать ею по ее мечтам. Все дело было в том, что она попрежнему желала и продолжала желать этого худого голубоглазого рыжего юнца, и ничто в целом свете не могло ей его заменить.

У Тима это время прошло схожим образом, но все же по-другому. Он оставался у Дейзи два дня, в которые они беспробудно пили. Потом они, как обычно, начали ссориться. Находиться в ее квартире стало невыносимо. К отчаянной жаре и духоте (зной никак не спадал) добавлялась вонь потной одежды и дешевого вина. У Тима не было ни малейшего желания наводить чистоту и порядок. Наконец он ушел, сказав, что возвращается к себе в мастерскую (откуда его вовсе никто не выгонял) и найдет Дейзи в «Принце датском». Но в мастерскую он не вернулся, а поселился в дешевой гостинице на Прид-стрит (неподалеку от гостиницы, в которой жила Анна, только им не случилось встретиться). Живя в гостинице — в кои-то веки у него были деньги на это,— он испытал волнующее чувство независимости и безымянности, которое, как сначала казалось, смягчит его горе. Но скоро он уже сходил с ума от безделья и бесприютности и чувствовал себя отчаянно несчастным. Он бродил по Лондону, пил в пабах. По вечерам заходил в «Принца датского», напивался там с Дейзи. Она острила и кляла весь мир. Казалось, она разговаривает сама с собой, не замечая присутствия Тима. Дважды к ним присоединялся Джимми Роуленд. Во второй вечер появилась былая страсть Тима, Нэнси, сестра Джимми, но Дейзи отшила ее. Потом Джимми, коммерсант от искусства, укатил по делам в Париж, прихватив с собой Нэнси и Пятачка.

Оба, Тим и Гертруда, теперь искали друг друга, только ни один из них не вполне осознавал это. Гертруда почти готова была сказать себе: я устроила испытание своей страсти, и она выдержала его, так зачем отказываться от того, к чему я стремлюсь? Обоих неодолимо влекло в места, где они бывали вместе и где могли бы случайно встретиться. Както раз они в один день побывали в том же пабе в Чизуике, только в разное время. Однако случай мог сулить им долгую разлуку. Что они делали бы тогда, обсуждали они позже, и всегда приходили к заключению, что вскоре не выдержали бы и написали друг другу, или позвонили, или униженно постучали в дверь, что оба постоянно репетировали в мыслях. Но вышло так, что их поиски не слишком затянулись. В конце концов они встретились в Британском музее, где однажды утром Тим нашел Гертруду на скамеечке возле Розеттского камня.

Радость, которую оба испытали, встретив друг друга, была финальным аккордом их испытания. В один миг вся их черная меланхолия, мучительное беспокойство, страх исчезли, как при звуке небесной трубы. Унылый старый мир свернулся, как занавес, и раскрылись златые небеса с солнцами и звездами на них. Слова были не нужны. Они взялись за руки, не замечая проходящих людей и сами как бы невидимые в странной величественной полутьме, заполнявшей эту часть музея и, возможно, исходившей от египетских древностей. Они держались за руки и не сводили глаз друг с друга.

Гертруда отдавала себе отчет, что ее последняя трудность не имеет отношения к Анне или Графу или к тому, что подумают *les cousins et les tantes*. Дело было в Гае. Гертруда обнаружила, что ее связь с ним, вместо того чтобы оборваться, или остыть, или уйти в область воспоминаний, жива и ее характер постоянно меняется. То, что она чувствовала сейчас относительно их троих, Тима, Гая и нее, было совершенно отлично от того, что она чувствовала во Франции и позже, когда вернулась на Ибери-стрит, и опять-таки отлично от того, что она испытывала, когда говорила Тиму, что «так продолжаться не может». В последнем случае было очень просто: ей казалось, что горестная тень Гая осуждает ее. Гай сам сказал, пусть лишь желая утешить ее «чего бы он хотел для нее после его смерти. Он сказал, что хочет для нее счастья, и говорил о замужестве и Графе. Гертруда решила так: одобрял Гай или нет кандидатуру Графа как защиту от Манфреда и хотел он или нет в действительности, чтобы она вышла за Графа или кого другого, он, безусловно, не имел в виду Тима! Эта мысль не была прямой причиной ее разрыва с Тимом, скорее в том состоянии, в каком была Гертруда, это способствовало подсознательному неприятию Тима и ощущению, что она снова влюбляется в Гая.

Теперь, когда Гертруда потеряла и обрела Тима, в ней опять произошла перемена. Она чувствовала, что поднялась на новую ступень, с которой может судить свои прежние перемены и понять их. Ее странная любовь к несуществующему Гаю не уменьшилась, возможно, даже усилилась, но была очищена от мучительного беспокойства и горьких размышлений, которые прежде делали ее чуть ли не враждебной и расчетливой, похожей на любовные отношения, в которых он был сердит, а она обиженно уступала. Это было словно безумие, почти наваждение. Теперь она мягко и естественно освободилась от Гая, более способная смотреть на него спокойно и с нежностью, и пребывала в спокойной уверенности, что ее связь с ним останется живой и меняющейся, как все живое, до конца жизни. Не то чтобы она чувствовала, что сейчас несет его в себе или с собой или «живет» им. Они были разделены. Но теперь она как бы могла сказать ему через разделявшую их даль: я люблю тебя, прими меня такой, какая я есть, мне нужно жить дальше и принимать решения без тебя, и, наверное, я сделаю много такого, что ты сочтешь глупостью, но тут ничего не попишешь. И теперь боль ее потери стала иной — как боль очищенной и дезинфицированной раны.

Спустя некоторое время она даже смогла говорить с Тимом об этом и о том, как ее траур должен будет повлиять на свадьбу. Ее больше не волновали ни «планирование времени», ни что в этой связи подумают «другие». Гай умер в декабре, бракосочетание было намечено на июль — веселье на похоронах, панихида на свадьбе. Что ж, да будет так. Гай часто говорил ей, что время — вещь нереальная. Вопрос временно́й дистанции теперь казался ей ничего не значащим и чисто формальным, чем-то, зависящим от ее взгляда на свою собственную историю, от ее чувства, что хорошо и что реально. Она перестала беспокойно подсчитывать недели и месяцы своего вдовства. Решила, что делать с Тимом в свете ее отношений с Гаем и что делать с Гаем в свете ее отношений с Тимом. Сама любовь была этим светом. Эти спокойные мысли помогли Гертруде не слишком отчаиваться (хотя она и беспокоилась) из-за того, что подумает о ней семья Гая и насколько бешено будут работать их языки. Они, разумеется, были к ней бесконечно добры, внимательны, благожелательны, проявляли понимание. Она знала, что между собой они только об этом и говорят, и примерно представляла степень их шока, изумления, злобы и морального осуждения, которые придавали остроты этим пересудам, доставлявшим им столько удовольствия. Она получила решительное одобрение со стороны Джеральда (которому Тим искренне нравился), Мозеса Гринберга (согласившегося быть посаженым отцом) и, что довольно удивительно, миссис Маунт, всячески старавшейся показать свою радость. Манфред, конечно, вел себя безупречно, но Гертруда, как обычно, плохо представляла, что он думает на самом деле. Похоже, его присутствие на церемонии было исключено. Она поместила очень коротенькое объявление о предстоящем событии. Гертруду все они мало заботили, по крайней мере в данный момент. Возможно, она стала причиной скандала. Но пока чувство долга по отношению к семейству не слишком мучило ее.

Другое дело — Анна и Граф, эти две, в ее глазах, благородные души. Тим с Гертрудой затаились на недолгий период между воссоединением и своим невероятным объявлением о свадьбе. Они жили на Ибери-стрит, но без прежнего навязчивого стремления скрывать это. Они никому ничего не говорили, однако любой мог видеть их вместе. Гертруда еще раз намекнула, что, вероятно, уедет, по крайней мере сказала об этом Анне и Графу (остальные ее не волновали), но не знала, поверили они или нет, и надеялась, что не поверили. Пожалуй, было бы лучше, чтобы они решили для себя, как им отнестись к предстоящему. Прежде чем рассказать семье, Гертруда написала коротенькие ласковые письма им обоим, сообщая о своем намерении выйти замуж. Они, конечно, поздравили ее, а Граф написал теплое письмо Тиму. Гертруда пригласила их на коктейль вместе с Мозесом, Манфредом, Джеральдом, Виктором и миссис Маунт, они оба пришли, и вся небольшая компания даже была неподдельно оживленна и весела. Когда гости разошлись, Тим со счастливым видом сказал: «Они приняли нас». Гертруда не была столь уверена. Она немного поговорила с ним о Графе. Тим смутно догадывался, что Граф неравнодушен к Гертруде, но не знал, насколько серьезны были его чувства, а Гертруда не стала просвещать Тима на этот счет. Анна же ее поразила. Как только Гертруда сказала, что окончательно решила выйти за Тима, Анна не только не выразила своего прежнего неодобрения, но искренне обрадовалась за нее. Графу, безусловно, это не могло доставить никакой радости, он даже не пытался сделать вид. Он воспринял известие с достоинством, но при всей своей подчеркнутой любезности (теперь принять ее приглашение было делом чести) был слегка отчужден и замкнут. Гертруда внимательно следила за этими его отстранениями и замыканиями в себе. Теперь, решившись выйти за Тима, она уже не так переживала, что Граф переменит свое доброе мнение о ней, нежели прежде, когда ее тайная любовь даже ей казалась грязной безнадежной связью. Но она догадывалась, как сильно он страдает. Моментами в его глазах мелькала вспышка боли, которую он не мог скрыть. И она с грустью говорила себе: да, наверное, она потеряла Графа. Он постепенно отойдет в сторону и вовсе исчезнет. Иначе поступить он не может. А она, разве она может надеяться иметь все?

В этот период Тим предался, так сказать, удовольствиям. Для него наступил праздник, в котором не было места беспокойству и тревоге. Он вел себя безупречно, тем более что чувствовал: его энтузиазм должен вызвать неприятие Гертруды, которая несла свое печальное бремя. Не то чтобы он сомневался в подлинности ее любви. Но он знал, потому что она говорила ему, что она постоянно думает о Гае и волнуется из-за Анны и Графа. Одним из удовольствий Тима стала попытка переменить свою внешность, выглядеть иначе, моложе, оригинальней. Он сделал элегантную стрижку и чаще мыл волосы. Укоротил торчащую бороду почти до невидимости, но отрастил кудрявые бачки. У него еще остались деньги от его «зарплаты сторожа» (они с Гертрудой смеялись над этим), и он тратил их на то, чтобы одеться, как оперный артист, покупая мягкие цветастые рубашки и шейные платки. Он прилагал все усилия, чтобы хотя бы удивить друзей Гертруды. Ради них усердно разыгрывал из себя художника-оригинала и надеялся, что после первого потрясения они воспримут свершившееся как нечто разумное и обнадеживающее.

Конечно, Тим не мог окончательно избавиться от беспокойства. Мысли о Дейзи хотя и возникали, но особо не донимали. Поначалу он иногда думал о ней, но потом перестал. Он стремился к чему-то, чего должен был добиться и добился, и после этого, на ближайшее будущее, перестал волноваться. Он чувствовал глубокую грустную нежность к Дейзи, но желания видеть ее не было. Он чувствовал, что освобождается от нее. В определенном смысле он был рад избавиться от нее, он давно хотел это сделать, но без помощи Гертруды ничего не получалось. Он приветствовал и лелеял эту мысль. Был преисполнен благими намерениями, одним из которых было все рассказать Гертруде, но еще не рассказал. Он спрашивал себя: не стоит ли признаться немедленно, но по размышлении решил повременить. Признание больно задело бы ее, а она без того достаточно сейчас страдала из-за него. Кроме того, объяснить связь с Дейзи было непросто, и Гертруда могла понять его совершенно превратно. А если в результате глупого порыва откровенности он потеряет Гертруду после того, как чудесным образом вновь обрел ее? Идти на такой риск — значит отплатить черной неблагодарностью богам. Тим не буквально так формулировал это для себя, но ему действительно нужно было время, чтобы заново обдумать историю своих отношений с Дейзи и отвести им сравнительно маловажное место в своей автобиографии. Если бы только он не побежал обратно к Дейзи после «отказа» Гертруды, если бы тогда он больше верил в их любовь, переписать историю теперь было бы значительно легче, он был бы куда ближе к тому, чтобы считаться вне подозрений! Надо обождать. Позже, в крепости супружеской любви, он сможет безболезненно и безопасно рассказать об этом. И к тому времени оно действительно отойдет в прошлое.

Так разрешив свои сомнения, Тим рассчитал заранее печально необходимые шаги к разрыву. Он, конечно, перестал появляться в «Принце датском», поэтому послал Дейзи короткое письмецо, ставя ее в известность, что он вновь с Гертрудой и женится на ней. Поначалу он сочинил более длинное покаянное письмо, но порвал его. Он словно бы услышал колючие насмешки Дейзи. Не было смысла выражать сожаление. Факты говорили сами за себя. Валить на нее камни его неуверенных самооправданий значило оскорблять Дейзи. А таких камней у него на душе было предостаточно. Любовь к Дейзи давно вошла у него в привычку, и среди россыпей душевного мусора мелькнула странная мысль: предположим, он расскажет Гертруде о Дейзи и скажет, что не может окончательно порвать с ней, что ему необходимо продолжать видеться с ней, как с дорогим другом? Предположим, он самоуверенно решит, что Гертруда поймет его? Он рассматривал эту мысль как утешительный компромисс, но, разумеется, понимал ее нелепость. Гертруда была бы шокирована, а Дейзи послала бы его ко всем чертям. И вот на пике счастья он временами был — настолько внутренне сложен и переменчив человек — совершенно подавлен, думая о Дейзи. Он не ждал, что она ответит на письмо, она и не ответила. Надеялась ли она на то, что Тим порвет с Гертрудой и вернется к ней? Или окончательно поставила на нем крест? Стоило ли написать ей снова, объясниться полнее? Каждое письмо было новой неволей. И все же он чувствовал: ему нужен какой-нибудь знак, что Дейзи его отпускает, какой-нибудь намек на то, что она знает, что все поняла. Мысль, что она ничего не знает, была невыносима. Вдруг первое письмо не дошло? В доме Дейзи жило полно ненормальных, которые могли украсть письма. Ради собственного душевного покоя он по-настоящему нуждался в ее прощении, но не мог просить об этом напрямую. В любом случае не угадаешь, в чем выразится ее прощение. Наконец, уже после свадьбы, Тим послал письмо, вложив в него конверт с адресом мастерской, с маркой и чистой открыткой в нем. В письме говорилось: «Дорогая моя, я женат. Прости и прощай». Конверт вернулся. На карточке рукой Дейзи было написано: «Катись ты!» Это было прощение, и Тим был глубоко благодарен ей за это. Ему вспомнились ее слова, что без него она наконец взяла бы себя в руки и предприняла что-нибудь. Он надеялся и наполовину верил, что так и произойдет, и постепенно стал меньше тревожиться о ней.

— Когда покинешь студию, где ты будешь хранить картины? Мы могли бы перевезти их сюда...

— Нет надобности, я могу оставить их у Джимми Роуленда.

— Это тот парень, с которым ты делишь студию?

— Да, но он нашел себе другое жилье.

Теперь Тим работал на Ибери-стрит. В мастерской было все еще опасно, Дейзи в дурном настроении могла нагрянуть туда, хотя это и было маловероятно. Ему представилась картина: Дейзи врывается на чердак и кромсает его холсты. Увлекательное зрелище, но не в ее характере. На самом деле ему еще не хотелось расставаться с мастерской. Перетаскивать вещи — дело хлопотное, а Джимми Роуленда он приплел безотчетно. Он решил, что пока пусть все останется как есть.

Тим и Гертруда долго и неторопливо завтракали в столовой. Гай, тот ел быстро. Тим — медленно. Хотя оба, Тим и Гертруда, работали, настроение у них сохранялось праздничное. Гертруда несколько раз в неделю по утрам преподавала английский женщинам из Азии. Она только начала преподавать, когда Гай заболел, и теперь вновь чувствовала себя новичком. Ее ученицы, часто отличавшиеся умом, присущим их расе, были робки и застенчивы. Они не ходили (ни с мужьями, ни без них) к ней домой и не приглашали ее к себе. Занятия проходили в школьной атмосфере районного общественного центра. Неодолимым препятствием был языковый барьер. Помогло бы хоть какое-то знание урду или хинди, чем Гертруда не обладала. С каждой ученицей она занималась отдельно и, оставаясь наедине с этими хорошенькими, внимательными, волнующимися женщинами в самых красивых на свете одеяниях , порой чувствовала, будто сама переносится в их далекую страну. Бывало, не находя слов, она тянулась через стол и касалась хрупкой смуглой руки, и так ученица и учительница общались между собой, с наворачивающимися на глаза странными счастливыми слезами или беспомощно смеясь. Она пыталась описать это все Тиму, но он, не видевший этих женщин, не мог понять ее.

Тим между тем работал по утрам. Он любил оставаться один — с успокоительными мыслями о Гертруде, но в одиночестве. Оно было ему необходимо. Он занял под мастерскую комнату Анны — там было достаточно света,— перевез на такси и расположил в ней крупные и выглядящие наиболее живописно предметы своего ремесла, а также некоторые картины из тех, что поприличней. Перевез он и запасы досок, найденных на свалках, чтобы писать на них, хотя они вряд ли понадобились бы, поскольку Гертруда накупила ему прекрасных дорогих холстов — или он купил их сам на деньги Гертруды, или на свои, ибо теперь они совместно владели их земными сокровищами, то есть имуществом. К этому еще требовалось привыкнуть, и он старательно освобождался от своего обыкновения экономить. Он пока не притрагивался ни к одному из этих прекрасных белых прямоугольников, даже в мыслях. Занимался набросками, сделанными во Франции (но не зарисовками «лика», их он оставил на потом). По просьбе Гертруды сделал две акварели, изображавшие цветы, но неудачные, и иногда, когда она уходила к своим ученицам, выбирался в парк и рисовал деревья.

Еще они любили вместе совершать небольшие путешествия на метро. Тим вынужден был признаться себе, что еще не способен толком взяться за работу.

Дни они проводили по-разному. Иногда Гертруда возвращалась в свой общественный центр по делам или на собрание, а Тим в свою новую мастерскую. Ему также нравилось прибираться в квартире, наводить порядок. Миссис Парфитт, превосходная домработница, продолжала приходить дважды в неделю, но обнаруживала, что Тим сам заменил ее во многом из того, что входило в ее обязанности. Иногда после ланча они вместе отправлялись по магазинам, покупая продукты и всякие вещи домашнего обихода. Как всякая молодая *ménage**, они обожали покупать швабры да щетки, формочки для кексов, кухонные полотенца и прочие мелочи, обычно ненужные, поскольку в доме всего этого было предостаточно. Предлагали друг другу купить что-нибудь из одежды, но в расходах, не сговариваясь, старались быть сдержанными. Время от времени приглашали кого-нибудь к себе на вечерний коктейль. Чаще же отправлялись гулять в Центральный Лондон, заканчивая прогулку в каком-нибудь пабе. Зачастили в «Герб Ибери». Пока они никого не приглашали на обед, слишком ценя вечера вдвоем.

Гертруда и Тим постоянно говорили друг другу, как им на удивление хорошо вместе. Каждый ожидал, хотя и неопределенно, разногласий, обид, ссор. Однако подобных неприятностей не происходило. Оба сталкивались с необходимостью идти на какие-то небольшие непредвиденные уступки, но любовь и здравый смысл помогали им своевременно делать это. Несомненно, тут безграничная жизнь непрерывно осуществляла небольшие быстрые корректировки. Они смотрели друг на друга с наивным великодушием, которое моментально находило оправдание самым серьез-

---

* Семья *(фр.)*.

ным недостаткам, вслед за чем изобретательная супружеская любовь подсказывала способы примирения. Гертруда поняла, насколько ее жизнь зависела от абсолютной организованности Гая, от его надежности, его непринужденной власти над строителями, водопроводчиками, официантами, налоговиками, таксистами, телефонистами, чиновниками, продавцами. Когда она упомянула о своих проблемах с подоходным налогом, Тим с улыбкой сказал, что ничего не знает о налогах, он их никогда не платил. Тим был невероятный чистюля, мог убраться в квартире, приготовить поесть, постирать, но не имел понятия о плате по векселям и даже что это вообще такое. Он не мог составить деловое письмо или вести переговоры по телефону. Еще ее потрясло, что он, похоже, был способен жить, ничего не читая.

Со своей стороны, Тим поражался тому, как мало Гертруда знает о живописи и насколько неразвита у нее способность видеть. Было такое впечатление, что она не слишком разбирается в каком-либо виде искусства, кроме литературы. Она уверяла, что получает удовольствие от музыки, но (к большому облегчению Тима) не таскала его по концертам. Таким образом, каждый из них в известной мере чувствовал легкое превосходство над другим, которое быстро переходило в чувство покровительственной нежности. Гертруда видела, что Тим по природе человек неделовой, необязательный, даже ленивый. Тим понял, что Гертруда (в отличие от Гая) отнюдь не эрудит и, хотя она и плавала в том прозрачном озерце,— не богиня. Но каждый продолжал считать другого совершенно очаровательным и очень умным. Тим нашел в жене ту надежность, по которой всегда тосковал. Он осознал ее ценность для себя, обретя наконец опору. Она спасла его от его демонов и возвратила чистоту.

Гертруда иногда вздыхала про себя: она безоглядно любила Гая, а теперь вот так же безоглядно любит Тима, хотя у ее избранников не было ничего общего. Иногда она недоумевала: как она может любить кого-то, столь непохожего на Гая? Она в святой тайне переносила боль и муки траура, продолжавшие вершить свой обязательный ритуал, не подозревая о Тиме. Изменила облик квартиры, насколько сумела, но не могла не замечать бритвенные принадлежности Тима в ванной на месте принадлежностей Гая, и было много, много жизненных ситуаций, в которых она инстинктивно ожидала увидеть Гая, а находила Тима. Она тайком плакала, непонятно отчего. И даже могла вдруг решить в глубине души, что в нравственном отношении Тим ниже Гая. Но ее живая гибкая любовь распоряжалась новым своим приобретением с эгоистичной рачительностью, и она обнаруживала, что Тим не только очарователен, но и очень забавен. Она часто смотрела на него, когда он был чем-то поглощен (рисованием, бритьем, видом из окна), и говорила себе: это нелепое, потешное, странное, обворожительное существо — принадлежит ей! Она осознавала его молодость и виделась себе пустившейся в путь, чтобы соединиться с ним в стране его молодости. И знала: ей известно, что такое смерть, а ему нет.

— Когда мы переедем на новую квартиру, у тебя будет студия получше.

Они говорили о том, что надо бы подыскать новое жилище, но хотя оба хотели этого, все же не чувствовали в этом настоятельной необходимости. Они словно боялись любых перемен, чтобы не нарушить волшебного течения дней. Их жизнь была как нескончаемый медовый месяц. Они никуда не уезжали после свадьбы. Просто быть вместе представляло для них праздник.

— Ты говоришь, что в комнате Анны много света. Но она недостаточно велика.

Тиму хотелось, чтобы Гертруда перестала называть комнату «комнатой Анны». Теперь это была его студия. Иногда он все еще спрашивал себя, в какой мере, среди всего прочего, он женился ради ощущения надежности, ради своего искусства, чтобы можно было не жалеть дорогого холста на эксперименты. Играло ли это какую-то роль? Но он достаточно верил в свою любовь, чтобы ответить себе: нет, ни малейшей.

— Комната прекрасная,— сказал Тим.

— Анна приглашает нас к себе, в новую квартиру.

— Ах да, она же переехала. Где это, я забыл?

— В Кэмдене. Говорит, квартирка дешевая.

— На какое время она нас приглашает?

— На завтра, в шесть.

— Мы собирались в Баттерси, прогуляться в «Старого лебедя».

— Это можно сделать в другой день, у нас впереди много дней.

— Да будет так! А то я все думаю, что ты умрешь или я.

— Мы постараемся не умирать. Знаешь, я собиралась сказать тебе кое-что... чувствую, я должна говорить тебе все как на духу.

— Что рассказать? Ничего ужасного?

— Нет-нет, просто кое-что непонятное. Так вот... когда мы только вернулись из Франции и повели себя как ненормальные...

— Это ты тогда как свихнулась!

— Ну, неважно, так вот, кто-то прислал Графу анонимное письмо, сообщая, что у нас с тобой роман.

— О боже! — проговорил Тим и залился краской.— Кто это сделал?

— Не представляю.

— И что сказал Граф, что он подумал?..

— Я не обсуждала это с Графом,— ответила Гертруда, тоже покраснев.

— Но как ты узнала?

— Граф сказал Анне. А она тогда спросила меня.

— Спросила, правда ли, что у нас роман?

— Да.

— И ты призналась?

— Да.

— Господи!..

— Но тогда она ничего не сказала о письме, сделала вид, что сама догадалась.

— То есть сказала тебе позже?

— Да, когда мы увиделись с ней вчера. Я собиралась рассказать тебе, но просто забыла... что показывает, как мало это меня беспокоит!

— Это беспокоит меня,— нахмурился Тим.— Она показывала тебе письмо, оно было написано на машинке?

— Не знаю, не видела.

— Она сказала Графу, что поставила тебя в известность?

— Я не спрашивала, я уже уходила, когда она призналась.

— Но кто мог написать письмо?

— Просто не представляю. Может, Манфред догадался? Наверняка нет. В любом случае он никогда не стал бы писать анонимку. Ты никому не рассказывал, нет, конечно, не рассказывал, или все же намекнул?

— Нет.

Не Дейзи ли это сделала? — мелькнуло у Тима. Если так, то она способна на неожиданную месть. Могла ли она угрожать его любви, его счастью?

Анне Кевидж было видение Иисуса Христа. Он явился ей во сне, но потом обрел отнюдь не призрачную реальность. И позже Анна вспоминала об этом, как вспоминают реальные события, а не как сны.

Сон начался видением дивного сада, сада роз; розы цвели, сияло солнце. Место было незнакомо Анне. Сад располагался на покатом склоне, Анна стояла над ним, а выше нее шел каменный парапет, на котором виднелся знак в виде алмазного креста. В отдалении стоял большой каменный дом восемнадцатого века. Анна стала медленно подниматься в направлении дома. На душе были покой и счастье. Она поднялась по каменным ступенькам до парапета. Здесь земля была плоской, и коротко подстриженная лужайка тянулась до посыпанной гравием площадки, окружавшей дом. Налево Анна не глядела, но чувствовала, что там теннисный корт, обнесенный проволочной сеткой, а за ним цветущие кусты и стена с калиткой, наверное, ведущей в сад. По обеим сторонам площадки стояли на пьедесталах две статуи в стиле восемнадцатого века.

Идя по лужайке, Анна почувствовала что-то странное в этой картине. Статуи, которые изображали ангелов, казались ярко раскрашенными. Потом она поняла, что статуи живые, что это самые настоящие ангелы, очень высокие, с громадными золотыми крыльями и в разноцветных шелковых туниках тонкой работы. При виде ангелов Анна ощутила страх. Она хотела бежать, но знала, что должна идти вперед, и пошла дальше по лужайке, но медленней и осторожней, будто подкрадываясь к редкостным и удивительным птицам; и ангелы повели себя так, как если бы были дикими птицами: при приближении Анны совершенно спокойно сошли с пьедесталов и стали отходить по гравийной площадке, мимо окон дома, к углу фасада. Увидев, что они удаляются, Анна почувствовала отчаяние, словно у нее отбирают самую дивную вещь, какую она когда-либо имела. Она не побежала вдогонку, но поспешила к площадке и перешагнула ступеньку, отделявшую ее от лужайки. Ангелы, величественно шагая, уже достигли угла дома и готовы были свернуть за него. Анна крикнула им: «Скажите, здесь ли Господь?» Один из ангелов, обернувшись довольно небрежно, ответил: «Да». Вслед за тем две огромные, похожие на птиц фигуры скрылись за углом. Анна побежала за ними, и за углом ей открылась такая же площадка, тянувшаяся вдоль стены. Кругом было пусто. Оба ангела исчезли. С чувством возвышенной печали Анна пошла дальше. Когда она была уже на середине площадки, где исчезли ангелы, то услышала звук за спиной. Она отчетливо слышала хруст гравия под ногами идущего. И знала: тот, кто идет следом,— Иисус Христос. Она не повернулась, но упала ничком, лишившись сознания.

С этого мгновения сон перешел в подобие галлюцинации. Она проснулась в маленькой спальне своей новой квартиры и сразу вспомнила сон. Резко села в кровати, полная яркого ощущения красоты сна и его важности. Потом она снова почувствовала, нет, она знала, в другой комнате кто-то есть, кто-то стоит в ее кухне в слепящем свете раннего летнего утра. И она знала, что это Иисус.

Анна выскользнула из постели, надела халат и шлепанцы. Ей было невероятно страшно. Потом тихо открыла дверь спальни. Кухня была напротив, через коридорчик, и дверь в нее была приотворена. Она толкнула ее.

Иисус стоял у стола, опершись о него одной рукой. Она не смела поднять глаз и видела только его руку, лежавшую на дочиста отмытой деревянной столешнице. Рука была бледная и худая. Он произнес ее имя: «Анна», она подняла глаза и одновременно упала на колени.

Иисус, все так же опираясь о стол, смотрел на нее. У него была удлиненная голова, лицо необычно бледное, такая бледность бывает у вещей, долго лишенных света: у затененного листа, глубоководной рыбы, личинки внутри плода. Он был безбород, со светлыми, не очень длинными волосами, худ, среднего роста и одет в бесформенные желтовато-белые брюки и такого же цвета рубашку с расстегнутым воротом и закатанными рукавами. И в парусиновых туфлях на босу ногу. Хотя форма его головы казалась чуть ли не гротескной, лицо было прекрасно. Оно не напоминало ни одно из его изображений, которые видела Анна. Неулыбчивые нежные губы, огромные сияющие глаза. В тот момент Анна ничего этого не замечала, но вспомнила позже, лишь не могла припомнить цвет глаз. Кажется, темные, то ли черные, то ли синие с рыжинкой, и сияющие.

Анна очень испугалась, и в то же время ее пронзила неистовая радость, как электрический ток, неся чувство полнейшего покоя.

Он вновь произнес:

— Анна...

— Господин...— Анна ни разу в жизни не пользовалась подобной формой обращения. И сейчас удивилась, почему не сказала «Господи» или «Учитель»?

— Ты знаешь, кто я?

— Христос,— ответила она,— Сын Бога живого.

— Встань,— сказал он.

Анна поднялась с колен и подалась вперед, глядя на него через стол. Едва ее колени оторвались от пола, ее охватило чувство беззащитности и ужаса. Трепеща, она посмотрела ему в лицо, и если раньше не видела ничего, кроме сияющих глаз и нежных губ, то теперь заметила его выражение, насмешливое, почти веселое.

— Как ты это поняла?

— Кем еще ты можешь быть, господин,— сказала Анна,— как не Другим?

Это прозвучало ужасно грубо — она опустила глаза, не в силах выдерживать его взгляд. Она посмотрела на его белую руку, опиравшуюся на стол. Шрама на ней не было.

— Твои раны, господин...

— У меня нет ран. Мои раны воображаемые.

— Но тебе же в самом деле нанесли раны, господин,— сказала Анна, поднимая глаза.— В самом деле. Пробили ладони и ноги гвоздями, а бок пронзили копьем. Выбили коленные чашечки, воткнули раскаленную докрасна иглу в печень, ослепили нашатырем и применяли электрошок...

— Ты все смешала, Анна. И мне не пробивали ладони. Гвозди вбивали в запястья. Ладони не выдержали бы веса тела.

Анна посмотрела на запястье. На нем тоже не было шрама.

— Тебе ни к чему видеть мои раны. Если они и есть, то исцелены. Если было страдание, то оно ушло и его нет.

— Но страдание... разве не в нем...

— Смысл? Нет, хотя оказалось, что оно так интересно всем вам!

— Но тогда... в чем? — спросила Анна. Она не могла подобрать слов для мучивших ее вопросов и думала: у нее есть такая возможность спросить, а язык не повинуется.

Он продолжал:

— Конечно, путь в Иерусалим не был триумфальным. Только женщины не убежали, они любили во мне меня самого. Остальные устыдились, почувствовали себя униженными и покинули меня. Да, боль — это оскорбление и урок, но она — тень преходящая. Смерть — вот учитель. Поистине это одно из моих имен.

— Но боль существует,— сказала Анна.— Животные страдают...— Она не знала точно, почему сказала это.

— У меня была счастливая жизнь, до самого конца. Галилейское море — одно из самых красивых мест на свете. Ты бывала там?

— Тебе известно, господин,— ответила Анна,— что я не бывала в Израиле.

Он улыбнулся.

— Не бойся, я знаю, кто ты, и все, что касается твоего спасения, я знаю.

Он оторвал руку от стола и откинул назад легкие прямые светлые волосы. Они у него доставали до распахнутого ворота рубахи. Он сложил руки за спиной и в упор смотрел на Анну темными сияющими глазами, выражение губ странное, будто он посмеивался над ней.

— Так спасение существует? — спросила Анна.

— О да,— сказал он, но как-то небрежно.

— Что я должна сделать, чтобы быть спасенной?

Анна, опершись о стол, подалась вперед.

Мгновение он смотрел на нее.

— Ты знаешь, что все в твоих руках.

— Что это значит? — спросила Анна. Спросила почти раздраженно.— Я не могу.— Потом воскликнула: — Как же так, как же так!

Он здесь, он здесь, пронеслось у нее в голове, и вдруг ее потрясло такое сильное чувство любви, что она покачнулась и вынуждена была ухватиться за край стола, чтобы не упасть. Страстное желание охватило ее, почти как желание соблазнить его. Желание прикоснуться к нему. Она сказала:

— Не оставляй меня, как я могу любить без тебя теперь, когда ты явился? Если собираешься покинуть меня, то дай умереть сейчас.

— Ну, полно, полно, Анна, ты умрешь очень скоро,— быстро проговорил он.— Что до спасения, то каким бы оно ни представлялось тебе, все это мнимость, как мои раны. Я не маг и никогда им не был. Ты знаешь, что надо делать ради спасения. Твори доброе, избегай совершать злое.

Анна застонала и на миг закрыла глаза.

— Что у меня в руке?

Анна открыла глаза и увидела, что он поднял к груди правую руку со сжатым кулаком.

Она подумала, потом уверенно сказала:

— Лесной орех, господин.

— Нет.

Он разжал кулак и что-то положил на стол. Анна увидела, что это овальный серый камешек, слегка отколотый на конце. Это был один из камешков с морского берега в Камбрии или очень похожий на него. Она привезла с собой один-два таких в качестве сувенира, но сейчас не могла понять, был этот ее камешком или нет.

Все еще цепко держась за стол, Анна смотрела на камешек. Потом медленно сказала:

— Он так мал?

— Да, Анна.

— Все сущее — так мало...

— Да.

— Но, господин... как он может не умереть, как такое может быть? Как могу я не умереть, как такое может быть, если все вокруг?..

— Ах, дитя мое, ты ждешь чудесного ответа?

Да, подумала Анна, она ждет.

— Разве тебе не достаточно того, что было показано?

— Нет, нет, я хочу больше,— ответила Анна,— больше, больше. Скажи мне... что ты... где...

— Где живу? Нигде. Или не слышала сказанное: птицы имеют гнезда и лисы — норы, но я не имею дома?

— О господин, ты имеешь дом! — воскликнула Анна.

— Ты имеешь в виду...

— Любовь я имею в виду,— сказала Анна.

— Ты умна, дитя мое,— рассмеялся он.— Ты сама дала чудесный ответ. Разве этого не достаточно?

— Нет, без тебя — нет. Без тебя недостаточно.

— Ты не оправдываешь свой дар.

— Но во что я должна верить,— сказала Анна,— ты так реален, ты здесь, ты самое несомненное из всего, что есть,— ты доказательство, другого не существует.

— Я ничего не доказываю, Анна. Ты сама ответила на свой вопрос. Что ты хочешь еще? Чуда?

— Да.

— Ты сама должна быть чудотворцем, дитя. Ты должна быть доказательством. Это дело — твое.

— Нет, нет,— горячо сказала она, подавшись вперед и смотря на удлиненное бледное лицо и глаза, полные сияющей тьмы и глядящие теперь мрачно, почти печально.— Это мне ты необходим. О, скажи, что мне делать, я погрязла в грехе, живу и дышу ужасом греха. Помоги мне, я хочу, чтобы меня сделали достойной.

— Боюсь, это невозможно,— сказал он, печально глядя на нее.

— Нет, нет, пожалуйста, пойми... я имею в виду... я хочу... хочу сделаться чистой, как ты обещал, невинной, умытой белее снега...

— Так пойди умойся,— сказал он и показал на раковину.

Анна едва могла двигаться. Она пошла, держась за стол, потом за спинку стула. Открыла кран и нащупала мыло. Принялась мыть руки под струей воды. Посмотрела на ладони. Потом выронила мыло и выключила кран. Она не могла найти полотенце, ничего не видя сквозь слезы.

— Бесполезно,— сказала она,— ничего... не получается...

— Хорошо, почему ты удивлена? Не плачь. Или ты и правда так сентиментальна? Разве не достаточно тебе того, что я страдал ради тебя? Если бы я мог страдать больше, я страдал бы больше.

— Хватит, не надо...— закричала Анна, и слезы застлали ей глаза.— Я больше не вынесу, не вынесу! — Она протянула к нему руки, с которых капала вода.

Он мягко сказал:

— Люби меня, если необходимо, но не прикасайся ко мне.

Про себя Анна думала: реальный ли он, из плоти и крови? Как она любит его, она должна прикоснуться к нему, должна преклонить колени и обнять его ноги, пасть ниц и поцеловать его ступни. Но она не упала на колени. Вместо этого неуверенно шагнула вперед и попыталась дотронуться до его руки. Он отступил назад, и ее палец легко коснулся закатанного рукава его рубахи, она даже ощутила грубую материю. Обжигающая боль пронзила руку, глаза ее закрылись, и она рухнула на колени, а потом плашмя на пол, вдруг потеряв сознание.

Анна проснулась в кровати. Она вспомнила произошедшее на кухне, и как, очнувшись, увидела, что вокруг никого, и как, ослабевшая и все еще испытывающая головокружение, добралась до кровати и мгновенно уснула. Она быстро соскочила на пол. На ней по-прежнему был голубой халат с подвернутыми рукавами. Направилась на кухню, но там, конечно, было пусто. Вытерла руки полотенцем и подумала: руки еще влажные, значит, он ушел недавно. Она тяжело опустилась на стул у стола. Потом заметила овальный серый камешек с отколотым краем, который он положил на стол, чтобы показать ей. Она взяла его. Так ее это камешек или другой? Она не была уверена. Она перевернула его: обыкновенный серый камешек — и положила обратно. Потом увидела, что у нее кровоточит палец, кожа на нем содрана, будто она обожгла его. Она долго глядела на него, а потом заплакала и плакала так, будто у нее сердце разрывалось.

— Как ваш зуб? — поинтересовался Граф.

— Уже лучше,— ответила Анна.— Пью аспирин. Записалась на прием к мистеру Орпену.

— Вы поранили руку.

— Пустяки, просто обожглась.

— Ах, Анна, Анна...— проговорил Граф, думая о собственной боли.

Было семь вечера, и они пили шерри в крошечной гостиной Анны. В лучах солнца, бивших в окно, комната казалась пыльной, тесной и запущенной. Утром солнце попадало в кухню, вечером — в гостиную.

Квартирка Анны была очень маленькая, вся не больше гостиной на Ибери-стрит. В ней имелись кухня, ванная комната, гостиная и спальня Анны размером с чулан. Скромная обстановка была подарком Гертруды. Под окном росли деревья, и птичий хор в ранние утренние часы напоминал Анне о поющих сестрах монахинях.

Граф сидел, кое-как уместившись на крохотном диванчике, согнув длинные ноги и упираясь коленями в подбородок. Пиджак он снял с позволения Анны и был в безукоризненно белой рубашке в тонкую голубую полоску, которую надевал на службу, аккуратно заправленной под ремень на тонкой талии, и в узком темно-синем галстуке. Бесцветные светлые волосы падали на лоб, он беспомощно щурился от солнца, слепящего глаза. Он уже взмок и то и дело нервно оттягивал липнущую к телу рубашку. Анна думала, не предложить ли ему снять галстук и расстегнуть ворот, или он будет чувствовать себя неловко?

— Как вы, Питер? Солнце вас не беспокоит? Может, задернуть шторы?

— Нет-нет, мне хорошо, спасибо, спасибо.

Анна сидела в кресле с прямой спинкой по другую сторону каминчика с газовой горелкой за черной чугунной решеткой. Сверху, на полке стояла синяя с золотом вустеровская кружка, тоже подарок Гертруды.

С «посещения» прошло два дня, и Анна вернулась к обычной жизни, разве что ее обычная жизнь была теперь столь необычна. Про себя она думала, что он ничего не говорил об этом; наверное, потому, что считает несущественным, как тот факт, что она никогда не видела Галилейское море, о чем он не помнит. Иногда ей казалось, что она сходит с ума.

С Анной произошло нечто ужасное. Это случилось некоторое время назад и продолжалось. Она ужасно, ужасно влюбилась в Графа. Разумеется, она никому не сказала об этой невозможной любви.

Сидя в одиночестве, гуляя в одиночестве, ибо она сторонилась людского общества и часто бывала одна, она во всех подробностях вспоминала и анализировала каждую минуту, каждый момент, проведенный в компании Питера с тех пор, как встретила его (Манфред представил ее ему) в квартире на Ибери-стрит вскоре после ее приезда в Лондон. Он оставил у нее впечатление человека высокого, странного и непонятно чуждого. Но тогда она не обращала на него внимания. Мысли ее были заняты горем Гертруды. Впервые она по-настоящему увидела Питера, когда, возвратившись с Гертрудой из Камбрии, заметила, что он влюблен в ее подругу, и это тут же вызвало в ней раздражение. Она объяснила себе, что причина в давней, с университетских времен, собственнической любви, которую она испытывала к Гертруде и на которую, как ей казалось, посягал Граф. Однако, оглядываясь сейчас в прошлое, Анна поняла, что то легкое раздражение было первым симптомом ужасной болезни, первой вспышкой ужасной боли, полностью заполнившей ее сердце и черной тучей затмившей ее небо. Конечно же, она относилась к Гертруде так, будто та принадлежит ей. Она на самом деле почувствовала тогда возмущение: как он смел тоже любить ее?

Анна стала смотреть на Графа иными глазами. Подлинная любовь скачет во весь опор, летит птицей, она быстрее всякой мысли, быстрее даже ненависти и страха. Анна постигла, как постигают наконец сложную теорему, неоспоримое обаяние Графа. В мыслях она боготворила его всего, от головы до ног, обнимала нежно трепещущими страстными крыльями. Но в жизни внешней за все это время ни пальцем не пошевелила, ни виду не показала. Она внимательно следила за ним, внимательно следила за Гертрудой и гнала из сердца всякую надежду. Но уже не могла совладать с любовью. Ее огромная любовь хотела жить и жила, заполняя собой все большее пространство. Теперь Анна осознала, что желание счастья не до конца выгорело в ней. (Когда Питер позвонил с вокзала Виктория, прося встречи по поводу анонимного письма, она не могла избавиться от мысли, что он намерен признаться в любви к ней.) Она страстно желала быть с ним, насытиться его присутствием, насмотреться на его бесцветные, свисающие на лоб волосы, которые хотелось погладить, на его тонкие красивые печальные губы, которые хотелось целовать, медленно и самозабвенно, на очень светлые голубые глаза, причину грусти которых она теперь разгадала, на серьезное нервное лицо и манеру замирать, откидывая назад голову и внимательно слушая собеседника. Он сохранил невинность и чист в сердце, думала она. Он такой высокий, такой худой, такой кроткий, такой чужой здесь и потерянный. У нее было чувство, что она открывает, почти создает это незаметное молчаливое существо, которое все другие так глупо проглядели. Граф никогда не становился предметом чьего-то пристального внимания; и Анна не могла не предполагать, что бессознательно он отвечает на столь глубокий тайный интерес к себе. Она не могла управлять своей любовью, хотя подавляла в себе страсть и надежду и старалась поверить, что рано или поздно Питер женится на Гертруде.

Появление Тима Рида было как взрыв, как извержение вулкана, из которого вырываются огонь и раскаленная лава. Анна думала, что любит Питера всем своим существом. Но теперь воскресшая надежда слала известие в самые дальние его пределы, а ее любовь ширилась и росла и пела в безудержной радости. Анна лежала на кровати, то плача, то смеясь от неожиданности спасения. Смеялась не истерично, только тело ее тихо сотрясалось и не могло остановиться, словно ее смех сообщался глубинам земли, вызывая ответное колыхание планеты. Конечно, внешне она была сдержанной. И, как прежде, ни пальцем не шевелила, ни виду не показывала; и со всею строгостью, которая единственно и могла обуздать ее страсть, сказала себе: Гертруда скоро устанет от Тима, она никогда не выйдет за него. И с болью, которая принесла ей некоторое утешение, сделала то, что считала своим безусловным долгом. Как могла, убеждала Гертруду не выходить за Тима. Она решилась на это частью из убежденности в истинности того, в чем убеждала Гертруду: Тим недостоин ее, он неосновательный, ненадежный. Но еще из глубокой, извращенной потребности действовать вопреки собственным интересам, чтобы очистить себя отказом (подсказанным тем, кто мог знать истинный повод) поощрять подругу совершить то, что послужит, вероятно или возможно, как-нибудь или когда-нибудь к ее собственной выгоде. К тому же Анна не могла искать расположения Графа, чтобы малейший намек на это в ее поведении не побудил Гертруду отвернуться от него. А еще, пожалуй, она слишком боялась страданий, какие придется пройти, если путь будет свободен, и ужаса возможного поражения в этом случае. Но вот Гертруда сказала, что с Тимом покончено, и Анна почувствовала, что старалась не зря и даже слишком преуспела, и ее смех обернулся слезами, а удовлетворение от собственной порядочности было горьким. А затем пришел счастливый день, когда она стояла с Питером в небольшой сумрачной комнате в мэрии и смотрела, как у нее на глазах Гертруда Опеншоу становится Гертрудой Рид. Глаза Анны блестели, лицо сияло от радости за себя, а в душе звучал тот ее космический смех. А когда Тим надел кольцо Гертруде на палец, Анна взглянула на Питера и тут же пожалела об этом. На его лице было спокойное и вежливое выражение, но она поняла, как ему горько и больно и что он абсолютно не замечает ее, Анны.

Путь был свободен, и задача изменилась, мучения, возможно, стали сильнее. Надежда, обезумев, завывала смерчем, терзая любовь, чтобы и она тоже взбесилась. Анна старалась думать об этом как о трудности, как о чем-то, с чем, по крайней мере, можно справиться с помощью рассудка, усмирить долгими доводами. Корень проблемы был в том, что Питер по-прежнему видел в ней монахиню. Это было ужасно. «Не бывает бывших монахинь». Интуиция говорила ему, что она «вне мира»; и он воспринимал ее, ставший очевидным, интерес к себе как совершенно естественный в человеке столь бескорыстном. Она была для него, как выразилась Гертруда, «феноменом», и к такому взгляду, возможно, примешивалось польское романтическое отношение к католической церкви. Все всегда будут видеть во мне несостоявшуюся монахиню, говорила себе Анна. Многочисленные планы Гертруды относительно будущего Анны не включали варианта замужества. Питер утешал себя тем, что Анна невидимо сохраняет религиозную «привычку». Для него на Анне лежал долг священства, который она не могла не исполнять постоянно, и именно такой она привлекала его, хотя это невольное служение теперь, похоже, все больше и больше отдаляло и отделяло ее от Питера, которого она любила и жаждала. Он смотрел на нее как на святую женщину, непорочную, спокойную, недоступную и строгую. Временами Анне страстно хотелось разбить эту икону, швырнуть к его ногам и яростно топтать ее. Гертруда както сказала, что достаточно четырех секунд, чтобы изменить мир. Анне могло бы хватить и двух, если бы она только пересекла пространство (в три фута, как сейчас, когда она разговаривала с ним), которое разделяло их, и все во вселенной переменилось бы. Но допустим, она переменилась бы у него на глазах, а он отшатнулся бы в ужасе, отвращении — жалости? Такое тоже приходило ей в голову. И в ответ на мягкое, мощное давление своей страсти она продолжала играть отведенную ей роль. И думала про себя, что, конечно, это не роль, не что-то фальшивое, что она действительно такова, она то, что он видит, но и другое, безумное, отчаянное, жаждущее, плачущее другое. Если бы она была священнослужительницей и если бы в ней осталось хоть немного веры, она бы скорее умерла от невозможности соединиться с ним, нежели разбила холодную невинную икону, которая, возможно, служит ему единственным утешением в теперешних страданиях. Нет, она не может разбить ее, она должна терпеть. Но, также подумала она, терпеть какое-то время, пока.

Анна чувствовала своим долгом отговаривать Гертруду от неподходящего брака. Теперь она почувствовала, что ее долг — не оставлять Питера в его страданиях, понять, насколько они тяжелы, глубоки. И с нежностью, сдерживать которую было нелегко, она помогла ему найти облегчение в разговоре о его переживаниях. Больше того, переход от молчаливой скрытности к открытому разговору принес утешение и ей. Когда он наконец заговорил, Анне пришлось держать сердце в стальном кулаке. Хотя она не могла заставить себя не строить предположений относительно продолжительности его мрачного состояния, она все же старалась не искать обнадеживающих знаков. Не желала вникать в подробности его боли, чтобы не питать свою надежду. Она хотела быть для него необходимой. Она должна ждать, должна научиться метафизике ожидания. Она действовала осторожно, и ее не покидал страх.

Питер не бесновался, не стенал, отнюдь. Он говорил, как всегда, спокойно, тщательно выбирая слова. Как сейчас, когда он сказал:

— Не думаю, что смогу это выдержать... придется уехать.

«О, позволь мне поехать с тобой, милый!» — кричала ее душа.

— Куда, Питер?

— Думал уехать в Америку.

— Что вы там будете делать?

— Это вопрос. Я там никогда не найду работу. Что я умею делать? В сущности, ничего. Я британский госслужащий, администратор, этому обучен. И за пределами страны никогда не смог бы устроиться. Но можно хотя бы уехать из Лондона. Обращусь с просьбой перевести меня на север или в западные районы. Пока не проговоритесь никому...

— Не скажу.

— Я не могу оставаться здесь и пугать всех своей траурной физиономией.

— Вы можете остаться и...

— Научиться смеяться?

— Да.

— Анна, я не в силах.

— Не торопитесь решать.

— Я мог бы раньше срока подать в отставку и жить в Испании на пенсию.

— Не глупите.

— Вы наверняка считаете, что я сумасшедший, если по-прежнему настолько влюблен, что это никуда не годится. Знаю, я должен как-то справиться с собой, но, не уехав, не смогу этого сделать. Мне надо перестать досаждать вам, Анна, своим эгоистичным вздором.

— Вы мне не досаждаете.

— Вы так добры, так спокойны, так далеки от всего этого.

Питер, говорила она себе, не может сейчас ничего другого, как только думать о своих чувствах. А чем сама она занимается все время? Это, как он сказал, никуда не годится, а как прекратить? Она не должна позволять ему так разговаривать с ней, от этого ему только хуже. И нельзя, чтобы он сидел так близко в этой маленькой комнате, это пытка. А если она сейчас опустится на колени, возьмет его руку и заплачет? Как страшно хочется это сделать! Но это будет ошибкой, он настолько одержим, настолько поглощен другою, что полубезумен. Надо потерпеть, потерпеть, пока он немного не придет в себя, а тогда я удивлю его.

— Тим с Гертрудой,— сказала Анна,— были здесь у меня вчера, зашли пропустить глоточек.

Питер хмуро помолчал, потом сказал:

— Я почему-то не воспринимаю их как мужа и жену. Тим такой ребенок.

— Мы постепенно привыкнем смотреть на них как на женатую пару, во всяком случае, лучше постараться, ничего не поделаешь.

— Как они выглядят — нормально?

— Вы имеете в виду, выглядели ли они счастливыми? Да, вид у них был очень счастливый.

Это действительно было так, и Анна решила, что достаточно долго щадила чувства Питера.

— Вы правильно сделали,— сказал он,— что заставили меня взглянуть правде в глаза, пора мне понять, что это произошло, и не стараться выдумывать невесть что. Простите. Это все... мои дурные манеры. Мне не следует говорить об этом, не следует думать об этом. Нужно просто уехать. Пока останусь на какое-то время, а потом тихо исчезну из Лондона, никто и не заметит.

— Хватит жалеть себя, Питер,— резко сказала Анна,— а что касается того, что никто не заметит, вздор, я замечу.

— Вы — другое дело,— сказал он,— для вас я не пустое место. Да, я глупец. Говорят, поляки хотят или все, или ничего.

— Советую попытаться захотеть что-то, что сможете получить.

— Я такой эгоист, думаю только о себе, даже не поинтересовался, получили ли вы работу преподавателя, как хотели.

— Нет. Слишком я стара и не имею должного опыта.

— Извините... ну, вы получите работу, не волнуйтесь.

По правде сказать, Анна обращалась уже в четыре школы, ища место учителя латинского, греческого или французского языков. В одной у нее даже не приняли заявление, в двух других отказали без собеседования, в четвертой хотели, чтобы она преподавала немецкий, которого она не знала. А если она просто не сможет найти работу?

— Она приглашала меня на пятницу,— проговорил Граф. Он уже забыл о бедственном положении Анны.— Я, конечно, пойду. Не то чтобы Тим мне не нравился. Нет, я всегда относился к нему с симпатией. Но трудно переменить свое мнение о нем. Мне он кажется слишком... Это все так невероятно! Что подумал бы Гай? Я знаю Гертруду так давно, много, много лет...

— Питер, я тороплюсь...

Анна отговорилась назначенной встречей, будучи сыта компанией Питера. Она не выдерживала долгих разговоров о Гертруде и боялась, что сорвется и признается ему. Если бы Питер сейчас понял ее состояние и, очень мягко, отверг ее, она сошла бы с ума. Ей хотелось выпроводить его и, оставшись одной, думать о нем.

— Ох, виноват. Вы не опоздаете из-за меня? Вы так добры, что позволяете мне приходить. Вы единственный человек, с кем я могу поговорить.

Он встал и надел пиджак. Анна тоже поднялась и открыла дверь в прихожую. Она почувствовала, как ее неудержимо тянет к нему, словно некая огромная сила мчится мимо нее, увлекая за собой. Если бы она только могла одолеть все препятствия, какой неистовой любовью одарил бы ее этот страждущий любви мужчина. Он смотрел на нее.

— Я позвоню вам, можно, Анна? Или вы сами позвоните? Мне ужасно неловко, что я как больной, нуждающийся в помощи медсестры.

— Меня не будет день или два. Я позвоню вам на службу.

— До свидания и спасибо. Желаю вам найти работу.— Выходя на лестницу, он рассеянно проговорил: — Надеюсь, хорошая погода еще продержится.— Подхватил у англичан их манеры.

Анна закрыла за ним дверь и прислонилась к косяку. Слезы хлынули у нее из глаз. Она вернулась в крохотную гостиную и устроила в ней настоящий погром. Опрокидывала кресла, швыряла диванные подушки. Пинала ковер и плинтус, колотила по стене. Пнула экран газового камина и сломала его. Яростно швыряла книги на пол. Рвала на себе платье, так что пуговица отлетела. Вцепилась себе в волосы, била себя по лбу. Единственное, чего она не тронула,— это подарок Гертруды: сине-золотую вустеровскую кружку. Наконец она остановилась, застыла посреди комнаты, все еще всхлипывая и стеная, постепенно успокаиваясь, с мокрыми глазами, мокрым ртом, невидяще глядя перед собой. Потом отправилась в спальню и легла.

Что с ней творится, спрашивала себя Анна, может, ее бесы обуяли? Может, она начинает погружаться во мрак? Или это безумие любви — лишь признак распада личности, происходящего уже давно? И бегство из монастыря — такой же признак? Ее предупреждали, что будет еще хуже, что кризис наступит позже. Значит, наступает черная ночь? Значит, она гибнет, ей нужна помощь, она должна признать, что больше не в состоянии справиться с собственной жизнью, так?

Она предписала себе сторониться общества, и это оказалось ужасным, обернувшись огромным темным пространством, в котором сновали демоны. Она отказывалась от всех приглашений. Ее звали и миссис Маунт, и Мозес Гринберг, и Манфред, и Джанет Опеншоу. Разные благорасположенные служители религии, вероятно под влиянием настоятельницы, пытались связаться с ней, включая ученого иезуита, с которым она переписывалась, когда была «одной из них». Ей хотелось в одиночестве насытиться спектаклем, который разыгрывали Тим, Гертруда и Питер. Иногда она думала: если бы не Тим и Питер, она могла бы счастливо жить с Гертрудой! И еще: она вновь оказалась в своем личном аду, том самом, откуда бежала к Богу, вновь окунулась в порочный преступный круговорот жизни, из которого вырвалась, задумав искать и обрести чистоту — навсегда. Она сходит с ума, она опасна для себя и для других.

И еще она задавалась вопросом: что же в действительности произошло тем утром на кухне? Было ли то поразительное духовное переживание просто иным симптомом, знаком глубочайшей депрессии или психического расстройства, которое отныне будет довлеть над ней и, может, навсегда лишит ее разума? Или ей и впрямь явился Он собственной персоной? Она чувствовала себя окруженной какими-то безответственными ду́хами. Несколько вечеров назад она видела что-то очень странное на лестнице, когда возвращалась домой с одной из своих одиноких прогулок. На ее площадке не было света. Она увидела что-то смутное, сжавшееся в углу у ее двери, похожее на карлика, совершенно черного. Ей было страшно проходить мимо него. И тогда она сказала: «Странное создание, что ты делаешь здесь? Ты меня пугаешь, пожалуйста, уйди с миром», быстро проскочила мимо него в квартиру, в холодном поту от ужаса. Позже она подумала, что это могла быть собака и нужно бы убедиться в этом. Она взяла фонарик и открыла дверь, но на площадке было пусто.

Она ушла из монастыря в жажде одиночества и некоего подобия возрожденной чистоты и покоя. Вероятно, она никогда не сможет стать простой и чистой, как амеба, носимая морем. Но она думала о своей новой жизни и своем новом отстранении как о своего рода аскетизме и, может быть, действительно видела в себе соглядатая Бога, тайного, бесприютного, растворившегося в мире. Она чувствовала это, когда вновь нашла Гертруду и когда разговаривала с Гаем. Ее жизнь в монастыре, в конце концов, была неразрывно связана с жизнью в миру. Возможно, Бог, которого она утратила, сделал ее непригодной для мира, но она, как могла, жила в этом мире — безгласное, невидимое ущербное, безотказное создание. Куда подевались те смелые мысли (теперь она знала, что они ушли), что были ей отрадой? Разве не предупреждали ее о ловушках, подстерегающих ее в миру, и не угодила ли она прямиком в одну из них? Религиозная жизнь ведет к полнейшей трансформации идеи надежды. А она-то думала, что достаточно будет лишь любить Бога. Но похоже, прежние фантазии и иллюзии вновь вернулись, словно никогда не покидали ее. Никакой тишины, опять оглушительная какофония в голове, низменные страсти в душе, неистовое упрямство и неуемный собственнический инстинкт. Только теперь все еще безумней, потому что она стала старше. Это была боль адских мук, зависти, ревности, обиды, гнева, раскаяния, желания — боль, которая приводит к терроризму. Прежде она думала, что, если не сможет получить того, чего жаждет, она умрет. Теперь, когда отчаяние было сильнее, она думала, что, если не сможет получить того, чего жаждет, ей придется жить впредь с новым безнадежным ужасом — самою собой.

Или Бог играет с ней? Ведь играл же он с Иовом. Но что это за игра? Шахматы? Прятки? Кошки-мышки? Анна не могла верить в Бога, играющего в игры. Раньше она спрашивала себя, вернется ли к ней когда-нибудь вера в Бога, приплывет в один прекрасный день, как огромное теплое влажное облако. Сейчас она чувствовала себя, как никогда в жизни, окончательной безбожницей. Ее добро было ее добро, зло — ее зло. И все же Он, ее утренний гость, разве что-то не значил? Возможно, это действительно был Он с его сияющими глазами и загадочным мудрым разговором, что потряс ее и всколыхнул последние остатки веры на дне души. Поняла ли она что-то? Очень мало. Кто он был? Она чувствовала, что он истинно явился из неведомой дали. И ей пришла мысль, что он был реален, единствен. Она была атомом во Вселенной, а Он ее собственным Христом, тем Христом, который принадлежал только ей, явившимся ей одной в лазерном луче из бесконечной дали. По крайней мере, она видела Его однажды; и теперь, возможно, к ней вернется благодать молитвы. Вернется ли новая и совершенно другая молитва? Но как это возможно, если она любит не Христа, а Питера?

Анна встала с кровати. Облегчения не наступило. Она решила пойти пройтись. Она теперь так много гуляла, особенно по вечерам, особенно вдоль реки. Мгла позднего летнего вечера полнила пыльную квартиру колеблющимися тенями. Она включила свет. Вошла в гостиную и застыла в изумлении. Кресла, лампы были перевернуты, книги и диванные подушки разбросаны по полу. Неужели она это сделала, она, спокойная, благоразумная Анна Кевидж? Проглоченный аспирин перестал действовать, и вновь вернулась зубная боль. Она принялась медленно прибираться. Подняла с полу камешек. Тот, со сколом на краю, который Он дал ей и который, вспомнила Анна, она положила на стопку книг: камешек, в котором Он показал ей космос, все сущее и сколь оно мало. Она прижала его к разорванному платью.

Ныл зуб, саднил обожженный палец. Она снова тихо заплакала. В последнее время она так много плакала. Однако монастырь она покинула почти без слез, спокойно рассталась с той, которая была дороже всех ее сердцу. «Прощайте!» — сказала Анна, и та в ответ: «Благослови тебя Бог!» — встретившись ей в саду осенним вечером меньше года назад.

— Что ж, думаю, они идеально подходят друг другу!

— Вероника!

— Да, я так считаю,— сказала миссис Маунт.

Разговор происходил на вечеринке у Манфреда, пришедшей на смену прежним, на Ибери-стрит, теперь, похоже, казавшимся всем присутствовавшим делом давно минувших дней. Разумеется, Гертруда и Тим были приглашены, но еще не появились.

— Какую она совершила глупость, что вышла за него! — возразила Джанет Опеншоу.— Почему нельзя было просто крутить роман?

— Почему ты не отговорил ее, Манфред?

— Дорогой мой Эд, я не имею никакого влияния на Гертруду.

— Она носила траур, как монашка покров, и вот нате вам!

— Гертруда,— вступил Стэнли Опеншоу,— не могла крутить роман, она слишком серьезна и порядочна.

— Это серьезно и порядочно — выходить за?..

— Она любит его. Это все объясняет.

— Стэнли! Гай умер только в декабре.

— И башмаков не износив, в которых шла за гробом...

— Я хочу сказать, что Гертруда неспособна на легкомысленные поступки, а значит, она не на шутку влюблена.

— И я так считаю,— заявила миссис Маунт.— Они оба не на шутку влюблены.

— Мне Гертруда представляется очень целомудренной,— сказал Манфред,— чистой и строгой. Я согласен со Стэнли.

— Гай взял ее совсем юной.

— Тогда она наверстывает то, что упустила в молодости.

— Так оно и есть, Гертруда из тех женщин, которые должны любить кого-то.

— Ну, это долго не продлится. Он такое ничтожество. Она пожалеет о содеянном.

— Я бы не согласился,— сказал Джеральд.— Мне Тим нравится.

— Да проходимец он, его только деньги интересуют.

— Вы циничны, Джанет,— сказал Манфред.— Любовь — вещь сложная.

— Любовь!

— Думаю, нам лучше разойтись, не дожидаясь их,— предложил Стэнли.— Мне, во всяком случае, нужно идти. Я должен вернуться в палату.

— Палата уже не заседает.

— Я заседаю! У меня встреча с человеком по поводу налогов.

— Тим Рид ни о ком никогда не думал, кроме как о себе.

— А кто из нас думает о других, Джанет, дорогая? Материнская любовь не в счет.

— Уверен, они будут счастливы,— сказал Джеральд.— Готов держать пари.

— Джеральд у нас идеалист.

— А вы как считаете, Мозес?

— Я бы не стал расценивать ситуацию так пессимистично,— ответил Мозес.

— Мозес не стал бы расценивать ситуацию так пессимистично!

— А я считаю, они любят друг друга, и Тим способен быть преданным мужем.

— Дорогая Вероника, никто и не говорит, что он подлец,— сказал Эд Роупер.

— Да, я считаю, что он способен быть серьезным и преданным.

— Она благотворно повлияет на него,— заметил Манфред.

— Мы благотворно повлияем на них обоих. Мы нужны Гертруде, как хор солистке.

— Гертруда не вынесет, если брак окажется неудачным. Она сделает все возможное и невозможное, чтобы этого не случилось.

— Ну, Гертруда — женщина благородных принципов, а он застенчив и нерешителен, так что у них отличные шансы на счастливый брак.

— Они оба благотворно повлияют друг на друга, повлияют каждый по-своему. Они настолько различны, что их мир обогатится. Тим понимает свое счастье.

— Мозес говорит, что Тим понимает свое счастье!

— Но все же — Тим после Гая!

— За стремление к счастью не презирают.

— Никто и не презирает, уверяю вас.

— Джанет...

— Да, Стэнли, иду.

— Гертруда тоже понимает свое счастье,— сказала миссис Маунт.— Она понимает, где ей хорошо, как кошка. Ей невероятно повезло с Гаем. Мы все тогда так считали, я во всяком случае, а потом все привыкли. Думаю, никто из вас не понимает, как умно она поступила. Говорите: «Тим после Гая». Именно. Когда было нужно, Гертруда нашла мужа старше ее, теперь ей нужен молодой. Первый был ей как отец, второй — как сын.

— И это ей явно на пользу,— поддержал Джеральд.— Гертруда выглядит очень помолодевшей.

— Как скажет Джанет: «молодящаяся старушка»!

— Что за выражение, Вероника! Я лишь надеюсь, что у нее все будет хорошо. Если он разочарует ее...

— Безусловно, для нее это перемена,— заметил Мозес Гринберг,— а почему бы и нет? Она была замужем за человеком, имевшим все. Теперь она вышла за того, у кого нет ничего.

— В смысле материальном или духовном?

— Поддерживаю Веронику.

— Джанет...

— Да-да, Стэнли, уже иду.

— Можешь оставаться, но машина мне необходима.

— Я с тобой... подвезешь меня к Розалинде. Я должна послушать ее струнный квартет.

— Как мальчики?

— Нед в Калифорнии, Уильям что-то раскапывает в Греции.

— У вас такие талантливые дети.

— Джеральд, мне надо поговорить с тобой о Неде. Я так боюсь, что он ударится в религию. Ты должен объяснить ему, что математика — путь к свободе. Ну, нам пора.

— До свидания!

— О, Виктор! А мы как раз уходим. Встречайте Виктора.

— Здравствуйте, док. Прощайте, Джанет, прощайте, Стэнли!

— Джанет только что осуждала молодоженов.

— Каких молодоженов?

— Не глупите, Виктор.

— Джанет негодует *à cause des chères têtes blondes**.

— Что это Вероника имеет в виду?

— Естественно, деньги, это ее крест.

— Деньги?

— Деньги Гая должны были получить дети Опеншоу.

— Так, во всяком случае, рассчитывала Джанет.

— В завещании этого нет.

— Теперь Тим их спустит, он же ирландец.

— Наверняка.

— В два года профукает.

— Гертруда не допустит.

— Этот молодой человек разумнее, чем вы думаете.

---

* Из-за детишек *(фр.)*.

— Джанет была так уверена, что Гертруда никогда не выйдет снова замуж.

— Джанет считает, что со стороны Гертруды было чертовски нечестно выходить замуж.

— Гаю следовало отписать им малую долю.

— Она могла бы выйти за кое-кого, способного утроить наследство.

— Кое-кто, не далее чем в сотне ярдов отсюда, если можно так выразиться, мог бы это сделать.

— Давайте прекратим обсуждать Гертруду,— сказал Манфред.

— Согласна,— поддержала его миссис Маунт.— Пожелаем им счастья и поможем всем, что в наших силах.

— А Граф не явился.

— Он вообще не появляется.

— Хандрит.

— Мы бы так не разговаривали, будь Граф здесь,— заявил Джеральд.

— Совершенно верно,— согласился Манфред.— Кто-нибудь, налейте Виктору, а то он какой-то бледный.

— Спасибо, ужасный был день. Здравствуйте, Эд! Как ваше сами-знаете-что?

— Что Виктор имеет в виду?

— Неважно.

— Получше, но, пожалуйста, не будем сейчас об этом.

— А что с монашкой? — поинтересовался Мозес Гринберг.— Никак не запомню ее имени.

— Анна Кевидж, старинная, еще с колледжа, подруга Гертруды.

— Кто-нибудь ее видел? Вам следовало пригласить ее, Манфред.

— Приглашал, но она не приходит.

— Отчаянно застенчива, бедняжка.

— Они и в миру остаются монашками.

— Ладно, я должен идти.

— Всего доброго, Мозес, дорогой!

— Мозес такой строгий.

— Вам не кажется, что он огорчен?

— По поводу Гертруды? Нет, не кажется.

— Кто знает, может, он сам подумывал.

— А я люблю Мозеса,— сказала миссис Маунт.

— О Белинтое есть новости? Почтил он Джеральда письмецом?

— Да, он на Гавайях.

— Любимчик Джеральда, как всегда.

— Откуда только у него деньги берутся?

— А я в этом году не еду отдыхать.

— Я поеду в Истборн,— сказала миссис Маунт.

— Манфред, наверное, как обычно, отправится в Цюрих по делам.

— Мне вот по делам удается ездить не дальше Фулема.

— А Эд едет в Париж.

— Я в Париже работаю,— сказал Эд.

— Нет лучше бизнеса, чем торговля картинами.

— Джеральд, я полагаю, собирается на развеселую конференцию то ли в Сидней, то ли в Чикаго, то ли еще куда?

— Нет, всего лишь в Джодрелл-Бэнк.

— Совершили за последнее время какие-нибудь открытия, Джеральд?

— М-м, как вам сказать... пожалуй, да...

— Прошу тишины, Джеральд сделал открытие!

Вспотевший дородный Джеральд поставил бокал.

— Я... не смог бы... объяснить...

— На свете есть, наверное, лишь парочка людей, кто понял бы.

— Вот именно,— кивнул Джеральд.

— Похоже, Джеральд очень встревожен.

— Я тоже. Что-то должно произойти, Джеральд?

— Ну... возможно...

— Джеральд говорит, что-то должно произойти.

— Он имеет в виду космическую катастрофу?

— Оставьте эти панические разговоры,— сказала миссис Маунт.— И налейте мне, пожалуйста.

— На прошлой неделе здесь была Мойра Лебовиц; такая стала красавица.

— «Повсюду женщины обучены нравиться, поэтому любая компания без них скучна».

— Чьи это слова?

— Гая, как ни странно.

— Я тут!

— Простите, Вероника. Сигарета найдется?

— *Что* найдется?

— Виктор говорит, что собирается заставить нас каждый день делать пробежку по парку.

— Он в своем уме?

— Между прочим, у меня есть свободный билет на «Аиду». Кто-нибудь хочет? Вероника?

— Терпеть не могу «Аиду».

— Вы тут говорили о Гертруде и Тиме,— сказал Виктор.— Есть какие-нибудь новости?

— Я был у них на коктейле,— сказал Манфред.

— Кроме вас, был кто-то еще?

— Нет.

— Вот подозрительно,— сказал Виктор,— но, похоже, у Тима Рида вообще нет друзей.

— Он не хочет знакомить Гертруду со своими пьянчугами приятелями, теперь ведь он стал буржуа.

— В конце концов, никто из нас не знает ни одного его товарища.

— Не очень-то мы их искали,— хмыкнул Джеральд.

— Я спрашивал Гертруду на сей предмет,— сказал Манфред.— Она говорит, он упоминал о каком-то малом по имени Джимми Роуленд. Но видеть она его не видела...

— Джимми Роуленд? — переспросил Эд Роупер.— Я знавал такого. Он торговал медными украшениями для пабов и прочими подобными вещами.

— Что до дам, кто-нибудь видел Сильвию Викс?

— Она, похоже, пропала бесследно. Манфред говорит, что приглашал ее.

— Кажется, придумала себе болезнь, лейкемия или вроде того.

— Ох, Виктор, не накаркайте, знаю, у вас сегодня был трудный день...

— Слушаюсь, Вероника. Возвращаясь к Тиму и Гертруде...

— Нельзя, Манфред не позволит, он считает, что это бестактно.

— Я не возражаю,— отозвался Манфред.— Просто хотелось временно переменить тему.

— Я лично думаю, что эта пара непредсказуема.

— Это и делает их бесконечно интересными.

— Анна... я только что услышал что-то невероятное... и ужасное.

Это говорил Граф.

Прошло две недели с явления ей Иисуса Христа, две недели, в которые мысль Анны неустанно работала. За это время она дважды видела Графа; первая встреча закончилась разгромом гостиной, вторая, неделю спустя, обошлась без подобных последствий. Кроме того, она один раз была у Гертруды с Тимом и другой — когда Гертруда была одна. Больше она ни с кем не виделась, за исключением мистера Орпена, дантиста. Сидела одна в квартире да бесконечно бродила по улицам Лондона.

Мистер Орпен запломбировал ей зуб, и теперь он не болел. Беседовать с ним было почти удовольствием. Человек рассудительный, он, хотя и приходился родственником Гаю, подчеркнуто отделял себя от Ибери-стрит. Анна интуитивно почувствовала, что он считает их снобами. Выяснилось, что он католик. Ему было известно о ее «отступничестве». «У вас страстный характер»,— сказал он, и Анна не стала его опровергать. Они поговорили о политике Ватикана, в которой мистер Орпен на удивление хорошо разбирался.

С Гертрудой и Тимом Анна была весела, теперь это не составляло никакой трудности. Тим из кожи вон лез, чтобы понравиться ей, и она нашла его очень занимательным, хотя ее раздражали любящие взгляды, которые Гертруда постоянно бросала то на мужа, то на нее. Обе они знали, что где-то в глубине души они остались прежними подругами, но привычные связи были нарушены и восстановить их никак не удавалось. Гертруде и хотелось, и одновременно не хотелось поделиться с Анной интимными переживаниями. И Анна видела, что Гертруда рассчитывает чуть ли не каждое свое слово и жест. Гертруда медлила, пребывая в сомнении: не слишком ли еще рано, не слишком ли скоро после недавних шокирующих высказываний Анны приближать ее к себе. Она присматривалась к тому, как относится теперь Анна к Тиму, иначе ли, нежели прежде, и насколько серьезна эта перемена. Между тем они вели себя с церемонностью, нелепость которой была столь очевидной, что временами обе едва сдерживали улыбку.

Анна куталась в свою ужасную тайну. Она тоже была занята расчетами. Ее мозг никогда еще в такой степени не ощущал себя компьютером, сознающим ограниченные сроки своей работы и возможные механические повреждения. В последние две недели ей стали ясны многие вещи. Если она потерпит неудачу с Питером, Гертруда не должна узнать об этом. Частью личного ада, в который Анна вновь погрузилась, было следующее: если Гертруда узнает, что она безответно влюблена в Питера, то отношения ее с Гертрудой станут нестерпимыми. Возможно, ради чего-нибудь нестерпимое можно будет терпеть, невыносимое выносить, но так далеко Анна не могла заглядывать. Не могла она и представить, что́ Гертруда почувствует или сделает, если у Анны все получится с Графом; но тут она оставалась агностиком и беспокоилась меньше. Подобный исход терялся в слепящем сиянии, и, если бы Питер смог полюбить ее, все остальное стало бы на место.

А сейчас Анна зорко наблюдала за Питером, стремясь к нему душою, размышляя о нем, мысленно подчиняя своей воле. Она пригласила его в виде обдуманного исключения. Он ее не приглашал, но он вообще никого не принимал у себя. Она в последнюю их встречу почувствовала, что в нем произошла легкая перемена. Он казался менее одержимым, чуть менее несчастным, и она в темных тайниках души позволила себе надеяться, что он выздоравливает. Но еще не осмеливалась протянуть ему руку, отчего весь мир изменился бы.

Она, конечно же, размышляла и о другом госте. Сейчас она склонялась к мысли, что это было своего рода «настоящее» явление. То есть не сон или вызванная каким-то химическим веществом галлюцинация. Источник был духовного свойства. Однако оставалось много неясностей. Анна была достаточно опытна (все же много лет была профессионалом в этой области), чтобы допустить: природа ее откровения проявится не сразу, а постепенно. То, что оно не забывалось и даже занимало все большее место в ее мыслях и душе, придало полную уверенность в его реальности. Это, впрочем, не исключало возможности, что ее гость был Он, или Его представитель, или некий неопределенный духовный посредник, некая отдельная кочующая квазимагическая фикция. Анна знала, сколь страшно тесно для человеческих существ все духовное соседствует с глубинным огнем дьявольского. А потому ждала, продолжала постигать метафизику ожидания. И заметила в себе, подобное медленно взрастающему чистому бесстрастному ростку, возрождающееся желание поклонения и молитвы. Какой будет эта новая молитва, она еще не знала. По временам, одна в комнате, она становилась на колени, без волнения, не находя слов, чувствуя пустоту в душе. Она была благодарна своему гостю. И по-своему просила простить ей отчаянные треволнения и неистовые желания, что непрерывно отвлекали ее от спокойной и смиренной внутренней сосредоточенности. Это до́лжно уладить в первую очередь, твердила она себе и тому непостигаемому, чем бы оно ни было. Иногда она чувствовала себя такой несчастной, что хотелось погибнуть в пламени какого-нибудь обреченного шаттла. Иногда же, будучи более спокойной, она решала, что это спокойствие просто замаскированная форма грешной надежды, когда она представляла себя наконец-то в надежных объятиях Питера. Не может быть никакого компромисса, никакой недосказанности. Он, когда придет срок, будет крепко держать меня, иначе меня автоматически унесет в пустой космос. И найдет ли она какое-то пристанище в той пустоте?

Граф между тем страдал по-прежнему. То, что Анна истолковала как признаки выздоровления, наверное, лучше было бы охарактеризовать как осознанную безысходность. Он подал прошение о переводе на север, но еще никому не говорил об этом. Ему отчаянно хотелось уехать из Лондона, он представлял себя в совершенно ином окружении, в другой уединенной квартирке со своими книгами и радиоприемником. Хотя «шайка с Ибери-стрит», которая теперь собиралась у Манфреда, горячо приглашала его, он держался от них подальше. Впервые он стал ощущать свое прозвище как насмешку, как знак добродушного презрения. Пора было уехать куда-нибудь подальше, где окружающие не знали бы его. На севере он с самого начала будет Питером. Здесь же он для всех был комической фигурой. Любое приглашение от Гертруды он считал обязанным принять. Это были приглашения на бокал вина с нею и Тимом, и получал их Граф приблизительно каждые пять дней. Он тоже замечал, как Гертруда все взвешивает и рассчитывает, и его тоже раздражало, даже бесило то, как она переводит нежный взгляд от него на Тима и обратно, и смутная робкая мольба в этом взгляде. Гертруда хотела от него невозможного: смириться с ее замужеством и вместе с тем продолжать любить ее.

Он боролся, скорее не боролся, а жил с черными демонами ревности, возмущения и раскаяния — грехами, новыми для него и чуждыми его натуре. Он не верил, что может так мучаться. Вспыхнувшая было надежда превратила его спокойную тайную любовь в безумие обкраденного собственника. Он бесконечно возвращался к прошлому, чтобы понять, где совершил ошибку. Если бы он только был упорнее, если бы только был решительнее, энергичнее, больше проявлял чувства, был менее сдержан, менее возвышен, менее благороден! Женщину, которую он любил, завоевал человек недалекий и небезупречный. Граф вежливо улыбался и болтал с Тимом и Гертрудой, а глаза его застилала черная пелена. Он верил, что ядовитая горечь пройдет. Но боль, боль не исчезнет.

Он вспоминал завтрак с Гертрудой в маленьком итальянском ресторанчике на Уордор-стрит на другой день после того, как Гертруда отказалась от намерения выйти за Тима. Тогда она не сказала Графу о разрыве с Тимом, но он понял это и обрадовался. И, оказавшись свободной, она первым делом встретилась с ним. Минуты того *tête-à-tête* были, возможно, счастливейшими в жизни Графа и, как он видел теперь, его последними счастливейшими минутами, концом его счастья.

Был вечер, около семи часов. Жаркий, с отдаленными раскатами грома день завершился легким серебряным дождиком, который сейчас нежно и ровно шелестел за закрытыми окнами. Анна писала заявление о приеме на работу, когда в дверь неожиданно позвонил Питер. Она предложила свою кандидатуру на место временного преподавателя и получила извещение о наличии вакансии учителя французского в школе в Эдмонтоне, которая, однако, откроется не раньше января. Анна не могла истолковать его явное волнение, но на сей раз она даже и не подумала, что оно означает желание объясниться в любви.

— И ужасное? Что ужасное, Питер? Да говорите же, что случилось?

Он подошел к окну, постоял, не поворачиваясь к ней, словно пытаясь успокоиться. Его волосы были темными от дождя и прилипли длинными темными нитями к вороту белой рубашки. Мокрый плащ он бросил на пол в прихожей. От бегущих туч по комнате двигались тени, и, когда он повернулся к ней, на его лицо, словно багровый отсвет садящегося солнца, легло выражение не столько ужаса, сколько почти торжествующего изумления. Он прислонился спиной к окну.

— Случилось нечто из ряда вон. Но это не может быть правдой.

— Питер, что именно? Вы меня тревожите, пугаете.

— Не надо пугаться!

Секунду он смотрел на нее своим светлым прозрачным кротким взглядом, столь ей знакомым и заставлявшим ее сердце стремиться к нему. Затем пылающая маска вернулась на его лицо, и оно исказилось от сдерживаемого возбуждения.

— Что?

— Слушайте,— проговорил он,— это так невероятно... и я не знаю, что делать... Вчера вечером, довольно уже поздно, мне позвонил Манфред и попросил зайти, я пошел, потому что... понял, он хочет сказать что-то важное.

— Так... продолжайте...— Анна сидела в кресле, не сводя с него глаз.

— И вот что он рассказал: Эд Роупер был в Париже. И когда он был там, он встретил в баре некоего Джимми Роуленда, друга Тима Рида...

— Так?

— И этот Роуленд рассказал Эду, что... что... Ох, трудно поверить...

— Договаривайте же!

— Что у Тима есть любовница, о которой он никогда ничего не говорил Гертруде и с которой продолжает встречаться... и... и... он с этой девицей сговорились: Тим женится на деньгах и будет продолжать содержать свою любовницу...

Анна ждала, что он скажет еще. Но Питер молчал, вновь прислонясь спиной к оконной раме и едва не выдавив ее. Позади него солнце пыталось пробиться сквозь дождь.

— Это все? — спросила наконец Анна.

— Разве этого не достаточно?

— Я имею в виду,— сказала она,— что, если это просто история, рассказанная кем-то в баре, тогда ей ни в коем случае нельзя верить. Это или ложь, или заблуждение. Меня удивляет, что... что Эд Роупер вообще повторяет ее... а Манфред так серьезно воспринимает... и...

— Как они могут не повторять или не обращать внимания? Конечно, это, возможно, вздор, но...

— Да,— медленно проговорила Анна,— конечно, нельзя... оставить это так... не попробовать разобраться.

Теперь Анна поняла, отчего пылало лицо Питера. Сколько бы он ни осуждал себя за это, разве мог он не радоваться этому ужасу? Если это было концом союза Гертруды и Тима.

— Кто-нибудь занялся этим? — спросила она.— Кто-нибудь знает, кто эта тайная любовница? Кто-нибудь рассказал Гертруде?

— Нет, разумеется, нет. Эд Роупер был совершенно ошеломлен и просто рассказал Манфреду, а Манфред мне, только мне. Манфред чувствует, надо что-то делать, но не может ничего придумать. Предложил мне пойти к вам.

— Но вы не сказали, известны хоть какие-то факты? Все это так невероятно, так нелепо. Где сейчас этот Роуленд, он?..

— Он исчез, в том-то и дело. Видимо, не сидит на месте, темный тип, постоянного адреса не имеет.

— Понятно! Эд хорошо его знает?

— Сомневаюсь. Но Эд поверил ему, он не думает, что Роуленд все выдумал, и в конце концов, зачем это ему, у него нет на это причин.

— Откуда мы знаем? Он друг Тима?

— Да, но Эд считает, что он просто его собутыльник, в пабе познакомились. Роуленд знает обоих, и Тима, и девицу.

— А девица... кто она?

— Зовут Дейзи Баррет, она художница. Несомненно, она и Тим жили вместе много лет.

— И он не признался в этом Гертруде?

— Манфред совершенно уверен, что нет, но, конечно, ему не известно это наверняка, и в любом случае он же не мог говорить Гертруде о... об их замысле...

— И Тим от Гертруды возвращался к этой девице?

— Да. Так говорил Роуленд.

Если Тим, думала про себя Анна, рассказал Гертруде о своей давнишней связи, Гертруда, защищаясь, без сомнения так или иначе дала бы это понять Анне, тем более что так болезненно восприняла скептическое суждение Анны о Тиме. Она бы сказала: «Конечно, у Тима была какое-то время подружка, но он с ней расстался до того, как полюбил меня». А раз Гертруда ничего подобного не сказала, очень вероятно, что она не знает ни о какой такой девушке.

— Все слишком неясно,— заметила Анна.

Однако она быстро соображала. Тим и Дейзи, Гертруда и Питер. Неудивительно, что у Питера такой виновато-возбужденный вид.

Он резко отошел от окна и сел на диван, почти скрывшись за поднятыми коленями.

— Анна, можно чего-нибудь выпить, пожалуйста? Я сам не свой.

Анна медленно подошла к буфету и налила шерри. Протянула ему стакан; их руки не встретились. Она всегда следила за тем, чтобы невзначай не коснуться его. Потом сказала:

— Очень вероятно, что у него давно была любовница и он промолчал об этом. Но не могу поверить, чтобы он встречался с ней после женитьбы, а что касается замысла найти богатую жену, чтобы содержать любовницу, такое невозможно; это было бы безнравственно, а Тима не назовешь безнравственным. Думаю, он... прежде я вам не говорила...

— Что? — Граф нетерпеливо смотрел на нее.

«О, как он доволен!» — в отчаянии сказала она себе.

— Это только ощущение... думаю, что Тим просто из породы прирожденных лжецов, ему хочется, чтобы все было легко и мило, и он никогда не скажет неприятной правды, пока его не вынудят... он всегда находит убедительную отговорку, что, мол, это не имеет большого значения. Конечно, я могу ошибаться...

Питер, уже более сдержанно, сказал:

— Мне всегда нравился Тим, и я никогда... не давал ему никаких оценок... с точки зрения нравственности. С какой стати? Не мне кого-то судить...

Анна посмотрела в честные кроткие озадаченные глаза Питера и простонала про себя: «Только вот теперь придется. Но что же мы можем поделать? Случай просто дикий. Придется не обращать внимания. Это действительно не наше дело». Но Анна уже видела абсолютную необходимость все досконально узнать, проанализировать, докопаться до правды — правды, которая может разбить ее надежды. И которой она должна добиваться, как своего возлюбленного.

— Вы имеете в виду оставить это, забыть — пусть скандал утихнет сам собой?

Анна увидела по лицу Питера, ясно прочла в его мыслях, что он тоже тщательно взвешивает создавшееся положение. Питер искал выгоды для себя не больше, чем она. Теперь, после первоначального возбуждения, он понял ситуацию и свою в ней роль, и что он может приобрести, а что потерять, и вынужден был сказать себе: надо оставить их в покое, не предпринимать ничего, ничего на свете, что может разлучить этих двоих. Острая необходимость действовать ложилась на Анну.

Глаза Питера потухли.

— Вы правы, Анна. Мы не имеем права что-либо предпринимать. Я так и передам Манфреду. Как вы сказали, слишком все неясно.

— Но, как вы сказали, разве мы можем не считаться с этой историей, оставить ее без внимания?

— Да, впрочем, я... теперь, подумав... решил, что это недостойно. Дикая история не основание... В любом случае нельзя вмешиваться...

— По крайней мере, следует постараться осторожно разузнать, выяснить... есть ли в ней хотя бы доля правды.

— Да, но я теперь понимаю, что это не может быть правдой.

— А каково мнение Манфреда о том, что следует предпринять?

— Он не знает. Он хотел бы посоветоваться с вами. Он считает, что, возможно, нам удастся узнать немного больше.

— Манфред говорил кому-то еще?

— Нет. Но он не представляет, как мы можем что-то узнать без... и будет ужасно, если...

— Роуленд исчез, но остается девушка, Дейзи Баррет. Кто-нибудь знает, как ее найти?

— Нет... хотя есть один паб, куда она и Тим обычно ходили, и там-то Джимми Роуленд слышал, как они обсуждали свой план...

— О нет, Питер, это слишком отвратительно, я не в силах поверить.

— И я. Не надо было рассказывать вам об этом. Оставим все как есть.

— Мы не можем. Где находится паб?

— Он называется «Принц датский», возле Фитцрой-сквер.

Анна нажала кнопку звонка.

— Да? — раздался голос в домофоне.

— Мисс Баррет?

— Я. Что вы хотите?

— Я знакомая Тима Рида, могу я зайти на минутку?

— Вы женщина? — раздалось после паузы.

— Да.

Замок зажужжал, и дверь открылась.

В подъезде было темно и смрадно. Имя мисс Баррет стояло под табличкой «Второй этаж». Анна поднялась по лестнице и постучалась.

— Входите.

Найти Дейзи не составило труда. Анна сама отправилась в «Принца датского». Когда стало предельно ясно, что необходимо узнать всю правду, какой бы она ни была отвратительной, Анна исполнилась свирепой, настойчивой энергии. Задача была ее и только ее. Щепетильный Манфред мучился и сомневался. Он, через Графа, которого она снова увидела на другой день после их разговора, попросил ее зайти и обсудить ситуацию, но она ответила, что в этом нет необходимости. Оказалось, что Эд Роупер, несмотря на клятвы быть благоразумным и молчать, уже поделился слухом кое с кем из друзей и что Мозес Гринберг каким-то образом тоже узнал обо всем и звонил Манфреду. Было ясно, во всяком случае Анна заявила, что ей ясно, что кто-то должен заняться расследованием, и она займется этим сама, причем немедленно. Она поделилась с Графом своим планом, простейшим из возможных. Она отыщет Дейзи Баррет и поговорит с ней; и если она решит, что в «этой истории ничего нет», уйдет, не раскрывая цели своего визита. Она решила не придумывать никакого фальшивого предлога. Была уверена, что быстро узнает, что нужно, и лучше будет говорить, положившись на интуицию. Граф, понятно, был поражен. Высказал в своей витиеватой старомодной манере желание непременно сопровождать Анну в паб. Анна ответила с несвойственной ей резкостью:

— Питер, я не монахиня.

На деле она чувствовала робость и волнение, когда накануне в шесть вечера вошла в «Принца датского». Особенно она боялась встретиться с Дейзи Баррет на публике, боялась, что придется просить ее о разговоре наедине. А если вдруг Тим действительно будет там с ней?.. Она хотела узнать, где живет Дейзи. А если люди в пабе спросят, для чего ей это нужно, скажут, чтоб не совала нос куда не следует? Но ничего подобного не случилось. Она спросила у хозяина паба, который спросил у человека за стойкой, тот спросил кого-то еще (это оказался Пятачок), и последний назвал адрес.

«Приятельница Дейзи?» — переспросил он. «Да, и я только что приехала в Лондон».— «Может быть, придет попозже».— «Спасибо». Анна отложила встречу на другое утро.

Было около полудня. Перед этим прошел дождь. Сейчас солнце блестело на мокрых крышах и тротуарах, и от них исходило голубое сияние. Крохотная комната Дейзи была заполнена этим отраженным светом, и Анна сощурилась, войдя. Хотя окно было открыто, сильно пахло перегаром.

Сначала Анне показалось, что в комнате никого нет. Потом за решетчатой перегородкой в углу справа она увидела высокую худую женщину в джинсах и рубашке цвета хаки, возившуюся у газовой плиты.

— Готовлю завтрак,— сказала Дейзи Баррет.— Ты кто такая, черт возьми?

— Меня зовут Анна Кевидж. Пожалуйста, извините...

Анна сознательно явилась, не подготовившись, не представляя, что будет говорить. Сейчас она неожиданно растерялась, словно незваной заявилась в гости; в каком-то смысле так оно и было.

— Выпьем? — предложила Дейзи.

Она вышла из-за перегородки, и Анна смогла рассмотреть ее. Она была высокой, немного выше Анны, очень худой и изможденной. Всклокоченные темные с проседью волосы были коротко острижены и забраны за уши. Лицо усталое. И не то чтобы морщинистое, но как бы покрытое плесенью беспокойства и раздражения, трачено временем, хотя она выглядела еще молодо, даже привлекательно. Вокруг больших темно-карих глаз следы ярко-синих теней, на длинных губах, от уголков которых шли вниз тонкие морщинки,— остатки подсохшей отслаивающейся помады. Анне вдруг стало жалко ее, и одновременно она почувствовала что-то грозное в этой потрепанной неряшливой фигуре. Дейзи оказалась совершенно не такой, какой она представляла ее себе; и она поняла, сколь наивна была, воображая эту «любовницу» маленькой, нахальной и пухленькой.

Анна хотела было отказаться от предложения выпить, но потом подумала, что лучше будет согласиться.

— Спасибо.

Дейзи протянула ей большой стакан розового, села к столу и налила себе.

— Будем!

— Будем здоровы!

— Дождь идет?

— Нет.

— Так и думала, эта дрянь за окном слепит, как солнце. Как, ты сказала, тебя зовут?

— Анна Кевидж.

— Никогда не слыхала. Занимаешься живописью?

— Нет.

— Тогда ничего не понимаю. О-хо-хо! Хочешь перекусить со мной? Сегодня, кроме бобов, ничего нет. Сегодня!

Будто в другие дни у меня бифштекс из вырезки. Ты вегетарианка?

— Нет.

— А похоже.

— На ланч я вообще ничего не ем.

— Хорошо, а то тут не хватит на двоих. Шучу. Пей. Ты не сказала, чего тебе нужно. Как вообще нашла меня?

— Спросила в «Принце датском».

— Не замечала тебя в «Принце». Как узнала, что я знакома с Тимом? Глупый вопрос, всякий об этом знает.

— Конечно, я знаю о вас с Тимом,— сказала Анна.— Знаю, что вы давно вместе и...

— Ладно, ладно. Странная ты. Откуда знаешь Тима, вместе в детсад ходили? Ищешь давнишнего дружка?

— Нет...

— Тогда для чего он тебе? Или ты из полиции? Если вдуматься, это вполне может быть.

— Почему вы так думаете?

— Я всегда думаю о полиции. А Тим *capable de tout**. С ним ничего не случилось, да что я говорю, с ним всегда что-то случается, но чего-нибудь страшного не случилось, нет?

— Нет.

— Так мы далеко не продвинемся. Хватит говорить о Тиме, я не в настроении. Поговорим о тебе. Сколько тебе лет?

Анна вспыхнула от такого прямого вопроса.

— Тридцать восемь.

— Чем зарабатываешь на жизнь? Плащ у тебя довольно дорогой, хотя и не новый. Кстати, снимай его и садись.

Анна сняла свой черный, сохранившийся с монастырских времен плащ и села на расшатанный кухонный стул. На ней было белое летнее платье от «Либерти» с рисунком из розоватых цветов вишни, подарок Гертруды. Она нерв-

---

* Способен на все *(фр.)*.

но подобрала юбку под колени и маленькими глоточками прихлебывала вино.

— Что-то одна я говорю. И не бойся меня. Не съем. Я рада таинственной гостье, ко мне нечасто захаживают гости, таинственные или еще какие. Мне нравится твоя прическа, как у меня. Замужем?

— Нет.

— Лесбиянка?

— Что?

— Предпочитаешь женщин?

— Нет.

— Так чем же ты занимаешься? Писательница?

— Нет.

— А я писательница. Пей. Совсем не пьешь.

— Я думала, вы художница,— сказала Анна.

— Нет... была... но бросила... я романистка. Писательство все же — ад. Кто же ты, если не писательница, не художница, не лесбиянка, не домашняя хозяйка?

— До недавнего времени была монахиней,— ответила Анна.

Разговор, который пошел в непредвиденном направлении, смущал ее, а лгать не получалось. Да и не хотелось. Дейзи против воли нравилась ей. Но пора было положить конец этому допросу и узнать то, что ей необходимо было узнать. Другой возможности могло и не представиться. О знакомстве, предполагающем продолжение, совершенно не могло быть и речи.

— Монахиней? О боже! Из тех, что сидят взаперти и глядят сквозь решетку?

— Да, из тех.

— Наверное, это ужасно. Хотя есть что-то и очень привлекательное, так сказать, волнующее. Тебе надо бы написать об этом роман, он мог бы стать бестселлером. В этом есть что-то нездоровое, что притягивает людей. Хотелось бы мне самой испытать то, что ты испытала, тогда моя книга, может, стала бы увлекательнее. Почему не написать роман? Исповедь монахини! Ручаюсь, были там у вас в монастыре всякие делишки, так ведь?

— Нет.

— Да ты краснеешь! А почему ушла, выгнали?

— Нет, потеряла веру.

— Католичка, полагаю? Я ходила в жуткую монастырскую школу во Франции, пока не сбежала оттуда. Во мне никогда не было веры. Дерьмовое было детство. И что делаешь сейчас?

— Пытаюсь найти работу учительницы, но...

— Неудачно? Безработная, как я. В нашем поганом обществе творческим личностям нет ходу. Где живешь?

— В Кэмдене.

— В какое местечко ходишь? Я имею в виду ваш местный паб, боже! Да ты понимаешь английский?

— Нет у меня местечка.

— Нет? А, ну да. Я подыщу тебе. Чем отравляешься? Прости, что пьешь? То есть, кто любит пиво «Янг», кто еще что.

— Вино...

— А, винцо! Люблю это пойло. Знаю сотни винных баров. Можем как-нибудь пойти по этим кабакам. В любом случае, раз ты ходишь в «Принца датского», можно будет встретиться там.

— По правде говоря, я туда не хожу...

— Пора начать, или не на что? Все мы сейчас сидим на пособии и держимся друг друга. Давай встретимся сегодня вечерком в старом добром «Принце», и я отведу тебя в настоящий винный бар на Хэнвей-стрит!

— Извини...

— Я так и не поняла, зачем ты пришла. Я принимаю людей такими, какие они есть. Пришлось этому научиться. И обычно все кончается тем, что они плюют тебе в лицо. Ты, насколько вижу, не из таких, или я ошибаюсь?

Анна снова покраснела и чуть было не расплакалась.

— На самом деле я пришла узнать кое-что, о чем вы, возможно, не захотите говорить,— призналась она.

Анна оставила надежду узнать, что нужно, окольным путем. Осторожно выведать информацию не удалось. Придется говорить прямо. Ей было неприятно и стыдно, что она вынуждена исполнять такую роль. От всей ее вынужденной решимости не осталось следа.

— Ну конечно, почему я сразу об этом не подумала, господи! Как я туго соображаю: ты из социального обеспечения, одна из тех благодетельниц! Продолжай, дорогая, ты пришла по адресу, тут есть кого благодетельствовать! А ты знаешь, что я еще не поняла, как получить дополнительное пособие?

— К сожалению, я не из этой службы,— сказала Анна.

— Тогда сдаюсь. Выпей еще. Закуси бобами.

— Я насчет Тима...

— А, Тим. А что Тим? Ты, случаем, не старая ли его любовь? У него было много чокнутых валлиек. Ты валлийка?

— Нет. Я не...

— Похоже, ты никто.

— Я знаю, вы с Тимом долго жили вместе.

— О да, вечность.

— И до сих пор живете с ним.

— О да, разумеется! В какую игру ты играешь, монашка?

— Простите, пожалуйста, я объясню. Но только ответьте на вопрос.

— Почему я не спустила тебя с лестницы? Наверное, слишком пьяна.

Анна чуть отодвинулась вместе со стулом и положила плащ на колени. Покосилась на дверь. Дейзи по-прежнему сидела у стола. Щедро наливала себе.

— Вы с ним, знаю,— заговорила Анна,— придумали план, что Тим женится на богатой женщине и вы будете продолжать жить вместе на ее деньги.

— О господи! — вздохнула Дейзи.

Она выцедила стакан и спокойно смотрела на Анну своими огромными этрусскими глазами.

— Простите,— продолжала Анна,— пожалуйста, простите, но я должна узнать, правда это или нет?

— А почему бы этому не быть правдой? — ответила Дейзи, лукаво глядя на нее.

— Потому что это... немыслимо, это...

— А что это так тебя интересует, а? Черт, ты уже сидишь здесь столько часов. Жизнь полна немыслимых вещей, или тебе не говорили такого в твоем монастыре? Если ты вообще была когда-нибудь в монастыре. Ты частный детектив?

— Нет.

— Все равно ты мне не нравишься.

— Значит, вы это отрицаете?

— Отрицаю? Ничего я не отрицаю! Да, была у нас такая мысль.

— Вы... решили... И выполняете, вы по-прежнему вместе?

— Скажи-ка мне одну вещь, таинственная: зачем ты пришла? Отвечай честно, или я тебе врежу.

Дейзи быстро встала. Анна тоже вскочила и выставила перед собой стул.

— Я скажу вам правду. Я старинная подруга Гертруды, жены Тима. Я слышала сплетню, что вы с Тимом задумали такое... и что вы по-прежнему... и хотела узнать, так ли это... я не знала, чему верить...

— Верь чему хочешь! Да, конечно, мы кутим на деньги Гертруды! Так ты старинная подружка Гертруды, понимаю. Теперь до меня дошло. Надоедливая старинная подружка. Ты влюблена в Гертруду! Вот почему тебя так берет злость и зависть, и ты являешься сюда, втираешься в доверие, расспрашиваешь! Скажи своей чертовой Гертруде, чтобы сама приходила и спрашивала! Убирайся! Господи милосердный, будто у меня мало неприятностей, чтобы еще меня донимала ревнивая недотраханная монашка! Выметайся!

И не показывай свою постную скукоженную физиономию в «Принце датском», или я тебе ее разрисую. Вали отсюда, бегом!

Анна побежала. Чуть не падая, скатилась по лестнице, в панике нашарила дверь и, задыхаясь, помчалась по улице. Полил дождь. У Анны хлынули слезы.

— Забыла спросить, ты уже была у Сэмюеля Орпена? — поинтересовалась Гертруда.

— Да, спасибо тебе за него,— ответила Анна.— Он поставил пломбу. Теперь все в порядке.

— Славный человек, правда? Ты поняла, что он католик? Я хотела тебе сказать. Обращенный. Отец Гая был в ярости.

— Я думала, что отец Гая сам был христианин.

— Англиканец-атеист, ненавидел Бога, но сохранил сентиментальное отношение к прежней вере.

— Да. Я поняла, что мистер Орпен католик. Мы говорили о Ватикане.

— Хотелось бы мне иметь друга Папу. Было бы так забавно, если б он появлялся из-за гобелена и говорил: «Дорогая, у меня был такой ужасный день, побыстрей плесни мне чего-нибудь!»

— Да...— проговорила Анна.— Да.

— Что у тебя с рукой?

— А, пустяк.

— Нравится тебе это платье с цветами вишни? Выглядит очень по-японски. Ты смотришься в нем изумительно. Ты наконец понемногу начинаешь загорать, кожа — цвета светлого печенья. Хорошо сочетается с глазами.

Разговор происходил на другое утро в доме на Ибери-стрит. Тима не было: у него магазинный зуд, покупает брюки и прочее, сказала Гертруда. А Анна подумала, что он может быть и у Дейзи. Так легко было уйти надолго.

От Дейзи Анна прямиком вернулась к себе домой и увидела Графа, который знал, куда она собиралась пойти, и поджидал у подъезда. Ведя его наверх, она чувствовала, какая печальная ирония заключалась в этом упорном желании увидеть ее. Граф был настолько возбужден желанием узнать результат, что рисковал потерять лицо.

— Так вы думаете, это правда?

— Я думаю, что это может быть правдоподобно. В этом что-то есть.

— Если есть хоть что-то, тогда это катастрофа.

— Согласна. Это конец.

Анна сказала то, что думала. Она считала вероятным, что какой-то неясный сговор был и, похоже, Тим продолжает встречаться с Дейзи. Ее поразили нотки собственницы, которые, как ей показалось, прозвучали у Дейзи, когда та говорила о Тиме. Да, что-то было. И Граф прав, детали не имеют значения. Этого было достаточно и означало конец для Тима, крушение ее надежд и возвращение радости и света в жизнь Питера. Глядя на него, она спрашивала себя: если бы она любила его беззаветной любовью, то разве не радовалась бы тому, как изменилось его лицо?

Граф отправился к Манфреду. Анна не пошла с ним. Не хотелось видеть Питера, Манфреда, может, и Мозеса, охваченных возбуждением и восторгом от открывшегося. Падение Тима никого бы не огорчило.

Анне было одиноко и тяжело. Хотелось, чтобы теперь события развивались быстро, чтобы катастрофа произошла и осталась позади. Конечно, свидетельство было неоднозначно, неопределенно; но впечатление у Анны сложилось твердое, и она не позволяла себе на что-то надеяться. В любом случае рассказать Гертруде придется, сплетни были достаточной тому причиной. Она не жалела Гертруду. Что бы ни случилось, Гертруда не пропадет, она родилась под счастливой звездой. Не жалела Тима, разум подсказывал: он не стоит жалости, все это грязно и отвратительно. Однако чувствовала странную, необъяснимую жалость к Дейзи. Тот тайный план, если он существовал, наверняка придумал Тим. Все равно они были дурной парой.

Манфред переговорил с Графом, а также с Мозесом Гринбергом. Они согласились, что Анна должна поставить Гертруду в известность. Решать, как это сделать, они предоставили Анне.

Было солнечное утро. В Лондоне жарко и пыльно, пахнет гнильцой, наверное, мечтами лондонцев об отдыхе на природе. Темза протухла. На железной дороге какая-то забастовка. Вокзал Виктория забит беспокойными, нервными пассажирами.

В гостиной на Ибери-стрит пахло тигровыми лилиями, которые Гертруда ставила в вазу. Она перенесла цветы на инкрустированный столик, к бутылкам, занявшим свое прежнее место.

— Не правда ли, они восхитительны? Тигровые лилии всегда напоминают мне об Алисе.

— Да.

— Не слишком рано будет выпить?

— Я не стану,— сказала Анна.— И вообще собираюсь снова бросить пить.

— Ну что ты!

— По мне, все вы слишком много пьете.

— Ох, дорогая, не будь такой суровой! Вот и Мозес тоже — посоветовал мне вчера поменьше сорить деньгами!

— Думаю, это Тим сорит деньгами.

— Перестань нападать на Тима! Всегда придираешься к бедному парню. Прекрати! Сегодня утром у меня отличное настроение, и я не дам тебе критиковать что-нибудь или кого-нибудь. Знаешь, мы едем в Грецию! Тим никогда там не был.

С коротко остриженными волосами, торчащими спутанной каштановой копной, Гертруда выглядела очень молодо. Она снова набрала вес и поглядывала на загар на своих располневших руках, открытых до локтя. На гладком смуглом лице лежал легкий красновато-сливовый отблеск солнца. На ней было новое изящное плиссированное платье в зеленую и коричневую полоску. Не приходилось сомневаться, что она тоже не жалеет денег.

— Забыла, была ты в Греции или нет, Анна?

— Нет.

Последовала недолгая пауза, когда обе подумали, что естественного приглашения: «Так поедем с нами!» — быть не может.

Гертруда сказала первое, что пришло в голову:

— Не желаешь взглянуть на последние картины Тима? Он теперь пишет каждый день, я так рада.

— Погоди минутку,— ответила Анна.

Они стояли у каминной полки, как это часто бывало, когда они болтали в этой комнате. Анна отошла к окну и поглядела сквозь неожиданные слезы на солнечную улицу.

— Что с тобой, дорогая? — спросила Гертруда с испугом в голосе.

Анна смахнула слезы и обернулась. Она чувствовала себя глубоко несчастной оттого, что приходится выполнять ужасную роль чуть ли не обвинителя или судьи, и от своей утраты, и от надвигающегося полного одиночества, которое вдруг окружило ее клубящимся белым туманом. Неужели то, что должно теперь произойти, отнимет у нее и Гертруду?

— Анна!

Гертруда подошла к ней и потянулась обнять, но Анна остановила ее.

— Это из-за Тима.

— Он заболел, ранен, с ним что-то случилось и никто не сказал мне?..

— Нет, он здоров, и с ним ничего не случилось. Послушай, Гертруда, может, за этим ничего не стоит, ничего совершенно, но Манфред, Мозес и Граф считают, что я обязана кое-что рассказать тебе, хотя, возможно, ты уже все или частично знаешь...

— Ты о чем?

Лицо Гертруды застыло, стало морщинистым, почти безобразным.

— Давай присядем,— сказала Анна. Она села на диван, а Гертруда придвинула себе кресло.

— Быстро, рассказывай, что...

— Ну что ж... у Тима долгие годы была постоянная любовница, надеюсь, ты знаешь о ней, Дейзи Баррет.

Гертруда колебалась, не ответить ли: «А, Дейзи, да, конечно!» — но настоящий страх и ужасное выражение обреченности на лице Анны заставили ее сказать правду.

— Нет.

Анна вздохнула.

— То, что я говорю тебе,— слухи, но есть и кое-какое подтверждение этому. Говорят... Тим по-прежнему встречается с этой женщиной или встречался до недавнего времени, и... говорят, они задумали следующее: Тим женится на богатой женщине, и они будут продолжать жить вместе на ее деньги.

Гертруда, не отрываясь, смотрела на Анну. Потом лицо чуть смягчилось. Но взгляд остался напряженным.

— Я думала, ты хочешь рассказать мне что-то серьезное.

— Разве это не серьезно?

— Нет. Ты рассказываешь слух, басню. Что это? Такого не может быть, это просто бред сумасшедшего.

— Я тоже сперва так подумала, но, кажется...

— Тим любит меня, мы все время вместе.

— В данный момент вы не вместе.

— Ты что, намекаешь?.. Анна, то, что ты говоришь,— ужасно, мерзко. Где ты подхватила эту чушь, это непотребство?

— Объясняю,— продолжила Анна. Она теперь была спокойна, холодна, никаких слез.— Ты слышала о человеке по имени Джимми Роуленд?

— Да, Тим упоминал о нем, они снимали вдвоем мастерскую, но видеть я его не видела.

— Эд Роупер встретил его в Париже, и тот рассказал ему, что Тим жил с этой девицей, Дейзи Баррет, много лет до того, как якобы влюбился в тебя, и встречается сейчас, и они задумали, что Тим женится на деньгах и их связь продолжится после этого.

— Это неправда, Анна, я знаю, что неправда. Ты говоришь, «якобы влюбился в меня». Он действительно влюбился, он действительно влюблен сейчас, в таких вещах невозможно ошибиться! У Тима, наверное, были когда-то давно любовные интрижки... то есть безусловно были, он много мне такого рассказывал... тут какая-то путаница. Эта женщина существует, кто-нибудь видел ее?

— Да,— сказала Анна.— Я виделась с ней вчера.

— Боже!.. И?..

— Она сказала, что такой план у них был и что она продолжает встречаться с Тимом. Конечно...

— Анна, Анна, ты слишком долго пробыла в монастыре, ты не знаешь, что люди лгут. Зачем же верить женщине, которая, может быть, завистливая, мстительная истеричка, да кто угодно? Абсурд. Но что все это значит, почему ты это делала за моей спиной... мне это очень не нравится...

— Прости,— ответила Анна,— и, разумеется, люди лгут. Но что нам делать? Мы не можем просто игнорировать слух, когда...

— Мы... сколько вас, кто проверял эту сплетню, обсуждал ее? Ты сказала: Манфред и Граф... Нет, какой кошмар, можно сойти с ума...

Гертруда вскочила с кресла и подбежала к окну, как Анна прежде. В отчаянии она смотрела на улицу, словно ища помощи в мире, который ничего не ведал о ее беде. Запустила пальцы в волосы, потерла пылающее лицо, потом вернулась к камину и стояла, глядя на подругу. В руках она непроизвольно вертела фарфорового виолончелиста с каминной полки.

— И еще Мозес,— добавила Анна.— Надо что-то делать. Они решили, что мне следует все рассказать тебе, просто рассказать. Да, и, разумеется, знает Эд Роупер, а он, возможно, сказал одному-другому. Мозес услышал об этом от кого-то еще.

— Проклятый Эд Роупер! Значит, кто угодно может знать... а это ложь, грязная ложь... Анна, как у тебя язык повернулся...

Анна выдержала горящий, злой взгляд Гертруды. Она подумала, отчасти успокаивая себя, что Гертруде случившееся крайне неприятно, ей неприятно терять лицо, она еще не верит в это, но ее бесит, что другие могут поверить.

— Тут нет моей вины,— сказала Анна.— Я всего лишь посредник. Ты в конце концов неизбежно услышишь эту неприятную сплетню от кого-нибудь, так не лучше ли прежде услышать об этом от меня? Пожалуйста, не сердись так, дорогая.

— Я не «сержусь», как ты выражаешься! Я... у меня слов нет! Ничего не соображаю... Ты и Граф невероятно легковерны... но меня удивляет Манфред... И все равно я ничего не понимаю. Говоришь, ты видела эту женщину? Как ее зовут?

— Дейзи Баррет. Эд услышал эту историю от Джимми Роуленда, который, по твоим словам, друг Тима. Роуленд сказал, что Тим и эта женщина...

— Да-да, не повторяй, договорились, что Тим женится на мне, чтобы они могли жить припеваючи на мой счет! Анна, Анна, только подумай!

— Знаю, звучит абсурдно,— сказала Анна, не двигаясь с места и глядя на Гертруду.— Я не говорю, что это правда! Но что-то же породило этот слух. Та малость, которую мне удалось выведать, похоже, соответствует...

— Как ты нашла ее?

— Узнала адрес в пабе, в котором она бывает, Роуленд назвал Эду этот паб. Она сказала, что долгие годы была любовницей Тима, намекнула, что и сейчас ею является, и сказала, что такой план был... Конечно, она могла во всем лгать. У меня создалось впечатление, что кое-что тут правда. Но не лучше ли тебе спросить Тима? Если все это злонамеренная ложь, лучше будет немедля выжечь ее.

— «Выжечь» — неподходящее слово,— сказала Гертруда, которая даже в момент крайнего душевного волнения не могла удержаться от перенятой у Гая привычки делать замечания по поводу неточных выражений. Она как будто немного успокоилась.— Да, хорошо, я знаю, что твоей вины тут нет. Что она собой представляет?

— Запущенная, мужеподобная, худая, изможденная. Похоже, образованная. Говорят, художница, но называет себя писательницей. Живет в ужасно грязной квартирке близ Шепердс-Буш. Много пьет.

Гертруда задумалась, потом сказала:

— Конечно, она лжет. Наверное, она знала Тима много лет назад. Возможно, услышала, что он женился, и выдумала всю эту историю, чтобы вытянуть из нас деньги — хотя представить не могу, как она рассчитывает сделать это.

— Я тоже,— сказала Анна,— так или иначе, она не производила впечатления человека, способного что-то выдумать, чтобы шантажировать кого-то. Она мне даже понравилась.

— Понравилась?

— Да, а что тут такого, люди производят на нас впечатление независимо от нашего желания.

— Ты говоришь, она пьяница?

— Думаю, что да. Она бывает невменяемой, малость ненормальной, я имею в виду — необузданной... и уж точно вызывающей...

— Тебе понравился кто-то, кто порочит моего мужа самым омерзительным способом, какой можно вообразить?

— Нет, я не так выразилась. Просто я хотела сказать, что не считаю ее явным параноиком или мстительной лгуньей. Не знаю, что и думать, Гертруда. Я сказала тебе все, что должна была сказать.

— Тебя это радует. Ты всегда была настроена против Тима, всегда ненавидела его и норовила очернить и принизить его...

— Меня это не радует!

«Если бы ты только знала,— думала Анна,— насколько не радует. Если бы только знала, сколько усилий я приложила, действуя в ущерб собственным интересам!»

— Ты презираешь Тима.

— Ошибаешься. Я лишь считала и продолжаю считать, что он недостаточно хорош для тебя.

— Ты его совершенно не знаешь, не понимаешь, ты просто ревнуешь, бессовестно ревнуешь...

— Я, по крайней мере, не охочусь за твоими деньгами,— ответила Анна.

Фарфоровый виолончелист упал на пол и разбился. Анна встала. Обе женщины смотрели на осколки, усыпавшие зеленые изразцы, окаймлявшие камин.

Глаза Анны наполнились слезами.

— Прости, дорогая.

— И ты прости меня,— сказала Гертруда, отходя от камина.— Я так потрясена. Такое чувство, будто все против меня. Я не виню тебя. Но ты рассказывала эту ужасную, безумную историю... как будто злорадствуя... вероятно, мне это показалось... я знаю, ты не желаешь причинить мне боль. Допускаю, раз пошел слух, кто-то должен был поставить меня в известность. Просто хотелось, чтобы это была не ты. Пусть бы лучше Граф рассказал об этом.

— Граф... да... ох, если б только ты вышла за него.

Услышав какой-то звук, они застыли на месте, потом посмотрели друг на друга и быстро принялись стирать следы слез. Раздавшийся звук был скрежетом ключа в замке парадной двери.

Тим, мыча песенку, вошел в квартиру и прямиком проследовал в гостиную, нагруженный свертками.

— А вот и я. Привет, Анна! — Он постоял, переводя взгляд с одной женщины на другую.— Что случилось?

— Я пойду,— быстро проговорила Анна.

— Нет, Анна, не уходи. Я хочу, чтобы ты услышала, как Тим опровергнет этот грязный поклеп.

— В чем дело? — спросил Тим, глядя на них с беспокойством, перешедшим в испуг.

— Тим,— заговорила Гертруда,— у тебя была долгая любовная связь с женщиной по имени Дейзи Баррет, и встречался ли ты с ней после... после Франции... и решили ли вы с ней, что тебе надо жениться на богатой? — Глаза у Гертруды были красные, губы еще мокрые от слез, но голос звучал твердо и холодно.

Слова Гертруды произвели на Тима эффект разорвавшейся бомбы. Он выронил свертки на пол, шея, лицо и лоб побагровели. С открытым ртом он уставился на жену потрясенным, жалким взглядом — само воплощение вины и безмолвного ужаса.

Анна кинулась мимо него прочь из гостиной. Подхватив на бегу свой монастырский плащ в прихожей, вылетела на лестничную площадку, сбежала по ступенькам и помчалась по улице, еще быстрее, чем вчера, когда спасалась от Дейзи Баррет.

— Тим...— проговорила Гертруда, ее глаза наполнились слезами, а голос звучал глухим эхом Страшного суда.

— Так ты знаешь о Дейзи?..— промямлил Тим.

От замешательства, глупости и ярости на судьбу он ничего не соображал.

— Значит, это правда,— сказала Гертруда.

Отчаяние прорвалось в этих словах, но теперь она вновь была холодной, суровой, пугающей. Ища носовой платок, она пошарила в кармане, затем, отвернувшись, в сумочке. Вытерла глаза и принялась подбирать с полу осколки фарфоровой обезьянки и складывать их на каминную полку.

— Ну да,— сказал Тим,— то есть, я не понимаю, о чем ты спрашиваешь. Мне надо было бы давным-давно сказать об этом, я и собирался. Знаю, я поступил как дурак, но, понимаешь...

— Ты собирался рассказать, что хладнокровно обманывал меня?

— Я должен был рассказать, только не думал, что это имеет какое-то значение, думал, это подождет, я не обманывал тебя, я считал, что...

— Ты жил с этой женщиной много лет?

— Да, но...

— И вы до сих пор встречаетесь, она твоя любовница?

— Нет!

— Ты встречался с ней после того, как мы... полюбили друг друга?..

Как многие из тех, кто лжет безотчетно и нерасчетливо, Тим слишком ленился тщательно продумывать последствия своей лжи и, будучи уличен в ней, с готовностью говорил правду, чисто формальную в его понимании.

— Да,— подтвердил он.

— В таком случае ты понимаешь, что все кончено,— сказала Гертруда.— Все кончено между мной и тобой. Кончено.

— Ты не понимаешь,— возразил Тим.— Я порвал с ней, в самом деле, а потом снова встретился с ней, но это было, это не было...

— И ты вместе с ней придумал, что тебе стоит жениться на богачке, чтобы жить на ее деньги со своей любовницей.

— Мы говорили об этом! — воскликнул Тим.— Но то была просто шутка, мы шутили промеж собой, мы никогда...

— Шутили,— сказала Гертруда.— Твоя шутка зашла слишком далеко. Так ты женился на мне ради шутки!

— Нет. Ты неправильно меня поняла.— Он пытался вспомнить все, что говорил в последние минуты.— Я действительно встречался с Дейзи после того, как ты...

— И вы занимались любовью?

— Да. После того как ты отказалась от меня, когда сказала, что «так продолжаться не может»... я не встречался с ней... потом вернулся...

— Ты пошел к ней домой, ты никогда и не уходил от нее.

— Уходил!

— Я не говорила «так продолжаться не может». Я имела в виду, что я была в отчаянии, несчастна и... и не в себе... это было тяжелое время... именно тогда я нуждалась в тебе больше всего... а ты убежал и...

— Но с ней покончено, покончено, я не виделся с Дейзи...

— Где ты был сегодня утром?

— Гертруда! Я был в магазинах... о господи!.. покупал краски и пастель... а еще купил маленький... маленький подарок тебе... Гертруда, как ты только можешь думать, что я... ты знаешь, что я не...

Он протягивал к ней руки, но она не смотрела на него. Она смотрела на осколки фарфора и не видела их.

— Я потеряла веру в тебя,— сказала она устало.— Думаю, ты все лжешь. Во всяком случае, в вещах очень серьезных... и это убийственно... Ты обманывал меня, а возможно, и сейчас обманываешь. Все меня предупреждали, что ты лжец и никчемный человек...

— Гертруда, дорогая, любимая, не говори со мной так...

— Тебе лучше вернуться к Дейзи. Судя по тому, что Анна говорит о ней, она должна больше подходить тебе, чем я.

— Анна? При чем тут Анна? Это все ее работа, она ненавидит меня...

В первый раз Тим задался вопросом, как все это произошло. Почему мир вдруг сейчас обрушился на него, так ужасно, так несправедливо?

— Анна пошла к твоей Дейзи Баррет, и твоя Дейзи Баррет сказала, что все это правда. Я было не поверила. Но теперь верю.

— Но это неправда!

— Ты только что подтвердил это.

— Да, но все было не так... и я в самом деле ушел от нее... Господи, какая путаница!

— Похоже на это. Не люблю путаницы.

— Но Анна... виделась с Дейзи... как такое могло произойти?

— Твой приятель Джимми Роуленд встретил в Париже Эда Роупера и все ему выложил. Так мы услышали об этом. Потом Анна узнала, где живет твоя любовница, и навестила ее. Очень просто.

— Но, Гертруда,— спросил Тим,— давно ты знаешь об этом?

— Нет, конечно нет! Я не такая артистка и врунья, как ты. Могла бы я быть с тобой... близка... если бы знала о твоем грязном обмане? Анна рассказала мне сегодня утром. Верно, всем уже известно. Я последняя, кто услышал. Во всяком случае, теперь все чувствуют удовлетворение, повторяя: «Мы же говорили».

Тим от ужаса лишился способности соображать.

— Но, Гертруда, это же не имеет большого значения, что я не рассказал тебе о Дейзи, знаю, я должен был...

— Не имеет значения то, что мой муж на мои деньги содержит любовницу?

— Но я не содержу, нет, нет...

— Я не могу доверять тебе,— сказала Гертруда.— Не знаю, что ты там то ли задумывал, то ли нет, то ли намеревался, то ли нет. Просто ты больше не мой, а я не твоя.

— Я твой! О, проклятые деньги!..

— Что ж клясть их? Разве ты не ради денег женился на мне?

— Нет, я люблю тебя. Ты знаешь...

— Может быть. Но похоже, ее ты любишь сильнее.

— Нет, нет...

— Криком не поможешь. Между нами все кончено, Тим.

— Но это же было давным-давно... то есть не очень давно, но...

— Возможно, вчера или нынче утром. Теперь поздновато давать ей отставку лишь потому, что тебя раскусили. Кроме того, это несправедливо по отношению к ней. Не считаешь, что у нее тоже есть права на тебя? Сколько лет ты был с ней?

Тим молчал. Потом выговорил:

— Много.

— Ну так что...— Гертруда наконец подняла глаза, и минуту они молча смотрели друг на друга.

Зазвонил телефон. Гертруда подняла трубку.

— Алло, Манфред... Да... Да, Анна рассказала мне. Я хотела бы увидеть тебя, если возможно... Нет, я приеду к тебе... Да, к ланчу, но есть мне не хочется. И не мог бы ты пригласить Графа и Мозеса?.. Да, мне нужен будет совет Мозеса. Спасибо, что позвонил. Буду через полчаса.— Она положила трубку.

— Но, Гертруда, мы собирались позавтракать вместе, я и ты, дома, я ждал этого все утро. Я купил сливы и сыр карфилли и хотел показать тебе подарок...— Мгновение казалось, что Тим забыл о случившемся.

— Нет. Бедняга Тим,— устало сказала Гертруда.

Она обошла его и направилась в спальню. Тим потащился за ней и встал в дверях. Она укладывала чемодан.

— Дорогая! Не сходи с ума, не покидай меня, не уходи к ним!

— Это ты покинул меня.

— Я не покидал! Не понимаю, о чем мы вообще говорим, столько разного намешалось, ты неправильно все поняла, не уходи вот так, это чудовищно, я могу объяснить, я не такой плохой, не плохой, клянусь...

— Неважно, насколько ты плохой. Ты достаточно плохой. Будь я другой, это, может, и не имело бы значения. Но я такая, какая есть. И не могу делить тебя, ни при каких условиях, с любовницей, которая была у тебя много лет. Не могу просто сказать: «Хорошо, продолжай в том же духе», даже если скажешь, что уйдешь от этой женщины.

— Я ушел от нее!

— Я не могу безоглядно верить тебе. Не могу жить, постоянно думая, где ты и что делаешь. Я всю себя отдала тебе и не хочу довольствоваться только частицей тебя.

— Такого и не происходит! Гертруда, я не лгал тебе... то есть я просто не сказал тебе правду сразу, и не все так, как ты думаешь... можешь ты выслушать меня и простишь тогда то, что необходимо простить?

— Ты не понимаешь,— сказала Гертруда.— Вопрос так не стоит: прощать или не прощать. Между нами все кончено, ничего больше нет.

— Но я могу объяснить... О, люби меня по-прежнему, или я умру.

— Не умоляй меня,— ответила она, застегивая чемодан.— Это просто эмоции. Думаешь, я не переживаю тоже? Я любила тебя и стала твоей женой вопреки советам тех, с чьим мнением считаюсь. Причем вышла за тебя, еще будучи в трауре. Как думаешь, что я чувствую теперь? Если мы заплачем и бросимся в объятия друг друга, все опять пойдет как прежде.

— Но куда ты идешь, когда вернешься? Ты должна дать мне возможность оправдать себя, ты поняла все, или многое, неправильно, и все не так, как ты думаешь, и...

— Я хочу какое-то время пожить где-нибудь у кого-нибудь, не знаю у кого, но в таком месте, где ты не сможешь меня найти, и, пожалуйста, не пытайся. Тим, правда лучше разойтись вот так, сразу... иначе мы оба изведем себя. Я знаю, ты любишь меня вроде бы, но что мне в том, ты не оправдал моих надежд, как все предупреждали.

— Но, любимая, жена моя, что мне делать? Не уходи, не покидай меня... скажи Манфреду, что не придешь... останься и дай мне...

— Ты можешь жить здесь... Впрочем, нет, лучше не надо. Меня не будет какое-то время, но, когда вернусь, хочу, чтобы тебя здесь не было. Я предпочла бы, чтобы ты покинул квартиру как только сможешь и забрал свои вещи. Отправляйся к ней. Только, пожалуйста, не приводи ее сюда, это все, что я прошу.

— Гертруда, ты убиваешь меня, ты сошла с ума, все совершенно не так, как ты говоришь, я твой и ничей больше...

пожалуйста, пожалуйста, пожалуйста, не уходи, не покидай меня, любимая, любимая...

— Тим, не надо, не надо так... не мучай меня, прекрати. Знаю, ты переживаешь, ты несчастен оттого, что все открылось, но скоро почувствуешь себя лучше.

— Ты не можешь вот так взять и уйти...

— Мы уже не те, какими были... как бы я хотела, чтобы это было не так, но ничего не поделаешь... все переменилось, все рухнуло. Пожалуйста, пропусти меня.

— Я не пущу тебя.

— Не прикасайся ко мне. Пожалуйста!

Слезы хлынули из глаз Гертруды. Подхватив чемодан, она двинулась к двери. Тим сделал движение, чтобы схватить ее за руку, но она увернулась и быстро пошла в прихожую.

— Не иди за мной. Не желаю, чтобы ты устроил сцену на улице.— Она выбежала из квартиры и захлопнула за собой дверь.

Тим рывком распахнул ее и крикнул:

— Гертруда!

Внизу грохнула парадная дверь. Он пробежал несколько ступенек вниз, потом медленно вернулся обратно. Вошел в гостиную. Лег на пол среди разбросанных свертков и завыл.

ЧАСТЬ ШЕСТАЯ

— Как ты мне надоел, дорогой,— сказала Дейзи.— То появляешься, то исчезаешь. Я уж думала, что избавилась от тебя. Только я начинаю отмечать это событие, как ты опять тут как тут, не ждала, не ждала! А ты даже не радуешься.

Тим сидел на кровати Дейзи, уставясь перед собой невидящим взглядом. Неподвижный, с застывшим лицом, только изредка моргая.

— Ну же, мистер Голубые Глазки, веселей, покажи, что ты живой! Никогда не видела тебя таким. Обычно ты шастаешь по квартире, как водяной жук, ни на секунду не угомонишься. А тут битый час сидишь, как чертов монумент. Мне что, сесть тебе на башку, как голубю на статую?

— Извини,— проговорил, скорее прошептал Тим, сидя все так же неподвижно и глядя в окно.

— Ну, кончилось так кончилось,— сказала Дейзи.— Тебе с самого начала не на что было надеяться. Всякий на твоем месте мог бы понять, что это безумная затея. Помучаешься какое-то время. Но скоро почувствуешь невероятное, радостное облегчение. Черт побери, ты свободен! Выпей за это, не сиди как пень!

Тим помотал головой.

— Охмурили тебя или что? Глубокая депрессия, током ударило?

Тим не ответил.

— Прекрасный вечерок, пошли в «Принца датского». Пройдемся, как ты любишь, как тебе всегда хотелось, а мне нет. Развеешься, а? Прогулка тебя взбодрит.

— Иди без меня,— пробормотал Тим.

— О боже! Что мне с тобой делать? Почему бы тебе не прилечь нормально и не отдохнуть, раз уж ты такой весь обессиленный,— вместо того, чтобы сидеть там, как восковая фигура? Меня аж дрожь берет. Глотни таблеток, если не хочешь порядочного алкоголя. У меня где-то завалялись снотворные, думаю, что снотворные. Если и завтра будешь таким, отведу к врачу.

— Нет, нет... никакого врача.

— Не можешь говорить по-человечески? Что ты все время шепчешь, что у тебя со связками? Ты болен или что? Не будь таким чурбаном. Приходишь ко мне, ожидая, что я приму тебя с распростертыми объятиями, а потом вдруг становишься что твое привидение. Где твой дух, где мужество? Попытайся вести себя как мужчина, хотя бы только ради меня.

— Извини, Дейзи.

— А, так ты знаешь, кто я. А то я засомневалась, что ты вообще узнал меня. Я твоя старушка Дейзи, запомни. Отель старушки Дейзи открыт постоянно, заходите в любое время, вы всегда желанный гость в отеле Дейзи!

— Ты была очень добра ко мне,— проговорил Тим.

— О, наконец-то, во всяком случае глазами можешь двигать, не все потеряно!

Тим появился в квартире Дейзи утром. Предыдущую ночь он провел в одиночестве на Ибери-стрит.

Тим очень быстро впал в отчаяние. Казалось, оно было единственным прибежищем. Надежда была слишком мучительна, слишком пронзительна, слишком полна слепящего света. Ничего не поделаешь, пришлось быстро прийти к заключению, что это конец.

Когда Гертруда ушла, он какое-то время сидел на полу среди своих драгоценных свертков, плача самым кошмарным образом, не слезами, а мокрым ртом и сморщенным детским лицом. Потом долго сидел неподвижно, пытаясь осмыслить, что произошло. Что он сказал, что сказала Гертруда? Пытался припомнить их разговор, но все слова уже тонули в тумане. Катастрофа была полной, и он знал, что в этом исключительно его вина, но не мог понять, как и почему это случилось.

Тиму сразу стало ясно, что с ним произошло нечто страшное и непоправимое. Как человек, узнавший, что он смертельно болен, Тим понял, что его существо переменилась кардинальным образом и он никогда не будет прежним. Он потерял Гертруду, свою жену, которую любил. Это было главное. Но дополнительный ужас был в ошеломительности потери и себя нового, после космической перемены. Ощущение было такое, будто он болен, неизлечимо болен своего рода моральной болезнью, прежде ему неведомой. Он погубил себя, полностью разочаровал Гертруду и окончательно потерял ее из-за отвратительной, неописуемой моральной вины. Тим не имел привычки мыслить в подобных категориях, это было чуждо ему. Он никогда не был особо высокого мнения о себе, но чувствовал, что он безвредный, невинный, добрый, обыкновенный, скромный, слабый человек. Его невероятно потрясла, оставила шрам на душе мысль, что он совершил что-то страшно аморальное и тем самым разрушил свое счастье и потерял ненаглядную свою жену, которая досталась ему так удивительно и не по заслугам. Как часто случается, Тим оценивал тяжесть преступления по тяжести наказания. Пока топор не опустился, он почти не чувствовал за собой вины, ничтожная вина легко забывается. Теперь же, хотя и смутно, он чувствовал, как, должно быть, ужасно ошибался. Как, мечтая о Гертруде, он в то же время мог быть нравственно столь безрассуден? Чувство потери вползало в сердце Тима, который сидел на полу, плача без слез, не в силах заставить жалкие остатки своего истерзанного бывшего «я» не ждать неизменных удовольствий прежней счастливой женатой жизни. Гертруда вернется, он покажет ей новые работы, написанные акриловыми красками (она любила смотреть его картины), поднесет оригинальное ожерелье, которое купил для нее (ее украшения были такие старомодные и всегда вызывали у них смех), потом ланч, к которому он принес сливы и карфилли, а после ланча он будет рисовать, каждый миг ощущая ее присутствие в его жизни, а там бокальчик-другой перед обедом, обед, болтовня, смех, планы. Они собирались в Грецию. А потом он будет лежать с ней в постели, губы к губам, целуя ее спящую, и сам уснет, погрузившись в глубокое море полного покоя и блаженства.

Но теперь ничего этого не будет. Гертруда ушла. Тим был разоблачен как лжец и мошенник, чуть ли не предатель. Он бессмысленно разрушил невинное счастье их двоих и сам оказался посреди пустыни ужасов. Только вот, конечно, его собственное счастье не было невинным. Тим полностью и сразу признал общую справедливость обвинения, хотя до сих пор не мог определить, что конкретно ему вменялось, или точно вспомнить, что произошло во время того кошмарного разговора. Гертруда не поняла, он не был настолько виновен, как она думала, но какое теперь значение имела степень его вины? Он, разумеется, не собирался жить с Дейзи после их женитьбы, но умолчал о Дейзи и ее важной роли в его жизни, скрыл связь и свой грех, который, знай о нем Гертруда, мог заставить ее в решающий момент засомневаться. Гертруда говорила о трауре. В то время все, что угодно, могло сыграть против него. И в странном составе его нравственных угрызений вина перед Гертрудой мешалась с виной перед Дейзи. Сейчас Тим видел, сколь в действительности глубоко он был привязан к Дейзи, она была словно частью его, сестрой, матерью. Ему пришлось переписать свое прошлое, чтобы стереть саму память о ней, но без Дейзи оно было поддельным, и с этим поддельным прошлым он пытался жить с Гертрудой. Сейчас, сидя на кровати Дейзи, неподвижный, парализованный, он понял, насколько в конце концов принадлежит ей. Он чувствовал это с отчаянием, превышавшим любую горечь, даже наперекор судьбе.

Встав с пола в гостиной и попытавшись думать, он первым делом набрал номер Манфреда. Никто не ответил. Близился вечер, а Тим еще ничего не ел. Он выпил виски, взяв бутылку со знакомого подноса на инкрустированном столике и налив себе в тяжелый уотерфордский стакан,— ритуал, некогда приятный, а теперь грозивший перейти в отвратительную привычку. С ужасом взглянул на тигровые лилии. Потом вернулся к телефону. Позвонил Графу на работу, но тот уже ушел. Набрал его домашний номер, никто не поднял трубку. Выпил еще виски. Снова позвонил Манфреду, безрезультатно. Позвонил Джеральду Пейвитту, но потом вспомнил, что тот еще находится в обсерватории в Джодрелл-Бэнк. Тогда он позвонил Виктору Шульцу. Виктор снял трубку. Тим пролопотал: «Не знаете ли, где Гертруда?» В ответ на этот странный вопрос Виктор извинился и сказал, что как раз уходит на работу в больницу и не может разговаривать. Ему, безусловно, было уже все известно. Манфред быстро оповестил всех, и доступ к кругу друзей Гертруды был для Тима уже закрыт. Он позвонил Мозесу Гринбергу, но Мозес, едва услышав голос Тима, положил трубку. Стэнли Опеншоу Тим звонить не стал, зная, что Джанет ненавидит его. Не стал он звонить и миссис Маунт. Она особо старалась быть доброжелательной к нему и Гертруде вначале, но теперь он тем более должен быть отвратителен ей. Он прикончил бутылку, завалился в постель и в слезах заснул.

Пробуждение было ужасным. Утром он очнулся и сонным телом и сознанием потянулся к Гертруде. Ее не было. Он вспомнил. Вскочил с постели и помчался по квартире в бесполезной надежде, что Гертруда вдруг вернулась, пока он спал. Его мутило, голова раскалывалась. Болело все тело. Он решил что-нибудь поесть, но кусок не лез в горло. Хотел приготовить чаю, но вид чайника был невыносим. Он позвонил Манфреду и Графу, но ответа не дождался. Сел в гостиной и попытался написать письмо на листе дорогой, кремового цвета гербовой бумаги Гертруды. Но он был не мастер писать письма, и попытка что-то сказать в свою защиту только показала ему, какое он ничтожество. Он порвал написанное. Он все же напишет ей, но не сейчас. Он чувствовал, что должен действовать, поскольку бездействие было пыткой. Но что он может сделать? Он подумал было побежать домой к Манфреду. Но его никто не впустит, никто не откроет дверь на его звонок. В любом случае Гертруды там нет, она уже в каком-нибудь тайном месте, где он никогда не найдет ее. А какой вообще смысл искать ее? Увидеть ее еще раз, чтобы она снова отвергла его, причинила новую боль, обвинив в чем-то, что и не вообразишь. Да верил ли он на деле, что женат на Гертруде? Совсем он не в своем уме, если сомневается даже в этом. Он не мог оставаться на Ибери-стрит. Помнится, она просила его освободить квартиру. И квартира стала его ужасом — место пытки и кары, полное невольных счастливых воспоминаний о потерянном рае.

Около половины одиннадцатого он проглотил кусок хлеба с маслом. Выпил молока из бутылки. Убрал масло и молоко в холодильник, как приучила его Гертруда. Хотел было побриться, но не стал. К чему? Собрал рисовальные принадлежности. Покидал одежду в свой старый чемодан. Только теперь одежды было куда больше, все не умещалось. Он подумал, не оставить ли вещи, которая покупала ему Гертруда, но это, пожалуй, было не лучшее решение. Ей не захочется снова видеть эти рубашки да галстуки. Он забрал все свое из ванной комнаты и рассовал одежду, краски, альбомы по пластиковым мешкам, а холсты составил у двери. Потом вышел на слепящий свет Ибери-стрит и поймал такси. Водитель помог ему погрузить вещи, а в Чизуике, куда он отвез его, помог их выгрузить. Тим побросал все в нежилую сырую пустоту своей старой мастерской. Запер ее. Задумался, что делать дальше. Такси отвезло его назад, к вокзалу Виктория, в банк, где он снял деньги с их общего с Гертрудой счета. Потом поехал в Шепердс-Буш-Грин, откуда пешком направился к Дейзи. На ходу снял с пальца золотое обручальное кольцо, подаренное ему Гертрудой, и сунул в карман.

Уже собираясь позвонить в квартиру Дейзи, он увидел нечто ужасное, что и в страшном сне не приснится, отчего вновь ожило предчувствие, что впереди его ждут еще бóльшие неприятности, новые муки. Он увидел, что на углу напротив дома Дейзи караулит знакомая фигура в черном плаще. Неприветливая, суровая Анна Кевидж приходила засвидетельствовать заключительный акт, получить последнее доказательство его небывалого вероломства. Ее досье было теперь полным. Это, вместе с опустошением счета, означало конец, точку, от которой ему не было возврата. И, поднимаясь по ступенькам, он знал, что сам хотел этого конца. Раз его отвергли, он должен доказать себе, что действительно заслужил такое.

На деле он пошел к Дейзи, руководствуясь не только логикой. Он просто не мог придумать, что делать, куда пойти. Кем он может быть теперь, как распорядиться дальнейшей жизнью. Поселиться в отеле в Паддингтоне и жить там на деньги Гертруды, писать убедительные письма, объясняя, прося прощения? Желание объяснять что-нибудь осталось в безвозвратном прошлом. Он покинул царство морали. Нет сомнений, что-то он объяснил бы. Но, как он смутно и с болью начал понимать, ему придется давать объяснения Мозесу Гринбергу во время бракоразводного процесса. И снова придется пережить скандал и стыд во всех кошмарных деталях и то, что происходит сейчас: как он забрал деньги и как в некое определенное утро его застукала Анна, этот полицейский в юбке...

Дейзи повела себя, как он и ожидал. Ее абсолютная предсказуемость по-прежнему была для него опорой, чуть ли не средоточием абсолютной добродетели, что Тим признавал, хотя сейчас она не доставила ему удовольствия и не принесла утешения. Он даже на минуту испытал бы извращенную злобную радость, если Дейзи с проклятиями прогнала бы его. Когда он пришел, она готовила себе ланч. Он отказался от еды. Поев, она отправилась по магазинам, а он лег на ее кровать и погрузился в бездну отчаяния. Когда она вернулась, он сел и уставился на нее, не в силах пошевелиться. День едва полз.

— Тим, хватит изображать, будто тебя хватил удар. Очнись, походи, пойдем в «Принца датского».

— Нам туда нельзя.

Это было так. Тим начал понимать, что тоже должен скрыться.

— Почему нельзя, черт возьми?

— Нам надо убраться отсюда,— ответил Тим.— Надо найти другое место для жилья. У меня есть деньги. Нам надо перебраться куда-нибудь.

— Зачем? Мне нравится здесь, тут дешево, а твои поганые деньги все равно кончатся, и кому это «нам», скажи?

— Мы должны уйти, должны спрятаться.

— Ты можешь прятаться, а я, будь я проклята, не собираюсь. Я не преступница!

— Я преступник.

Он все так же сидел и глядел в окно. Некоторое время спустя Дейзи ушла, громко хлопнув дверью. За окном наконец начало темнеть.

— Он снял деньги с моего счета,— сказала Гертруда.

Анна промолчала.

Гертруда вернулась на Ибери-стрит. И Анна с ней. Заняла прежнюю комнату, хотя от своей квартиры не отказалась.

Был поздний вечер. Анна, набросив на себя голубой халат, готовилась ко сну, когда к ней вошла Гертруда со стаканом виски в руке. Анна присела на кровать, Гертруда — на кресло возле туалетного столика. Гертруда обедала у Стэнли и Джанет Опеншоу и еще не успела сменить шелковое, цвета янтаря, платье.

— И отправился прямо к той женщине,— добавила Гертруда.

Анна не гордилась своей сыскной работой. Она чувствовала, что это необходимо, и давняя университетская привычка к доскональности, желание полной уверенности заставили ее следить за квартирой Дейзи. Она следила за ней в вечер бегства Гертруды (потом позвонила Графу, узнать, что произошло) и на другое утро. Утром она со странной смесью боли, облегчения и стыда увидела, как Тим пришел к Дейзи. И увидела, что он обернулся и заметил ее. Отвратительная роль; но Анна уже не была уверена, что не погубила Тима и себя — неизвестно зачем. Она решила, что не станет ничего говорить Гертруде. Свидетельств было достаточно и без этого горького факта. Хотя бы придержит его на тот случай, если Гертруда позже не выдержит характера. А то и вовсе не понадобится упоминать о нем. Однако она не могла удержаться, чтобы не осчастливить Графа, рассказав ему о немедленном возвращении Тима к любовнице. Еще она теперь чувствовала необходимость как можно скорее избавиться от последних остатков собственных надежд. Ей хотелось начать новый этап жизни, каким бы он ни оказался. Граф же, в свою очередь, тоже не мог удержаться и рассказал Гертруде, хотя обещал не делать этого.

— Да,— подтвердила Анна.— Думаю, не стоит больше волноваться, что ты была несправедлива к нему.

— Слишком уж быстро все произошло.

— Это и к лучшему. Если бы ему было что сказать в свою защиту, он бы написал или позвонил.

— Он звонил Виктору и Мозесу. Наверное, пытался дозвониться и до Манфреда, только Манфред не подходит к телефону.

— Да, но это все было в тот день. А с тех пор он не подает никаких признаков жизни.

— Он мог бы найти меня, я даже не покидала Лондон, мог бы догадаться, что я у Стэнли с Джанет.

— Значит, кругом виновен, раз не пишет. Мог бы позвонить сейчас, если хотел бы.

— Я знаю. Я... когда звонит телефон... я чувствую...

— Не уехать ли нам, дорогая? Отправимся в деревню, или к Стэнли в его загородный дом, или... да куда угодно, лишь бы прочь из Лондона.

В Анне говорило собственное желание бежать куда-нибудь. Она чуть не предложила поехать в Грецию.

— Нет. Я должна быть здесь. Мне надо... просто в случае чего... и встретиться с Мозесом... по поводу условий... и без поддержки Графа... и Манфреда...

Анна молчала, стараясь понять, что творится в душе Гертруды. Это было нелегко.

Почти две недели прошло с тех пор, как они так ужасно расстались, и за это время Тим не сделал никаких попыток как-то связаться с Гертрудой. Дни проходили в молчании, Анна, занятая собственными переживаниями, наблюдала, как Гертруда все больше ищет поддержки в Питере и как к Питеру постепенно возвращается осторожная надежда. Граф появлялся на Ибери-стрит, но не очень часто. Вместе с надеждой к нему возвращалось былое чувство собственного достоинства и благоразумие. Он держался церемонно, учтиво, сдержанно; но теперь он был для Анны открытой книгой. Ей видно было, что он состоит на службе у своей любви, и она не могла не признать, что служит он безупречно. Она не могла не любить его еще больше, видя, как поразительна его любовь к ее подруге.

— Невозможно поверить, что он действительно задумал жениться на мне ради денег, чтобы содержать ее... Нет, не могу я поверить в это.

— Не думаю, чтобы он отдавал себе отчет в аморальности своей затеи,— сказала Анна.— В этом отношении он недоразвитый.

— Пожалуй...

Анна день за днем, час за часом делала все, чтобы помочь Гертруде окончательно избавиться от иллюзий. Это было благое дело, хотя стоило Анне таких мучений. Скорее бы сердце Гертруды ожесточилось. Так было бы лучше для Гертруды и в некотором смысле для Анны. Не хотелось, чтобы вся эта история, когда приходилось поддерживать Гертруду, события, свидетельницей которых ей приходилось быть, тянулись слишком долго.

В сущности, душевные переживания Гертруды были куда сложнее, чем представлялось Анне, ибо Гертруда теперь мучилась мыслями не только о Тиме, но и о Гае. Ее связь с Гаем приняла иной оборот. Глубокое скрытое чувство вины из-за ее торопливого замужества теперь неистовствовало, вырвавшись из-под спуда. Как если бы Гай тоже говорил ей: «Я предупреждал тебя!» Зачем я вышла замуж так поспешно, думала она про себя; а обращаясь к тени Гая, постоянно каялась и просила прощения. И все же примириться с Гаем не удавалось. Скорее примирение, которого она, казалось, достигла, было ложной успокоительной иллюзией, необходимым оправданием ее безрассудства. Она не могла думать о Гае с кротостью, нежностью, печалью. Она вновь чувствовала, будто он неотступно преследует ее, призраком витает над ней; и это его преследование возродило первоначальную ее скорбь, теперь обремененную еще сознанием вины и горечью. Она была сформирована и закалена ненавистью Гая к сентиментальности, вульгарности, потаканию собственным желаниям, фальши. Как она любила эту ясную строгость. И как часто изменяла ей. Теперь ей казалось, что по слабости своей она перестала любить Гая беззаветной любовью, когда между ними встала его болезнь и он ушел в себя, утратив доброту и нежность, обреченный. Это охлаждение было началом ее измены, ее морального падения. Она вспомнила, как он сказал однажды, что наши достоинства индивидуальны, а пороки общи. Никто не бывает достойным всецело, во всех отношениях, во всех смыслах. Как посредники добра мы «специализируемся», ограничиваемся чем-то частным, и это необходимо, потому что зло присуще нашей натуре, а добродетель нет. Как быстро, без Гая, она возвратилась на этот природный уровень. Сколь узкой, сколь искусственной казалась ей теперь ее собственная «специализация», которая создавала в ней иллюзию ее добродетельности. И она говорила ему: почему он призрак, почему не с ней в жизни как возлюбленный муж, как опора и вожатый?! Его обещания создали ее, а теперь он оставил ее. И она обращалась в пустоту, взывая к тому, кто, она знала, теперь существует как осколок ее собственной страдающей и истерзанной души.

Она не знала, что ей думать о Тиме, понимая лишь одно: что он тоже ушел. Она жалела его, думала о нем сейчас, как если бы у нее было два ума, два сердца. Тосковала по нему: ей не хватало его повседневного присутствия. *Les cousins et les tantes*, желающие, как и Анна, помочь ей забыть свою ошибку, порой намекали, что причина такого ее состояния — «чисто физическая», а потому недолговременная, или же это «психическое расстройство», вызванное потрясением, проявление истерии, а следовательно, тоже скоро пройдет. Гертруда знала, что ни то ни другое объяснение не отвечает истине. Она действительно любила и продолжает любить Тима любовью, которая ослабнет и умрет. Она находила горькое успокоение в гневе на него не только за его отвратительное предательство, но за само его нелепое никчемное существование, и в гневе на себя за то, что она по собственной глупости послала его во Францию, и это привело к поспешному и предосудительному браку, столь оскорбительному по отношению к тени Гая и заставлявшему теперь испытывать мучительное чувство вины и стыда. Она представила, как она выглядела со стороны, и понурила голову.

Что до отвратительного предательства, то ни в мыслях, ни в душе у нее не было полной ясности. Она тоже, как Тим, постоянно пыталась припомнить, что именно было сказано ими в том кошмарном разговоре. В чем она конкретно обвиняла его и что он признавал, а что отвергал? Все ли время он лгал или только лишь иногда? Имеет ли значение, какая часть обвинения была справедливой, и в чем действительно состояло обвинение? Первое время она делала попытки обсудить это с Анной и Графом, даже с Манфредом, но те отделывались общими фразами, да и то с неохотой, и скоро она почувствовала неуместность разговоров на эту тему. Это означало, что она осталась наедине с важными, может, даже критическими проблемами. Впрочем, Гертруда не думала, что частности могли бы иметь большое влияние на ее решения. Ее грустному, глупому замужеству пришел конец. Тим был достаточно виновен; и это становилось со все большей беспощадностью ясно Гертруде по мере того, как дни складывались в недели, а от исчезнувшего мужа не было никаких известий.

Гертруда страдала также от недуга, никогда прежде не посещавшего ее с такой остротой,— ревности. Мысль, что «замужеству конец», ни в коей мере не смягчала ужасной, унизительной боли. Порою ревность казалась сутью и основой всего ее несчастья. Ревность сливалась с чувством стыда, утраченного морального достоинства, оскорбленной чести. Она всегда была баловнем судьбы, как такое могло произойти с ней, как могла судьба обойтись с ней так жестоко? Но это было даже еще хуже, глубже, метафизически ужаснее. Тим не просто ушел, он ушел к другой женщине, которой отдал свою физическую любовь, любовную силу, и сладость, и животное обаяние, которые Гертруда так глупо считала принадлежащими исключительно ей. Она узнала, как смерть побеждает любовь, во всяком случае страсть и нежность. Сейчас нежность ушла, сменилась горечью, но желание продолжало жечь. Тим светит где-то еще, и она никогда не узнает причины и не увидит тот свет снова. Ревность требовала его, и гнев, и бешеное желание, и горькая безумная ярость, и об этом она не могла говорить ни с кем.

— Тем не менее,— сказала Гертруда Анне,— мы должны... я должна... дать ему возможность объясниться. То есть видеть я его не желаю... он ничего толком не мог сказать и...

— Видимо, он молчит, потому что ему нечего сказать в свое оправдание.

— Да. Просто я хочу, чтобы все выяснилось, разрешилось. Хочу положить этому конец, понимаешь? Хочу знать, что у него была возможность защищаться и он ею не воспользовался. Мне нужно знать это. Тогда я буду чувствовать себя... лучше...

— Как ты великодушна.

— Анна... не говори со мной так... у меня ощущение, будто ты играешь роль... прости, знаю, ты любишь меня, сочувствуешь...

Как проницательно, подумала про себя Анна, да, она играет роль, и какую неблагодарную, безрадостную. И сказала:

— Прости, дорогая...

— Я не великодушна. Я зловредна и злопамятна. И хочу выбраться из всей этой грязи, в которой оказалась по собственной воле. Хочу увидеть, что Тим ужасен, убедиться, что он имел возможность и не воспользовался ею. Не могу тебе объяснить. Иногда нам нужен козел отпущения. Я ищу спасения. Это не великодушие, и ты так не считаешь. Ты-то видишь, в каком я жутком состоянии.

— Прости,— сказала Анна.— Не могу подобрать слов. Я пытаюсь.

Она смотрела на смуглые теплые щеки Гертруды и ее красивый профиль в зеркале на туалетном столике. На Гертруде было тщательно подобранное платье, браслет, ожерелье.

Гертруда встала и села с ней рядом на кровать. Взяла Анну за руки и посмотрела ей в глаза.

— У тебя холодные руки. И пятно от ожога еще не прошло. Тебе надо показаться Виктору.

— Наверное.

— Как тебе идет этот голубой халат, ты в нем, как в вечернем платье. Голубой тебе к лицу. Хорошо, что я выбрала тебе такой?

— Да, очень...

— Анна, счастье покинуло меня со смертью Гая. Ты первая, кто заставил меня почувствовать, что оно возможно снова. Но я ухватилась за фальшивое, кажущееся счастье...

— Ты еще найдешь настоящее.

— Гай говорил, что хочет мне счастья...

— Да, да...

— Теперь я чувствую себя преступницей... Анна, я знаю, у тебя свои трудности, ты не можешь устроиться на работу, но не беспокойся об этом. Я хочу, чтобы ты уделила мне все свое внимание. Я, конечно, безжалостная эгоистка. Но позже мы найдем тебе работу, вот увидишь.

— Я не беспокоюсь по поводу работы.

— Все в порядке, да, Анна, дорогая?

— Да, что бы ты ни имела в виду.

— Я имею в виду: ты и я, навсегда, наш старинный союз?

— Ну конечно!

— Ты всегда будешь со мной, правда? Я не могу жить без тебя.

— Да.

— Да — то есть останешься?

— Останусь... Гертруда, извини, хотелось бы мне быть лучше...— Из глаз Анны брызнули слезы.

— Лучше! Ты идеальная подруга. Это я такая дурная. Моя страшная ошибка все и всех перевернула. Чувствую, я никогда не разделаюсь с последствиями. Не плачь, сердце мое.

— Ты оправишься, все будет хорошо,— сказала Анна, смахивая слезы.— Мы все тебя любим.

— Да, в этом отношении я счастливица. Все поддержали меня, никто не остался в стороне, и они, конечно, были правы с самого начала, но они так нежны, так добры ко мне. Я доставила столько неприятностей тебе, и Манфреду, и Графу.

— Чепуха. Как прошел вечер у Стэнли и Джанет, хорошо?

— Хорошо. Граф тоже там был. Удивительный человек. Знаешь, в нем столько скрытых достоинств.

— Ты права.— Анна высвободила руки. Погладила подругу по блестящим каштановым волосам.— Ты вообще говорила с ним о том, что сейчас сказала мне: о желании положить конец и увериться и что у Тима есть возможность?..

— У нас был разговор, когда он пришел ко мне в тот день...

— О да, когда мне пришлось уйти.

— Граф так щепетилен. Защищал Тима. Больше того, даже убедил меня, что это мой долг дать ему возможность оправдаться.

«Он способен на такое»,— подумала Анна и сказала:

— Тогда ты должна это сделать.

— Да, но как? Анна, дорогая, ты не могла бы... не могла бы еще раз пойти туда, в ту квартиру?

— Я бы предпочла не ходить,— ответила Анна.— А ты не можешь написать ему?

— О господи! — сказала Гертруда. Она села обратно в кресло и принялась крутить браслет на руке.— Думаю, могла бы. Но хотелось бы знать наверняка, что он получит письмо... он, а не кто другой... о, как это все ужасно...

— Хорошо,— согласилась Анна.— Я, если хочешь, отнесу письмо и буду знать наверняка, что он его получил.

— Отдашь ему в руки?

— Да.

— Ох, я такая беспомощная, такая глупая, такая слепая, такая эгоистичная и такая несчастная...

Анна притянула ее к себе на кровать, обняла, сцепив руки на шелковой спине Гертруды, где длинная застежка-молния была немного расстегнута. Прижалась щекой к щеке Гертруды и неожиданно увидела их головы в зеркале: серебристо-золотистая и каштановая, смешавшиеся волосами.

— Дорогая, я очень хочу, чтобы ты была счастлива, очень хочу помочь тебе стать счастливой.

— Хватит ли у тебя на это сил?

— Сделаю все, что возможно и невозможно.

— Тогда я приду в себя, смогу что-то соображать. Какое это все безумие, отвратительное, ужасное, идиотское безумие!

— Мне не нравится идея идти туда,— проговорил Граф.— Эта женщина может наброситься на вас.

— С нее станется! — ответила Анна.— Она способна наброситься и на вас!

Граф выглядел обеспокоенным.

— Я,— сказал он,— очень хорошо понимаю желание Гертруды убедиться, что он получит письмо. В конце концов, эта женщина может уничтожить его, правда?

— Она может.

— Кто-то должен попытаться встретиться с Тимом наедине, чтобы Дейзи не знала.

— Кто-то должен.

— Думаете, она алкоголичка?

— Не знаю. Все возможно.

— Гертруда говорит, она понравилась вам.

— Мне ее жалко. Она живет в каком-то нездоровом сумрачном мире иллюзий, полуправды и алкогольного дурмана. В ее квартире просто пахнет всем этим.

— Я отнесу письмо,— предложил Граф.

— Ну хорошо.

Анна устала говорить об одном и том же. Они в ловушке, подумала Анна. Питер не может бороться с Тимом, а она — бороться за Питера. Так что в каком-то смысле они в одинаковом положении. Разве что она намного умнее и хитрее Питера.

— На мой взгляд, Гертруде следовало бы встретиться с Манфредом и обсудить положение,— сказал Граф.

Анна знала, что Гертруда в этот самый вечер обедает у Манфреда. И судя по всему, не сказала об этом Графу. Удивительно, что он так волнуется за Манфреда.

— Полагаю, теперь, после смерти Гая, он глава семьи.— Граф сказал это с таким безумно серьезным видом, что Анне захотелось его встряхнуть.

— Ах, семья! — раздраженно воскликнула она.— Никакой семьи не существует, все это выдумка.

— Выдумка?

— Притворство, игра, в которую они играют. Гертруда им безразлична. Они получают удовольствие от этой истории, от ее несчастья.

— Анна, вы несправедливы к ним.

— Ладно, Питер, я несправедлива, пусть будет так. Они хорошие, достойные, порядочные люди. Но тем не менее это не настоящая тесная семья. Я знаю, некоторые из них волнуются за Гертруду. Но у нее с ними мало общего. Она вышла замуж за Тима, чтобы освободиться от них.

— Вы действительно так думаете?

Вид у Графа снова стал тревожным. На белом лбу под спадавшими на него тонкими бледно-соломенными волосами вновь собрались морщины. Светло-голубые змеиные глаза глядели куда-то вдаль.

Спрашивает себя, как это повлияет на его шансы, думала про себя Анна. Они находились в ее квартире. Был вечер. Усталое позднеавгустовское солнце уже высветило резкую коричневую осеннюю кайму на листьях платана за окном.

Гертруда попросила, если Анна не против, обсудить все с Графом. Анна отважно позвонила ему в офис и предложила встретиться у него дома. Он ответил, что нет, мол, лучше он придет к ней. Анна под разными предлогами продолжала бывать у себя в квартире. Она хотела, чтобы было известно, что у нее по-прежнему есть свой дом. Она не знала когда, но может вдруг понадобиться сбежать с Ибери-стрит. Похоже, Граф еще не приглашал Гертруду к себе, иначе Гертруда не преминула бы упомянуть об этом. Он вел свою игру, так же тщательно продумывая ходы, как и Анна.

— Нет, на самом деле я так не думаю,— ответила Анна.— Сама не знаю, что я думаю.

Питер немного помолчал, а потом неожиданно и с чувством произнес:

— Бедный Тим.

Анна почувствовала такой прилив любви, что даже сделала легкое движение, будто желая сжать его руку.

— Хотите чего-нибудь выпить? — предложила она.

— Спасибо, нет. Все против него.

— Он сам против себя. Но вы правы. Нам нравится, когда есть грешник, которого мы можем отвергнуть и изгнать в пустыню. Мы избываем собственный страх наказания, думая о других как о грешниках.

— Совершенно верно. Люди радуются, видя беды и прегрешения других. Всю вину возложили на него.

Анна подумала, не перейти ли им теперь к Гертруде, к ее доле ответственности. Но оба решили не касаться этого.

— Конечно, он тоже нуждается в помощи,— сказала Анна.— Мне кажется, ему следует порвать с той женщиной. Если он останется с ней, то окажется в мутной атмосфере безделья и пьянства. Может и сам превратиться в алкоголика.

На сей раз Граф не снял пиджак. Он сидел у окна, в кресле с прямой спинкой, сложив длинные худые руки на коленях. Из белоснежных крахмальных манжет рубашки торчали костлявые запястья и кисти рук, бесцветные, как вываренные, на фоне полноцветия жизни. Еще не скрывшееся солнце никак не сказывалось на Питере, разве что отбрасывало едва заметный розоватый отблеск на его гладкие щеки. Он сутулил и кривил плечи, словно пиджак мешал ему; иногда он хмурился, и на лбу над бровями появлялись маленькие впадинки. Ох, Питер, Питер, я люблю тебя, обожаю, желаю, думала про себя Анна. Боже, как люди умеют скрывать свои чувства от других.

— Снимите пиджак, Питер.

— Нет-нет, мне и так хорошо.

Граф после первоначальной неистовой откровенности, устыдившись, может быть, ее, перестал говорить с Анной о своей любви, хотя она понимала: грустная его молчаливость предполагает, что ей все известно о его переживаниях и она сочувствует ему. Если б, если б... если б взять его сейчас за руку. Но Питер отдалялся, менялся, замыкался, сторонился в своей надежде. И разрыв между ними рос по мере того, как крепла его надежда, но ради всех его надежд она не могла отказаться от своих. Возможно, Тим вернется и Гертруда простит его. Возможно, Питер в конце концов просто будет не нужен Гертруде. Возможно, она выйдет за Манфреда. Или за Мозеса, или за Джеральда, или за кого-то совсем другого, кого когда-то тайно любила. Все эти мысли настолько были знакомы Анне по бессонным ночам, что представлялись как реальное место, лабиринт тропинок, город с улицами.

Как бы то ни было, несмотря ни на что, время шло, и Анна, терпеливо продолжая следить за тем, чтобы Гертруда смогла излечиться от безрассудной любви к рыжему, стала задумываться о восстановлении собственной психики. Ей тоже хотелось успокоиться, окончательно убедиться, что с Тимом покончено навсегда. Не найдет ли она покой, постепенно, по мере того как будет угасать ее надежда? Покой, пусть и в постоянном служении одновременному счастью Гертруды и Питера. Это нелегко. Она была ужасно одинока. Не виделась ни с кем, совсем ни с кем, кроме Гертруды и Питера. У нее пропало всякое желание искать общества других людей, хотя иногда она чувствовала, что это необходимо,— так больной может попытаться есть через силу. Можно было встретиться с ученым иезуитом (он приглашал ее на ланч), пойти на один из вечеров у Манфреда, и Джанет Опеншоу звала ее на чашку кофе, некая экуменическая группа (как только они прознали про нее?) просила прочитать им лекцию. Но для нее было немыслимо повернуться лицом к миру. Она хотела оставаться в своем убежище с одолевавшими ее демонами.

Она пыталась обращаться мыслями к тому необычному посетителю, черпать силы в его реальности. После его появления к ней вернулась способность иногда ощущать покой, тишину тела, которая глушила ноющую боль в костях. Она ощущала, как что-то плывет в голове, будто покой, как белый туман, беззвучно заполняет череп. Порой она пыталась говорить без слов со своим гостем. Он по-прежнему представлялся ей фантомом, призрачным существом, потерявшимся странствующим духом. Может, он был в некотором смысле здешним — малый бог, оставшийся от утраченного культа, о котором даже он забыл. Или же, вернее, его «здешность» обусловливалась всею Вселенной, посылающей свое сияние с духовной монадой? Она оставалась убежденной, что он был ее Христом, только одной ее. Он все, что она имеет, говорила она себе. Так или иначе, это было истинное явление. Глядя сейчас на руки Питера, она думала о руках того, без ран на них. «У меня нет ран».

Ломая голову над сущностью своего посетителя, Анна, конечно, не забывала думать и о былом друге, старом традиционном общем Христе, религиозной фигуре, которую так хорошо знала с самого детства. Она была изумлена, обнаружив, что избегает представлять себе его страдания на кресте как жуткую непостижимую пытку. Теперь это было как нечто такое, о чем она прочла в газетах, вроде страшных вещей, которые бандиты или террористы творят со своими жертвами. Многие из посвятивших себя религии придерживаются традиционной практики погружения в глубокие длительные размышления о Страстях Христовых. В ее монастыре это не поощрялось (к фанатичной монахине, у которой проступили стигматы, отнеслись как к больной, нуждающейся в лечении), и сама Анна не чувствовала необходимости в этом даже в то продолжительное время, когда образ Распятого почти неустанно преследовал ее. Она знала о Страстях, но понимала их шире, как на знакомых картинах, где над страдающим Христом на кресте изображены ангелы или взирающий на него Отец Небесный. Теперь не было ни ангелов, ни Отца, только человек, окровавленный, испытывающий невыразимые муки, которые она впервые в жизни смогла осознать как реальные. Она была потрясена, ей стало дурно; и прежнее чувство надежности сменилось чувством нравственной нечистоплотности и потерянности. Чистота и ясность покинули ее. Ей доставляло удовольствие думать о Тиме и Дейзи как о порочных развратниках. Питер, а не она, пожалел Тима. С этого момента она вернулась к своему собственному Христу, чтобы получить передышку, которую давал его пустой белый туманный покой. Конечно, она страдала. «Гвозди вбивали в запястья». Но он говорил не о страдании, а о смерти. Страдание — это задача. Смерть — доказательство. Сидя близко к Питеру и глядя на его руки, Анна вдруг настолько явственно почувствовала присутствие иной, сверхъестественной силы, что она встала, чтобы пойти на кухню, убедиться, не там ли Он снова. Одновременно она вполголоса пробормотала: «Смерть».

Питер поднял глаза. Мгновение его худое напряженное умное лицо было обращено к ней, как острая мордочка лисы.

— Анна? — произнес он.

— Простите...

— Я не расслышал, что вы сказали.

— А, пустяк... Питер, если увидите Тима, не могли бы вы поговорить ним или просто передать письмо?

Лицо Питера расслабилось и вновь приняло мальчишеское и озабоченное выражение.

— Мне обязательно говорить с ним?

— Он тоже нуждается в помощи. Как вы сказали, все осуждают его, и он, наверное, очень подавлен. Знаю, вы будете с ним доброжелательны. Возможно, стоит посоветовать ему уйти от той женщины. Это лишь пойдет на пользу им обоим. Наверняка он чувствует себя ужасно виноватым, и если он просто отдался на волю случая...

«Бедный Тим» Питера вызвал в ней легкое сочувствие и раскаяние. Она достаточно наговорила Гертруде о грехах Тима. Может быть, даже слишком много.

— Гертруда безусловно будет довольна, узнав, что он порвал с любовницей.

— Это правда,— согласилась Анна.

Конечно, Питер тут же увидел в этом средство для облегчения боли Гертруды. Его собственная ревность прекрасно поняла ревность Гертруды.

— Если он порвет с любовницей... попытается он тогда вернуться к Гертруде?

— Не знаю.— Что она такое говорит, подумала Анна, она неожиданно для себя старается развернуть все назад, в другую сторону, назад в ее сторону, пока не поздно? — Нет, Гертруда никогда не примет его обратно.

Анна и Граф посмотрели друг на друга. Как все сложно и странно, думала Анна. Она любит Питера, Питер жалеет Тима, она начинает понимать Тима... До чего же ей хочется, чтобы можно было отбросить всю таинственность и сложность и чтобы все сердца были открыты и чисты!

— Вы правы, он обязан порвать с ней,— сказал Граф.

— В мире столько боли, Питер, но человек может полюбить боль, если еще ничего не потеряно. Ужасен конец. То, что можно потерять кого-то навеки. Что приходится решать. Есть вечная разлука, Питер, ничего не может быть страшней ее. Мы живем со смертью. О, с болью, конечно... но в действительности... со смертью.

На миг перед глазами Анны встало кроткое прекрасное лицо, заключенное в белое сияние: «Прощай! Благослови тебя Бог».

Граф был взволнован, смущен.

— Да,— сказал он,— бедная Гертруда.— И добавил: — Я отнесу письмо.

Дорогой Тим,

от тебя нет никаких известий, и мне сообщили, что ты живешь со своей любовницей. Это, возможно, говорит само за себя. Я не прошу встречи, но хочу, чтобы ты написал мне. Наш последний разговор был так сумбурен. Ты, быть может, хочешь что-то сказать в свою защиту, и я готова выслушать тебя. Мы оба совершили ошибку. Лично я сожалею об этом. Скоро я буду консультироваться с Мозесом относительно будущего нашего незадавшегося брака. Если в ближайшее время не дашь о себе знать, я сочту, что тебе нечего мне сказать.

Гертруда.

С этим письмом в кармане Граф отправился на поиски Тима.

Письмо стоило Гертруде некоторых усилий и немалых мучений. Это, вспомнила она, было ее первое письмо Тиму. Первое и последнее. Она много раз начинала и отбрасывала написанное. То выходило зло и мстительно, то мягко и укоризненно, то слишком длинно. Но ни разу она не предлагала встретиться и не намекала на возможность прощения. В конце концов решила ограничиться короткой бесстрастной деловой запиской. И показала окончательный вариант Анне и Графу, но Манфреду не стала.

Найти адресата оказалось непросто. Граф, нервничая, подошел к дому в Шепердс-Буш, где жила Дейзи, обнаружил, что парадная дверь открыта, поднялся по лестнице и, осторожно прислушавшись, постучал. Он побаивался склочных женщин. Ответа не последовало. Из квартиры напротив выглянул человек и сообщил Графу, что Дейзи Баррет и ее молодой рыжий приятель ушли неизвестно куда. Граф, успокоившийся и растерянный, вышел на улицу и позвонил из ближайшей будки Анне. Был уже полдень, серый, прохладный, на работу идти бессмысленно. Анна была на Ибери-стрит, на посту (что еще ей было делать?). Гертруда, теперь очень переживавшая по поводу своей затеи, ушла учить смышленых, одетых в сари, женщин, как общаться с продавцами в магазинах. Анна посоветовала Графу заглянуть в «Принца датского» до перерыва, потом в мастерскую Тима, адрес которой Гертруде удалось вспомнить. Тим как будто говорил Гертруде, что съехал оттуда, но это могло быть неправдой.

Граф с большой неохотой направился в «Принца» и просидел там до закрытия. Съел сэндвич. На колени ему вспрыгнул черно-белый кот. Граф нервно поглядывал на дверь, ожидая Тима, или Дейзи (которую Анна описала ему), или Джимми Роуленда (которого описал Эд Роупер). Все попытки Эда и Манфреда раздобыть адрес Джимми или узнать о нем побольше пока ничего не дали. Улучив момент, когда гомон в пабе стих, Граф, сделав беззаботный вид, назвал бармену три имени, но тот лишь подозрительно покосился на него и ничего не ответил. Когда паб закрылся на перерыв, Граф с чувством облегчения покинул его и прямиком отправился в мастерскую Тима. Даже взял такси (поскольку пошел дождь), что редко себе позволял.

Он доехал до гаража, поднялся по расшатанной лестнице к зеленой двери и робко постучал. За дверью послышались какие-то звуки и стихли. Он снова постучал. Потом крикнул:

— Тим, это я, Граф, я один!

Тим открыл дверь.

От неожиданной встречи оба на миг ошеломленно застыли. Тим залился краской. Граф, который никогда не краснел, побледнел. Бледно-голубые глаза встретились с лазурными. Графа вдруг охватило чувство жалости и симпатии к Тиму.

— Входите,— сказал Тим.

Было удивительной удачей или случайностью, что Граф застал Тима в студии. Тим и Дейзи не жили здесь. Тим просто забежал за шерстяным свитером, поскольку похолодало.

Граф вошел и, быстро оглядевшись, увидел, что, кроме них двоих, в мастерской больше никого. В продолговатом помещении чердака, освещаемом стеклянным фонарем, было холодно и сыро. В мастерской царил хаос: кругом картины, рамы, куски досок, старые газеты, строительные пластиковые мешки, раскрытые чемоданы и разбросанная одежда. На матраце, положенном прямо на пол, скомканные одеяла. Запах растворителя, скипидара, краски и нестираной одежды. По стеклу фонаря застучал мелкий дождик. С улицы доносился приглушенный гул машин.

— Тим...— начал было Граф.

— Извините за беспорядок,— сказал Тим.— Видите ли, я здесь не живу. Больше того, я вообще съезжаю отсюда. Не хотите чего-нибудь выпить? Тут, наверное, найдется пиво.

— Нет, благодарю.

Тим стоял, сунув руки в карманы незастегнутого плаща, и смотрел в пол. Он был небрит. Рыжие волосы растрепаны, румяные губы опущены.

— У вас ко мне дело? — спросил он.

Граф на миг забыл о письме. Он был ошеломлен встречей с Тимом, реальностью всего случившегося, ужасом конкретного его проявления. Момент был упущен. Тим замкнулся, Тим пришел в себя.

— Тим... прости... но как это могло случиться... какой кошмар...

— Вам, наверное, все и так известно.

— Да.

— Тогда вам известно больше, чем мне. Вы не против, если я выпью пива?

— Я искал тебя в Шепердс-Буш и в «Принце датском».

— Мы больше не бываем в тех местах.

— «Мы»?..

— Да, я и Дейзи Баррет. Моя любовница, как вы знаете. Раз уж вы знаете так много.

— Значит, вы... до сих пор вместе?

— Да.

Граф только теперь начал чувствовать себя свободнее, уловив, что ему дают понять, что это даже желательно. Он не надеялся, что Тим заплачет, станет просить отвести его к Гертруде. Он старался вообще ни на что не надеяться. Отвернувшись от Тима, он начал разглядывать разбросанные по полу рисунки скал, потом картины, на которых был изображен черный кот с белыми лапами. И неожиданно сказал:

— Я видел этого кота.

— Да, это котище из «Принца датского».

Граф с удовольствием смотрел на картину, и морщины на его лбу разгладились, как тогда, в пабе, когда кот вспрыгнул ему на колени. Потом он вспомнил о письме и помрачнел. Все его опасения вернулись вместе с сочувствием.

— Совсем забыл... у меня письмо от Гертруды для тебя. Вот, возьми. Она хотела, чтобы я передал его тебе из рук в руки.— И он протянул конверт.

Тим едва слышно охнул и взял письмо. Отошел, отшвырнув ногой валявшуюся на дороге кучу одежды. С несчастным и неприязненным видом взглянул на Графа, раздраженно скривил губы.

— Можешь прочесть его прямо сейчас,— сказал Граф.— Оно коротенькое.

— Значит, вы уже прочли?

— Ну... да...— признался Граф, тверже обыкновенного.

Тим сжал губы, чуть ли не насмешливо, и резким движением вскрыл конверт, смяв письмо. Быстро прочитал и протянул обратно Графу, сказав:

— Спасибо.

— Но оно твое,— сказал Граф.

Шагнул к Тиму, наступив на кучу рубашек. Письмо упало на пол между ними, и он поднял его.

— Мне оно не нужно,— ответил Тим.— Неужели вы воображаете, что я спрячу его в бумажник? Так или иначе, оно, судя по всему, представляет собой общественную собственность. Извините! Это глупо, глупо, глупо. Не возражаете, если я возьму еще пива?

Он достал из кухонного столика банку, вскрыл, так что хлынула пена, и, повернувшись спиной к гостю, залпом выпил.

Граф смотрел на враждебно сгорбившуюся спину. Тим, казалось, стал меньше ростом. Граф сунул письмо в карман.

— Тим, ты не хочешь вернуться к Гертруде?

Не отрывая банки от губ, Тим обернулся. Мгновение спустя ответил:

— Вы читали письмо. Меня не просят об этом.

Дождь усилился и мерцающим потоком бежал по стеклу фонаря. Где-то в комнате послышался стук капель.

— Уверен, она приняла бы тебя обратно.

— «Приняла меня обратно»! Как отвратительно это звучит!

— Хорошо, но как мне выразиться по-другому?..

— Никак. Это невозможно.

— Почему? Или ты действительно любишь эту женщину больше, чем Гертруду?

Тим презрительно усмехнулся и швырнул пустую пивную банку в раковину.

— Граф, вы умный человек, прочли много книг, но, похоже, совсем не понимаете жизни.

— Почему не понимаю?

— Потому что все совершенно не так, как вам представляется. Человек не выбирает своего пути, он по шею тонет в своей жизни, по крайней мере я тону. Невозможно плыть в болоте или в зыбучих песках. Лишь когда это случилось со мной, я понял, чего действительно хочу, и не раньше! Я способен увидеть, когда нет дороги назад. Все так запуталось, я даже сам не могу разобраться. Но кое-что мне ясно, с меня достаточно, я вышел из игры. Гертруда не должна была выходить за меня. Я сам все погубил. Имел связь с другой и ничего не сказал Гертруде. Просто старался думать, что ничего такого нет, что это не имеет значения, что я порву с той и забуду о ней. И что же, я таки порвал, но когда... а, черт, не могу объяснить. Потом это каким-то образом всплыло... Неудивительно, что Гертруда вышвырнула меня.

— Она тебя не вышвыривала.

— Нет, вышвырнула.

— Думаю, она считает, что это ты сбежал. И это плохо. Ты ничего не сказал, просто исчез. Почему? Нельзя было уходить. Гертруда передумала бы.

— Мне ваши красивые сказочки, как нож острый! Не мучайте меня тем, что могло бы быть, да не случилось.

— Я хочу сказать, что она все еще может передумать, уверен, тебе следует попытаться. Во всяком случае, ты ответишь на письмо?

— Нет, какой в этом смысл? Как я могу? Что скажу? Сделанного не вернешь. Я вернулся туда, откуда пришел. Это как магнит или сила тяжести. Я никогда не чувствовал себя своим в вашем мире, ну, не в вашем лично, а в их, в ее мире. Я был там не на своем месте. Да и не мастер я писать письма, а она мне больше не верит и больше не любит, иначе не написала бы такого всем доступного письма. Думаю, она ненавидит меня, да и как не ненавидеть, я заставил ее очень страдать. Представляю, как радуются ее богатые родственнички. Она полюбила меня случайно — всему виной солнце, и скалы, и вода. Она была околдована, а теперь чары рассеялись. Она совершила ошибку, вот и все.

— Тим, пожалуйста, напиши ей, объясни, что можешь, скажи, что сожалеешь. Уверен, не все так, как она думает.

— Она сказала, что я задумал жениться на ней и содержать Дейзи на ее деньги! Во всяком случае, кажется, она так сказала. Но это неправда. А еще я тогда ушел от Дейзи...

— Ну вот, видишь. Тебе есть что сказать...

— Не годится, это ведь не пустяки, которые можно отбросить или объяснить. Это вся моя жизнь, это я сам, вот в чем загвоздка. Как я сказал, я живу в трясине. А она появилась из другого мира, где все как полагается и люди знают свои начало и конец, и что почем, и что хорошо, а что плохо и тому подобное. Это не мой мир. Я тоже сделал ошибку.

— Но ты любил Гертруду, ты любишь ее.

— Вы пытаетесь подсказать, какие возвышенные слова мне говорить на Ибери-стрит. Бессмысленно. Во всяком случае, она не поймет. Вы пытаетесь придумать для меня оправдание... потому что... потому что вы — это вы... и не думайте, не думайте, что я... не ценю это, Граф. Но это не поможет, я больше не могу тронуть ее сердце. Между нами все кончено. Ох, оставьте меня в покое! Не лезьте в мои дела, не нужны мне ваши доброта, сочувствие и попытки меня понять! Избавьте меня от вашего участия, пусть будет так, как есть, махните на меня рукой, забудьте, не думайте больше обо мне, я не хочу понимания, и пусть все пойдет прахом.

Граф молча, сухо, с разгладившимися морщинами и повисшими вдоль туловища руками выслушал тираду Тима, потом сказал:

— Я считаю, тебе следует оставить эту женщину. Я ничего не имею против нее, я ее не знаю. Я только считаю, что тебе следует расстаться с ней и заняться своей жизнью, своим творчеством, а не просто плыть в одиночестве по течению. Ты можешь превратиться в алкоголика...

— Кто вам внушил это?

— Расстаться с человеком трудно, но возможно.

— Знаю, именно это я и делаю. Господи, как тут холодно! Уверены, что не хотите выпить?

— Тебе следует пожить какое-то время одному, а потом сумеешь...

— Нет! Не получится, Граф. Не нужно прикидывать. И не трогайте вы, ради бога, мою личную жизнь, это единственное, что у меня осталось. Как вы говорите, вы не знаете ни Дейзи, ни как мы живем. А я знаю ее со студенческих лет, когда мы практически были детьми, она — моя семья. Я знаю, кому я всем благодарен. Этой гнусной злобной Анне Кевидж. Ненавижу ее, почему она не вернется в свой монастырь? Она ничего не понимает, а судит людей, будто она Бог. Ведет себя, как поганый полицейский в юбке. Это она настроила Гертруду против меня, я знаю, она...

Графу нечего было возразить. Он слышал, что Анна говорила Гертруде.

— Тим, я очень сожалею, что все так произошло.

— Я тоже, но ничего уже не поправить, кончен бал. Гертруда может устраивать развод по своему усмотрению, я сделаю все, что потребуется, все подпишу. Я снял сколько-то денег с ее счета. Позже верну, сейчас не могу, я живу на эти деньги, мы живем на них. О господи!

— Я мог бы одолжить какую-то сумму,— предложил Граф.

— Граф, дорогой...— проговорил Тим. Подошел, стиснул руки Графа, глядя в лицо этого высокого худого человека, неподвижно стоявшего перед ним, словно по стойке «смирно». Потом двинулся к двери.— А теперь вы должны уйти.

— Хорошо. Но подумай над тем, что я сказал.

— Прощайте, Граф. Спасибо, что зашли. Извините, что выгоняю вас на дождь. Вы были очень, невероятно добры. И ни слова не сказали о... да и не могли сказать. Не в вашем это характере, если можно так выразиться. Прощайте. Надеюсь, Гертруда... сможет найти себе лучшего мужа...

— Ах, Тим... Тим...

Тим распахнул дверь. Граф осторожно спустился по шаткой деревянной лестнице, теперь еще и скользкой от дождя. Он был с непокрытой головой, и дождь тут же превратил его прямые светлые волосы в темные прилипшие крысиные хвостики. Он сунул в карман смятое письмо Гертруды, которое все еще держал в руке, и торопливо зашагал по улице. Потом обернулся и улыбнулся сквозь дождь.

— Интересно, кто послал то анонимное письмо Гертруде? — сказал Тим Дейзи.

— Откуда мне знать? Да и какое, к черту, это имеет значение сейчас?

— Хотел бы я взглянуть на него, тогда увидел бы, не на твоей ли машинке оно написано.

— Не веришь мне?

— А... черт!..

— Хочешь навести здесь полицейские порядки? И не пытайся. Ты ничем не лучше той бабы, Анны Кевидж, два сапога пара, вам бы устроить сыскное агентство: «Рид и Кевидж, грязные дела».

— Терпеть ее не могу.

— А мне она, наоборот, нравится.

— Ты говоришь это, просто чтобы я вышел из себя.

— Что-то ты легко выходишь из себя.

— С тех пор как переехали сюда, мы только и делаем, что ссоримся.

— Мы только и делаем, что ссоримся, с тех пор как познакомились, а это было добрых тридцать лет назад. Ни о чем это не говорит, разве, может, что мы просто полные придурки.

— Дейзи, ведь это ты написала то письмо Графу, что у Гертруды роман со мной, так ведь?

— Я НЕ ПИСАЛА! С какой стати? Мне плевать, с кем у тебя шашни, ты можешь в любое время катиться отсюда и крутить с кем угодно, жениться на них, особенно если они богатые...

— Ой, прекрати!..

— Это ты прекрати! По-твоему, похоже, чтобы я писала анонимки? Я тебя спрашиваю! Анонимки! Да меня пугает подобная мерзость. Если бы я хотела высказать им свое мнение, то написала бы обычное письмо и поставила бы имя. Господи Иисусе, неужели ты так плохо знаешь меня после стольких лет вместе?

— Но кто-то же написал, и...

— Если б ты только мог видеть свою несчастную озабоченную физиономию! Дать зеркало? Ты похож на вонючего полицейского писаря. Какое, к черту, имеет значение, кто послал то дерьмовое письмо?

— Ты горела желанием отомстить...

— «Горела желанием отомстить»! Ну ты и выражаешься! Не горела, я была зла, мне это надоело хуже горькой редьки. Если бы я хотела лягнуть ее, то сделала бы это открыто, а не так, подленько и исподтишка.

— Ладно, может, ты не писала письма, но ведь это ты налгала этой дряни, Анне Кевидж.

— Что я налгала?

— Да что мы с тобой придумали план: мне надо жениться на богачке и так далее, и мы будем жить вместе, когда я женюсь, и...

— Я такого не говорила! По твоим же словам, чертов Джимми Роуленд заварил всю эту кашу!

— Она сказала, что это пошло от Джимми Роуленда, и бог знает почему...

(Тиму не было известно, что Джимми Роуленд не простил ему того, что он, как думал Джимми, завлек и бросил его сестру Нэнси. Известие о блестящей женитьбе Тима послужило ему неприятным напоминанием об этом. К тому же он не любил Дейзи за насмешки над Пятачком. Его пьяное «откровение» перед Эдом Роупером было не более чем злобным экспромтом.)

— Что это за «она», о которой ты говоришь?

— Конечно, Джимми мог в любое время услышать, как мы несем всякую чушь в «Принце датском». Но Гертруда никогда бы не поверила в это, не признайся ты, что это правда.

— Я призналась?

— А, черт, ну да! Гертруда сказала, что ты призналась Анне Кевидж, что это правда!

— Кто знает, что я говорила этой стерве, может, ляпнула что-нибудь вроде «о да!» в ответ на какое-то ее бредовое обвинение. Она что, не понимает сарказма? Я просто хотела, чтобы она убралась. Я подумала, что это уже слишком, не хватало еще того, чтобы меня преследовала лучшая подружка твоей жены. Ты, конечно, знаешь, почему она вообще заявилась?

— Почему?

— Потому что она влюблена в Гертруду.

— Не пори чушь! — Такое объяснение было неожиданным для Тима. Он отбросил его. Это лишь еще больше все запутывало.— Ты всех считаешь ненормальными.

— А ты никого.

— Ты согласилась со всем, что она говорила, потому что хотела разрушить мою семейную жизнь.

— Да не хотела я разрушать твою чертову семейную жизнь! Я хотела, чтобы меня наконец оставили в покое! Мне плевать на вас с Гертрудой. Неужели ты думаешь, что я хотя бы палец о палец ударила, чтобы поссорить тебя с твоей драгоценной толстухой? В любом случае ты не нуждался в посторонней помощи. Сам отлично справился!

— Все-таки кто, как не ты, внушил ей, что мы встречались после?..

— Черт подери, перестань ворошить старое! Забудь ты все это дерьмо. Ты здесь, примчался опять ко мне, поджав хвост. Мы даже переехали, потому что ты так боишься той мерзкой банды. Или этого недостаточно? Я еще должна выслушивать твои бесконечные воспоминания?!

— Это не воспоминания. Я хотел узнать правду.

— Правду! Забавно слышать от тебя это слово! Ты не знаешь, что оно значит. Ты слабак, Тим Рид, у тебя в душе скользкая гниль.

— Почему ты так жестока, когда видишь, что я несчастен?..

— Так возвращайся к ненаглядной Гертруде.

— Ты знаешь, что я никогда этого не сделаю.

— Да плевать мне, что ты там сделаешь или не сделаешь. Хоть иди вешайся.

— Если бы ты не была пьяна почти все время, мы бы не ссорились. Как мне это надоело!

— А кто довел меня до пьянства? У тебя другого дела нет, как прикладываться к бутылке. Позволь сказать тебе кое-что. Я не скучала по тебе, когда ты ушел. Пила меньше, работала больше, продвинулась с романом. А как ты соизволил вернуться, ни слова не написала.

— Ну, мы переезжали.

— Да, ради тебя!

— Ты сказала, тебе здесь нравится.

— Тут пошикарней, чем в моей старой квартире, но придется спуститься с небес на землю, когда денежки миссис Рид закончатся. Я не видела, чтобы ты много зарабатывал последнее время.

— Ты знаешь, я не могу...

— Еще бы, потому что хандришь, дуешься и хнычешь!

— Я заработаю денег... Ты меня убиваешь, уничтожаешь, отравляешь мне душу, я чувствую, что постепенно загибаюсь, когда я с тобой. Просто не надо все время раздражать меня.

— Ты сам раздражаешься. Я предпочла бы не замечать тебя. Если бы не ты, я бы занималась своим делом, у меня была бы своя жизнь.

— Ты постоянно это говоришь.

— Потому что это так и есть.

— Идем в паб.

— Вот так всегда: «идем в паб», а потом обвиняешь меня в пьянстве! Ты развратил меня своими ленью и безволием, а теперь тебе противно смотреть на дело своих рук! Мне тоже противно смотреть на тебя, ты — тварь ползучая. Ладно, давай вернемся к закону и порядку, женитьбе и деньгам!

— Я бы давно женился на тебе, да ты слышать не хотела о браке, тебя тошнило от одного этого слова!

— А представляешь, ты бы женился, а я бы вышла за кого-то?

— Не знаю. Прости! Так плохо мне никогда не было. Я как будто в аду.

— Это и есть ад, в котором мы живем, всегда жили. Нищета, ссоры, вечный паб. Господи, зачем я вообще связалась с мужиками?

— Хватит ругаться. Я же извинился.

— Он извинился! *Laissez moi rire!**

— Давай попробуем жить как прежде.

— Того, что было, не вернешь.

— Не сказать, чтобы оно много стоило.

— Ты порченый, ты уже не мой прежний Тим. От тебя пахнет той женщиной.

— Не надо так, Дейзи, дорогая. Не мучай меня. Согласен, мы превратили свою жизнь в ад, но разве мы не можем прекратить его по обоюдному согласию?

— Предлагаешь двойное самоубийство?

— Или хотя бы успокоиться тебе и мне и не мучить друг друга.

— Упокоиться на муниципальном кладбище под скошенной травкой.

— Ох, можешь ты быть серьезной?..

— Он говорит: «быть серьезной». Ты думаешь, я в настроении шутить насчет... насчет... Ах ты скотина!

— Дейзи, знаю, ты ревнуешь или ревновала...

— Ревную? Ты безмозглый дурак...

---

* Позвольте засмеяться! *(фр.)*

— Да, я дурак, прости мне мою дурость и все остальное. Если ты не простишь меня, то и никто не простит, так что ты должна меня простить.

— Не вижу причины. Надеюсь, ты будешь гореть адским пламенем. Если не поостережешься, вставлю тебя в свой роман. Это самое худшее наказание, которое я могу придумать для кого-то.

— Дейзи, дорогая, пожалей меня, ты всегда жалела...

— Ах ты... хотела сказать «крыса»... нет, ты... эгоистичная морская свинка! Разве что морские свинки не скулят.

— Я не скулю.

— Меня тошнит от тебя. От одного вида твоей глупой жалкой физиономии тошнит. Так и быть, пошли в паб. Надеремся, пока есть на что.

Тим и Дейзи жили в меблированной квартире близ Финчли-роуд-стейшн. Квартиру им за скромную плату сдала одна из загадочных подруг Дейзи, временно жившая в Америке. Квартира была приятная, тихая, с бамбуковой мебелью и огромными коричневыми подушками, брошенными прямо на пол. Тут было много простора для чахлых Дейзиных цветов. Тиму позарез требовалось бежать оттуда, где *они* могли его найти. (Кое-кто из них жил в Хэмпстеде, но не близко от Финчли-роуд.) При мысли, что он может столкнуться с Анной, Графом, Манфредом, Стэнли или Джеральдом, его охватывал ужас. Он и не думал встречаться с Гертрудой, подобная мысль не приходила ему даже в самых бредовых фантазиях. Несмотря на нападки Дейзи, несмотря на их двусмысленные привычные ссоры, он пытался начать новую жизнь, что, как ни странно, было возвращением к прошлой жизни, до женитьбы.

Конечно, они уже не были прежними. Теперь те давние времена, когда он рисовал кошек, а Дейзи писала свой роман, когда они устраивали совместные пикники и каждый вечер встречались в «Принце датском», иногда занимались любовью, казались Тиму периодом первобытной невинности. Они были как дети. И все он испортил. Он больше не был прежним Тимом своей Дейзи. Утрата причиняла такую боль, что он не понимал, сожалеет ли о самой утрате. Несомненно, прежний мир был иллюзией, не таким, каким казался. Вся его жизнь была ложью. И все же он видел, насколько важны были для него Дейзи, ее мужество, ее терпеливая доброта к нему. В то же время он видел невозможность их отношений, невозможность, с которой они жили так долго: ссоры, пьянство, погружение в хаос, изощренное взаимное разрушение. Тем не менее даже все это казалось невинным, потому что, из добродушной безнадежности, они продолжали прощать друг другу.

Тим страдал невероятно, как никогда в жизни. Когда Гертруда в первый раз прогнала его, разорвала их невероятную связь и он побежал к Дейзи, он тогда тоже очень страдал оттого, что его отвергли, и от чувства утраты. Он любил Гертруду со всем восторгом пылкой страсти и с глубокой нежностью; и когда она сказала: «я так больше не могу», Тим с ума сходил от горя. Но все-таки оно было переносимее, не потому, что любовницей он любил ее меньше, чем когда она стала его женой, но потому, что то болезненное расставание произошло не по его вине. Он вернулся в свое убежище, говоря себе, что ему всегда не везло и что это было слишком хорошо, чтобы оказаться правдой. Он понимал, что теперешний разрыв и теперешнее разочарование неизмеримо тяжелей предыдущих.

Его мысли ловко и бесконечно лавировали между прошлым и настоящим, иногда останавливаясь на том факте, что в те времена он обманывал Гертруду в очень существенном. Однако она не знала об этом, и, будучи невинным в ее глазах, он сам чувствовал себя в какой-то степени невинным. И кто взялся бы утверждать, что он вскоре не сознался бы во всем, если бы им позволили наслаждаться счастьем? Потрясение от разрыва с ней и потери ею доверия к нему позже привело, говорил он себе, к фатальному решению повременить с признанием. А еще тот факт, что от Гертруды он прямиком побежал к Дейзи, в ее постель. Насколько это было важно? Ведь тогда он не мог знать, что вернет Гертруду. Порой он задавался вопросом: что именно в предъявляемых обвинениях заставляет его чувствовать себя бесконечно виноватым и причиняет эту ужасную новую боль, не дающую жить? Не спрятался ли он намеренно под личиной мерзостной греховности? Он поторопился снять деньги со счета Гертруды, причем немалую сумму. Снова побежал к Дейзи, и если еще не побывал в ее постели, то, конечно, лишь по причине их временного общего подавленного состояния и злости друг на друга. И он спрашивал себя: что он сделал такого ужасного? Порой ему казалось, что наказание было единственным свидетельством против него.

Тяжкая утрата по-прежнему мучила его, оставаясь в нем острым сознанием вины. Он постоянно чувствовал себя опозоренным тем, что произошло. Он помнил, что Гертруда однажды сказала о «моральной опасности, моральном ужасе». Что она знала об этих подводных камнях? Он попал в ловушку греха, как в глубокую ловчую яму, и, хотя до сих пор не вполне понимал, как это случилось, тем не менее воспринимал результат как нечто неизбежное и даже заслуженное. Слишком долго он валял дурака, слишком много ловчил, старался получить желаемое каким угодно, но только не честным способом, слишком легко лгал, когда это было удобно ему. И если теперь он страдал оттого, что его разоблачили и подвергли наказанию, то не искал себе оправдания. Он копался в памяти, вспоминая, как именно Гертруда воспринимала его хитрости, что в точности она говорила. Но знал, что обманывал ее. Дейзи чрезвычайно много значила для него, с ранней его юности она была и, возможно, до конца останется главным смыслом и сутью его жизни. Никаким колдовством он не мог бы стереть ее из своего прошлого или настоящего. Порой, думая об этом, он ненавидел Дейзи; но подобное тоже было не в первый раз.

С возвращением к Дейзи вернулись и старые, связанные с ней проблемы. Они не могли жить друг с другом, не могли жить друг без друга. Пока они как-то обходились, потому что квартира была очень большая и им удавалось не сталкиваться постоянно. Они спали в разных комнатах. Тим в маленькой спальне, свернувшись калачиком, или лежал без сна, закрыв глаза ладонями от света ярких фонарей, пробивавшегося сквозь тонкие шторы. Дейзи днем работала над романом или пыталась работать и жаловалась, что ничего не получается, но хотя бы оставалась в своей комнате. Вечерами они ходили в разные местные пабы и напивались. Тим уходил и большую часть дня отсутствовал, иногда возвращаясь к ланчу. Кое-когда уходила и Дейзи. Они больше не обменивались впечатлениями о прошедшем дне. Обоих раздражало как надоедливое, не дающее покоя присутствие, так и непонятное отсутствие друг друга. Зло хлопали двери. Тим перестал поддерживать чистоту на кухне. Когда-то славная квартира начинала напоминать конуру Дейзи в Шепердс-Буш. Тим понимал, что придется ему искать другое жилье, а им обоим возвращаться к прежнему обыкновению встречаться изредка, что когда-то (как трогательно!) казалась им романтичным. И вопрос, на что они станут жить (когда закончатся деньги Гертруды), тоже грозил возвращением к изначальной и постоянной нищете. Работать Тим не мог, да и не пытался. Он предполагал, что спустя определенное время будет не опасно отослать Дейзи в ее прежнюю квартиру, а самому возвратиться в мастерскую над гаражом, но пока ему не хотелось даже думать об этом. *Lanthano*.

Когда Тим сказал Дейзи, что чувствует себя, как в аду, он действительно имел в виду, что страдает намного сильнее, чем когда-либо. Кошмары преследовали его днем и ночью. Он видел жуткие сны. В одном сне угрюмые, злобно смеющиеся женщины подбрасывали на одеяле мягкое болтающееся чучело, в котором он с ужасом узнавал себя. Подобные чучела, в виде полуживых демонов, медленно, но неумолимо преследовали его, похожие на мягких кукол в человеческий рост, которые натыкались на него и, когда он отталкивал их, так же медленно снова валились на него. То за ним с диким воплем катилась каменная голова. Еще ему снился повешенный, но то был уже другой сон. Человек, мертвый, однако не совсем, мучался невероятно, повешенный на длинных перилах, похоже, верхней площадки лестницы. Глаза вылезли из орбит, рот искажен гримасой боли, однако неподвижен, руки и ноги обмякли, голова свесилась на сторону — страшное воплощение вины и заслуженного возмездия.

Днем Тим бродил по улицам: от Финчли-роуд, по Мейда-Вейл, потом по Эджвер-роуд до Гайд-парка, или же по Сент-Джонз-Вуд шагал к Риджентс-парк. Иногда он отправлялся в Килбурн в старые любимые места на Харроу-роуд. Но чаще всего шел в Центральный Лондон, пешком, парками аж до Уайтхолла или до набережной Виктории. Бродить по улицам стало для него теперь необходимостью. (Как и для Анны Кевидж, и однажды они едва не столкнулись лицом к лицу в Сент-Джеймсском парке, только Анна остановилась у озера, засмотревшись на пеликанов, а Тим свернул с дорожки и пошел прямо по газону к улице Мэлл. Так они, сами того не зная, разминулись за две сотни ярдов друг от друга.) Иногда Тим заходил в картинные галереи. Его влекло туда и заставляло возвращаться какое-то болезненное чувство, которое он там испытывал. Ему больше не снилась по ночам Национальная галерея — сумрачная и безжизненная. Сон стал явью, он видел ее такой среди бела дня, когда бывал там. Все картины были унылы, глупы, тривиальны, бестолковы, ничтожны. Краски казались поблекшими, будто он превратился в дальтоника, или, наоборот, неожиданно яркими, кричащими, как на конфетных обертках. Он ненавидел картины, их претенциозность, их помпезную сентиментальность, их притязание на глубокий смысл, их внутреннюю пустоту.

Тим начал задумываться о смерти. Он устал от бестолкового страдания, которое, как он понял, ядом проникло в самое его существо и отравило его. Никто не причинял ему страдание, он сам был им, а потому ему не было избавления. Ни исторгнуть его из себя, ни сбежать. Когда он сказал Дейзи, что этот ад возможно прекратить, она заговорила о смерти. Что ж, пусть Дейзи живет как хочет, но он мог умереть. Он смотрел на огромные симпатичные красные лондонские автобусы, медленно катящие на своих здоровенных колесах, и представлял, как он, тоже медленно, выйдет на дорогу, опустится на колени, а потом аккуратно ляжет под одно из тех милосердных движущихся колес. Все будет кончено в секунду. Он, конечно, понимал, что не сделает этого ни сегодня, ни завтра, но как хорошо было знать, что это так просто и он может решиться на это в любой день.

Он боялся много думать о Гертруде, слишком это было мучительно. Иногда он пытался освободиться от нее, убеждая себя, что никогда не любил ее, что женился на ней ради денег. Что был уже не молод и женился, чтобы чувствовать себя спокойно и уверенно. Чтобы наконец-то заниматься живописью в свое удовольствие. Он притворился, что убедил себя, хотя по-прежнему знал, что его безумная любовь к ней выжила, как спрятавшийся зверь, как бешеная собака, которую придется однажды вытащить из ее укрытия и убить или же долго-долго морить голодом, пока она не сдохнет. Иногда ему хотелось, чисто умозрительно, чтобы можно было рассказать Гертруде, что не все было ложью, не все было плохо, что плохое можно было бы просто отбросить и оставить остальное. Но что теперь было это «остальное»? Он сам перечеркнул его. Он так и не позаботился написать ей. И не грезил о ней. Чаще грезил о матери. Он чувствовал себя сломленным, и ему приходило в голову, что среди того, что он утратил, было и то, что обозначается словами «прямота» и «честность» — словами, для него новыми и возмутительными. Откуда они взялись? Может, он каким-то образом перенял их от Графа? Может, они прямиком перекочевали из головы Графа в его голову, не будучи даже произнесены? Способны ли слова на такое?

С течением времени он меньше стал думать о мучительной загадке последнего разговора с Гертрудой и больше о разговоре с Графом. Граф говорил кошмарные вещи, вроде такой: «Уверен, она приняла бы тебя обратно». Тим не совсем понимал, почему эта фраза так покоробила его. Возможно, потому, что напомнила ему о детстве, о матери, о ее прощениях, неохотных и без нежности, о таком, что было несопоставимо с его и Гертруды отношениями. Мнение Графа, его «простые идеи» были унизительны и свидетельствовали о его неспособности понять положение Тима. Конечно, Граф исполнял долг, и, как это было свойственно ему, исполнял добросовестно. Но с другой стороны, соперник едва ли мог ожидать от него подлинной чуткости и вдохновенного красноречия. Впрочем, другое, что сказал Граф, было вполне разумным, запало ему в душу и проросло собственными мыслями. Ты должен остаться один, должен задуматься над своей жизнью, вернуться к работе. Да, думал Тим, расстаться с кем-то навсегда возможно, и ему следует это знать.

Будет ли лучше, если он останется один, спрашивал себя Тим, сможет ли он когда-нибудь вернуть то, что утратил, хотя бы малую долю прежней невинности? Будут ли наконец, если он останется один, его страдания и его боль чисты? Тогда он сможет справиться со зверем внутри. Побороть демонов. Да, когда он и Гертруда танцевали среди голубых цветов, они танцевали с демонами.

Он должен остаться один единственно ради одиночества. И, спрашивая себя, уйдет ли он в конечном счете от Дейзи, он знал: так же как лечь под милосердный красный автобус, он не решится на это ни сегодня, ни завтра.

ЧАСТЬ СЕДЬМАЯ

— В это время скалы подступают ближе,— сказала Анна.

Смеркалось, но было еще светло.

Они вынесли столик на террасу и сидели, попивая белое вино. Сентябрьские вечера были очень теплыми.

— Да,— подхватила Гертруда,— они как бы расплываются в глазах, теряют резкость, не могу описать точнее...

— Понимаю,— сказала Анна,— и у меня тоже, они все будто скачут.

— А что бы вы сказали относительно того, какого они сейчас цвета? — спросил Граф.

— Розовые? Нет. Серые? Нет. И определенно не белые, хотя белесоватые.

— Пестрые,— сказала Гертруда.— Правда, пестрые — это не цвет. Сейчас я их вообще едва различаю, они танцуют.

— В польском языке,— заметил Граф,— слова, обозначающие цвет, употребляются также и в глагольной форме.

— Что вы имеете в виду? — не поняла Гертруда.

— Там говорят не просто: «это вещь красная», можно и так: «эта вещь краснится».

— Очень любопытно,— сказала Анна.— Значит, цвет воспринимается как активно исходящий из предмета, а не пребывающий пассивно в нем.

— Совершенно точно.

— Скалы определенно розовятся! — воскликнула Гертруда.— Смотрите, они изменились... а теперь снова стали расплывчатыми. Господи, какой покой!

Все на минуту замолчали, слушая вечер.

— Цикады умолкли.

— Такая тишина, такой покой, лист не шевельнется.

— Все недвижно, кроме скал!

— Посмотрите на листья ив и олив — они просто замерли, и у каждого серебряная каемка.

— Как на картине,— заметила Анна.

— Еще вина? — спросил Граф.

— Граф у нас ведает вином,— сказала Гертруда.

— Завтра мне нужно будет съездить за покупками,— объявила Анна.

— Всегда ты у нас ездишь по магазинам,— сказала Гертруда.

— Ну, водитель должен этим заниматься. А мне еще нужно заехать в гараж заправиться.

— Мы с тобой.

— Нет-нет, вы двое должны пойти погулять.

Анна привезла Гертруду и Графа в «Высокие ивы» на «ровере» Гая. Все время после его смерти машина простояла на приколе, но оказалось, что она на ходу. Гай, рачительный хозяин, оставил ее в идеальном состоянии. Анна, только что получившая права, поначалу нервничала, и большая мощная машина наконец решила ехать сама.

Мысль отправиться втроем во Францию возникла довольно неожиданным образом. Гертруда заявила, что Анне нужен отдых. В конце концов, она пятнадцать лет никуда не выезжала из Англии, и пора ей снова посетить Францию, Италию. Анна в ответ сказала, что, по ее мнению, это Гертруда нуждается в перемене обстановки, и если Гертруда хочет поехать за границу, то она поедет вместе с ней. В это время заглянул Граф, теперь регулярно бывавший на Иберистрит, и присоединился к разговору. Отдых Гертруде безусловно нужен. Они принялись обсуждать, куда ей и Анне отправиться. Грецию не упоминали. Сама Гертруда и предложила поехать в «Высокие ивы». Анна догадывалась, что она хотела выдержать натиск мучительных воспоминаний о счастье, испытанном здесь с Тимом, и навсегда освободиться от них: сначала был призрак Гая, теперь — Тима. К этому времени стало казаться, что приглашение Гертруды Графу поехать вместе с ними было естественным, неизбежным, обычным проявлением вежливости. Удобно ли ему будет взять короткий отпуск? Почему бы ему не приехать и не пожить с ними хотя бы недолго? Ведь ему, несомненно, тоже нужно отдохнуть. Это была идея Графа, чтобы Анна отвезла их. (Граф, конечно же, не умел водить машину.) И он настойчиво уговаривал ее согласиться. Анну необычайно тронула и взволновала его просьба. Значит, Граф хочет, чтобы она везла его. Между водителем и пассажиром возникают особые отношения. Но потом она поняла, что целью Графа было перейти дорогу Манфреду. Граф обретал уверенность, становился сущим Макиавелли.

Они находились во Франции уже три дня. И все это время неизменно сияло золотом солнце и стояла жара. Анна, словно в зеркале, видела, как могла бы она быть счастлива здесь, если бы только не ее безответная любовь. Словно земной мир, от которого она была отлучена так надолго, вернулся к ней и стоял в позе кавалера, протягивающего к ней руки, приглашая на танец. Нет, неудачное сравнение. Скорее он был похож на дивное животное, лениво разлегшееся перед ней, тихо урча и позволяя любоваться собой. Анна никогда не любила монастырский сад. Он казался ей маленьким, неестественным и убогим. Она, когда подходила ее очередь, работала в нем, но без всякого интереса и радости. Монастырь был ее затвором, укрытием: крохотная келья, часовня, темные коридоры, пахнущие просфорами. В долине же царил, как сказала Гертруда, нездешний покой. Луг, на котором когда-то давно танцевали среди голубых цветов Тим с Гертрудой, сейчас пожелтел, сухая колкая трава казалась в вечернем свете ровной и шелковистой. Там и тут торчали розовато-лиловые круглые головки чертополоха. Старые скрюченные оливы протягивали остроконечные серебристые ветви, как заколдованные существа — скованные руки. Даже вечно трепещущие ивы вдоль ручья сейчас затихли. Только скалы двигались, таинственно живые в неверном свете. Это был их час. Днем они были резко, слепяще недвижны.

Пока отдыхающим большего не требовалось. Хватало потрясения от того, что они оказались один на один друг с другом. В дороге сюда, полной довольно принужденного веселья, было легче. Теперь же им, оказавшимся в этом, раз установленном, данном пространстве, неожиданно пришлось устраиваться, осторожно учитывая их отношения. Гертруда, конечно, определила каждому его комнату. Сама заняла большую спальню, бывшую ее и Гая. Анна получила маленькую угловую комнату с видом на две стороны: на долину и расщелину в скалах. Графу достался диван внизу в бывшем кабинете Гая рядом с гардеробной. Что до всего остального, то тут Анна взяла инициативу на себя. И правда, она казалась естественным лидером маленькой компании. Остальные двое с ленцой и смехом подчинялись ей. Анна закупала продукты и организовывала стол. Они решили обходиться простой пищей: хлебом, сыром, салатами, оливками и вином, отдавая дань фруктам, которых было в изобилии в это время года: инжиру, арбузам и теплым, золотистым и пушистым абрикосам. Всякая всячина из деревенских морозильников позволяла разнообразить эту диету. Анна, занятая своей ролью самозваной хозяйки, обнаружила, что спокойно может оставлять Гертруду и Графа одних. В других же случаях ссылалась на головную боль. И это не было притворством. Старый враг, мигрень, вновь стал навещать ее, возможно, из-за того, что она постоянно смотрела на те загадочные, пестрые, расплывающиеся в глазах скалы.

С самого их приезда сюда они полюбили гулять по долине, взбираться на ближние скалы. Вчера они все вместе завтракали в маленьком ресторанчике при деревенской гостинице, и Анна придумала несколько поводов отправиться сегодня за покупками. Они долго сидели, попивая вино. Вечером играли в бридж, в котором Граф оказался настолько хорош, что ему приходилось намеренно делать неверные ходы, чтобы поддерживать у остальных интерес к игре. Партнерши много смеялись и не замечали, что Граф им подыгрывает. Никто не воспринимал игру всерьез. Гертруда, которую бриджу научил Гай, на деле играла совсем неплохо. В Анне, которая много лет не брала карт в руки, поначалу взыграло честолюбие, она старалась припомнить былое умение и выиграть, но вскоре оставила попытки, особенно когда поняла трюки Графа. Бридж превратился в чистую рулетку.

— Ты не мерзнешь, дорогая? — спросила она Гертруду.— Принести тебе шаль?

— Нет, не нужно.

— Есть будем? Я хочу сказать, есть особо нечего, но то, что есть,— будем?

— Анна всегда говорит, что ничего нет, а потом закатывает пир!

— Прямо-таки как с хлебами и рыбой.

— Я помогу готовить,— сказал Граф.

— Нет, нет...— Анна никогда при Гертруде не называла его Питером.

— Анна — это Марфа, а я — Мария!

— А кто же тогда я? — спросил Граф.

Они засмеялись, как всегда смеялись какой-нибудь нелепой шутке.

Несмотря на некоторое подспудное напряжение, настроение у всех было радужное. Гертруда купила себе два новых платья, в одном из которых и ходила: желтое, легкое, с широкими рукавами, и к нему маленькие голубые бусы из венецианского стекла. На Анне было платье с цветущими вишнями, которое подарила Гертруда. Она решительно отвергла попытки Гертруды подарить ей еще что-нибудь из одежды. У нее было подозрение, что все новые приобретения Гертруды оплачены Графом. А тот щеголял в летних расклешенных брюках в мелкую сине-белую полоску и свободной голубой рубашке навыпуск с коротким рукавом и отложным воротничком. Из-под брюк торчали босые тощие ноги в изящных, безукоризненно чистых сандалиях. Он впервые предстал перед Анной одетым столь непринужденно. И она сомневалась, что это ему идет. Она смотрела, как он сидит, развалясь в кресле, вытянув длинные ноги, неслышно барабаня пальцами по скатерти и с нежной улыбкой поглядывая на Гертруду. Его светлые, змеино-голубые глаза, казавшиеся холодными, когда он бывал грустен, сейчас узко искрились из собранных улыбкой морщин. Солнце успело положить на его щеку розовый загар, похожий на румяна. Но его тонкие, в редких черных волосах руки, нелепо торчавшие из коротких рукавов, были совсем белыми. Анна смотрела на эти худые волосатые руки, и ей страстно хотелось нежно-нежно погладить их.

— Единственное, чего мне недостает, так это английского сыра.

— И почему французы не импортируют его, ведь они так много внимания уделяют еде?

— Чувство национального превосходства.

— Когда сверчки запоют?

— Скоро.

— Я за то, чтобы поесть сейчас.

Анна встала, чтобы направиться на кухню.

— Дорогая, все же не принесешь ли мне шаль? — попросила Гертруда.

Граф тут же вскочил.

— Я знаю, где она лежит.

Он бегом бросился к распахнутым стеклянным дверям в гостиную, быстро вернулся с шалью и бережно укутал плечи Гертруды.

Анна поспешила удалиться. Она подумала, что, готовя себя к тому, что неизбежно случится, она уже старается отказаться от любви к Питеру, как отказалась от сигарет перед поступлением в монастырь. Отказаться от секса было не слишком трудно. От курения — куда труднее. Перестать любить Питера было невозможно. Она поняла это, когда, оставшись одна в своей комнате, боролась с глупыми слезами.

Анна знала, как те двое благодарны ей, как необходима она им и что, наверное, никто другой не смог бы выполнить для них эту вынужденную роль. Ощущение дружной компании, наслаждающейся отдыхом, не было кажущимся. Она могла представить себе приятные вещи, которые они, как сообщники, говорят о ней в ее отсутствие. Как сообщники, глядя в глаза друг другу: «Анна удивительный человек, не правда ли?» — «Да, просто душка».— «Я ее обожаю».— «Я тоже». Благодаря Анне между Гертрудой и Графом сохранялась своего рода спокойная нежность без осложнений и опасных решений. Благодаря ей они могли разговаривать свободно и подолгу. Разумеется, некоторая напряженность висела в воздухе — высокий звенящий звук, который все они слышали, будто работала некая машина времени. Но Анна, как бы обнимая их, создавала для них вневременное пространство, разрыв во времени, где им не надо было заботиться ни о стратегии, ни о тактике.

Анна не думала, что в течение этого святого времени что-то случится. Ее это угнетало. Расставшись с надеждой, она жаждала, чтобы все это поскорее чем-то завершилось. Она даже спрашивала себя, не может ли она каким-то образом немного подтолкнуть их. Она размышляла над ситуацией Питера и Гертруды, как ученый, исследующий математическую или философскую проблему. И пришла к заключению, что Питер ничего не предпримет (если не будет явного поощрения со стороны его возлюбленной), пока не исполнится годовщина со дня смерти Гая. Возможно, он будет дожидаться следующей весны. Больше того, он может продолжать оттягивать решительный шаг единственно из страха получить отказ. Сейчас, в пространстве, решительно распахнутом для него Анной, он был счастлив. Он мог смотреть на Гертруду сколько угодно, зная, что от него еще ничего не ждут. И Гертруда тоже была благодарна за возможность расслабиться, успокоиться, окруженная заботой и обожанием двух преданных друзей, греясь в лучах их совместной любви. Иногда она вздыхала, казалось, мучимая печальными или горькими мыслями, и в то же время уютно потягивалась, словно наслаждаясь вниманием, которым была окружена.

Ответит ли Гертруда согласием? Наконец Анна решила, что так оно и будет. Само присутствие Графа здесь, во Франции, указывало на это. В любом случае, как бы ни сложились отношения между Питером и Гертрудой, если — при условии, что она не выйдет ни за кого другого,— он станет ее счастливым *cavaliere servente**, страждущей Анне он не достанется. Она, конечно, не упускала из виду и Манфреда. Гертруда часто встречалась с ним после того, как позорный поступок Тима был предан огласке. Однако Анна пришла к заключению, что тут не на что надеяться. Манфред был молодой (моложе Гертруды) самодовольный холостяк, ведущий двойную жизнь. Ему, несомненно, нравилась Гертруда, а он ей. Но если он этого хотел, то уж наверное имел подходящую любовницу, о которой не распространялся. В любом случае, если бы у него были виды на Гертруду, он, при его исключительной самоуверенности и самонадеянности, уж как-нибудь показал бы это, но Анна, внимательно наблюдая за ним, когда представлялся удобный случай, не заметила ни единого намека на нечто подобное. У него была прекрасная возможность предложить себя в качестве естественного покровителя Гертруды. А раз он не сделал этого, то, вероятнее всего, не хотел. Так что у Графа не было соперников.

---

* Верный рыцарь *(ит.)*.

Анна задумывалась о собственном будущем. Она не хотела, очень не хотела, помешать счастью Гертруды. И разумеется, не хотела ни единым, ни малейшим намеком открыть перед теми двумя свое душевное состояние. Они никогда не должны узнать об этом. И это их неведение станет, когда придет время, главным утешением Анны. Она поведет их, как священник, к алтарю. А потом покинет их. Она очень любила Гертруду и в придачу ко всему испытывала еще и горечь при мысли, что обрела свою подругу только для того, чтобы снова потерять ее таким вот мучительным образом. А пока она должна быть безупречной, смотреть любящим взглядом, носиться, как служанка. Так Анна, глядя на эту пару, вид которой вводил в грех ее сердце, бросалась из жгучего, почти циничного раздражения в мечтательную бескорыстную любовь, с которой, чувствовала она, ей предстоит жить в будущем.

А ее будущее, решила она, связано с Америкой. Придется как минимум уехать на другой континент, когда те двое соединятся. Она уже и письмо составила, хотя и не отослала, чикагским клариссам. Написать им она решила просто потому, что у нее был их адрес, а больше в Америке она никого не знала. Это будет ее отправной точкой. Она многого ждала от переезда. Там она найдет себе дело.

— Анна, дорогая.— Это была Гертруда. Она и Граф никогда не оставались вдвоем слишком долго. Он или она шли взглянуть, как там Анна.— Тебе помочь?

— Нет,— ответила Анна,— просто побудь рядом.

Может, думала она, ей стоит остаться. Не уезжать в Америку. Остаться и помогать им быть счастливыми.

— Решился наконец,— сказала Дейзи.

— Да.

— Я рада. Хотелось бы, чтобы это произошло раньше. Наверное, мне надо было это сделать. Я обязана была догадаться, что ты уйдешь.

— Ты хотела, чтобы я ушел?

— Да, то есть нет... ты же знаешь, как мы живем, как жили. О нас можно говорить только в прошедшем времени, так ведь?

— О боже!..

— Не переживай, Тим, дорогой мой. Я так благодарна тебе.

— А я тебе.

— Мы с тобой настоящие олухи, пара придурков.

— Точно.

— Мы любили друг друга, но никогда не могли разобраться в нашей любви.

— Ты простишь меня?

— Ох, не говори глупостей, Тим, это вечная твоя глупая привычка: не можешь без эмоций, романтики и уж не знаю чего. Мы с тобой, что две палки в реке. Одна не просит другую простить ее.

— Но ты не чувствуешь... прости, не знаю, как сказать, не разозлив тебя.

— С этих пор ты больше никогда не сможешь меня разозлить.

— Разве что если вернусь отказаться от своих слов.

— Слишком поздно.

— Ты имеешь в виду?..

— Если ты откажешься, тогда я скажу тебе это. В кои веки мы в чем-то сошлись. Наши желания совпали. Момент космической важности. Мы пришли к верному решению, и пришли одновременно.

— Милая... я восхищаюсь тобой...

— Не надо, не то я засмеюсь, и это будет слишком больно.

— Я так рад, что твой роман, как ты сказала, лучше двигался, когда ты жила без меня.

— А, это я так, к слову сказала. Я собираюсь бросить писать.

— Извини. А чем займешься?

— Тебя это не касается... отныне... и навсегда.

— Ну... Дейзи...

— Не раскисай. О, мой дорогой, не раскисай. Ты был таким восхитительно смелым.

— Да... очень... смелым...

— Ведь ты не вернешься на сей раз, правда?

— Не вернусь.

— Во всяком случае, меня здесь не будет... и в Шепердс-Буш тоже.

— Кому из нас остается «Принц датский»?

— Можешь ходить туда. Я собираюсь исчезнуть. Думаю, уеду из Лондона. Ненавижу Лондон, столько лет пыталась здесь прижиться, все бесполезно.

— Дейзи, а как у тебя будет с деньгами?

— Это тоже не твоя забота.

— Нет, правда...

— Да-да, у меня есть богатые друзья, кое-кто вроде тебя.

— А у меня нет друзей.

— Так найди.

— Я мог бы дать...

— Нет. Ради бога! У меня есть друзья, правда не такие богатые, но голодать мне не позволят. И я буду в совершенно другом месте.

— Никогда не думал...

— Конечно. Ты шел по жизни, никогда ни о чем не задумываясь. Когда ты был не со мной, ты воображал, что меня не существует. А я продолжала жить, у меня уйма знакомых, которых ты не знаешь.

— Да-а?

— Ладно, не хмурься теперь, старина, мистер Голубые Глаза.

— Безумные у нас были отношения, скажи.

— Это мир безумный.

— Ни ты от меня, ни я от тебя не видели ничего хорошего.

— Но и ничего плохого. Мы с тобой люди чистилища. Другие устраиваются в жизни, идут на компромиссы, намечают цели, строят планы, ну и так далее. А мы остались детьми, не дали друг другу повзрослеть.

— Зато остались невинными.

— Какая, к черту, невинность, мы призраки.

— Компромиссы и цели, да. Во всяком случае... Дейзи, ты знаешь, я делаю это не ради Гертруды. Это никак с ней не связано. Это только наше с тобой дело.

— Последнее наше дело. Черт с ней, с Гертрудой. Мне все равно, почему ты уходишь, если действительно уходишь.

— Нет, это важно.

— Как там в старинной песенке: «Пусть уходит, пусть остается, пусть потонет или спасется, он ко мне равнодушен, и мне он не нужен...»

— Дейзи, это не из-за Гертруды, с Гертрудой покончено. Не та это причина, чтобы я смог уйти. А потому, что все... абсолютно и до конца... и...

— Да, да, да.

— Ты действительно понимаешь? Дело в нас с тобой.

— Да. Да, конечно.

— Я чувствую... я чувствую, что люблю тебя сейчас несравненно сильнее, чем когда-либо раньше.

— Это потому, что мы расстаемся. Ничего, пройдет, потом почувствуешь облегчение.

— Дейзи, ты такая красивая...

Это была правда. Они сидели в гостиной друг против друга на бамбуковых креслах посреди архипелага подушек и цветов в горшках. Дейзи была в джинсах и чистой рубашке. Под глазами огромные круги синих густых теней, но губы не накрашены. Тим боялся увидеть, что они начнут дрожать. Но Дейзи держалась великолепно. Он сам держался великолепно. Они были как два божества. А еще — как два человека нового племени, встретившиеся впервые.

— Чувствую, я влюбляюсь в тебя,— сказал Тим.

— Знаю, я тоже чувствую что-то похожее...

— Боже, это, может, единственный миг, когда мы по-настоящему любим друг друга, в первый раз!

— Нет, это иллюзия, сентиментальный побочный продукт нашей решимости. Это ничего не означает. И уж конечно, не означает любви. Мы присутствуем при смерти. Говорят: как смерть, любовь, но не такая любовь, как наша.

— Если бы нам начать все заново, сейчас. Я тебя не узнаю, ты... преобразилась.

В ленивых лучах солнца медленно плавали столбы пыли. Дейзи сидела прямо, положив руки на подлокотники кресла, короткие волосы гладко зачесаны на узкой голове, глаза огромные, лицо суровое, твердое. Она напоминала Тиму богиню, никогда прежде он не видел у нее такого лица, и оно наполнило его любовью.

— Нет, мой дорогой Тим, мы больше не встретимся на этом свете. Это конец.

— Но как же так? Это похоже на смерть, да?

В лице Дейзи что-то дрогнуло, но лишь на миг. Она сказала:

— И пожалуйста, если когда-нибудь в будущем захочешь разыскать меня, не ищи... ради меня, не ищи...

— Дейзи, я...

— Говоришь, ты забрал все свои вещи?

— Да. Перевез их... вчера... когда тебя не было дома.

— Это разумно. Ничего не забыл?

— Нет.

— Не хочешь пойти и проверить?

— Нет.

— Тогда тебе остается только выйти в эту дверь.

— Дейзи... я не могу...

— Ты просишь у палача еще минуту жизни.

— Да... Но... Дейзи, я не могу так... мы не можем... Завтра мы оба придем в «Принца датского».

— Нет, Тим, будь в этом честен со мной. Мы должны нанести *coupe de grâce**. Ты выказал такое мужество. Это лучшее, что ты когда-либо сделал для меня. Не надо все портить. Ты изумил меня, ты сделал то, на что я никогда бы не смогла решиться, и верю, ты делаешь это не ради Гертруды, а просто делаешь и все, и, если бы ты мог видеть себя сейчас, ты бы увидел бога, никогда ты не был так прекрасен. Но это никак не связано с будущим. Будущего у нас нет. Будь честным со мной, будь милосердным, дорогой мой храбрый Тим.

— Мы неожиданно стали... нет, лучше так... мы вроде как... свободны... так почему бы нам не...

— Ой, да не смеши меня. Мы такие решительные, такие сильные, даже такие сдержанные, потому что собираемся убить друг друга. Это как договор о совместном самоубийстве. Но если пойдем на попятный, то снова превратимся в прежних зомби, ссорящихся, пьянствующих, несчастных и глупых. Ты это знаешь.

— Да... пожалуй...

— Тогда иди.

— Не могу.

— Иди!

Тим встал и направился к двери. Вспомнил, что оставил возле кресла пластиковый пакет с бритвенными принадлежностями, вернулся и, не глядя на Дейзи, поднял его. В глазах у него стояли слезы. Он пошел обратно, прошел коридор, тихо закрыл за собой дверь квартиры и начал спускаться по лестнице. Это все не всерьез, говорил он себе, поэтому не надо ему так ужасно страдать. Он всегда может вернуться, всегда может вернуться. Она не исчезнет, хотя и обещала.

Он вышел на улицу и побрел к станции метро «Финчли-роуд». Тело было как чужое, кружилась голова, ноги не слушались, словно он только учился ходить. Что за странный

---

* Последний удар, прекращающий страдания *(фр.)*.

процесс: ставишь одну ногу, потом поднимаешь другую, выбрасываешь ее вперед, затем опускаешь, переносишь на нее вес тела и поднимаешь другую... Он почувствовал, что того и гляди упадет. Встречные фигуры казались темными размытыми пятнами, и приходилось останавливаться и ждать, чтобы они прошли мимо. Он шел дальше, раскрыв рот. Горячие слезы жгли глаза, но отказывались литься. И качала черная железная дурнота.

Он не мог вспомнить точный момент, когда решил уйти от Дейзи. Решение созревало какое-то время. Это было как некая огромная вещественная масса, которая обрушивалась на него и которую он, выжидая, парализованный страхом, видел краем глаза. Наконец, задыхаясь от волнения, он признал реальность своего намерения. За последние несколько дней он почти не видел Дейзи. По утрам она долго валялась в постели, часто до середины дня, и он уходил из дому, не видя ее. Возвращался поздно вечером, выпивал стакан виски, вместе с ней, если она не сидела у себя, и быстро ложился спать. Дейзи все те дни была пьянее обычного.

Днем он бродил по Лондону. В картинные галереи больше не заходил, опасаясь того, что может там увидеть. Сидел в пабах. Когда они закрывались, то на скамейке в каком-нибудь парке. Погода стояла дивная, Лондон был ослепительно красив. Громадные платаны мечтали об осени и уже роняли крупные зеленые и коричневые листья. Они медленно планировали вниз и тихо ложились у ног Тима. Ощущение было такое, будто он переместился в мир ду́хов. Порой он сомневался, что по-прежнему видим. Он заметил за собой, что способен целыми часами сидеть совершенно неподвижно. Сидел — и не сказать, чтобы думал, но что-то в его мозгу происходило. Внешний мир исчезал, и он оказывался посреди какой-то бледной, беловатой пустоты. Иногда она мерцала, как море, становясь серебряной. И тихо гудела или пульсировала. Тим вздыхал.

Он спрашивал себя, не меняется ли он на самом деле, может, сходит с ума. Не так ли начинается безумие? Он чувствовал исключительное спокойствие, но и невероятное напряжение, будто пространство изгибалось и он сгибался вместе с ним. Все как бы исчезло, включая его собственную личность. Он был крохотной пылинкой жизни, частицей, и в то же время окружающим пространством, кажущимся бесконечным. Он был атом, электрон, протон, точка в пустом космосе. Он был прозрачен. И эта прозрачность делала его невидимым. Он был пуст, чист, он был ничто. И вместе с тем — чистая энергия, чистая сила, чистое бытие. Ощущение само по себе не мучительное, хотя страшная боль тоже присутствовала, где-то рядом, наполовину скрытая, иногда как черная дыра, иногда как что-то вроде плотной массы неразрушимого вещества. Порою чувство пустоты бывало почти приятным. Но всегда ужасным. Это состояние полнейшей свободы, это как быть ангелом, подумал он однажды. Со временем он перестал ходить даже в пабы. Ел очень мало. Тихо сидел на скамейке где-нибудь в Риджентс-парке, Гайд-парке или в Кенсингтон-Гарденз, отрешенный от всего. Если рядом кто-то садился, он спокойно вставал и, не касаясь земли, переходил на другую скамью.

Формой его переживания, думал он, было его решение уйти от Дейзи. Это, в конце концов, как в «Волшебной флейте», разве что с какого-то места все пошло не так, и музыка заиграла по-другому, а Папагено и Папагена в результате не будут спасены, они потеряли друг друга во мраке их испытания, и никакой бог никогда не воссоединит их ни в каком раю. Но он знал и то, что его переживание больше чем форма, что это абсолют, некий предел, некая истина, не то чтобы Бог, но сам космос, спокойный, ужасный, окончательный. Это было и видением смерти. Он дышал, изумляясь тому, что дышит, будто только что осознав, что всю жизнь подсчитывал свои вздохи. Он был ошеломлен происходящим, страшился того себя, каким стал сейчас, но и хотел, чтобы это длилось. Он не видел способа вернуться к обычной жизни и знал, что возвращение будет мукой. Он не сразу пришел к своему ужасному решению, вернее, оно пришло само собой, но тогда он уже не жил в обычном мире времени и пространства, где намерения доводятся до конца и ситуации меняются бесповоротно и возвращаются к прежнему состоянию; и только так он смог принять решение.

Однажды около полудня он вошел в телефонную будку у станции «Бейкер-стрит» и позвонил в прежнюю квартиру. Никто не ответил. Он стоял, держа телефонную трубку в руке, и сердце металось в груди, как хорек в клетке. Он вышел из будки и поймал такси. Возле дома попросил водителя подождать и поднялся в квартиру за вещами. Потом поехал в мастерскую и отнес вещи наверх. С удивлением он оглядывал помещение над гаражом, неизменное в своем покое и тишине среди окружающего шума, не помнящее ничего. Его мирный хаос был таким же, как в тот раз, когда Тим стоял здесь, разговаривая с Графом. Никто не входил сюда с тех пор, ничего здесь не происходило. Вечером он вернулся в квартиру на Финчли-роуд, и на следующий день вышел, как обычно, и бродил, садился на скамьи, бродил и садился. Но он знал, что вызвал ужасную лавину событий. Белое безвременье подходило к концу.

На другой день он не торопился выходить на улицу. Побрился и сложил оставшиеся вещи в пластиковый мешок. Он сидел на кровати, ожидая, когда проснется Дейзи, и теперь он почувствовал боль, черную раздирающую боль, которая постоянно была с ним и вот улучила момент. Он сидел с закрытыми глазами и согнувшись над болью, пока не услышал кашель Дейзи, бредущей в ванную, потом наконец ее возню в кухне; тогда он взял мешок и вышел из квартиры.

Гертруда и правда не имела к этому никакого отношения. Не могла иметь. В белом холодном огне, в котором он жил, не было места для чего-то, подобного Гертруде. Как будто мысли, и чувства, и суждения, исчезая в далеком прошлом, собирались и становились совершенными в той пустоте. Материя решения была соткана из старых-старых вещей, древних вещей, не знавших Гертруды. Вся его жизнь собиралась, пересобиралась в том, что с ужасной неизбежностью происходило сейчас. И, что невероятно, Дейзи поняла это сразу, как только увидела его лицо. Это было как выбор партнеров по танцу. Она все поняла. Она была совершенством.

Однако не это ли совершенство стало его последним испытанием? Как мог он уйти от такой женщины? Не было ли то, что произошло, неким очищением, или осуществлением, или искуплением их любви, подобно... браку? Как мог он уйти, да еще навсегда, от той, с кем он разделил, после столь долгого паломничества, это последнее, предельно истинное переживание? Он любил Дейзи больше, чем когда-либо прежде. Во мраке той последней непредставимой боли его и ее совершенство встретились, чтобы договориться о расставании.

Он почувствовал, что необходимо выйти на воздух, и поехал на такси к Марбл-Арч. Такси высадило его возле «Уголка ораторов», и он пошел под деревьями дальше в парк; и что-то, быстро скачущее у него в груди, возможно сердце, стало постепенно успокаиваться. Белый свет как будто вновь был с ним, но сейчас он изменился. Он стал жемчужным, сизоватым, неярким, тихим. Тим обнаружил, что может видеть сквозь него. Может видеть деревья, огромные недвижные платаны с их ласковыми шелушащимися стволами и мощными, свисающими до земли, качающимися ветвями и пушистой листвой. Он шагал по траве, сухой, теплой и бледно-золотой, упруго шуршавшей под ногами. В отдалении виднелись очертания озера Серпантин и моста через него. Внезапно колени у него подогнулись, и он ничком повалился на землю. Что-то, как судорога оргазма, как трепет птицы, охватило его тело, потом отпустило, оставив лежать неподвижно. Теплая волна обрушилась на него и катилась, катилась по нему. Волна совершенного бездумного счастья, заставившего его, уткнувшегося лицом в сухую траву, стонать от радости.

На пятое утро задул мистраль. Тем не менее они не отказались от решения отправиться в деревню. Гертруда с Графом сидели в кафе, пока Анна ходила по лавкам. Заодно хотела найти человека, чтобы заменить треснувшее стекло в кабинете. Потом они поехали оставить записку электрику, который в это время года обычно занимался ремонтом насоса, качавшего воду из колодца. После этого возникла идея перекусить где-нибудь по дороге домой.

На *terrasse** никого не было, двери кафе закрыты. Гертруда и Граф сидели внутри и пили коньяк. Хозяин, всегда радушно встречавший их, был не в настроении. В зале холодно. Каждый новый посетитель должен был, входя, крепко удерживать дверь, чтобы она не грохнула о наружную стену. Но было невозможно закрыть ее без грохота. Хозяин сердито орал на входящих. Пол был усеян обрывками газет и листьями. Гертруда с Графом сидели, согнувшись над своим коньяком, и жалели, что не надели пальто. Появилась Анна. Стекольщика найти не удалось. Заодно она вспомнила, что забыла купить масло. Гертруда сказала, что это неважно, а Граф — что купит его, когда они пойдут обратно к машине. Они решили, что не поедут к электрику и не будут останавливаться ради ланча, а отправятся прямо домой. Когда садились в «ровер», одна дверца машины захлопнулась с такой силой, что повредились петли, и вновь открыть ее стоило невероятных усилий. Они решили, пусть она остается закрытой. Однако, когда они подъехали к дому, Граф забыл-

---

* Площадка со столиками на тротуаре перед кафе *(фр.)*.

ся и открыл ее, так что они еще дольше возились, чтобы закрыть ее, чем в первый раз. Масло они так и не купили. Гертруда сказала, что мистраль будет дуть три дня, а потом утихнет.

Они обошли дом, закрывая ставни, что не позаботились сделать перед отъездом. Потом немного посидели в гостиной за коньяком и разговором о том, как это все захватывающе. Потом перекусили фруктами и сыром. Анна и хлеб забыла купить, но оставшийся со вчерашнего дня был не так плох. Анна почти ничего не ела и вынуждена была признаться, что неважно себя чувствует. Похоже, начинается мигрень. Она поднялась наверх, а Гертруда принялась долго и раздраженно искать что-нибудь почитать. «Разговорный урду», за который она думала приняться еще раз, остался нераскрытым. Гай забил дом классикой, и Анна с Гертрудой могли, перебрасываясь шутками, вернуться к не дочитанным в Камбрии «Эдинбургской темнице» и «Разуму и чувству». Но Гертруда чувствовала, что не может читать Джейн Остен в доме, сотрясаемом ветром. Она отыскала детектив Фримена Уиллса Крофтса, забытый здесь Стэнли, и тоже поднялась наверх. Граф привез с собой Пруста, в чем не было нужды, поскольку в кабинете Гая уже стояли все прустовские тома, причем и на французском, и на английском. Но теперь Граф охладел к Свану. У него не было желания читать о муках ревности. Он пошарил в собрании Гая, ища что-нибудь, касающееся Польши, но не обнаружил. Книжное собрание Гая в этом доме (и, разумеется, в лондонском тоже) ведать не ведало о Польше. Граф был слегка раздосадован. Он вовсе не считал в отличие от некоторых своих соотечественников, что, по сути, в каждом человеке течет бóльшая или меньшая толика польской крови. Однако был убежден, что каждый просвещенный человек обязан интересоваться Польшей. Он решил, что может пойти прогуляться, вышел из дому и несколько минут постоял на ветру, потом возвратился с таким ощущением, будто с него содрали скальп. Он сел на постель, мучимый мыслями о Гертруде. Анна была совершенно права, предположив, что Граф собирался ждать до Рождества, а там сделать предложение Гертруде. Но теперь у него появились сомнения. Вчера Гертруда получила письмо от Манфреда. (Невидимый почтальон оставлял корреспонденцию в ящике на гараже.) Граф узнал витиеватый почерк Манфреда, увидев итальянский адрес на конверте, когда Гертруда несла письмо к себе наверх. Он чувствовал, что не может слишком надолго откладывать решение своей судьбы.

Мистраль задул неожиданно, часов в десять утра, при совершенно ясном небе. Теперь небо посерело, но не так, как обычно, когда его заволакивают тучи, а будто каждая частичка синевы спокойно, не двигаясь с места, поблекла, превратившись в частичку серого. Больше того, трудно было с уверенностью сказать, что тучи вообще есть, разве что потому, что было не видно солнца. Хотя, возможно, оно уже опустилось за скалы? Граф, чьи часы остановились, не мог понять, сколько теперь времени. Он прилег на минуту. Может, он заснул? Он вышел в гостиную. Там никого не было. Дул ветер, но не как другие ветры, налетающие порывами или завывая на разные голоса, а ровно и мощно, словно воздух, получив однажды ускорение, мчался мимо, как речной поток. Ветер-река, мчась параллельно земле, нес, как видел стоявший у окна гостиной Граф, листья деревьев, ветки и прочий мусор, увлекаемый воздушными силовыми линиями, и сама земля постепенно растворялась в этом потоке частиц. И надо всем стоял монотонный гул, как от работающего двигателя, не слишком громкий или пронзительный, но заставлявший вибрировать каждый нерв.

Гертруда спустилась вниз, жалуясь, что невозможно отдыхать. Приготовила чай, но все отказались. В доме стало очень холодно. Гертруда отыскала в чулане электрический обогреватель и сунула шнур в розетку в гостиной, они уселись вокруг него и развлекались разговорами о ветре. Гертруда рассказала им несколько местных народных историй о нем. По комнате гулял сквозняк, мини-мистраль, уходя в трубу. Граф предложил разжечь, если есть дрова, вечером («Да, наверное, вечер уже наступил, не так ли?») огонь в громадном каменном очаге. Гертруда с восторгом подхватила идею. Самой на улицу ей выходить не хотелось, слишком легкое было у нее пальто, но она рассказала Графу, где лежат дрова: под навесом у гаража. Он вышел и вернулся, говоря, что не смог ничего найти. Гертруда, раздраженно кутаясь в тонкое пальтишко, вышла с ним. Под навесом было пусто: дрова украли. Они возвратились в дом, и Гертруда принялась за бесплодные поиски бутылок, чтобы наполнить их горячей водой, без чего, по ее словам, им никак не обойтись ночью. Когда поднимался мистраль, постели каким-то непостижимым образом тут же становились влажными.

Анна Кевидж лежала в постели, обложившись подушками, навалив на себя все, какие были, одеяла, пальто, даже коврик с пола, и все равно ей было холодно. В деревне нынче утром ей нездоровилось, и она забыла купить хлеб и масло, о чем очень переживала. У нее была ужасная мигрень, проявившаяся в необычной, хотя не сказать чтобы совсем уж незнакомой форме. Она совершенно ничего не видела прямо перед собой. Центр зрения занимала большая сероватая круглая дыра, в которую упирался ее взгляд, а по краю дыры — кайма, похожая на кипящую овсянку. По сторонам каймы то, что виделось боковым зрением, выглядело нормальным. Обычной головной боли не было, вместо нее намного худшее ощущение сильного головокружения, морской болезни и тупые интенсивные серо-стальные позывы к рвоте. Она расстелила на полу у кровати несколько газет и поставила ночной горшок. Невозможно было ни стоять, ни сидеть, ни лежать плашмя. Более терпимо было полусидеть, высоко подоткнув подушки. И приходилось все время ерзать в поисках облегчения, двигать ногами, плечами, перекатывать голову из стороны в сторону. Она лежала, слушая монотонный рев ветра и стук ставен. Утром в деревне она отправила письмо в Чикаго.

Постучавшись, вошла Гертруда.

Услышав, как она поднимается по лестнице, Анна быстро свесилась вниз и затолкала газеты и горшок под кровать.

— Как ты, дорогая? Не возражаешь, если я загляну в шкаф? Где-то все же есть эти бутылки.

— Да, конечно.

Гертруда принялась копаться в шкафу.

— Одна есть, но какая-то совсем древняя. Очень темно. Не против, если я зажгу свет?

Гертруда включила свет. Анна зажмурила глаза.

— Вот еще одна, это уже что-то. Извини, я тебя ослепила.— Она выключила свет.— Как голова?

— Нормально.

— Что, почитала Вальтера Скотта?

— Нет.

— Я тоже не смогла читать. Извини за этот адский ветер. Он прекратится. Тебе достаточно тепло?

— Да.

— Дай-ка потрогаю ноги.— Гертруда просунула руку под одеяла и пощупала ноги Анны.— Ты замерзла. И ноги голые, дуреха. Неужели не привезла с собой носки или что-нибудь?

— М-м... ах да... есть, в чемодане... это пустяки...

Гертруда нашла пару носков, откинула одеяла и надела их. Минуту Анна лежала неподвижно, ощущая тепло Гертрудиных рук, а как только та опустила одеяла, снова принялась сучить ногами.

— Я принесу тебе бутылку,— сказала Гертруда,— если какая-нибудь из этих не течет. Как себя чувствуешь, признайся?

— Это пройдет.

— У тебя вся одежда сбилась. Не лучше ли будет раздеться?

— Попозже.

— Когда вернемся, надо будет тебе показаться Виктору.

— Лучше другому врачу, незнакомому.

— Сходи к Орпену.

— Дантист — это не то.

— Аспирин приняла?

— Да.

— Неужели в твоем глупом монастыре не могли ничего сделать с этой жуткой мигренью?

— Дело в психике.

— Ты мазохистка.

— Вовсе нет.

— Не хочешь ложечку консоме?

— Нет, спасибо.

— Ты не можешь лежать спокойно. Дать таблетку снотворного?

— Спасибо, позже.

— Не знаю, чем помочь тебе. Бренди?

— Не нужно.

— И Граф какой-то дерганый. Все мы сегодня не в себе.

— Прости. Прости, что забыла хлеб...

— Ох, дорогая моя!..

Поверх платья на Гертруде был коричневый халат, похоже, принадлежавший Гаю. Она сидела на постели и ласково гладила подругу через одеяла. Анна беспокойно ерзала. В комнате стало темнее. Гертруда плохо видела лицо Анны, которая запрокинула голову. Анна же совсем не видела Гертруду, только расплывчатое пятно... уголком глаза. По мере того как в комнате темнело, окруженная шевелящейся бахромой дыра в центре ее зрения будто становилась ярче. Чтобы отвлечься от тошноты и новой боли, возникшей в затылке, она сосредоточилась на этом пустом светлеющем круге.

Она ждала, не возникнет ли вдруг что-то внутри этого пылающей дыры, может Иисус Христос. Хотелось, чтобы Гертруда ушла.

— Анна, ты никогда не оставишь меня, правда?

— Нет, никогда.

— Я имею в виду... что бы ни случилось...

— Что может случиться?

— Не знаю. Всякое случается, заранее не угадаешь.

— Если окажешься в инвалидной коляске, я буду ее катать.

— Хочу, чтобы мы вместе встретили старость.

— Прекрасно!

— Хорошо, дорогая, ухожу. Я люблю тебя.

— Взаимно!

Гертруда вышла, унося с собой бутылки. Когда ее шаги затихли внизу, Анна заставила себя встать, дотащилась до ванной и попыталась вызвать рвоту. Но не смогла.

— Как Анна? — спросил Граф.

— У нее страшно болит голова,— ответила Гертруда. Поставила бутылки и забыла о них.

— Могу я... могу я налить вам, Гертруда?

— Я сама.— Гертруда плеснула себе виски.— Будете?

— Да... пожалуй... чуточку виски... в виде исключения, день такой...

— Вы становитесь настоящим пьяницей, Граф.

— Не зажечь ли нам свет?

— Подождите, давайте посмотрим в окно.

Они со стаканами в руках подошли к окну. Даже вечером скалы продолжали улавливать слабый свет и серели на фоне темного неба. Их склоны, утратившие неравномерное мерцание, казалось, медленно двигались вверх и вниз в вертикальных пазах. В долине лежал плотный шелковистый подводный полумрак, и можно было различить горизонтально вытянутые напряженные кроны ив и оливковых деревьев, струящиеся на ветру, струящиеся бесшумно, поскольку рев ветра заглушал каждый звук.

— Какой жуткий вой.

— Посмотрите на бедные деревья.

— А терраса, смотрите!

По террасе мелким стремительным потоком неслась листва, среди которой, отставая, двигались мелкие и крупные ветки и даже как будто камни. Несколько плетеных кресел исчезли. Подальше ветер двигался сплошной стеной между домом и скалами.

— Надеюсь, это не черепица с крыши.

— Мы услышали бы, как ее срывает.

— Не в таком шуме.

— Боже, что это?

Раздался скрежет, и что-то сильно ударило в стену дома.

— Пойду взгляну,— сказала Гертруда.

— Не выходите в стеклянные двери! Лучше через арку. Я пойду с вами. Подождите, придержу дверь!

Они кое-как сладили с дверью, вышли и захлопнули ее за собой, потом двинулись вдоль террасы, держась поближе к стене дома. Деревянный крытый балкон (который Тим когда-то подпер бревном) обрушился и лежал грудой столбов и виноградных плетей.

— Боже мой, виноград оборвался!

— Похоже, оборвалась только одна плеть... да, лишь эта... отнесем... отнесем виноград в дом?

— Лучше всю плеть целиком... проклятье!..

Борясь с ветром, они потащили ветвь, с трудом просунули сквозь створки двери, бешено рвавшиеся из рук, едва дверь открыли, и занесли длинный, оставлявший след трофей в гостиную. Положили на пол вдоль узкого серванта, под встревоженными девушками Мунка. Гертруда включила свет.

— Какая досада!

— Что за красота!

Сломанный колышущийся стебель изящно улегся на полу. На свету изумрудом блестели листья с прожилками и пушистым, с багровым оттенком, исподом. Зеленые незрелые гроздья мерцали, слегка просвечивая, похожие на маленькие пирамидки из драгоценных камней, подчеркивая классическую неподвижность зубчатых листьев.

— Напоминает виньетки восемнадцатого века.

— Или Фаберже!

— Но виноград еще не созрел,— сказала Гертруда.

— Но теперь, наверное, созреет?

— Не совсем. Во всяком случае, нельзя есть такую красоту. Я опущу этот конец в воду, чтобы подольше не завял. Ох я, бестолковая, надо было утром занести кресла в дом.

— Их же не унесло?

— Унесло. Разве не видите, ни одного не осталось!

— Сходить?..

— Нет-нет, они где-нибудь внизу холма, такое не первый раз случается.

— Хотя бы дождя нет...

— Что это... о нет!

Они бросились в кабинет. Громкий звон известил о том, что треснувшее стекло вдребезги разлетелось. Ветер злобно устремился в неровную дыру.

— Как можно... чем можно заделать окно?

— Тут ничего нельзя сделать,— ответила Гертруда.— Идемте, просто запрем дверь. Господи, это невыносимо, это просто невыносимо!

Она захлопнула дверь, и они вернулись в гостиную.

— Не хотите поужинать, Гертруда? Я бы пригото...

— Нет, а вы поешьте, разогрейте себе супу. Не дрожите, наденьте свитер, я могу одолжить вам один из свитеров Гая.

— О нет...

— Граф, вы такой замерзший и такой худой! Укутайтесь во что-нибудь, хотя бы в одеяло!

— Со мной все в порядке.

Граф надел легкую куртку поверх своей голубой летней рубашки с открытым воротом. Он стоял, подняв плечи, морща лоб, и его длинные руки и костлявые запястья торчали из рукавов, негнущиеся, будто деревянные. Он не мог решить, то ли ему сесть, то ли уйти, он ничего не мог поделать с собой. Слонялся, похожий на марионетку, по такой теперь неуютной, ярко освещенной комнате, отражаясь в черных блестящих окнах, не находя себе места ни в пространстве, ни во времени. Беспомощно смотрел на свои остановившиеся часы. Гертруда с раздражением разглядывала его. Потом повернулась спиной к нему и задернула шторы на окнах. Долина и скалы исчезли. Выдвинула ящик серванта, достала шахматную доску и фигуры. Села, разложила доску и принялась расставлять фигуры, желая проверить, все ли фигуры на месте. Граф беспокойно наблюдал за ней.

Он до сих пор не рассказал Гертруде историю о ее письме и своем разговоре с Тимом и чувствовал, что обязан сделать это. Она не задавала ему вопросов, и дважды, когда он порывался что-то сказать о письме, она обрывала его. «Хорошо-хорошо, хватит». Видимо, поняла все так, что письмо доставлено и осталось без ответа. Однако Граф чувствовал, что должен рассказать ей хотя бы об одной вещи, которую узнал от Тима, и, если будет необходимо, настоять, чтобы Гертруда выслушала.

— Гертруда, я обязан рассказать вам... это займет секунду, и потом я больше не буду надоедать... о Тиме и вашем письме... просто обязан...

— Ну хорошо,— согласилась Гертруда бесцветным голосом, ставя фигуру.

Она подняла воротник халата и подвернула слишком длинные рукава. Граф смотрел на ее загорелые руки.

— Я коротко. Я нашел Тима в его мастерской. Одного... он сказал, что съезжает оттуда. Я передал ему письмо и видел, что он прочитал его, но он ничего не сказал насчет ответа...

— Мне все ясно,— прервала его Гертруда,— к чему пережевывать подробности?

— Я не пережевываю подробности,— ответил Граф почти сердито.— Я хотел сказать вам одно: он уверил меня, что никогда не замышлял содержать на ваши деньги любовницу.

— Он по-прежнему с ней?..

— Да.

— Закончили?

— Вы имеете в виду, все ли я сказал, что должен был? Да. Больше я об этом не упомяну.

Такое впечатление, подумал Граф, будто он хотел сказать что-то в обвинение Тима, а не в его защиту. Наверное, надо было бы продолжить и постараться убедить... нет, не стоит.

— Давайте сыграем в шахматы,— предложила Гертруда.

Она жестом пригласила Графа сесть за стол против нее. Граф машинально сел. Гертруда принялась изучать доску.

— Умеете ли вы играть? — поинтересовался он.

— Разве я предложила бы сыграть, если бы не умела? — ответила Гертруда, не отрывая глаз от доски.— Я всегда играла с Гаем. Так что не прошу научить меня шахматам!

Граф понимал, что ему абсолютно бессмысленно играть с Гертрудой.

— Гертруда, дорогая, я не могу играть с вами.— Это было его первое ласковое обращение к ней.

— Отчего же? Слишком хорошо играете, да?

— Да.

— Да, и не можете забыть об этом! — Гертруда сделала ход пешкой.

— Не имеет смысла,— сказал Граф.

Она подняла на него глаза, и секунду они пристально смотрели друг на друга. Гертруда — раздраженно и воинственно, Граф — раболепно, отчаянно, любяще.

— Почему? В бридж вы со мной играете, отчего бы не сыграть со мной и в шахматы?

— Шахматы — другое дело.

— Что значит «другое»?

— Гертруда, это невозможно, потому что здесь я настолько сильнее вас, что это будут уже не шахматы.

Гертруда удивленно посмотрела на него, и ее взгляд смягчился. Они продолжали смотреть друг на друга. И неожиданно Гертруда и Граф оказались по-настоящему очень близки в бескрайнем звездном космосе чувств, ближе, чем когда-нибудь были. Помедлив, она сказала:

— Ладно, так и быть.

А Графу хотелось сказать, что он любит ее, любит всем сердцем и хочет, чтобы она стала его возлюбленной женой. Но не смог. Побоялся.

Мгновение спустя Гертруда встала, задев стол и сбив фигуры.

— Я лучше пойду посмотрю, как Анна. Проклятье, забыла налить горячей воды в бутылку. Все из-за этого чертова разбитого окна.

Оглядываясь назад, Тим не мог точно определить, что произошло с ним дальше.

Необъяснимая безумная радость, накатившая на него в Гайд-парке, схлынула в последующие несколько дней, даже часов. Позже ему казалось, что это было что-то ненормальное, почти неприличное. После нее остались душевная опустошенность и усталость. Как будто демоны, долгое время державшие его в напряжении, сгинули прочь, и в нем осталось ощущение слабости и пустоты. Ему больше не снились ни повешенные, ни колеблющиеся призраки: казалось, он вообще не спит. Разрыв с Дейзи был для него чем-то эпохальным, оглушительным. Он не позволял себе усомниться в его бесповоротности. И был удивлен, поняв, что воспринимает его как конец своей юности, словно ничего зауряднее не мог придумать на краю бездонной пропасти. Различие между этим разрывом и другим было столь же велико, как различие между этими двумя женщинами. Утрата Гертруды была отягчена запутанной виной, боль которой порой доводила его почти до безумия. Утрата Дейзи удивительным образом (он только так и мог думать об этом) рисовалась в белом цвете, будто он умер и увидел себя укутанным в облако, сознавая всю полноту и необратимость своего преображения. И тут боль была невыносимой, но поскольку не сопровождалась чувством вины, то порождала энергию, которая в итоге исцеляла ее.

Он возвратился в мастерскую и навел в ней порядок. В «Принце датском» больше не появлялся. Ходил в близлежащие пабы: «Табард», «Вьючную лошадь», «Император», «Ячменный сноп» — или же бродил, как обычно, по Северному Лондону. У него еще кое-что осталось от Гертрудиных денег. Он представлял, как в один прекрасный день вернет ей все, пошлет чек Мозесу Гринбергу. Даже складывал в голове полное достоинства письмо, которым он сопроводит чек, а в это время по краю мысли рыскала дикая, необузданная страсть к Гертруде. Эта мука, ощущаемая как раскаяние, как окончательная утрата, как изгнание из рая, сосуществовала с той энергией, постепенно осознаваемой как новое чувство свободы, которую дало ему решение уйти от Дейзи. Оставался извечный вопрос: как же заработать на жизнь. И тут же он получил ответ: ему дважды улыбнулась удача, словно терпеливые боги подавали одобрительный знак. Он взял с собой в местный паб три кошачьих рисунка и мгновенно продал их (правда, за жалкие гроши) одному ирландцу, который открывал лавку в Актоне, лондонском пригороде. Брайан, хозяин гаража (считавший, что Тим творит чудеса своей кистью, хотя его восхищение редко выражалось в покупке Тимовых творений), купил остальные. Занятия в художественных школах только что начались, и все вакансии были давным-давно заняты, но Тим на всякий случай отправился в Политехнический колледж в Уиллзден, где обычно преподавал. Призрачный шанс устроиться на два дня в неделю, светивший весной, конечно, улетучился, поскольку Тим, летом занятый совсем другими делами, не уделял ему должного внимания. Однако ему предложили работу на день в неделю до середины семестра — заменять заболевшего преподавателя. Это было не бог весть что, но все же куда лучше, чем получить от ворот поворот. Это дало ему ощущение власти над временем, помогавшее не думать о нищете, преследующей его по пятам.

Дальнейшие события постепенно сложились в некий цельный рисунок. Каждое из них внесло свою долю в общий результат, и без всех них вместе, возможно, не произошло бы того, что произошло. Пока же, однако, никакой взаимосвязи между ними не виделось. Частью это были листья. Тим всегда любил листья, довольно хорошо разбирался в деревьях и никогда не переставал рисовать их или писать красками. Эта осень обещала предоставить их в исключительном разнообразии и изобилии. В Лондоне было жарко и солнечно, потом стало холодно и ветрено. Обещали заморозки. Затем погода немного улучшилась. Какова бы ни была алхимия жары и холода, следствием было то, что еще в сентябре можно было набрать великолепных ранних осенних листьев. Эти маленькие произведения искусства лежали во всех садах, липли к мокрым тротуарам, их сгребали в жарко сияющие кучки медлительные уборщики в скверах и парках. Иногда они бабочками кружили в воздухе перед мечтательно протянутой рукой Тима. Он собирал их поначалу так много, что, рассовывая по карманам, приходилось мять их. Он не мог устоять перед этими ничейными шедеврами, лежащими на земле: платановыми листьями — зелено-коричневыми или чистейше желтыми, кленовыми — рыжими, ярко-зелеными, иногда ослепительно красными, с изысканным крапчатым узором, дубовыми — с волнистыми краями, бледно-охряными и золотистыми, буковыми — темнейшего коричневого оттенка, и самые экзотичные — восхитительные листья физетового дерева, оранжевые и красные с пятнистыми прожилками и нежнейшими зелеными полосками, темно-красные резные — амбрового дерева, огромные мягкие, бледные и длинные — катальпы. Тим скоро перестал рассовывать эти чудеса по карманам, а брал с собой большую папку с листами фильтровальной бумаги, куда, после тщательного отбора, аккуратно складывал лиственные дары. Дома он сперва клал их под пресс, потом обрабатывал лаком и, движимый вдохновением, составлял из них коллажи в викторианской манере. Парки заменяли ему дикую природу, там он собирал для своих коллажей листья покрупнее, побеги ежевики, шиповника и ломоноса. Он занимался этим ранним утром, пока вокруг никого не было, пока над Серпантином висел низкий белый туман. Ему удалось понаблюдать за охотившейся цаплей. А однажды он встретил лису.

Когда коллажей набралось достаточное количество, он вставил их в простые черные рамки, использовав прозрачную пластмассу вместо стекла, и показал ирландцу, хозяину «Ячменного снопа». Ирландец, которого звали Пэт Камерон, сентиментальная душа, заявил, что в жизни не видел ничего замечательнее, и пожелал приобрести побольше таких коллажей, чтобы продавать их в своей лавке. На сей раз Тим совершил более выгодную сделку и помчался домой, работать над новыми. Кроме того, используя свои запасы карандашных набросков Перкинса, он написал несколько картин побольше размером и поизящнее. После этого Пэт Камерон попросил его помочь украсить их церковь к празднику урожая. Тим согласился, полагая, что Пэт католик, и ожидая, что его приведут в место сумрачное и сводчатое, со множеством святых и свечей. Не тут-то было, Пэт оказался протестантом, членом замкнутой секты, которая собиралась в Ричмонде в светлом ангаре из гофрированного железа, и там не было ни распятия, ни алтаря, один бело-голубой транспарант со словами: «Иисус прощает, Иисус спасает». Верующие принесли множество яблок, тыкв, хлебных караваев, а также невероятное количество роз, но не знали, как разместить все эти приношения. Тим принялся за дело. Взял побольше виргинского дикого винограда и желтого плюща, грозди боярышника и алые кисти кизила и выложил из всего этого несколько столь роскошных картин, что некоторые из прихожан сочли их явно папистскими. Тиму предложили остаться и получить прощение и спасение, но он, поблагодарив, уклонился.

В этот «лиственный период», как Тим позже вспоминал, он был в каком-то непонятном настроении, смешанном и неустойчивом. Часто чувствовал слабость и опустошенность, и это было не так уж плохо. А то был продуктивен и деятелен, что тоже неплохо. Он рад был иметь это подобие работы, пусть и временное, и возможность кому-то что-то продавать. Приятно было иметь дело с сектой «Иисус прощает, Иисус спасает», но там все закончилось. Он остался на удивление одинок, но это его не смущало. Родители, Дейзи приучили его, и не без умысла, чураться общества. Он чувствовал, что вновь возвращается к естественному для него образу жизни. Такая его доля: печаль, разочарование и одиночество. Дейзи не давала ему заводить друзей, в то же время препятствуя возникновению сколь-нибудь нормальных отношений и между ними. Возможно, он со своей стороны, тоже не без умысла, оказал подобную услугу Дейзи. Теперь он подолгу не выходил из дому. Навел порядок в мастерской, отмыл фонарь, отдраил шкафчик и даже пол. Постирал и убрал летнюю одежду. Разобрал все свои картины и рисунки, что-то уничтожил, а остальное разделил на несколько частей, завернул в целлофан и аккуратно сложил в углах комнаты. Ел он мало и «словно кот», как выразилась Дейзи. Ходил в пабы, новые для себя пабы, где завел несколько легких знакомств (не с девушками): в старинный «Лондонские подмастерья» в Барнсе, «Благородное сердце» в Айслуорте, «Апельсинное дерево» в Ричмонде. Он полюбил Пэта Камерона, который относился к нему с благоговением, считая «настоящим художником», что было приятно.

И все это время в глубине души он неизменно чувствовал себя очень несчастным. Он почти ни на миг не переставал думать о Дейзи и Гертруде. Каждый вечер представлял себе Дейзи, сидящую в «Принце датском», с подведенными синей тенью глазами, с Перкинсом на коленях. Он думал, что она, наверное, вернулась в свою старую квартирку в Шепердс-Буш. Ему виделось, как она валяется там до полудня в постели, одинокая, и некому поднять с пола ее разбросанную одежду. А то ему казалось, что она действительно уехала из Лондона, как предупреждала. Возможно, она уже живет с кем-нибудь другим. Ее таинственные друзья, как предполагал Тим, были, скорее всего, особами женского пола. В сущности, он очень мало что знал о Дейзи. И, предаваясь всем этим мыслям, он прислушивался к себе, пытаясь уловить признаки безумной и отчаянной тоски, желаний, сомнений, колебаний, стремлений и надежд. Ничего такого он не чувствовал в себе. Лишь постоянные горе и горечь, как по умершему. Но настоящего желания вернуть все назад не было. Вместо этого, наряду со скорбью,— унылое ощущение свободы и одиночества. Каждое утро он просыпался с тупым спокойным ощущением облегчения оттого, что навсегда сбросил бремя, которое представляла собой Дейзи, и сделал это аккуратно, пристойно, благородно и с ее согласия. Он вспоминал ее слова, ее голос, умолявший никогда ради нее самой не сожалеть об их разрыве и не пытаться вернуть все назад. Он берег свое восхищение ею, мечтательно вспоминал о многих ее достоинствах и печально — об их долгой и неудачной совместной жизни.

Мысли о Гертруде были мрачнее, мучительнее, путанее, кошмарнее. Он не хотел думать о Гертруде, но не мог не думать, старался глушить это в себе, уклонялся от чудовищных мыслей, как боксер от ударов. Страшился письма, которое в любой день могло прийти от Мозеса Гринберга. Он сообщил ему открыткой свой адрес. Чувство раскаяния и вины не просто не ушло, но жило в нем, росло совершенно несообразно тяжести проступка. И порой он живо представлял себе Гертруду, чего следовало остерегаться, чтобы бессмысленно не обнадеживать себя, словно на мгновение забывал, что она потеряна безвозвратно. Он заметил, как-то между прочим, что всегда думает о продолжении отношений с Гертрудой и никогда — с Дейзи. В новой своей жизни он все делал, чтобы преодолеть себя, по крайней мере замечал за собой, что старается быть благоразумным. Смог занять себя делом, проявить довольно бесполезную практичность, как в старые времена, когда нужда заставляла. Готовил еду, убирался. Не сошел с ума. Не создал ничего, что можно было бы назвать «подлинным искусством», но сделал кое-что, что самому понравилось. Получил работенку до ноября, не бог весть какую, но все же. Смог увидеть осенние листья, хотя по-прежнему боялся возвращаться в Национальную галерею. Но в глубине под всем этим продолжал крутиться прежний темный поток, и, просыпаясь среди ночи, он вспоминал последний разговор с Гертрудой и прокручивал его снова и снова. Это пройдет, говорил он себе, это пройдет, должно пройти. Теперь он одинок и никому не причиняет страданий, и это главное. Если бы только Мозес Гринберг написал это письмо, тогда можно было бы наконец покончить с последними неприятными обязанностями.

Письмо наконец пришло, но было оно не от Мозеса. Тим, обычно получавший одни счета по почте, удивленный, пораженный смотрел на конверт. Он так и не смог избавиться от мысли (которую постоянно гнал от себя), что Гертруда может в один прекрасный день написать ему. Однако почерк был не Гертруды. Незнакомый и красивый. Тим торопливо вскрыл конверт и прочитал следующее:

Дорогой Тим,

прости, пожалуйста, что пишу тебе, но чувствую, это необходимо. Признаться, я так мало знаю о том, как ты сейчас живешь и какие чувства испытываешь, что, возможно, мое письмо покажется неуместным. Но, должна сказать, мне кажется, Гертруда по-прежнему любит тебя, нуждается в тебе и хочет, чтобы ты вернулся к ней. Она не говорит об этом, но думаю, это так. Теперь она в своем доме во Франции, и, насколько мне известно, находится там одна. Впрочем, у тебя, может быть, совершенно иные планы. Прости, что досаждаю тебе, но это письмо — плод сердечного моего расположения к вам обоим.

Искренне твоя,

Вероника Маунт.

Тим получил это письмо утром во вторник, в свой присутственный день в художественном колледже. Сунул его в карман и отправился на работу, как обычно. А на другой день уехал во Францию.

— *Marie, Marie, c'est le peintre!**

Из-за порой обременительной его популярности в этих местах Тима узнали еще в автобусе, не успел он добраться до деревни. Теперь ему было не отвертеться: его потащили *prendre un verre*** в кафе, где его, бурно радуясь, встретили хозяин с хозяйкой. Наперебой принялись сообщать новости, но он мало что мог понять. Разве что то, что на прошлой неделе дул сильный мистраль. Но он уже стих. Вечернее солнце ласково блестело на теплом булыжнике площади и неподвижной листве подстриженных платанов на маленькой улочке.

Когда накануне Тим отправился на работу, он решил проигнорировать злополучное письмо. Он еще раз перечитал его в короткий перерыв на ланч и порвал. Он чувствовал, что все это ложь и что в любом случае только так письмо и следует воспринимать. Оно было скверно, поскольку

* Мари, Мари, смотри, художник! *(фр.)*

** Выпить стаканчик *(фр.)*.

взволновало его и, если не остеречься, могло уничтожить что-то, что было хорошо: его способность жить самой обыкновенной жизнью. Он не хотел нового безумия, не хотел новых кошмарных страданий. Лишь бы сохранить нормальное самоуважение, которое помогло ему выжить и в конце концов выздороветь. Он старался безжалостно уничтожить то, что поднималось в сердце. Говорил себе: ты один, тебе сопутствует удача, ты наконец-то научился жить без бурь и потрясений. Ты вряд ли будешь счастлив, но хотя бы можешь спокойно скрываться. *Lanthano*. Не иди туда, где тебя попросту убьют, еще ужаснее, во второй раз. Подумай, что ты еще легко отделался, а могло быть куда хуже. Он не доверял мнению миссис Маунт, считая ее пустой сплетницей, хотя она действительно была очень добра к нему и Гертруде, и он не мог представить, зачем ей было бы лгать сейчас. Возможно, она и впрямь желает ему блага и жалует его, как некоторые другие люди. Но не ошибается ли она? Она признает, что это лишь ее предположение. Ее письмо, возможно, простая прихоть, она написала его, пусть и с добрыми намерениями, от безделья, из любви вмешиваться не в свои дела. Риск слишком велик. Как ему снова появиться перед Гертрудой? Если не получится, то на сей раз он точно сойдет с ума.

Но днем на уроке рисования, мучительно размышляя надо всем этим, он уже знал, что не удержится, поедет. Образ дома и одинокой Гертруды был столь сладостен, что он решил, что должен быть там, где эта сладость, даже если она окажется ядом. Должен просто поехать и посмотреть, а там путь боги решают. Он пока не собирается, говорил он себе, встречаться с Гертрудой. Он лишь едет во Францию. В конце концов, ее может там вообще не оказаться. Но он должен поехать туда, куда теперь вели все тропы, все мысли. Его драгоценное одиночество, его простая жизнь пошли крахом. Недолго они продолжались. Возможно, на деле все это было фикцией, иллюзией, которую разрушила легкомысленная прихоть миссис Маунт и демоны в его душе, только и ждавшие сигнала; и правда, любое случайное событие могло послужить таким сигналом. Например, письмо Мозеса Гринберга. Отчего он хотя бы на миг вообразил, что спасся? Возможно, настоящая пытка только начинается. Теперь он не мог подавить или не допустить желаний и стремлений, проникших в него так глубоко, бессмысленных надежд, сладостных надежд — худшего из всего. Он ничего не добился. Хотя нет, одного добился. Он знал, что, живи он еще с Дейзи, не решился бы ехать во Францию.

Чувствуя дурноту от неодолимого ужаса, он извинился и покинул кафе. Абсолютный страх, принявший форму сексуального желания, сказывался слабостью во всем теле. Он зашел в гостиницу по соседству, чтобы избавиться от поклонников. Оставил там плащ, пиджак и дорожную сумку, рассеянно кивнул, показывая, что вернется, вышел через черный ход и зашагал по дороге, ведущей к «Высоким ивам».

День клонился к вечеру. Он надеялся приехать раньше, но вылет задержали. Солнце еще висело над горизонтом, было очень тепло и тихо. Узкая проселочная дорога тонула в густой тени зарослей ежевики и дубового подроста по обочинам. На кустах смородины, на которых при отъезде он видел увядшие цветки, теперь висели сморщенные остатки ягод. Под кустами тянулись радующиеся засушливой погоде длинные полосы охряного шалфея. Там и тут торчали какие-то невидимые прежде остроконечные метелки, на которых еще сохранились цветки чистейшего желтого цвета. Воздух был теплый и напоен тяжелым ароматом сосен. Через некоторое время он сошел с дороги и зашагал по тропе, ведущей через абрикосовые сады,— короткий путь, который он обнаружил, когда ходил на этюды. Тропа привела его к ферме. Дальше окаймленная зарослями фенхеля и дикой лаванды тропа вела к ульям. За ними начались скалы. Тим стал взбираться на знакомые склоны, и его руки, касаясь камня, вспомнили так много. Он поднимался медленно, осторожно, около пяти минут. Свет, еще довольно яркий, стал изменчивым, расстояния — неопределенными, скалы как будто дрожали и двигались перед глазами. Он вынужден был остановиться и поморгать, словно в глаза ему что-то попало. Скалы были теперь желтого цвета, жесткого сверкающего беловато-желтого цвета последних лучей солнца, с быстро густеющими синевато-серыми тенями, подчеркивающими их складки, и подернуты легкой дымкой, как если бы через них летели миллионы крохотных пчел или их собственные крапины поднялись в воздух колышущимся роем. Камень был теплым и твердым, жестким, самым жестким из всего, чего когда-либо он касался.

Он поднялся до знакомой точки, откуда, посмотрев вниз, увидел долину и дом. Долина, такая зеленая в прошлый раз, теперь потускнела, обесцветилась, и только виноградник и русло ручья выделялись темнеющей зеленью в гаснущем свете. Вглядываясь в дом, Тим заметил, что балкон, который он чинил, рухнул и виноградная плеть лежит на террасе. В оливковой роще виднелось что-то похожее на садовое кресло, валявшееся на боку. Кругом царила атмосфера заброшенности, запустения. Показалось даже, что он видит места на крыше, где отсутствует черепица. Если бы он шел по дороге, то заметил бы «ровер», но отсюда машину не было видно. Он уже начал сомневаться, что Гертруда вообще там, когда в гостиной вдруг вспыхнул свет.

У Тима не было никакого плана. Он приехал, просто чтобы «взглянуть». И теперь чувствовал, что все в руках богов. Разумеется, идти к дому нельзя. Это было очевиднее, чем в случае с Ибери-стрит; и вместе с тем совершенно невыносимо было думать, что Гертруда там одна-одинешенька. Конечно, он знал, что во Францию его привело решение встретиться с Гертрудой. Просто это решение было столь невероятно, что в нем надо было различать две половины: сознательную и бессознательную. Он помнил, какой трогательной, какой обворожительной она была в тот первый вечер, когда стояла на террасе и поджидала в сумерках, когда он пройдет виноградник, тополя, через ручей и поднимется оливковой рощей, немного неуверенная, что это действительно он, и так приятно обрадовавшаяся ему, когда он подошел к дому. Вот бы она снова вышла на террасу и та сцена чудесным образом повторилась. Но никто не появился, и он прошел еще немного вперед и спустился по склону до тропинки у подножия скал, которая сходилась с тропой, ведущей через виноградник.

Здесь он снова остановился. Даже сел на траву, глядя на освещенное окно на той стороне. Ему до помрачения хотелось оказаться рядом с ней, он весь горел. Но столь же велик был и страх, который внушал ему простое желание не торопится, дышать, пока дышится, жить, пока живется. Он так страшился гнева Гертруды, ее презрения, что она прогонит его, как уже было, и что он до сих пор так ясно помнил. Он чувствовал, что в последний раз выдержал исключительно благодаря неожиданности случившегося и благодаря своей глупости. Расставание было быстрым и милосердным. Тогда он, как жертва автокатастрофы, в первый момент не чувствовал боли оттого, что нервные центры были парализованы. Сейчас же он был в полном сознании, собран и готов выдержать пытку. Столь многое произошло: он возвращался к Дейзи, не меньше думал обо всем случившемся, упорно, безнадежно старался стать тем преступником, которого она отвергла. Предположим, он наткнется на дикую ярость, на ненависть — ему не останется ничего иного, как бежать, укрываться в душевном одиночестве еще более страшном, чем то, что он испытал. Это станет окончательным приговором, вечным клеймом человека непростительно виноватого и пропащего. Не проступок, а наказание ожесточило душу, стыд. Он-то думал, что достаточно пережил, но на сей раз ему будет много хуже. Как он предстанет перед Гертрудой, что скажет, как объяснит? Станет ли она терпеливо слушать его заикающийся бред о том, что он не был с Дейзи, как она считала, разве что, конечно, он был с ней и что, да, побежал прямо к Дейзи, только теперь он снова ушел от Дейзи и... будет ли это интересно Гертруде? Сумеет ли он рассказать ей о празднике урожая и листьях? Он почувствовал, что должен подойти к дому ближе. Что же теперь, просто взять и вернуться к спокойной одинокой жизни, которая была милостиво дарована ему? Он искушал судьбу, которая не раздавила его окончательно. Но он был здесь и знал, что, конечно, должен перейти долину и подняться к дому. Он встал и пошел вниз по тропинке через виноградник.

Тополиная роща была усыпана толстым слоем палой листвы, бледно-желтой сверху и пушистой серебристо-белой с обратной стороны. Неподвижной, внезапно возникшей под ногами. Тим даже сперва не понял, что это такое, в неверном свете она казалась асфальтом. Подойдя к мостику, он увидел, что путь ему преграждает большой обломившийся ивовый сук. В нетерпении Тим не стал убирать его. Ручей был как будто мелкий, но слишком широкий, не перепрыгнуть, и он пошел прямо по воде. Вода оказалась очень холодной и глубже, чем он ожидал. Намокшие брюки облепили икры. Он выругался, внезапно почувствовав страх, голод, готовый расплакаться. И зачем он только пришел сюда, ночью, как последний дурак, он и впрямь дурак, неисправимый, дурость его и сгубила.

Перед самой террасой у него перехватило дыхание от страха и желания, и он вынужден был остановиться. Он стоял, как беспомощное животное, хватая воздух ртом. Успокоившись, поднялся по скользкой сухой бурой траве к ступенькам террасы. Он только заглянет в окно, говорил он себе, только заглянет, а потом снова сделает передышку. Пока ничего не случилось, ничего и не должно случиться. Он осторожно двинулся вперед, стараясь не попасть в квадрат света из окна. В долине за его спиной, похоже, совсем стемнело. Он аккуратно переступил через обломки балкона. Дошел до стены дома и ощутил под ладонями ее теплые квадратные камни. Держась за швы между камнями, медленно приблизился к окну. Первое, что он увидел, было что-то длинное, удивительного ярко-зеленого цвета. Он узнал виноградную плеть, лежавшую на полу вдоль буфета в круге света от лампы. Затем он увидел Гертруду и Графа, сидевших за столом друг против друга и державшихся за руки.

В то время как Тим смотрел на ничего не подозревавшую пару, чьи голоса смутно слышались сквозь стекло, хотя слов было не разобрать, кто-то наблюдал за Тимом, пока он не стал невидим для наблюдателя, близко подойдя к дому. Мигрень Анны почти прошла, но она еще сказывалась больной. В течение трех вечеров она оставляла Гертруду с Графом одних и слышала их голоса, тихо звучавшие внизу, пока пыталась заснуть. Она думала, что Граф не хочет торопить события. Теперь она так не думала. Она чувствовала себя как человек, ждущий смерти любимого. О, почему такого не может случиться, думала она, мотая головой и стискивая руки, как при приступе мигрени. Вечера тянулись долго. Она отсылала Гертруду. Ложилась в кровать или сидела у окна, пытаясь читать Вальтера Скотта или глядя на ивы в долине, на скалы или расщелину в них, открывавшую линию далекого желтого холма, на котором солнце задерживалось дольше всего. Она испытывала муки ревности, теперешняя острота которых, она знала, продлится недолго и которые бессмысленны, но неизбежны.

Этим вечером она засиделась у окна, не включая свет, хотя уже было темно читать, смотрела на долину и пыталась понять по интонации голосов внизу, о чем они говорят. За окном стояла тишина. Когда свирепствовал мистраль, невозможно было представить, что когда-нибудь он прекратится. Теперь было невозможно представить что-нибудь, кроме этого невероятного покоя, и выразительные голоса звучали в тиши, как далекое пение. Затем она увидела на скалах человека. Она подумала, как это необычно: кто-то там в такое время, и тут ее как ударило, она поняла, кто это. Вскочила. Зажала рот рукой и с неистовой, дикой, чуть ли не жестокой радостью смотрела, как он медленно приближается. Но, прекрасно владея собой, она не проронила ни звука. Она не пошевелилась, не закричала, не бросилась с шумом вниз по лестнице. Просто смотрела, что Тим будет делать. Она видела, как он крадучись поднялся на террасу, перешагнул через остатки балкона и двинулся к окну. Мгновение спустя она увидела, как он отступил назад, спустился с террасы и сначала зашагал, а потом пустился бегом вниз по склону и растворился в густеющей тьме. Анна догадывалась, что он увидел в окно. Пара внизу сейчас затихла. Анна села обратно в кресло, все еще держа в руках «Эдинбургскую темницу».

После Тим не мог вспомнить, как мчался через долину. Возможно, он бежал той же дорогой, какой пришел. Когда он опомнился, стало ясно, что он заблудился.

Душевная боль была так сильна, что он заставлял себя не думать. К тому же голодные спазмы в желудке заставляли его сгибаться пополам, когда он бежал, а потом карабкался на скалы — подальше от кошмарной картины. Как тогда молчаливые скалы смотрели в окно на него и Гертруду, так ему судьба была заглянуть в то окно и увидеть ту же самую нежную сцену, только теперь на его месте был Граф. Наверное, те два стула были заколдованы. Если бы он стороной услышал об этом, если бы это была сплетня... но увидеть собственными глазами, как живую картину, разыгрывающуюся перед ним... Сказала миссис Маунт, что будет одна, а тайно была с ним. Конечно, Тим ожидал, что найдет в Графе соперника, даже думал о нем в том смысле, что «побеждает достойнейший», и прочую благородную и банальную чепуху. То была фикция, дымка, облачко, иллюзия в сравнении с той ужасной реальностью, с которой он был теперь обречен жить. Он вечно будет думать об этом, эта картина вечно будет стоять у него перед глазами, говорил он себе, цепляясь за выступы жесткого камня. Он помнил то волшебное, сродни чуду, ощущение, которое он испытывал, держа руки Гертруды в своих. В миг, когда их руки соприкоснулись, взрывная волна прокатилась по всей галактике. И в то же время он чувствовал такой покой, такую нежность, что на глаза наворачивались тихие слезы, а душу переполняла смиренная, нижайшая, счастливая благодарность. Теперь даже прошлое было осквернено, очернено, опалено. Он и Гертруда оказались во мраке ямы, вырытой демонами.

Его предали, говорил он себе. Надругались, оболгали, грубо и жутко надсмеялись и отвергли. В самых страшных кошмарах о том, как его встретит Гертруда, не представлял он ничего подобного. Возможно ли, чтобы все было подстроено? Что миссис Маунт все это спланировала? Что кто-то из деревенских предупредил Гертруду? Она окончательно вычеркнула его из своей жизни и обрекла на ненависть, сплавленную с ревностью. Как ему было хорошо, когда он был один и никого не ненавидел! А теперь он ненавидел Гертруду, ненавидел Графа, и в нем поселилась отвратительная неистребимая ревность. Как могли они поступить с ним так жестоко? И зачем он отправился в эту фатальную поездку! Разве не понимал, что совершает страшную ошибку; разве не понимал, что рискует рассудком? Он расстался с Гертрудой в состоянии своего рода нравственной неразберихи, но сумел принять ее как нечто окончательное и даже попытался наладить свою жизнь. Ушел от Дейзи, пожертвовал ею, любившей его, вечно бывшей с ним. Зачем? Сейчас ему казалось, что он отказался от этой любви, от этого последнего остававшегося у него утешения просто ради того, чтобы успокоить Гертруду! Умиротворить, без всякой пользы для себя, ее осуждающий неотступный призрак. Уйдя от Дейзи, он снял с себя вину. Или, скорее, попытался снять, потому что избавиться от вины было невозможно, как от неизлечимой болезни. И теперь, как осложнение той болезни, его поразила лихорадка ревности и ненависти. Гертруда и Граф были черными бесами в его душе, и он мог предвидеть, как в отдаленном будущем они займутся своим делом — примутся терзать его. Уж они напьются его крови! Где они в этот момент, что делают, эта парочка, только вдвоем? Его как будто рвало, рвало черной струей отвращения, ненависти и позора.

Вскоре эти мысли отступили, когда Тим понял, что потерял дорогу. Он считал, что возвращается в деревню. Он давно поднимался вверх и уже должен был бы достичь места, где скалы начинают отлого спускаться вниз к травянистому склону, откуда начиналась равнина и где стояли ульи. Но никаких признаков отлогого спуска к траве не было видно. Вместо этого приходилось подниматься все выше, обходя низкие заросли краснолистого корявого самшита, к вершинам, очертания которых были ему незнакомы. К тому же внезапно совсем стемнело. Когда Тим остановился и поднял голову, он понял, что небо еще очень светлое, но в то же время увидел, насколько неразличимо смутными стали опасные скалы. Ниже поднималась огромная, почти полная луна, но еще грязновато-желтая и тусклая. Появились первые две звезды. Скала над ним походила на купол какого-то восточного храма с главками по бокам или на громадные головы богов. Он чувствовал, что никогда не забирался так высоко, и совершенно не имел представления, куда двигаться. Несчастный, он ругался, злясь на себя, на все на свете. Мало он наделал глупостей, надо было еще и заблудиться.

Он начал спускаться тем же путем, каким поднялся, двигаясь медленнее, часто осторожно нашаривая ногой, куда ступить. В темноте скалы выглядели совершенно иначе: огромней, монументальней, их бесчисленные зубцы и складки были неясны, расплывчаты. Вместе с тем больше было обломков, скользких нагромождений мелких камней, которые при дневном свете он бы инстинктивно обошел. Один раз он поскользнулся на такой небольшой осыпи и тяжело упал на бок. Сел, потирая ушибленную лодыжку, и решил лучше подождать, пока луна поднимется повыше и станет светлее. Будет прекрасным безумным финалом, если он сломает ногу в этом диком месте, где его никто никогда не найдет, и будет медленно умирать, крича от боли. Так он сидел, и перед его глазами маячил, застывший и ясный, как икона, образ Гертруды и Графа, взявшихся за руки у стола.

Наконец он дождался, когда щербатая луна поднялась выше, став меньше, более серебристой и очень, очень яркой. Она висела в небе, как сверкающий огромный камень. Высыпали и заблестели еще звезды. Скалы вновь проступили, обнажая подробности своего рельефа в странном и жутком коричневом свете. Застывшие в напряженной неподвижности, они громоздились вокруг, величавые кренящиеся громады, и в лунном свете видны были небольшие ступеньки и уступы, даже совсем рядом, их пятнистая морщинистая поверхность. Скалы вздымались в своей напряженной неподвижности, как застывшая беззвучная симфония. Тим встал, разминая затекшие ноги. Чувствуя холод, он заметил, что брюки все еще мокры от перехода через ручей. Скалы пугали его, но еще больше ужасала мысль, что он попрежнему не слишком далеко от проклятого дома. К тому же надо добраться до деревни и там переночевать. Он начал спускаться, как предполагал, обратно по направлению к дому, каждые несколько шагов бросая взгляд вниз, надеясь увидеть с левой стороны открывшуюся долину и белые крышки ульев или, может, темную извивающуюся линию ручья. Ручей, как он знал, вел в деревню, подходя в нескольких местах близко к дороге. Растительности не было почти никакой, кроме темных сухих клочков, в которых пальцы узнали мох. Иногда, когда он вцеплялся в них, скалы, словно издеваясь, отдавали ему пучок вместе с приставшими к корням камешками. Порой попадались ровные участки, которые походили на тропинки, но каждый раз обрывались через несколько шагов. Он надеялся отыскать безопасный спуск, но небольшие утесы постоянно преграждали путь, и когда он умудрялся найти щель между ними и проползти в нее, то часто оказывался еще выше прежнего. В сущности, свет луны лишь мешал определить, спускается он или же поднимается. Он устал, был голоден и опять начал мерзнуть, несмотря на то что все время двигался. Он клял все на свете, злой, несчастный и неистово желающий бежать подальше от этих скал, которые, казалось, задались целью задержать его там, где ему меньше всего хотелось быть. Протискиваясь сквозь тесную расщелину, он больно ободрал руку о каменный выступ и, остановившись взглянуть на костяшки пальцев, заметил на них коричневую тень, которая, когда он коснулся ее, оказалась влажной. Потом он почувствовал, как с согнутых пальцев бежит на ладонь теплая кровь. Он громко застонал и, подняв глаза, увидел прямо перед собой вздымающийся ряд тех скалистых вершин, как головы богов, теперь залитый ярким светом луны, который он покинул сразу после наступления темноты.

Тима охватила паника, он повернулся и попробовал побежать назад по камням. Бежать, конечно, было невозможно, можно было лишь пытаться, как в кошмаре. Дрожа от усилия, он медленно двинулся обратно, думая о яркой луне и о том, что было у него за спиной, каждый миг рискуя упасть и переломать себе кости. Он опрометчиво скатился на крутой склон утеса, который оказался покрыт слоем мелких камней, сел и съехал вниз, почувствовав, что они влажные: под ними пробивался ключ. Камни теперь были мокрые, холодные и очень скользкие. Попытавшись встать на ноги, он наклонился вперед и потерял равновесие, тут же шагнул вперед, чтобы не полететь вниз головой, споткнулся и все же упал, но вбок и — не на камни. Он лежал на траве.

Ободранный, в синяках, он встал и огляделся в неистовой надежде, что скалы наконец кончились. Но нет. Они все так же вздымались вокруг него, заслоняя небо, скрывая луну. Но он хотя бы стоял на траве, и это был не какой-то крохотный отдельный клочок, а целая полоса, тянувшаяся, как речушка, в обоих направлениях. Было что-то знакомое в профиле скалистой стены, остром и черном на фоне светлого неба. Он не представлял, в какую сторону лучше идти, но инстинкт подсказал ему повернуть налево. К тому же в той стороне поляна спускалась вниз. Трава была густая, упругая, приятно пружинившая под ногами. Он прошел немного вперед, свернул и внезапно оказался перед проходом между двумя скалами, с камнем вроде порога и напоминающим дверь. Он ступил на камень, прошел между двумя напоминавшими гладкие столбы скалами и увидел прямо перед собой и сверху луну, льющую яркий свет на высокий округлый влажный «лик».

Тим шагнул вперед и едва не упал, зацепившись о что-то, обвившееся вокруг ноги. Это была длинная плеть какого-то ползучего растения, которую, вероятно, сорвал ветер. Он перешагнул через нее и остановился, глядя вверх. Не хотелось подходить ближе. Не хотелось видеть, как луна отражается в озерце. Отсюда ему был виден каменный край чаши, но не вода. Он смотрел на бледную и как бы изрытую оспинами поверхность высоко над ним. Она блестела в лучах луны, светящаяся, фосфоресцирующая, словно озаряемая изнутри. Как огромное алебастровое окно некоего освещенного зала. Ползучие растения свешивались сверху, неподвижные, немного затенявшие поверхность. Выше утес растворялся в неясной тени, сливавшейся с небом. На бледной светящейся каменной стене сверкали, стекая, капли влаги.

Тим на мгновение забыл обо всем, кроме этого чуда перед ним. Потом вспомнил, с новой болью, не об опасном спуске, а об увиденном в доме и о жалком конце своего глутого, напрасного путешествия. Собравшись идти дальше, он было повернулся к «двери», но неожиданно его охватила такая слабость, что он вынужден был сесть на траву. Ноги не слушались. Окруженная скалами укромная поляна навевала покой, казалось, что здесь даже теплее. Он решил недолго отдохнуть. Потом опустил голову на траву и мгновенно провалился в глубокий сон.

Занималась заря, когда Тим проснулся. Первое, что он увидел, как будто это было что-то самостоятельное,— свет, серый, холодный. Потом траву, ближайшую скалу, и скала была серая и суровая, как свет. Вблизи она напоминала щербатую бетонную стену. Приподняв голову, он бездумно смотрел на свет, траву и скалу. Потом, в смятении, рывком сел. «Лик» был на прежнем месте, но тусклый, неприветливый. Никогда еще Тим не видел его таким суровым. Капли влаги были неразличимы. Его поверхность напоминала серую сетку с очень мелкими ячейками. Только теперь Тим вспомнил о Гертруде, и вместе с тем пришло ощущение своего тела, оно все болело, одеревенело, промерзло. Он с трудом поднялся и побрел на середину поляны.

Над озерцом висело облако то ли тумана, то ли пара. Словно рифленая, скала выше «лика» была коричневой и казалась покрытой шерстью, возможно из-за сухого мха. В сером свете еще не вставшего солнца все было жутко неподвижным, плети ползучих растений выглядели сталактитами, даже туман, и тот не двигался. Тим деревянной походкой подошел к озерцу. Он заметил на правой руке засохшую кровь и хотел было смыть ее, но потом понял, что об этом не может быть и речи.

Кристальный круг воды был абсолютно прозрачен; туман, как ореол, висел в футе-двух над поверхностью, и, хотя поверхность была совершенно гладкая, блестящая, твердая, как лист просвечивающей полированной стали, озерцо волновалось больше, чем в последний раз, когда он видел его.

Возможно, это было своего рода эхо мистраля, каким-то образом сохранившееся. Слабая дрожь или трепещущие блики, казалось, пробегали по озерцу, ничуть не рябя поверхность, теперь в ином, более упорном ритме. Тим не понимал, каким образом эта внутренняя дрожь становится видимой, и, глядя на нее, он готов был решить, что это ему чудится. Наверное, то была лишь иллюзия движения. Или же едва заметные силовые линии течения, обозначаемые пузырьками, не уловимыми глазом. Это дрожание нисколько не мешало воде быть невероятно чистой, словно вобравшей в себя свет. Можно было видеть широкую покатую чашу дна, усеянного жемчужными и белыми камешками, которые поблескивали на неопределенной глубине, каждый четко различим. Округлые, одинаковой величины, словно выложенные напоказ, хрустальной чистоты камешки выглядели такими прекрасными, такими манящими, что Тиму тут же захотелось набрать горсть: только до них явно было не дотянуться, да он и не мог заставить себя разбить зеркальную поверхность воды. И тут он понял, что нестерпимо хочет пить. Голод по-прежнему был с ним. Но голод мог подождать. Жажда — нет. Он снова наклонился к воде, словно действительно желая коснуться губами сияющей поверхности. И снова не смог этого сделать, говоря себе: нет, не стану пить эту воду, только не эту, нет, нет.

Потом резко обернулся. Почудилось, что на поляне кто-то есть, и он решил лучше уйти отсюда. Он, не оглядываясь, поспешил к проходу в скалах и выбрался на тропинку в траве снаружи. Здесь он сразу оказался в знакомом окружении и точно знал, куда идти. Если идти налево, то спустишься вниз в долину и к дому, если по соединявшейся с ней каменистой тропке — к ульям. Если пойти направо, то тропа поднимется наверх и оборвется у гребня, за которым начинается спуск к каналу. Солнце все еще не встало, и не было смысла торопиться в деревню. Возвращаться мимо дома Тиму не хотелось. Жажда мучила невыносимо, усилившись от вида запретной воды. Он решил свернуть направо и идти к каналу.

Скоро Тим добрался до крутого склона, покрытого слоем мелких камней, по которым скатился в темноте. Нижнюю его часть скрывали свисающие кусты утесника, и прежде, когда Тим бродил здесь, он его не замечал. На самом деле это было русло ручья, камни были мокрые и блестели, хотя бегущей воды видно не было. Сюда слетелась на водопой туча ос. Задрав голову, Тим даже разглядел в далекой вышине один из горбатых «куполов», которые так напугали его ночью. Это место должно было находиться над «ликом». На самом деле участок скал, где он плутал ночью, когда потерял дорогу, был, скорее всего, очень небольшим, и он попросту наматывал круги.

Он дошел до того места, где, чуть выше, тропа кончалась у массивных каменных «ступеней», поднимавшихся к линии перевала. И в этот момент взошло солнце. Он видел всю равнину, разбитую на зеленые квадраты линиями тополей, там и тут блестящие полиэтиленовые арки помидорных теплиц; за равниной голубели далекие горы. Скалы рядом были в лучах солнца очень светлого кремово-голубого цвета и, уходя вправо, сливались с почти бесцветным, но ярким небом, казавшимся таким же серым, как прежде, так что можно было подумать, что тогда ты ошибался, называя его серым, если на самом деле оно столь явно голубое. Каменистый склон обрывался вниз, к узким заросшим лощинам, и на нем торчали молодые сосны, ярко-зеленые, усеянные зелеными шишками, торчащими под разными углами, как украшения на рождественских елках. Дальше шел спуск, покрытый желтой травой, который тянулся до самого канала — стремительной линии воды, сверкавшей в своем неподвижном беге. Мелодично пела одинокая птица, почти как английский дрозд. Тим постоял, глядя на открывшуюся перед ним картину. Потом стал быстро спускаться, избегая зарослей ежевики, задержавших его в первый раз, и скоро он уже бежал по траве к воде. От нетерпения он едва не свалился в поток, но вовремя остановился, распластался на земле, подполз к обрывистому, заросшему густой травой краю и, держась одной рукой за траву, потянулся вниз, пока наконец не удалось зачерпнуть пригоршню ледяной воды и донести до рта. Он долго лежал так, утоляя жажду, медленно, испытывая беспредельное облегчение. Когда же захотел подняться обратно, то обнаружил, что это нелегко сделать. Голова была так низко, а ноги так высоко, что он только и мог, что держаться за траву, чтобы не соскользнуть в канал. Однако, извиваясь, как змея, он все-таки сумел вползти на край берега, а потом и с трудом сесть. Он был совершенно измучен и теперь, когда жажда была утолена, еще острее почувствовал, до чего он голоден и несчастен и как ноет все его тело.

Он сообразил, что находится недалеко от плотины и что бегущий мимо поток шумит по-другому, приглушенней. Он сидел, глядя на беспорядочную толкучку оливково-серых волн, чьи низкие гребешки вспыхивали на солнце. Выгоревший на солнце луг у него за спиной топорщился чертополохом с лиловатыми и желтыми головками и тонкими бледными метелками сухой травы. Но возле воды трава была высокая, сочная и зеленая и пестрела цветами: голубым мышиным горошком, скабиозой и какими-то звездчатыми, похожими на золотой курослеп. Тим думал о Гертруде и Графе и о том, что их сближение было неизбежно и ему было предопределено увидеть их, будто в магическом хрустальном шаре. Сейчас он не чувствовал ненависти. И как он мог ненавидеть ее или его? Блаженных, счастливых, людей из иного мира. Но его снедали злокачественная ревность, и зависть, и глухая злость на себя за то, что он вечно все портит и упускает шанс обрести счастье. Скажут ли деревенские Гертруде, что *le peintre* был здесь, и как она это истолкует? Знают ли в деревне, что он был ее мужем? Неизвестно, да и неинтересно. Его больше заботило, что теперь будет с ним и сможет ли он вернуться к обыкновенной жизни и радоваться простым вещам. Он чувствовал, что предал чистоту своего одиночества. С сожалением понял, что все, приобретенное с потерей Дейзи, теперь утрачено в результате этой катастрофической поездки. Несомненно, позже он узнает об отношениях Гертруды с Графом. Разве он сам не напророчил это, не вообразил, что в некотором роде такой вариант допустим и хорош? Но его дурацкий поспешный приезд сюда, тщательно рассчитанный так, чтобы в качестве кульминации он не в воображении, а въяве увидел их вместе,— вот настоящая каверза злобного бесенка, направлявшего его жизнь. Теперь ясно было, что не следовало ему приезжать. А надо было тихо жить себе на своем маленьком островке безопасности и покоя. Все, что он с такими муками обрел, потеряно, все уничтожено; и, думая о пытках, которые предстоит перенести, он говорил себе, что это будет равносильно смерти.

Он обернулся и посмотрел вверх на графичные слоистые скалы. На фоне синего неба они были цвета египетского серебра. Он удивился: почему это вдруг пришло ему в голову? Наверное, неожиданно вспомнил о матери, у которой был браслет из египетского — так она, должно быть, рассказывала ему — серебра. Он с детства не думал об этом. Он так плохо относился к матери. Тим встал и пошел вдоль канала. Миновал сосновую рощу и без всякой радости увидел ровные грани тесаных каменных блоков, которые в этом месте стискивали канал, сворачивавший направо. Сверкающая яростная вода неслась тут быстрее, от брызг потемнели стены. На выходе из поворота вода вздымалась белопенной приливной волной, а дальше, где дно канала очевидно спускалось к водосливу, лавиной обрушивалась вниз и с усилившимся грохотом билась в ограничительный барьер, перелетала через него и уже плавно текла по уклону к водовороту у его подножия, после чего весь поток исчезал, пригнувшись, ныряя в туннель, переполненный доверху.

Тим стоял перед водосливом, наблюдая за удивительной трансформацией, происходившей с водой, которая, натыкаясь на ребро водослива, в диком прыжке взлетала до верха скальных стен, а потом, гладкая и покорная, бежала по покрытому ярко-зеленой слизью спуску к бешеному пенному столпотворению внизу перед входом в туннель. Он чувствовал себя таким же безумным, таким же саморазрушительным, как эта вода, и непредсказуемым, как ее атомы; и причиной его безумия были страдание и раскаяние. А еще невероятная усталость. Пора было лезть на скалы, оттуда спускаться по тропе в деревню и возвращаться в Англию.

Он вернулся обратно до того места, где длинная зеленая трава и кусты колючей акации нависали над быстрой водой. Мимо с криком пролетела сойка, затем на мгновение села на акацию. Над водой трепетали синие стрекозы. Солнце уже жарило, дул теплый ветер. Взлетел кузнечик, показав мареновые крылышки. Возле сосен плясало облако коричневых бабочек. Все это могло бы дарить радость, но несло печаль, потому что мир был проклят. Тим посмотрел на уходящую вдаль линию бурной серой холодной воды, стиснутой поросшими пышной зеленью берегами. Неожиданно он увидел крупный темный предмет, который поток, крутя, быстро нес к нему. Тима охватил ужас. Что это — тело, утонувший человек, что ему делать? Предмет был пятнистым и крутился в мчащейся пене. Тим смотрел, не отрывая глаз, и наконец признал в нем собаку. Разглядел собачью голову, мокрую торчащую морду. Вода несла большую черно-белую собаку. Тим сморщился, увидев в этом дурное предзнаменование, приняв ее за еще один раздувшийся труп, какой они когда-то заметили с Гертрудой.

Но, когда собака подплыла ближе, он понял, что она не мертвая, а вполне даже живая. Черно-белая псина, очень напоминавшая колли, отчаянно барахталась в безнадежных усилиях как-то уцепиться за крутые травянистые берега. Тим видел, как пес выбрасывает из воды белые лапы к свисающей траве. Еще миг, и его пронесло бы мимо, за поворот, между каменными стенами, швырнуло в водослив, и он утонул бы в туннеле.

Тело Тима уже отождествило себя с этим мокрым существом, этой отчаянно задранной мордой, этими белыми цепляющимися лапами. Он бросился на землю, как раньше, когда хотел напиться, и свесился с берега, пока рука не достала до воды, а другой рукой держался за траву. Когда пес приблизился, он потянулся, чтобы схватить его. Рука коснулась длинной намокшей шерсти, теплого скользкого тела (он чувствовал его тепло). Лапа задела его запястье (он видел когти). Затем водоворот закрутил пса, отбросил в сторону, и он проплыл мимо. Тим, головой вперед, соскользнул в воду.

От неожиданности, холода, потрясения он на секунду лишился чувств. Но тут же пришел в себя и обнаружил, что пытается плыть. Первым его побуждением по-прежнему было спасти пса. Он видел, как тот барахтается всего в одном-двух ярдах впереди. Изо всех сил борясь со стремительным течением, Тим делал попытки догнать его и вытолкнуть на берег. Но поток, а не он выиграл это состязание в скорости.

В следующее мгновение Тим перестал думать о собаке, озаботившись собственным положением. Он старался ухватиться за кусты и длинную траву, проплывавшие мимо, но поток отшвыривал его. Он задыхался, наглотавшись ледяной воды, а попытка догнать пса отняла много сил. Он продолжал цепляться за берег, чтобы выплыть из главного течения под его защиту, но руки и ноги не слушались, и он не мог сопротивляться воде, волочившей его дальше. Нога сильно ударилась обо что-то под водой, руки скользнули по гладкой мокрой стене, и его бросило за поворот канала.

Тим представлял, что происходит, и понял, что надо делать. Был один решающий момент, когда вода замедляла бег на вершине у каменного порога водослива перед тем, как перепрыгнуть через него и устремиться вниз по гладкому зеленому спуску. Тим чувствовал, что если только удастся уцепиться за этот порог наверху, где лавина воды на миг успокаивается, или прижаться к вертикальной стене под козырьком, то, переведя дыхание, он сможет доползти до края канала, а там подняться на ноги и выбраться наружу.

Он попробовал распрямиться, чтобы посмотреть вперед. Это оказалось очень трудно сделать. Если бы не поворот, это еще было бы возможно. Однако центробежной силой течения его прижало к внешней стене поворота и, кашляющего и отплевывающегося, тащило высокой пенистой волной. Так что он мог думать только об одном: удержать бы голову на поверхности. Боковым зрением он увидел внезапно вспыхнувшую гладкую линию спокойной воды и за ней каменную стену над отверстием туннеля. Черно-белый пес мелькнул на мгновение на краю водопада и исчез внизу. Тим старался приготовиться к встрече с вертикальным порогом. Тут он с маху ударился коленом обо что-то под водой. Он слишком поздно понял, что это было каменное дно плотины, наклонно поднимавшееся вверх к кромке водоспуска. Если бы он приготовился, то мог бы воспользоваться этим моментом, чтобы на более мелком месте вырваться из мощного потока, но неожиданный удар и боль в колене окончательно добили его, и он забыл о намерении уцепиться за верхний край водослива. Он подобрал под себя ушибленное колено, инстинктивно выставил руки, чтобы не удариться о каменную стену, его перевернуло на бок, он уже почувствовал плечом гладкое ребро слива, безрезультатно попытался уцепиться за скользкую зеленую поверхность, но вода ударила его в спину, и он полетел вниз, в пенный водоворот.

Когда голова Тима вынырнула на поверхность, он был совсем рядом с туннелем. Он видел, как вода беснуется, кипит, уходит вниз, стремясь в туннель, жерло которого было на глубине. Гладкие каменные стены канала теперь вздымались высоко, скрывая свет неба. В голове Тима пронеслось: и зачем только он напился этой воды, а не другой? И еще: ах, Гертруда, Гертруда!.. Тим полностью сознавал близость смерти. Он набрал в грудь воздуху и инстинктивно пригнул голову, когда его потащило к подводному центру каменной арки.

Тим еще раз вдохнул воздух. То, что он может дышать, казалось чудом, чем-то невероятным, ошеломительным. Потом почувствовал сильный удар по голове. Он глотнул воды и закашлялся. Вокруг была непроницаемая тьма, во всяком случае, если глаза у него открыты, в чем он не был уверен. С осознанием, что он еще жив, моментально пришел всепоглощающий страх смерти, сходный с надеждой. Только на мгновение и только в этом месте свод туннеля был свободен от воды. Тим жадно дышал. Все это время он в некотором роде плыл, то есть машинально двигал руками и ногами, чтобы держать голову над поверхностью. Это было трудно, поскольку ноги находились чаще внизу, чем позади, а руки в этом узком пространстве были скованы сильным течением. Дна он не доставал. Он попытался плыть на спине, чтобы нос и рот были обращены к своду, но ничего из этого не вышло, только сильно ударился лбом о каменный потолок. Он понял, что его задача держать лицо над водой и беречься, чтобы снова не удариться и не потерять сознания. Тело, а не мозг сообщило ему, что все усилия напрасны. Секунду спустя то ли свод опустился до уровня воды или даже ниже, то ли поток устремился в какое-то глубокое отверстие. Он утонет, как крыса, и, наверное, никто не узнает, что с ним произошло. Не узнает и не захочет узнать. «О, дай мне жить!» — взмолился он. Всего несколько мгновений назад он, казалось, хотел смерти, но теперь страстно жаждал жить. «Я должен жить, должен, должен!»

Свод, похоже, опускался все ниже, и Тим все чаще и сильнее ударялся о него, когда пытался глотнуть воздуху. Он даже установил частоту, с которой поднимал голову, чтобы сделать вдох и снова погрузиться в воду. Даже пробовал сперва высунуть руку, чтобы нащупать потолок. Однако это мало помогало, поскольку в полной тьме он потерял чувство пространства и руки плохо слушались. К тому же голова кружилась от постоянных ударов, и он наглотался воды. Каждый раз он думал, что делает последний вдох. Он говорил себе, что вот этот страх, эта тьма и есть смерть, на это она похожа. Но он так жаждет жить, любая жизнь лучше смерти, только не смерть, только не смерть...

Внезапно, без всякого предупреждения, а может, его глаза действительно были закрыты, Тима вынесло на сверкающий солнечный свет. Над ним ничего не было, кроме светлого голубого утреннего неба. Он ловил ртом воздух и не мог надышаться. С ясностью, которая с тех пор осталась с ним навсегда, он видел искрящуюся гладь канала, такого спокойного и прекрасного среди зеленых берегов, плавно поворачивавшего налево и оставляющего на внешней стороне поворота узкую полоску желтого каменистого пляжа. И там, на этой полоске, Тим увидел черно-белого пса, выбирающегося из воды.

Тело было как свинцом налито, но он инстинктивно продолжал плыть, и канал, казалось, в этот момент помогал ему. Поток мягко вынес его к желтому берегу и поспешил дальше. Тим ему больше не был нужен. Тим на четвереньках выполз из воды. Поднял голову и снова увидел пса. Тот встряхивался, и брызги летели во все стороны. Закончив, пес обнюхал ближайшую кочку, задрал заднюю лапу, а потом с деловитым видом потрусил прочь.

Тим благословлял пса, благословлял чистое небо и солнце, благословлял даже канал. Он дополз по каменистому склону до травы и рухнул там, отплевываясь. Он чувствовал, что полон воды, она вливалась в него через рот, через нос и уши, она пропитала его плоть. Он сидел и усердно дышал: как это было чудесно и как легко теперь! Сладчайший воздух, напоенный ароматом трав, радостно лился в его легкие. Он дышал, не глядя вокруг, подставив лицо слепящему солнцу.

Потом он увидел, что снимает с себя туфли. Он удивился, что они все еще у него на ногах. Он вспомнил, как они мешали ему в первые мгновения, когда он погрузился в воду. Казалось, ноги распухли. Он стащил туфли и откинулся на спину, отдыхая. Чуть погодя сел и с еще большим трудом содрал с себя рубашку, брюки и носки, выжал их, разложил на траве сушиться и снова сделал передышку. Потом сел и огляделся.

Он был в незнакомой долине, на огромном ровном лугу с пожелтевшей травой. Вокруг ни жилища, ни единой живой души. На другом берегу канала (он заметил канал с некоторым удивлением, словно успел забыть о нем) располагался ухоженный виноградник, защищенный тремя плотными рядами кипарисов. За ними, далеко-далеко голубели горы. На этом берегу, у него за спиной, были знакомые скалы, поднимавшиеся из густых колючих зеленых зарослей у подножия. Он рад был, что поток вынес его на тот берег, где была деревня. Не хотелось бы снова входить в воду.

Не вставая, он натянул на себя рубашку и брюки. Они были еще влажные. Тело болело. К тому же он получил удар по скуле, по лбу и несколько — по макушке. Он осторожно потрогал эти места. Голова болела и кружилась. Глаза воспалились от солнца, так что пейзаж дрожал и как будто покрылся точками. Рука горела и снова начала кровоточить. Саднило сильно ободранное колено. Он перестал радоваться, что жив, и почувствовал себя разбитым и несчастным. Да еще страшно устал и умирал с голоду. Он попытался встать и упал: так кружилась голова. Наконец он все же поднялся на ноги и стоял, держа в руках туфли и носки, не зная, в какую сторону направиться.

Он увидел стену из гладких камней, от которой тек канал, пузырясь у стены подобно ключу: отверстие туннеля было под водой. За стеной простирался нетронутый луг, вдалеке окаймленный тополями и зонтичными соснами. Обернулся к скалам, пытаясь различить в них знакомые черты. Щурясь, он, кажется, узнал в их очертаниях на фоне неба две горбатые, как купола соборов, вершины, запомнившиеся ему по ночным блужданиям, казавшимся теперь такими давними. Он не мог сказать, как долго пробыл в туннеле или как далеко отсюда был другой его конец. В любом случае он хотел уйти от канала. Он решил посмотреть на скалы поближе и пошел босиком по лугу, но жесткая сухая трава колола ступни. Тогда он сел, чтобы надеть носки и обуться. Туфли едва налезали, до ступней, казалось, не дотянуться, и он так устал от этой процедуры, что едва смог подняться. При малейшем напряжении в глазах темнело. Один глаз почти совсем заплыл.

У подножия скал, когда Тим добрел до них, стеной стояли непроходимые заросли молодых дубков, самшита, утесника и ежевики, вперемешку с местной разновидностью камнеломки, которая так переплелась, что некуда ногу было поставить, не говоря о том, чтобы пробраться сквозь эту стену. Однако, пройдя чуть в сторону, он обнаружил узкую тропку, прорубленную в зарослях одним из тех невидимых людей, которые использовали скалы в своих целях. Тропка была некрутой, и ему показалось, что он узнает очертания вершины. Он взбирался устало, медленно; и только теперь неожиданно задался вопросом: куда же он все-таки направляется? И ответил себе, что, наверное, в деревню. Какой переполох поднимется в гостинице, когда он явится в таком виде! Может, заставят показаться врачу? Где его бумажник, где паспорт? Канал почистил его карманы? Он принялся шарить в брюках, но тут вспомнил, что и бумажник, и паспорт остались в пиджаке в гостинице. Впрочем, на что-то он наткнулся в кармане брюк. Это было его обручальное кольцо, которое он снял, когда шел из банка к Дейзи в ее квартирку в Шепердс-Буш. Он снова надел его на палец.

Нет, решил Тим, он не пойдет в деревню. Слишком устал, измучен, несчастен. Пойдет-ка он к Гертруде. В конце концов, она ему жена.

Бдительная Анна Кевидж и на сей раз увидела его первой. Она следила за тем, как он медленно спускается через виноградник на другом краю долины. Этим утром у нее было иное настроение. После мучительной ночи она не чувствовала себя такой героически покорной. Позволить Тиму во второй раз уйти — это было бы слишком. Она ногой вытолкала чемодан из-под кровати.

Тим уже едва передвигал ноги, но его воля и решимость крепли с каждым шагом. Он медленно брел через разоренную тополиную рощу, ступая по золотой и серебряной палой листве. Дойдя до мостика, он не стал торопиться и переходить ручей вброд, его нетерпение уже поостыло, а старательно убрал с дороги рухнувший ивовый сук. Он ничего не ждал, не строил никаких планов, просто хотел дойти до Гертруды.

Он, тяжело дыша, поднялся на холм. По вспаханной земле оливковой рощи идти было тяжело, но он не остановился передохнуть. И не смотрел на дом. Тащился, не поднимая глаз от земли. Прошел по сухой желтой траве лужайки перед домом, заросшей чертополохом и растрепанной скабиозой, и одолел последний короткий подъем перед террасой. Наконец увидел под ногами мшистые ступени террасы, усеянные желтыми фиговыми листьями, и только тогда выпрямился и, все еще тяжело дыша, огляделся.

Из дверей гостиной появилась Гертруда. Подошла к нему. Проговорила: «О Тим... милый... любимый... слава богу!..» И обняла его.

— Идемте, быстрее! — сказала Анна Графу.— Соберите чемодан, можно потом привезти его на машине. Пока сложите самое необходимое в сумку, вот, возьмите хоть эту.

Ошарашенный Граф ничего не понимал.

— Но я обещал Гертруде сегодня утром починить балкон...

— Забудьте о балконе, Тим им займется. Ох, да поторопитесь же, нам надо уходить!

— Но, Анна, что произошло?

— Я ведь уже сказала, Тим вернулся, он вернулся!

— Да, понимаю, но...

— Мы уезжаем! Возьмем велосипеды. Пожалуйста, поторопитесь.

Граф в замешательстве сунул бритвенные принадлежности и рубашку в сумку, с которой Анна ходила за покупками, а она поспешно укладывала остальные его вещи в чемодан. Свой она собрала за четыре минуты с того мгновения, как Гертруда обняла Тима.

— Но, Анна, мы не можем вот так взять и уйти... они не умеют водить машину, да и...

— Манфред сможет заехать и забрать их, или машину, или еще как. Он создан, чтобы заезжать и отвозить.

— Но Тим появился вот так... может, он не...

— Не может. Он вернулся. Во всяком случае, не наше это дело — строить догадки. Неужели вы не понимаете?

— Понимаю, но... мы должны поговорить с Гертрудой, спросить ее...

— Мы скажем ей, спрашивать не будем, оставим записку. Ей сейчас не до нас. Она уже забыла о нашем существовании. Она говорит с Тимом. Мы обязаны оставить их одних, мы не можем оставаться, не можем! Лучше уйти без всяких разговоров или объяснений. Да что такого важного нам надо им сказать? Ничего.

— Ох, я прямо не знаю, что делать...

— Делайте, что я вам говорю! Нет, оставьте ваш чемодан здесь, рядом с моим, мы не можем везти их на велосипедах. Положили в сумку все необходимое? А паспорт и деньги?

— Да... что за суматоха...

— Вы пока все проверьте, а я напишу записку Гертруде.

Анна на большом листе писчей бумаги крупными буквами вывела: «ДОРОГАЯ, Я ТАК РАДА! МЫ УЕХАЛИ, ДУМАЕМ, ТАК БУДЕТ ЛУЧШЕ. ЛЮБЯЩАЯ ТЕБЯ, АННА. *P. S.* Наши чемоданы собраны, стоят в наших комнатах. Велосипеды оставим в гостинице».

— А теперь идемте, идемте!

Она вытолкала Графа из его спальни. Оставила записку на видном месте в прихожей и, крепко держа Графа за рукав, вышла с ним из дома через арку и повела его к гаражу. Там стояли два велосипеда, мужской и женский. Анна потрогала шины. Они были надуты. Поместила сумки в багажники и дала Графу его велосипед. Она даже положила его руки на руль.

— Поехали, Питер, теперь вы мой,— сказала она, но он не слышал ее, слишком был несчастен.

В гостиной Тим и Гертруда, занятые разговором, смутно услышали странный отдаленный звук. Это смеялась Анна Кевидж.

— У тебя такой вид,— говорила Гертруда.— Подрался...

— Имеешь в виду синяк под глазом?

— Его...

— Не подрался, но что-то в этом роде, я расскажу тебе. Обо всем расскажу.

— Ох, Тим, дорогой, любимый, сердце мое! Я так рада, что ты вернулся...

— Правда? Чудесно. Значит, все в порядке, да, Гертруда, я вернулся, мы снова вместе, и ты больше не прогонишь меня?

— Нет-нет, ты со мной навсегда, не знаю, как я только позволила тебе уйти.

— Я был полный дурак, милая... но я расскажу, объясню...

— Не нужно никаких объяснений, то есть это ни к чему, ты со мной, и этим все сказано.

— Но я должен объяснить, должен, чтобы ты все поняла, раньше ты не понимала...

— А как я могла, если ты попросту убежал?..

— Ты велела мне убираться...

— Да, но я...

— Я был дурак, а еще испугался и чувствовал себя ужасно, потому что ничего не сказал о...

— О той женщине; а как она, ну, как она сейчас?

— Не знаю, я ушел от нее.

— У тебя кровь течет...

— Еще бы не течь. Гертруда, я правда ушел от нее...

— Да, знаю и верю тебе. Сиди спокойно, дай мне взглянуть. На лбу такой синячище...

— Ударился головой... я говорю, очень красивая эта лоза.

— В волосах кровь!

— Я еле прошел...

— Дай я потрогаю...

— Трещины в черепе нет?

— Кажется, нет. Больно?

— Да, но так и должно быть, согласна?

— Да что все-таки стряслось?

— Воевал с каналом... или, скорее... меня унесло в туннель...

— Но как такое вообще произошло?

— Знаю, я обещал, что не полезу в канал, но я и не собирался, просто эта собака...

— Сиди спокойно... у тебя рука кровоточит...

— Да, и нога, вот, смотри, колено ободрано...

— Ты попал в туннель, но...

— Я не хотел, там была эта...

— Но как тебя угораздило?..

— Меня протащило через весь туннель и...

— Не могу понять, как ты остался жив...

— Я тоже не понимаю...

— Идем на кухню, нужно что-то сделать с твоими ранами.

— Я чувствую себя ужасно, правда, и жутко голоден...

Гертруда взяла его под руку и повела на кухню. Он привалился к ее плечу, улыбаясь широкой измученной, сумасшедшей, сонной улыбкой. Гертруда заметила записку в прихожей.

— Они уехали!

— Кто?

— Анна с Графом. А, неважно. Теперь дай-ка я промою и продезинфицирую твои раны. А в каком состоянии твоя одежда!

— Говорю тебе, я упал, там была собака...

— Сними-ка ты все и накинь мое пальто, нет, подожди здесь, я схожу за горячей водой и...

— Полотенце будет грязное...

— Не дергайся...

— Ой, больно, Гертруда...

— Думаю, рана неглубокая...

— Может, у меня сотрясение?

— Возможно, но паниковать не стоит.

— Я такой голодный...

— Подожди минутку, сейчас закончу...

— Ни крошки во рту не было со вчерашнего дня, когда перекусил в самолете, прилетел и...

— Жаль, бифштекса не осталось, приложить к твоему бедному глазу, все вчера вечером съели...

— Эх, я бы не отказался сейчас от бифштекса. А что есть?

— Есть тушеная курица, сама приготовила. Решила приготовить...

— Решила приготовить! Гертруда, ты чудо, мне очень нравится это платье и голубые бусы, я так тебя люблю. Ты любишь меня?

— Люблю.

— И прощаешь меня?

— Прощаю.

— И вечно будешь моей?

— Да.

— Мы женаты и...

— Да, да.

— Смотри, я ношу кольцо...

— Вижу. Лучше будет заклеить раны пластырем...

— А, да не беспокойся, Гертруда. И перестань играть в «скорую помощь».

— Ты же думаешь, что у тебя трещина в черепе и сотрясение мозга.

— Уже не думаю.

— Не стоит ли тебе показаться врачу?..

— Нет, я в полном порядке. Гертруда, я должен поесть твоей курицы, иначе с ума сойду.

Накинув на плечи Гертрудино пальто, Тим сел тут же на кухне за стол и принялся за курицу. Однако ел мало. Скоро он сказал:

— Извини, Гертруда... пожалуй... что мне хочется сейчас больше всего, так это спать. Не возражаешь, если я пойду лягу?

— Сердце мое, конечно, тебе надо поспать. Идем, я тебя отведу.

Гертруда помогла ему подняться наверх и уложила в свою кровать.

— Тепло тебе, не нужно еще?..

— Нет, все хорошо...

— Я прикрою ставни...

— Господи, как же хочется спать!

— Спи, мой любимый...

— Ты не уйдешь, пока я сплю?

— Я никуда не уйду.

— Я чувствую себя таким счастливым, Гертруда... это как... когда я был мальчишкой... засыпать, сдав экзамен...

— Не беспокойся. Ты сдал свой экзамен.

— Ты так добра ко мне, Гертруда.

— Спи, дорогой.

Тим уже спал. Гертруда затворила ставни. Села в полутемной комнате у кровати, глядя на спящего Тима; сердце ее полнилось неведомой прежде нежной радостью.

— Ты говоришь так путано, перескакиваешь с одного на другое,— пожаловалась Гертруда.

— Очень много надо рассказать.

Был вечер. Солнце, только что скрывшееся за скалами, белило своим светом бледно-голубое небо. Высокие складчатые скалы поднимали величавые каменные лица, изукрашенные голубыми и кремово-белыми полосами. В неподвижных соснах цикады деловито и торопливо заканчивали последнюю песню.

Тим проспал несколько часов и проснулся в раю. Во всем теле чувствовалась слабость то ли от физического изнеможения, то ли от полного счастья.

Вечер предполагался неторопливый. У обоих было ощущение, будто время остановилось. Со счастливой сдержанностью утоляя голод, Тим умял много хлеба с маслом, паштета и оливок. Еда, бытие были долгим музыкальным медленным процессом. Впереди ждала еще курица.

Они разговаривали и пили вино. Тим пытался рассказать свою историю, ничего не упустив, однако было столько такого с ней связанного и столько такого, не связанного никак, столько событий предопределенных и столько чисто случайных, что он перескакивал с одного на другое, внезапно замолкал и начинал снова, но он не обладал талантом рассказчика, чтобы нарисовать связную картину, к тому же им обоим было так хорошо вместе, что они не могли сосредоточиться.

— Думаю, на меня повлияла Анна,— сказала Гертруда.

— Она плохо относится ко мне.

— Она изменит свое мнение.

— Изменит ли?

— Придется, я заставлю. Кроме того, она человек разумный и добрый, она поймет.

— Конечно, она права, что не любит меня, то есть на самом деле не права, но...

— Она немного ревнует.

— Правда забавно, что они смылись на велосипедах?

— И слава богу. Нам с тобой некуда спешить.

— Гертруда, я должен вернуться ко вторнику, я преподаю.

— Очень рада, что ты нашел работу.

— Милая, иметь возможность все рассказывать тебе — это как говорить перед Богом.

— Значит, у нас есть еще почти неделя.

— А что делать с машиной?

— Кто-нибудь позже заберет ее, это может сделать Манфред.

— Ну да... Манфред...

— Тебя же теперь Манфред не беспокоит?

— Гертруда, я так боюсь. Боюсь каждого, я чувствую, что нанес такой удар твоей любви ко мне, что мог убить ее.

— Ничего не случилось. Она жива. Все это знают.

— О, если бы я только не увидел тебя с Графом, в тот момент мир словно обрушился.

— Тим, я тебе говорила...

— Знаю, но эта картина всегда будет стоять у меня перед глазами, наверное, это расплата.

— Он неожиданно протянул руку, и я взяла ее.

— Но точно так же сделал и я...

— Да, но это совершенно разные вещи. Ты ведь знаешь, что он всегда был ко мне немного неравнодушен...

— Он что, объяснялся тебе, этот негодяй?

— Нет, он ничего не говорил, а потом только и сказал: «Простите». Все закончилось в одно мгновение.

— Что значит «закончилось»?

— Я ответила что-то вроде «ничего, не стоит извиняться», он убрал руку, и мы продолжили разговаривать о чем-то.

— О положении в Польше или...

— О каких-то пустяках, я...

— Ты не дала ему говорить.

— Он сам замолчал, Тим, он мой друг, он был другом Гая...

— Да, конечно, конечно...

— Ни о каких чувствах мы не говорили, просто случился один забавный момент...

— Ненавижу забавные моменты, они опасны.

— Он замечательный человек, редкий. Ты ведь не собираешься предъявлять ему претензии?

— Нет, как можно. Кроме того, ах, дорогая... дорогая...

— Но, Тим...

— Понимаю, хочешь сказать, мол, кто я такой, чтобы предъявлять претензии.

— Нет, я хочу сказать, что люблю тебя и все другие мужчины мне безразличны.

— Хорошо. И тебе все равно, что он и Анна смылись?

— Я этому рада! Любовь делает человека жестоким. Я никогда не водила их в наши места.

— Ты молодец, хвалю. О господи, Гертруда, что-то я заважничал, веду себя как босс, ничего?

— Я не лучше, просто это любовь.

— Но я должен рассказать, как это было...

— Ты уже рассказал.

— Рассказал недостаточно. А должен рассказать обо всем. Очень хочу. Я сам не до конца разобрался.

— Прости, что была такой ужасной, я слишком поспешно приняла решение, это даже не было решение, а как будто мир обрушился, и я не могла поступить иначе...

— А потом, естественно, другие посодействовали.

— Нет, они на меня не повлияли. Ну, разве чуть-чуть. Я была так оскорблена...

— Знаю, знаю, прости меня.

— Меня понесло, и я не могла остановиться, чтобы не сойти с ума.

— Прости, я не имел в виду, что на тебя воздействовали...

— Если бы это не стало сразу всем известно, еще можно было бы передумать...

— Да, конечно, я сам жутко боюсь этой компании...

— Дело не только в этом... а в своего рода отчаянии, душевной гордости. Я должна была, так сказать, сделать что-то разрушительное, чтобы исцелиться от горя. Понимаешь?

— Пожалуй.

— И еще тот наш безумный разговор... я чувствовала, что необходимо немедленно принять решение, или я умру от боли...

— Милая, я столько думал над тем разговором, пытаясь понять, что тогда произошло.

— И я.

— Все случилось так быстро.

— Мы оба совершенно потеряли способность рассуждать здраво, как покатились с крутого склона...

— Но главное, Гертруда, то, как это случилось, и я чувствовал себя таким виноватым, что мгновенно поглупел...

— Мне следовало не горячиться, а дать тебе высказаться...

— Нет, послушай, понимаешь, было много вещей, по сути, отдельных, ну, не то чтобы отдельных, а... о черт, думаешь, я получил сотрясение?

— Не хочешь прилечь?

— Нет, я в порядке. Вообще-то я толком не знаю, как сказывается сотрясение. Я вот о чем. Думаю, главное и самое ужасное — это то, что я сразу не рассказал тебе о Дейзи.

— Тебе следовало это сделать, немедленно, в первый же момент.

— В первый момент я был слишком потрясен. Только вспомни, как это было.

— Тогда во второй.

— В том-то и дело... решил повременить.

— Было бы правильнее и легче сказать сразу.

— Теперь ты так считаешь, а выдержала бы ты правду тогда?

— Это был единственный способ!

— Я слишком испугался, что потеряю тебя, если расскажу. Чувствовал, не смогу объяснить свои отношения с Дейзи так, чтобы спасти наши с тобой, ты восприняла бы это как катастрофу.

— Ты плохо сделал, что не рассказал, надо было верить в меня, верить в нашу любовь, ведь ты видел, как сильно я любила тебя.

— Да. Я верил и в то же время не верил. Все думал: как может она любить меня? Боже! Есть разные вещи, самостоятельные, правда? Я хочу с каждой разбираться отдельно, есть столько разных вещей. Так или иначе, я не рассказал, хотел и намеревался, но все откладывал и откладывал и в конце концов пересмотрел... пересмотрел...

— Что пересмотрел?

— Мои с Дейзи отношения. Стал смотреть на них иначе. Они потеряли для меня важность. Я хотел, чтобы они скукожились, ушли в прошлое. И не хотел рассказывать тебе, пока они не станут совсем незначительными и бессмысленными.

— И теперь они незначительны и бессмысленны?

— Нет.

— Продолжай.

— Да, случилось одно, а потом другое, когда ты прогнала меня в первый раз...

— Я не прогоняла...

— Когда ты прогнала меня в первый раз, я прямиком побежал к Дейзи.

— И занимался с ней любовью?

— Как сказать... пожалуй... да...

— Мне это не нравится.

— Разумеется, но слушай. Я был так подавлен, представить не можешь, и думал, мне нужно утешение. Я просто не знал, куда идти...

— Я начинаю жалеть ее, только не хочу о ней думать. Не хочу, чтобы она вообще занимала мои мысли.

— Потом я, конечно, понял, насколько это ужасно...

— Да, ты просто убежал.

— Я не мог быть с тобой после твоих обвинений. Но наверное, надо было подождать, попробовать оправдаться и... надеяться и...

— Да...

— После я почувствовал, что оказался не на высоте, что сдался, предал это, нашу любовь, тот факт, что...

— Да, я тоже была не на высоте.

— Если бы только я оставался одиноким, если бы только не пошел тогда к Дейзи, но я пошел, вернулся к прежней... прежней... тоскливой привычке...

— Привычке?..

— Ну... в любом случае потом я нашел тебя, и это было так прекрасно...

— Мог бы и сказать мне в тот момент.

— В тот момент я решил подождать, пока мы не поженимся.

— Когда же ты рассказал бы мне?

— Не знаю. Я думал, что, если обожду, это будет легче сделать, но потом понял, что становится не легче, а труднее.

— А там тебя разоблачили.

— Да. Видишь ли... Господи, как я хочу понять, что произошло! Ведь я вернулся к Дейзи, лишь когда решил, что потерял тебя, поэтому в том состоянии я не обманывал тебя, потом я был в другом состоянии, и все в голове у меня перемешалось, и я почувствовал себя бесконечно виноватым...

— Понимаю...

— А там, когда ты неожиданно набросилась на меня из-за того, что сказал тебе Джимми Роуленд...

— Я просто услышала случайно. И была в таком замешательстве, так потрясена...

— Дело в том, что мы с Дейзи как-то болтали, мол, хорошо было бы кому-то из нас жениться на деньгах и помогать другому, но это, разумеется, была глупая шутка. А Джимми Роуленд небось подслушал...

— В том пабе.

— Да. Не могу понять, почему он поступил так по-свински... в любом случае...

— Это другая статья. Кажется, я понимаю, что ты имеешь в виду под отделением одного от другого.

— И я неожиданно почувствовал себя таким виноватым, еще более виноватым, чем когда ты обвиняла меня...

— Мнимая вина наложилась на настоящую...

— Да, и я не мог не вести себя так, будто ничего не совершал, и тот факт, что я никогда не упоминал о существовании Дейзи, стал невероятно важным...

— Конечно... Существование Дейзи было важным, уж это никак нельзя отрицать.

— Да. Теперь я не мог придумать никакой лжи, теперь я не мог ничего отрицать. О господи!..

— Правда наконец настигла тебя.

— Да, она настигла меня, но я не объяснил это тебе. А при отсутствии веры в тебя и нехватке характера, чтобы держаться подальше от Дейзи, это было равносильно измене...

— Возможно, было равносильно измене. Но я понимаю...

— А потом, конечно, когда я во второй раз побежал обратно к Дейзи, казалось, это все, конец. Меня будто кто подталкивал поступать так, чтобы все ужасное, что ты приписала мне, оказалось правдой. Да еще, о боже, я взял деньги из банка!..

— Это пустяк...

— Я собирался и собираюсь их возвратить...

— Ах, Тим...

— Думаю, я сделал это, чтобы уничтожить себя, отрезать себе путь назад, слишком мучительно было на что-то надеяться.

— Я никогда не верила, что ты всерьез задумал жить с Дейзи на мои деньги.

— А мне кажется, что поверила на секунду.

— Было таким ударом понять, что тебя обманывает тот, кого ты любила и кому верила безоглядно...

— Милая...

— А еще меня жгла, бесила ревность...

— Да, ты была ужасна, ты нагнала на меня такого страху, что я окончательно потерял способность соображать...

— Это внезапно разразилось над нами, как буря, и подняло столько глубинного и невозможно суетного. Я чувствовала себя страшно оскорбленной...

— Пожалуйста, не начинай заново...

— В какой-то степени мне хотелось думать, что ты предатель, чтобы облегчить боль.

— Чувствовать, что вышла за неровню, и вот как он тебя отблагодарил!

— Верно.

— Гертруда... ведь все то... в чем я виновен... не разрушило нашу любовь?

— Нет, думаю, нет. Твое возвращение... оно часть, так сказать... логики любви. В результате все стало более... не могу судить обо всем мире... дробным... Теперь мы иные, намного сложнее.

— Да, логики. Я не умел проводить различие. Пришлось научиться отделять ложь от всего остального и от другой лжи. Помнишь, я сказал, что я ненастоящий и на меня нельзя полагаться, и ты ответила, что сделаешь меня настоящим? Думаю, ты это сделала.

— Но как насчет Дейзи, Тим? Как у тебя с ней сейчас? Ты сказал, что ушел от нее.

— Ушел.

— Окончательно? Может, хочешь, чтобы она и дальше как-то присутствовала в твоей жизни? Ведь твоя жизнь так долго была связана с ней?

— Я окончательно ушел от нее и не хочу даже думать о ней.

— Это правда, это действительно так?

— Да.

— После стольких лет, прожитых вместе?

— Да. С ней покончено.

— Но может, ты еще ее любишь? Должен любить.

Цикады внезапно прекратили петь. Уже принялись стрекотать ночные сверчки. Глухо заухала *hibou**, совсем непохоже на свою английскую родственницу.

Тим молчал, задумавшись. Наконец проговорил:

— Есть что-то странное в том, чтобы перестать любить кого-то. Странно, что такое может произойти, но это безусловно происходит. Еще можно было бы представить, что такое внезапно произошло, потому что я вдруг понял, что ненавижу этого человека, что моя любовь превратилась в ненависть, хотя со мной такого никогда не случалось. Но в случае меня и Дейзи, думаю, любовь дематериализуется, сходит на нет.

— Значит, ты все еще любишь ее? Не пугайся, Тим, я не собираюсь ничего требовать от тебя, скажи мне правду.

— Я пытаюсь. Я чувствую, что эта любовь ничего не значит для меня, что она абстрактна и уже в далеком прошлом. Я люблю тебя, одну тебя, и ты все для меня.

— Хорошо, но ответь на вопрос.

Тим подумал о долгих, долгих, долгих годах, которые они с Дейзи были вместе, в сущности, всю его взрослую жизнь. Представил себе ее узкую голову, коротко остриженные волосы, огромные накрашенные глаза, и что-то сдавило его сердце.

— Я не могу не чувствовать что-то к ней...

— Ты жалеешь ее?

— Нет. Думаю, с ней все в порядке.

— Ей лучше без тебя?

— Да. В ней есть жизненная сила, какой я никогда не находил в себе. Потому я не состоянии уничтожить Дейзи. Я любил ее, и то время недалеко ушло. Но оно закончилось. Я не смог бы прийти сюда, если бы оно не закончилось.

---

* Сова *(фр.)*.

Я ушел от нее ради того, чтобы быть одному, и я был один, как говорил тебе...

— Празднество листьев.

— Да, и «Иисус прощает, Иисус спасает». Но возможно, за всем этим крылось иное: просто некая процедура, что-то вроде ритуала или испытания, которую я проходил, чтобы вернуться к тебе. Это все было ради тебя.

— Интересно. Возможно, это было необходимо. Хотя с той же вероятностью это было кошмарной случайностью.

— Я должен был очиститься, вновь обрести невинность, чтобы вернуться к тебе, это давало мне силы надеяться. Странным образом мне помог Граф, он сказал, что мне следует уйти от Дейзи.

— Граф?..

— Да, и еще письмо миссис Маунт...

— Неужели Вероника написала тебе! Люди считают ее циничной, но на деле она добрая душа. Пожалуй, она даже неравнодушна к тебе!

— Она сообщила, что ты тут одна...

— Наверное, она слышала, что я уезжаю, и не знала о Графе и Анне, я никому о них не говорила.

— А потом я приехал и увидал тебя с Графом...

— И снова убежал и едва не утонул, чтобы понять наконец, что нужно вернуться.

— Да. На другом конце того туннеля мне открылся новый мир. Я так рад, что пес уцелел.

— И я рада.

— Что касается Дейзи... С ней действительно покончено. Это все равно как если бы она умерла.

— Ясно.

Гертруда вспомнила о Гае и подумала: разве не странно, что все эти годы она глубоко и преданно любила Гая, а теперь глубоко и преданно любит Тима, человека столь непохожего на него, что и не вообразить. Она станет, хорошо, станет частично другой. Но сама жизнь течет, меняется, и она не может и не хочет этому препятствовать. Так оно есть, как камни и листва.

— Хотел бы я понять все,— сказал Тим.— Не получится, по-прежнему не все сходится, остается кое-что темное, кое-что смутное, а я так хочу видеть...

— Наверное, и невозможно видеть всего. Ты рассказал мне сейчас о своих переживаниях со всем, что в них было темного и смутного, и я приняла все целиком. Да-да, я приняла тебя, всего тебя.

— Гертруда, я знаю, что ты думаешь о Гае.

— Ты прав.

— Я такой — по сравнению с ним — такой... скверный муж.

— Я люблю тебя.

— Гертруда...

— Я люблю, люблю тебя.

— Как думаешь, не пора ли нам заняться курицей?

ЧАСТЬ ВОСЬМАЯ

Анна следовала по пятам за Графом, как охотник за зверем, как адепт за своим полубезумным учителем, как ребенок за родителями, как полицейский за разыскиваемым преступником, как ищейка за путешественником, заблудившимся в буше.

Сейчас она в буквальном смысле шла за ним по пятам по набережной Челси, а желтые листья кружились, падая на тротуар и в реку. То накрапывал мелкий дождик, то слегка проглядывало солнце. Было воскресенье, и Лондон гудел медью колоколов. Анна и Граф шагали и шагали, почти все время молча. Иногда Анна шла позади, не выпуская его тощую нескладную фигуру из щупальцев своего внимания. Он, казалось, был не против подобной причуды спутницы. Анне же нравилось наблюдать за ним, смотреть на его спину и тусклые мягкие волосы, ерошимые ветром. Создавалось впечатление, будто она ведет его на поводке. Иногда она словно танцевала вокруг него. Он, казалось, не замечал ее, но она знала, что ему приятно ее присутствие, и это наполняло ее радостью. Анна была так влюблена, что не могла поверить, что Питер не видит, как меняется окружающий мир. Ее любовь, конечно же, должна была изменить его мир и в конце концов изменит — полностью. Во время этих молчаливых прогулок она чувствовала себя счастливой, как в лучшие монастырские дни. Она была полностью поглощена тем, что и должно было поглощать ее, была на своем месте в космосе, месте, куда устремлялся каждый атом и указывал каждый луч.

Анна не ослабляла хватки с того момента, как быстро и умело увела его из дома Гертруды после появления Тима. Вышло так, что бóльшую часть пути до деревни им пришлось пройти пешком, ведя велосипеды за руль, поскольку Граф, трижды упав, признался, что не умеет ездить на велосипеде, а если когда и умел, то забыл, как это делается. Как наслаждалась Анна, испытывая чистейшую, сладчайшую эгоистичную радость, которая убивала в ней в тот момент всякое сострадание к боли спутника. Она поднимала блестевшее от пота лицо к слепящему свидетелю — солнцу и беззвучно смеялась. А какое удовольствие было завтракать в поезде! Граф позволил ей заниматься устройством их возвращения в Лондон. Она таскала его за собой, крепко держа за рукав пальто. Ей хотелось целовать этот рукав, который ее пальцы нежно трогали и гладили.

Едва она очутилась дома, как к ней вернулись тревога и дикий страх утраты. Что в действительности произошло? Получил ли Тим прощение, заняв прежнее место в сердце Гертруды? Или те пылкие объятия были всего лишь прелюдией к ссоре и новому расставанию? Что, если эта пара никогда не угомонится? Конечно, Анна, не медля, перевезла все свои вещи с Ибери-стрит обратно в свою квартиру. И постоянно звонила, пока радостный голос Гертруды не вызвал в ней такой же радости. Она помчалась к подруге. Гертруда сияла. Она тут же поинтересовалась, виделась ли Анна с Графом, выразила надежду, что с ним все в порядке, и сказала, что пригласила его к ним на коктейль. Поблагодарила Анну за быстрое, тактичное исчезновение. Со смехом слушала рассказ Анны, как они с Графом добирались до деревни. Тим с лукавой улыбкой тихо входил и выходил из гостиной. Она по-прежнему чувствовала неприязнь к нему, но вынуждена была признать, что, похоже, эти двое любят друг друга. Они смущались, как дети, и было ясно, что Гертруда абсолютно, совершенно без ума от него. Присутствие Тима, сознание, что он принадлежит ей, заставляло Гертруду лепетать от удовольствия. Она выглядела помолодевшей на несколько лет. Анна была удовлетворена.

Анна продолжала свое молчаливое бдение, с пристальной безмолвной нежностью следя за Питером. Насколько она знала, он не появлялся на Ибери-стрит с возвращения Гертруды. Она допускала, что он получил неопределенное приглашение. Гертруда и Анну небрежно приглашала «заходить в любое время». Но Анна пока больше не навещала подругу. Ей хотелось еще насладиться той картиной Гертрудиного счастья, а еще ей требовались все ее время и энергия, чтобы сосредоточиться на Питере. Иной заботы у нее в этот период не было. Она прекратила попытки найти работу. Она получила прекрасное письмо от чикагских кларисс, которое на миг наполнило ее чувством ностальгии по жизни, посвященной служению Богу. Но время ушло, сейчас ей было не до кларисс. Она отвечала вежливым отказом на приглашения Джанет, Мозеса, Манфреда, Сильвии Викс (с которой познакомилась), католических священников, обществ и инициатив, англиканского епископа. Когда она была не с Питером, то одиноко бродила по улицам или сидела дома, читая романы. Дочитала «Эдинбургскую темницу», которую привезла с собой из Франции. Теперь она читала «Войну и мир».

Анна ждала. Она ощущала себя игроком, который, имея на руках все козыри и являясь хозяином положения, знает, что должен предельно сконцентрироваться, чтобы выиграть. Она вела свою игру изо дня в день, каждое утро спрашивая себя, не пришла ли пора объявить о своей любви. Но благоразумно откладывала признание. Она чувствовала, что тем самым ничего не теряет, тогда как поспешность могла испугать или отвратить жертву. Кроме того, ей хотелось видеть, как сердце Питера постепенно обращается к ней, чтобы он сам добивался ее. Он уже пришел к ней в том смысле, что воспринимал ее неравнодушие к себе как само собой разумеющееся. Она не думала, чтобы он замечал кого-нибудь еще, кроме своих коллег. Однако еще была достаточно осторожна, чтобы не показываться ему слишком часто. Два вечера они гуляли, и вот сейчас, в воскресенье, сидели в пабе, однажды она даже зашла за ним домой, а он приходил к ней на бокал вина. О Гертруде они не упоминали.

Одной причиной, по которой Анна чувствовала, что не следует оказывать на него никакого давления и ни в коем случае не пугать его, было его угнетенное состояние. Временами он пребывал в такой черной меланхолии, что Анна спрашивала себя, уж не впадает ли он в своего рода клиническую депрессию. Но когда ее охватывал настоящий страх за него, он улыбался ей, и так благодарно, что она чувствовала облегчение и даже радость, что вот он так печален и все же ему есть до нее дело, он ее замечает, ее одну. А скорбь пройдет.

Однажды он заговорил с ней более откровенно:

— Анна, вы чересчур добры ко мне. Вы должны перестать быть мне за няньку.

— Я делаю это потому, что тревожусь за вас.

— Нет, вы чересчур добры.

Они были у Анны дома. В окно барабанил октябрьский дождь. Вечерело. Граф заглянул к ней на «стаканчик» по дороге с работы. Анна не старалась задержать его подольше. Эти посещения обладали своего рода естественной завершенностью.

— Я такой глупец,— сказал он.

Он с бокалом в руке стоял у окна, глядя на небо, уже окрашенное желтым светом далеких фонарей.

— Возможно,— согласилась Анна.

Жаль, что она не умела вязать. Интуиция подсказывала ей, что Графу было бы приятно видеть ее за вязанием.

Ближе всего к вязанию было шитье, и она сейчас пришивала пуговицы на блузке.

— Так сильно хотеть невозможного — глупо и безнравственно.

— Вам следует попробовать захотеть возможного,— ответила Анна.

— Вы знаете, что... нет, не знаете... когда Гертруда вышла замуж, я чувствовал, что должен уехать из Лондона, и обратился с просьбой перевести меня на север Англии. Потом я забрал назад прошение, когда...

— Да? А сейчас?

«Мы уедем на север Англии вместе,— подумала Анна.— Будем жить в Йоркшире, когда поженимся, или, может, в Шотландии. И снова станем молодыми».

— Не сейчас...— сказал Граф.

— А... что же... сейчас?

— Анна, вы не сочтете меня полным дураком, если я кое в чем признаюсь?

«О, пусть, пусть он сделает признание, которого я жду!» — взмолилась про себя Анна.

— Вы знаете, что можете признаваться мне в чем угодно, Питер.

— Я восхищаюсь вами и очень ценю.

— Я рада...

— То, в чем я хочу признаться, ужасно — я собираюсь покончить с собой.

Рука с иголкой замерла в воздухе. Анна посмотрела на маленькую перламутровую пуговку на голубой блузке, на острый кончик иголки. Ее охватил подлинный ужас. Она сказала спокойно: «Это безнравственно» — и продолжила шить.

— Я никак не мог понять, для чего мне жить,— сказал Граф.— Я не в состоянии бывать у них в качестве гостя, видеть их счастье. И изображать любезность? Немыслимо. Подумал было повторно подать прошение о переводе из Лондона.

— Разве это не разумнее, чем самоубийство?

— Но потом понял, что это ничего не решает, это бессмысленно. Знаете, всю жизнь я чувствовал, что движусь к некоему моменту абсолютной катастрофы, так сказать, безвозвратному входу в ад или как если бы то была черная стена или черный айсберг, а я нахожусь на корабле, плывущем прямо на него. И я решил: когда такой момент настанет, покончу с жизнью. И вот, я хожу в контору, но не в силах работать, ложусь спать, но не в силах уснуть...

— Сходите к врачу.

— Я глотаю таблетки, от них никакой помощи, разве что проводят на тот свет.

— По-моему, это недостойное малодушие и совершенно иррациональная неспособность предвидения. Хорошо, вы не можете получить желаемого и говорите, что не в силах бывать у них и проявлять хотя бы вежливость. Так махните на них рукой! Через полгода будете чувствовать себя совершенно иначе.

— Анна, этого мало. Я так долго жил иллюзиями. Жил воображаемой любовью.

Анна, не отрываясь от шитья, думала, что сказать на это.

— Но вы же любили по-настоящему, не притворялись.

— Нет, но... сплошные иллюзии и грезы. Мы представляем, что нас любят, потому что иначе умрем.

— Питер, вас любят,— сказала Анна и бросила шитье на пол.

— Я жил этой любовью, моей любовью к ней, столько лет, и у меня было чувство собственного достоинства и цель, отчасти потому, что она была своего рода... каналом, по которому воображаемая любовь возвращалась ко мне. Но в действительности все исполнял я.

— Исполняли вы?

— Играл, играл обе роли, и это было легко, потому что она была недоступна: из-за Гая, из-за ее окружения. А на деле... для них... и для нее тоже... я был лишь... предметом насмешек.

— Прекратите Питер,— остановила его Анна.— В жизни не слышала ничего более беспомощного и недостойного мужчины! Человеческие существа крайне несовершенны и в большинстве случаев их любовь друг к другу крайне несовершенна, но они любят. Вам надо быть скромнее и принять несовершенную любовь.

— Теперь, когда все мои надежды рухнули,— сказал Питер,— у меня не осталось ничего, ради чего стоит жить. Был путь к бегству, теперь он закрыт, была способность жить иллюзиями, и ее я лишился. Не хочу разыгрывать перед вами мелодраму. Я сужу об этом трезво, как о факте. Возможно, все дело в том, что я поляк. Моя страна не знала ничего, кроме гонений, страдания и крушения надежд, пинков истории. Я изгнанник, не любил своего отца и был неспособен найти общий язык с матерью. Они оба были бы рады, если бы я умер вместо брата. Я не прижился в английском обществе. Прикидывался, что чувствую себя на равных со всеми теми людьми, это было притворство. У меня никогда не было настоящих друзей, я не наделен талантами, а моя работа мне неинтересна. Я ограниченный и, возможно, в сути своей очень неумный человек, над которым люди смеются. Так скажите же, почему самоубийство аморально.

— Потому что обычно оно глупо, а совершать глупый шаг, столь решающий и непоправимый, аморально. Ваше душевное состояние переменится, должно перемениться. К чему класть конец возможности быть полезным и совершать добро? Самоубийство вредно отзывается на других, оно, к примеру, заразительно. Ваш поступок способен заставить другого впасть в отчаяние. И он причинит боль тем, кто зависит от вас и любит вас.

— Таких нет.

— Есть. И это я.

— Вы чересчур добры ко мне.

— Пожалуйста, хватит повторять одно и то же, я уже устала от этой вашей фразы. К тому же самоубийство так часто является актом мести, что как раз имеет место в вашем случае, а месть порочна.

— Месть?

— Да, злость, насилие, акт устрашения, ненависти, направленный против Гертруды, низкое, бесчестное выражение зависти и ревности.

— Не думаю, что это имеет место,— возразил он,— в моем случае. Слишком высоко вы меня ставите. Не думаю, чтобы это особо взволновало кого-нибудь. Скорее это их... воодушевит.

— Это отвратительный поступок. Зачем совершать что-то отвратительное?

— Это исключительный поступок. Со мной произошло нечто необратимое, последнее затянувшееся представление о себе перестало существовать. Я питал иллюзию относительно чести, чести солдата армии нравственного закона, а не ее джентльмена-волонтера, как выражался Гай...

— Что Гай сказал бы сейчас?

— Он бы понял. Мы часто беседовали о самоубийстве. Представьте же, что я лишился способа существования, а когда такое происходит, человек больше не в состоянии жить. Средство, иллюзия,— этого у меня больше нет...

— Довольно толковать об иллюзиях. Попытайтесь думать о правде. Этот разговор о самоубийстве — эскапистская фантазия, просто идея, что можно избавиться от боли. Подумайте о чем-нибудь лучшем, вам это по силам. Есть лучшие вещи, даже если кажется, что к вам это не имеет отношения.

— Я жил понятием достоинства, но оказалось, что это абсурдно. Я привык считать, что придет время героизма...

— Питер, оно пришло.

— Я не могу ни работать, ни спать, впереди пустота. Я не вижу смысла жить дальше, я не верю в Бога...

— Ваша жизнь вам не принадлежит,— сказала Анна.— Кто может сказать, где кончается его жизнь? Наша душа намного шире нас и соединяется с душами других людей. Мы живем в мыслях других, в их планах, в их мечтах. Это равносильно тому, что Бог есть. На нас лежит бесконечная ответственность.

— Почему Бог, почему не дьявол? В представлении других мы ведем себя как порочные существа, мы для них дьяволы, мы мучаем их тем, какие мы и что делаем.

— Вы никого не мучаете,— сказала Анна.

— Потому что я никто и ничто.

Анна засмеялась. Встала, подошла к нему, стоявшему у окна. Взяла его за рукав пиджака, как когда они возвращались из Франции, и сказала:

— Питер, вот для чего существует польский героизм: быть никем и ничем и тем не менее стараться быть героем. Позвольте попытаться научить вас этому.

Зазвонил телефон.

Анна отошла от Питера и подняла трубку.

— Анна...— раздался в телефоне голос Гертруды.

— Слушаю тебя.

— Это я. Анна, можешь прийти завтра на вечеринку? Только что приехал из Франции Манфред, привел машину, и она доверху набита шампанским...

Голос Гертруды ясно слышался в комнате. Питер взял пальто и направился к двери. Махнул на прощание Анне и исчез.

— Если получится,— ответила Анна, думая, не бросить ли ей трубку и не побежать ли за ним.

— Никаких «если», ждем непременно. Дорогая, ты не появляешься, я так соскучилась, а тебя нет и нет. Это не потому что?.. Я имею в виду, не думай, что мы не хотим... никого видеть, к тебе это не относится. Жажду увидеть твое милое лицо. Ты снилась мне прошлой ночью. Ты ведь меня любишь, правда?

— Да, дурочка.

— Значит, завтра к шести.

— Да... до завтра.

Анна положила трубку. А если Питер покончит с собой? Если это случится сегодня ночью?

Она встала и принялась ходить по комнате. Ей не верилось, что он действительно решил совершить самоубийство, просто так он выражает свою подавленность. Успокаивает боль мыслями о небытии. Она пошла на кухню и попыталась приготовить себе ужин. Но все валилось из рук.

Немного погодя она надела пальто и вышла на улицу. Дождь продолжался. Она остановила такси, поехала в Челси и вышла у огромного уродливого многоквартирного дома, где жил Питер. Она шла по мокрому блестящему тротуару, глядя на его освещенное окно. Это было уже не в первый раз. Она воображала, как звонит в его дверь, входит, обнимает его.

Заметив освещенную телефонную будку, она вошла и набрала его номер.

— Алло.

— Питер, это Анна.

— Ох...— Голос звучал удивленно.— Анна, привет...

— Питер, я хочу, чтобы вы мне кое-что пообещали. Можете дать торжественное обещание, что не покончите с собой?

— Ну... Анна... я не могу вот так прямо... кто знает...

— Такой ответ годится, когда вам восемьдесят восемь и у вас рак, но я-то хочу, чтобы вы пообещали не совершать самоубийства сейчас из-за того, что гнетет вас сейчас.

Последовало молчание. Затем он ответил:

— Хорошо...

— Клянитесь. Клянитесь кровью дорогой своей Польши.

Он сказал:

— Клянусь кровью дорогой моей Польши, что не совершу самоубийства сейчас из-за того, что гнетет меня сейчас.

— В этом году или в будущем.

— В этом году или в будущем.

— Вот так. Это все. Доброй ночи, дорогой Питер.

— Доброй ночи, дорогая Анна.

Она вышла из будки под дождь. Это был торжественный момент. Она представляла себе Питера, с печальным лицом сидящего у телефона. Этот момент родил новую связь между ними. Он на шаг приблизил их друг к другу, и, может быть, это был решающий шаг. Она скоро признается ему, думала Анна, очень скоро. Она стояла под дождем и глядела на окно, пока оно не погасло.

Граф лежал без сна. Впереди его ждали семь часов, когда он будет ворочаться с боку на бок, закрывать глаза, открывать их вновь и пялиться на потолок. Думая. Перебирая видения. Шторы пропускали рассеянный свет уличных фонарей.

Вечером он пытался отвлечься, читая Горация. Но утонченный, фривольный, неистовый, возвышенный поэт, казалось, говорил только о Гертруде — воспоминаниями ли о счастливых днях, или горькими сетованиями об утрате, или ожиданиями старости и смерти. Издавна любимые фразы выражали и растравляли печаль. *Eheu fugaces... Quis desiderio...* Затем, глубже погрузясь в латынь, как безумный хирург, Граф, уже забыв о красотах поэзии, обнаружил множество пассажей, отвечавших его все более свирепому настроению. Не только *linquenda tellus et domus*, но еще и *mox iuniores quaerit adulteros*, и лучшее из всего: *quae tibi virginum sponso necato barbara serviet?* К тому времени, как пора было ложиться, он превратился во Фридриха Великого.

Он крутился в постели в тоске по Гертруде, по ее близости. Он видел себя рядом с нею, блаженствующим в ярких теплых лучах ее внимания, держащим ее руку в своей. Вновь видел комнату во Франции, где он начал было говорить ей о своей любви, ну, пробормотал что-то, и она так нежно держала его руку, говоря мало, но не говоря «нет». Как счастлив он был в тот вечер, каким счастливым и умиротворенным уснул. Душевный покой, вот что Гертруда всегда давала ему в прошлом, когда была замужем за Гаем и когда он мог безопасно жить рядом с ней, любя ее, но не мучаясь этими нестерпимыми желаниями и надеждами.

Тим, который появился весь в синяках и крови, в разодранной одежде, показался Графу сущим кошмаром, каким-то кровавым или ряженым дьяволом, нереальным, но все же зловещим, ужасным. Граф вошел в гостиную сразу после того, как Гертруда вышла на террасу. Он, как и Анна, стал свидетелем их объятий, но в отличие от Анны не сразу сообразил, что случилось. Граф плохо помнил обратный путь в Англию. Он беспрестанно вычислял, и по его вычислениям выходило, что он и Гертруда могли проскользнуть обратно в щель времени до возвращения Тима. Было ли оно, то нежное мгновение, лишь мгновением умиротворения? Не было ли оно чем-то высшим, абсолютным? Не могло ли нечто, имевшее будущее, возникнуть благодаря чему-то иному, совершенно (как чувствовал Граф) случайному? Существуют же мгновения, которые определяют будущее и берегут его? Ему должна была достаться любовь Гертруды. Тим был предатель, перебежчик, жестокий вероломный негодяй. Узник, плоть от плоти своего собственного мира, мира пьянства и лени, проклинаемого Анной Кевидж. Граф сделал все, что мог, и, несмотря на его старания, результат казался однозначным. Он попытался убедить Тима вернуться. Тим ответил: «Я живу в трясине», и еще он ответил: «Может быть, Гертруда найдет себе лучшего мужа». Не закрыло ли это вопрос, не было ли с Тимом покончено? Каким образом он потом объявился, похожий на чучело, перемазанный кровью, и так легко вновь стал мужем Гертруды? Поскольку не оставалось сомнений, что именно этим все закончилось. Граф получил от Гертруды письмо, в котором говорилось, что она и Тим будут рады видеть его у себя. Она еще и коротко позвонила ему, повторив приглашение. Граф ответил уклончиво.

И что теперь? Он не мог оставаться в Лондоне, раз в месяц обедая у четы Рид. Не мог жить среди незнакомых людей в Харрогите или Эдинбурге, работать весь день в офисе, а вечерами слушать свое радио, так он жить не мог. Окончательная потеря Гертруды заставила его понять, какой пустыней была его жизнь. Маленькие радости, которыми он довольствовался прежде, теперь казались мелкими и скучными. Описывая Анне свое состояние, он не преувеличивал. С другой стороны, и тут Анна была права, он не собирался на деле кончать самоубийством, во всяком случае не сейчас. Однако жалел, что пообещал милой доброй Анне не убивать себя. Он дал обещание, потому что его настолько поразил внезапный звонок и настойчивость, звучавшая в ее голосе, что он не смог отказать ей. Он не собирался искать смерти, но само ее близкое присутствие сразу утешило его. Умереть, забыться. Он сказал себе, что он безвольный трус, но эти слова больше не кололи. Идея разом покончить со всем не казалась ему безоговорочной. Что может мораль, что может философия противопоставить неуловимой переменчивости человеческого разума? Он спрашивал себя, не станет ли позже даже само понятие торжественного обещания обозначением бессмысленности, нерешительности, податливости? Уже сейчас идея чести не могла вдохновить его. Его жалобный скулеж перед Анной был недостойным. Еще более недостойным было то, что он не задумывался над собственными словами.

С широко раскрытыми глазами он крутился и метался в постели. Кошмары, кошмары впереди. Почему Красная Армия не перешла Вислу? Почему Ганнибал не пошел на Рим? Он закрыл глаза и попытался прибегнуть к одному из привычных способов приманить сон. Представил себя на заросшей травой проселочной дороге, ведущей к калитке. Но к калитке прислонилась Гертруда в том легком свободном желтом платье и с голубыми бусами на загорелой шее. Попытался представить сад, большую поляну и что он медленно идет к огромному дереву в отдалении, громадному пунцовому буку. Но вдруг под деревом оказывалась Гертруда в маленькой белой шляпке от солнца и старалась дотянуться до просвечивающих листьев, потом она с улыбкой поворачивалась к нему. Пытался представить, что идет по комнатам, и сердце бешено бьется, потому что он знает: в какой-то из этой анфилады комнат ждет она. Он был в парке, и там была она, в лесу, там тоже была она. Пели птицы, сияло солнце. *Мы были с ней счастливы в мае.*

Куда мне податься, спрашивал он себя, куда же наконец уехать? В Америку я не хочу, в Польшу тоже, я не смогу там жить, это невозможно. Затем он решил уехать в Белфаст. В конце концов, Ирландия немного похожа на Польшу — несчастная, бестолковая, запутавшаяся страна, преданная историей и не оправившаяся от последствий. Переведусь в правительственное ведомство в Белфасте. А когда буду там, возможно, какая-нибудь милосердная бомба террориста убьет меня. Я умру, но не нарушу обещания, данного Анне.

Тим стоял перед сидящей Гертрудой и держал ее руки в своих. Они готовились к вечеринке. Его милая жена была в новом платье, которое они выбирали вместе: очаровательном легком шерстяном, с рисунком из кремовых и коричневых листьев, в мелкую складку. Он наклонился и поцеловал ее руки раз и другой, потом отпустил ее и отступил назад. Да, она принадлежала ему, телом и душой.

— Все, что ни пожелаешь, ангел, дорогая, любовь моя.

— Да, но... Ты понимаешь? Ты не против?

— Я понимаю. Я не против.

— Я буду совершенно счастлива.

— Разве ты и без того не совершенно счастлива, черт побери?

— Конечно счастлива. Не перетолковывай мои слова. Это больше обязанность, невыплаченный долг, упущение.

— Упущение?

— Ну, не совсем. Просто он не идет у меня из головы. Я всегда заботилась о людях, Гай и я всегда это делали.

— Я не столь забочусь о людях, как Гай,— сказал Тим.— Моя работа не позволяет заботиться даже о себе.

Он чувствовал себя очень счастливым, и это отвлекало от разговора.

— Мы будем заботиться о людях. Я бы хотела этого.

— Хорошо, при условии, что не придется вечно приглашать их к обеду. А нельзя ли делать это по почте?

Гертруда рассмеялась.

— Ах, дорогой! Ну же, иди ко мне и присядь рядом. Я хочу обнять тебя. Ты мой Тим.

— Да, да.— Он сел, придвинув кресло вплотную к ее.— Боже мой, как же я люблю тебя!

— Мы не должны быть эгоистами, Тим.

— Почему не должны? Я хочу быть счастливым и себялюбивым. Слишком долго я был несчастным и себялюбивым.

— Нет, ты знаешь, что я имею в виду. К тому же он нравится и тебе... очень нравится, как ты когда-то сказал.

— Это так,— ответил Тим, стараясь сосредоточиться на разговоре.— Нравится. И я не хочу, чтобы он был несчастен.

— Он бедный изгнанник. И как всем бедным изгнанникам, ему достаточно малого.

— И это малое дашь ему ты?

— Для него это будет значить много. Я просто имею в виду... ну, ты знаешь, что я имею в виду.

— О, я беспокоюсь не о нас,— сказал Тим,— мы — космос, я беспокоюсь о нем. Как он это воспримет, не будет ли ему неприятно?

— Нет. Потому что он поймет. Все будет как прежде, только немного лучше.

Тим припомнил сцену во Франции, символический образ, который, думал он тогда, убьет его, так сильна была его боль,— Гертруда, держащая руку Графа. Сейчас видение было безболезненным.

— Но разве он и без того не знает, что его, так сказать, не выбросили на свалку, как никому не нужный хлам?

— Нет, он как раз считает, что его выкинули на свалку. И, Тим, очень мало что способно радикально изменить его настроение.

— Так велико твое влияние.

— Настолько велико мое влияние.

— Тогда желаю успеха, королева и императрица. Если думаешь, что он не будет еще несчастнее, изредка видя тебя, как...

— Уверена.

— Тогда я оставляю вас. Я составил список того, что нужно купить. Неужели они, по-твоему, съедят все эти печенья и пироги и прочее?

— Еще бы. Они просто ненасытные.

— Небось придут с целлофановыми пакетами и обчистят холодильник, черти.

— Тим, я хочу, чтобы ты писал картины.

— Ты имеешь в виду — сейчас? Я же иду по магазинам.

— Нет, не сейчас, я имею в виду, позже. Всегда.

— Хорошо. Я буду писать всегда.

Граф вошел в гостиную. Пальто и нелепую мохнатую кепку оставил в передней. Гертруда была одна. Она позвонила ему, сказать, что они с Тимом созывают гостей, и, пожалуйста, не мог бы он прийти немного пораньше, до появления остальных? Что-то в ее голосе заставило его прийти.

— А, Граф... присаживайтесь... Что вам налить? Как всегда, белого вина?

Граф щелкнул каблуками и поклонился. Принял бокал из рук Гертруды. Подождал, пока она сядет, опустился в кресло подальше и выжидательно взглянул на нее.

— Граф... вы позволите звать вас Питером?

— Да, конечно.

— Не сердитесь на меня.

— Я не сержусь, Гертруда.

— Нет, сердитесь. Не надо, нам не стоит враждовать.

— Мы и не враждуем, насколько я знаю.

— Вы собираетесь уезжать, уверена, что собираетесь, отправляетесь в Африку охотиться на львов.

— У меня нет в планах отправляться в Африку,— ответил Граф.

— Простите, я выразилась фигурально.

— Фигурально?

— Я имею в виду, что вы хотите уехать, чтобы забыть все. Так куда вы собрались?

— В Ирландию,— сказал Граф.

— В Ирландию? Питер, что за вздор? В любом случае я попросила вас прийти, потому что должна сказать: вам не следует никуда уезжать.

— Я вас не понимаю, Гертруда,— проговорил Граф холодно и отчужденно.

Предположение Гертруды, что он сердится, было недалеко от истины. Он злился на Гертруду за то, что та вынудила его прийти, и на себя, что пришел.

— Послушайте, Питер, дорогой, давайте говорить прямо. Тогда, во Франции, когда вы протянули руку через стол и взяли мою... вы...

— Я сожалею. Это было ошибкой.

— Нет, это не было ошибкой. И я хотела сказать, что, конечно, тогда вы не сказали ничего такого, чего бы я уже не знала.

— Говоря «ошибка», я имею в виду нечто неуместное, *faux pas**. Мне не следовало выражать...

— Ваши чувства. Но вы их испытывали... и испытываете.

— Это касается только меня. Гертруда, уверен, у вас благие намерения, но я не хочу говорить на эту тему.

---

* Неверный шаг *(фр.)*.

Гертруда замолчала. Ее к тому же пугала его холодность, угрюмое суровое лицо. На мгновение она почувствовала, что сама совершила ошибку, *faux pas*. Она в замешательстве отвернулась, не зная, что сказать.

Ее молчание тронуло Графа. Растопило лед его непреклонности. Он чуть подался к ней и сказал:

— Простите меня.

— Нет, вы простите меня. Питер, послушайте, вы вправе желать уехать подальше и больше не видеть меня. Я должна бы даже... сама... понять, что это было бы мудрее. Мне трудно это говорить... я чувствую... огромную... вину перед вами...

— Не терзайтесь. Это касается только меня.

— Питер, дорогой. Позвольте сказать со всей откровенностью: я люблю Тима, мы женаты, и это навсегда.

Граф сдержанно кивнул.

— Но вы мне небезразличны, к тому же вы мой старинный друг. Да, старинный друг, и я вас люблю. Зачем нужно все время различать, какая это любовь, подавлять, отрицать, разрушать ее? В любви бывает масса ситуаций, и можно любить по-разному. Конечно, я эгоистка. И в действительности думаю о том, чтобы не вам было хорошо, а мне. Разумеется, я обсуждала это с Тимом. О, не обижайтесь! Я не хочу отказываться от вашей любви, не хочу терять ее, не хочу, чтобы вы уезжали в какую-нибудь глушь, вроде Ирландии, с чувством, что вас отвергли. Вас не отвергли. Зачем уезжать с горя, когда можно оставаться здесь, даря своей привязанностью и получая ответную и будучи счастливым? Зачем? Все так просто. Проще простого. Я люблю вас, у меня достанет любви и на вас. Тим вас очень любит, уверена, вы это знаете. Но я сейчас говорю о вас и обо мне. Будем с доверием и любовью встречаться иногда. Я не имею в виду ничего предосудительного или безумного. Просто будем разговаривать, жить рядом и ради друг друга. Продолжайте любить меня и впредь, и мы пройдем по жизни, не потеряв друг друга, а вместе. Извините, я не слишком хорошо объясняю...

— Думаю,— сказал Граф,— вы объясняете очень хорошо.

— Мы знаем друг друга давно, Питер, и в каком-то смысле знаем прекрасно, однако между нами всегда существовала преграда. Я имею в виду не преграду моего замужества, теперешнего конечно, а ту, что отделяет одного от другого, вы понимаете. Я хочу уничтожить ее. Хочу, чтобы мы встречались и разговаривали как никогда прежде, только мы вдвоем, любили друг друга, дарили друг другу счастье и ничего не таили на душе. Питер, я хочу, прошу этого.

Что было делать бедному Графу? Он ответил, но еще довольно натянуто:

— Я не в силах отказать вам в вашей просьбе.

— Вот и замечательно,— сказала Гертруда.

Разговор взволновал ее больше, чем она ожидала. Ей в голову не приходило опасаться отказа с его стороны, но ее сердце колотилось в непонятной тревоге.

Они молча смотрели друг на друга, она — с пылающим лицом и широко раскрытыми глазами, он — сверкающим, как лед, взглядом.

— Гертруда, необходимо решить некоторые вещи, я имею в виду уяснить...— Итак, теперь он диктовал условия. Он продолжал: — То, что вы предлагаете, может восприниматься как... рецепт от глупости и безумства, предложенный женским тщеславием.— Он помолчал.— Но поскольку вы — это вы...

— А вы — это вы...

— Думаю...

— Что это выход, что это осуществимо?

— Знаю, вы не станете играть мной. Я люблю вас... очень... вам это известно...

— Да.

— Но не будем ни разыгрывать любовную драму, ни болтать о любви, ни даже... продолжать в дальнейшем этот разговор. Вы сказали нечто, я это понял, на этом и остановимся.

— Да. Но... все-таки наши отношения будут иными. Так вы согласны?

Он посмотрел на нее, потом ответил, почти беспомощно:

— Вы сделали предложение, против которого я не в силах устоять.

В глазах Гертруды уже искрился смех. Они встали, она подошла к нему, и он наклонился и поцеловал ей руку.

— Мне необходима ваша любовь,— сказала она.— Необходима ваша вечная дружба. Поклянитесь, что не уедете и не исчезнете!

— Клянусь... кровью дорогой моей Польши.

— Что ж, все ясно. Это все, чего я хотела. И вам больше нет необходимости переставать любить меня и быть несчастным. Обещаете больше не быть несчастным?

— Ах, Гертруда... этого я не могу обещать... я всегда буду чувствовать...

— Боль? Постарайтесь справиться с собой. Или чтобы она стала... иной, сладкой болью. Быть несчастным глупо. В мире столько прекрасного, дорогой Граф, дорогой Питер. Я была бы рада, если бы благодаря мне вы могли получать удовольствие от многого другого, что никак не связано со мной. Сейчас мы оба не в себе, но мы успокоимся и будем вместе постигать мир и жить в безопасности, уверенности и спокойствии. Разве это не замечательно?

— Да, да. Но, как все это будет в реальности, Гертруда?

— Совершенно обычно, вы увидите. Обычные беседы. Но более глубокие и... постоянные. Постоянство, вот чего человек желает в жизни, и в этом тоже счастье.

— А Тим...

— Я сказала ему, что вы должны стать моим близким другом, нашим с ним близким другом. Он знает, что именно об этом мы с вами говорим. Тим разумный человек, вам это известно.

— Хотелось бы мне быть разумным. Но... ах, Гертруда, дорогая... вдруг все-таки возможно быть счастливым!

— Возможно... и это нетрудно... вы сделали великое открытие! Я так рада, какое облегчение! Ну, мы достаточно поговорили, не будем бесконечно обсуждать это, вы правы. Потом поговорим о других вещах, успокоимся. А сейчас хватит. Господи, я совсем забыла о гостях, скоро они начнут подходить, вы же останетесь, правда? Должны остаться. Вот, вы уже выглядите совершенно другим человеком!

— Анна, голубушка, выпейте шампанского!

Днем Анна позвонила Графу на службу, но он успел уйти. Она позвонила ему домой, но трубку никто не поднял. Через некоторое время перезвонила, на случай если он возвратился, но особо на это не рассчитывала. Тогда она отправилась на вечеринку в надежде увидеть его там.

Любовь тут же подсказала ей, что он здесь, едва она вошла в уже переполненную гостиную и увидела его высокую фигуру, спиной к ней у каминной полки. Он разговаривал с Тимом, слегка склонившись над ним.

Джанет Опеншоу протягивала ей бокал шампанского.

— Анна, мы не видели вас вечность. Вы — сущая затворница.

— Почти...

— Вы со всеми здесь знакомы?

— Нет, не со всеми...

— Вот этот милый юноша — мой младший сын Нед. Только что вернулся из Калифорнии, где увлекся буддизмом.

— Да-а?..

— Нед говорит, что хочет освободиться от всех желаний. Но на самом деле ты математик, так ведь, Нед?

— Ну да...

— Познакомься с Анной Кевидж. Раньше она была монахиней. Вы не возражаете, что я выдаю вашу тайну, нет? Оставляю вас вдвоем. Я должна взглянуть, чем угощают.

— Были монахиней? Какой? Англиканской, католической, схимницей?

— Католической. Схимницей.

— Невероятно интересно! Меня страшно привлекает религия. Почему же вы ушли? Потеряли веру? Верите ли вы в личного Бога?

— Нет, не думаю,— ответила Анна,— а вы?

— Нет, я считаю, что это самая антирелигиозная идея, какую только можно вообразить. Религия должна уничтожать личность. Согласны?

— В некотором смысле, но это зависит...

— К какому методу медитации вы прибегаете? Вы по-прежнему медитируете? Послушайте, нельзя ли нам беседовать иногда? Тут никто не интересуется религией, просто поразительно, насколько она их не волнует, а в конце концов, ничего нет важней ее, да? В детстве я не получил настоящего религиозного воспитания, знаете, мой отец еврей, а мать неверующая, они играли в англиканцев и так и не научили меня молиться; что же до школы, я учусь в Сент-Полз, то, знаете...

— Здравствуйте, Анна, привет, Нед...

Это был Джеральд Пейвитт, медведище, и по-медвежьи благоухающий и встрепанный.

— Представляешь, Джеральд, Анна была монахиней! Ничего, если я буду звать вас просто Анна? Ты знал, Джеральд, конечно знал, и ему все известно о квазарах, черных дырах и что миру, времени и пространству настанет конец, и...

— Как твои успехи в математике, Нед?

— Это тебе моя мамочка велела спросить!

Воспользовавшись возможностью, Анна потихоньку покинула их. Ей хотелось подойти к Питеру, стоявшему в другом конце гостиной.

Нед крикнул ей:

— Я позвоню, если можно, продолжим!

У Тима Рида состоялся необходимый разговор с Графом. Конечно, они просто обменивались любезностями, но многое поняли. Поначалу оба испытывали легкое смущение, но оно быстро прошло. Разговор неожиданно оказался ничем не примечательным, но в то же время, разумеется, и не совсем. Тим был удивлен и взволнован, почувствовав прилив обновленной и более сильной симпатии к польскому изгнаннику. Ему и в голову не пришло отнестись к Графу покровительственно, подобное было для него невозможно. Зато он поймал себя на том, что в дополнение к своему счастью испытывает особую, острую и нежную радость. Он уловил в Графе схожее чувство, напрочь лишенное смущающей признательности. Граф был явно и нескрываемо счастлив. Улыбнувшись друг другу, они разошлись. Теперь Тим оказывал всевозможные знаки внимания миссис Маунт, даже начал звать ее Вероникой. Предположение, что у нее к нему слабость, совершенно переменило его отношение к «старушке».

Розалинда Опеншоу пыталась решить, кто из присутствовавших мужчин самый привлекательный, помимо ее брата Уильяма, в которого была просто влюблена. Ей очень нравился Тим, и она вполне понимала Гертруду, которую так привлекло в нем нечто от «милого зверя», но его неумение держать себя с достоинством она считала серьезным недостатком. Чего нельзя было сказать о Манфреде, но тот был слишком типическим красавцем и чересчур высок. Виктор Шульц недурен, да лыс, к тому же в некотором роде плейбой, что отталкивало Розалинду. Акиба Лебовиц, конечно, очарователен, но только что женился. Эд Роупер (который походил на жабу, впрочем довольно симпатичную) привел с собой французского писателя по имени Арман, на которого приятно было взглянуть, все-таки новое лицо в знакомой компании. Он был свирепого вида, очень смугл и худ. Розалинде понравились его умные глаза-щелки. Джеральда Пейвитта она всегда находила привлекательным, хотя, кажется, больше никому такое не приходило в голову. Ее умиляла его необъятная толщина, любознательная доброжелательная, лукавая физиономия с тройным подбородком, даже его запах. Друга Уильяма, некоего Дейвида Айдлстона (разговаривавшего сейчас с Мойрой Лебовиц) все считали потрясающим красавцем, но, конечно же, он слишком юн. На Розалинду не могли произвести впечатления никакие молодые люди, кроме ее брата. Ее острый умный взгляд остановился на Графе. Высок, это правда, но не чересчур. Его невероятная бледность, кроткое лицо, прямые мягкие бесцветные волосы и эти печальные светло-голубые глаза заставляли сердце переворачиваться в груди. Она отвернулась и направилась к французу.

Анна освободилась от вежливости Стэнли и от шумной фамильярности Эда Роупера, который вдруг решил объявить ее лучшей своей подругой. Медленно обошла спину адвоката Гинсбурга (брата-близнеца актера), старинного друга Гая, недавно вернувшегося из Гааги, и теперь никто не заслонял от нее Графа. Он разговаривал с Гертрудой. Увиденное поразило ее прежде, чем она что-то поняла или подумала. Граф сиял. Ужасной изможденной маски отчаяния и уныния как не бывало. Это был совершенно другой Питер, такой, каким она его никогда не видала, который сейчас наклонялся к хозяйке дома, смеясь, и лицо его морщилось, почти как у паяца, от веселья и удовольствия. Уж не пьян ли он, подумалось Анне? Затем она увидела лицо Гертруды. И Гертруда игриво теребила Графа за рукав пиджака. Граф прекратил смеяться и стал что-то говорить Гертруде. Лицо его выражало нежность, уверенность, радость и умиротворенность.

В следующую секунду сообразительная, чуткая Анна все поняла. Гертруда заключила с Графом любовное соглашение. Теперь ему ни к чему ни чувствовать себя несчастным, ни уезжать. Он останется при ней ее обожателем, поощряемый ею. Тим возражать не будет. Гертруде это ничего не стоило. Она распорядилась им походя, как бы между прочим. Ей нужно было лишь вытянуть руку, лишь тихонько свистнуть. То малое, что она даст Питеру, для него будет достаточно, и даже много. Он смиренно примет все, что она милосердно уделит ему. Вероятно, все, что ему требовалось,— это чувство, что он необходим ей, он готов жить и этим. Немножко чар, и умная участливая Гертруда осчастливила его. Она всегда ценила его любовь и не видела причины, почему бы не пользоваться ею и дальше, всегда.

Анна отвернулась. Они не видели ее. Она заставила себя сдержать подступавшие слезы. Теперь надо незаметно выскользнуть из квартиры и отправиться домой. Никто не заметит ее ухода.

Неожиданно она увидела перед собой Манфреда.

— Привет, Анна. Еще шампанского? Где ваш бокал?

— Спасибо, но мне нужно уйти.

— О, не уходите. Вы хорошо себя чувствуете? Вид у вас немного...

— Легкая мигрень, и только. Пойду домой и прилягу.

— Так вы мучаетесь мигренью? Я тоже. Только у меня есть чудодейственные таблетки...

— Я должна идти.

— Анна, позвольте отвезти вас. Вы действительно неважно выглядите.

— Ничего, я в порядке. Большое спасибо, но прогулка мне поможет.

Она была уже у двери.

Тут ее перехватила Гертруда.

— Манфред говорит, у тебя разыгралась мигрень, не уходи, приляг здесь.

— Благодарю, нет, дорогая. Мне нужен свежий воздух.

— Я хотела поговорить с тобой, только сейчас не получится. Приходи завтра к ланчу, хорошо? Никого не будет, только мы с тобой.

— Приду. Завтра буду нормально себя чувствовать.

— Ну, выздоравливай, дорогая моя, дорогая. А ты знаешь, что кое-кого тут совершенно покорила? Нед Опеншоу говорит, что влюбился в тебя! Привет, Мозес, очень рада, что смог выбраться!

— Слыхала новость, Гертруда?

— Какую новость?
— О новом Папе! Он поляк!
— Да неужели? Новый Папа?
— Слушайте, Мозес говорит, что новый Папа — поляк!
— Быть этого не может!
— Скорее, скорее, скажите Графу!
— Где Граф? Новый Папа — поляк!
— Граф, Граф, послушайте, новый Папа...
— Ура! Новый Папа поляк!
— Как замечательно! Граф, слыхали?
— Да здравствует Граф, поздравим Графа!
— Тост за Графа!
— Только посмотрите на его лицо!
— Да здравствует Польша, да здравствует Граф!
— А ну-ка, трижды...

Ведь он отличный малый,
ведь он отличный малый,
ведь он отличный ма-а-лый,
мы это знаем все!

— Ты слышала, как они пели «Ведь он отличный малый»?
— Да,— сказала Анна. Спускаясь по лестнице, она слышала, как раздалась песенка.
— Питер просто обезумел от радости.
— Правда?
Они с Гертрудой завтракали в столовой на Ибери-стрит.
— Я теперь зову его Питером,— сказала Гертруда.— Стараюсь привыкнуть. И постепенно приучу к этому всех вас. Думаю, пора, чтобы он стал для нас Питером. Очень сомневаюсь, чтобы ему когда-нибудь нравилось, что его называют «Граф». Еще сыру?
— Спасибо, нет.
— Анна, ты ничего не ешь. Уверена, что мигрень прошла?

— Да, конечно.

— Манфред говорит, что у него есть какие-то чудо-таблетки.

— У меня тоже есть свои чудо-таблетки. Я в порядке. Спасибо за заботу.

— И у тебя еще не прошел ожог на руке.

— Нет, это уже другой.

— Надо беречься. И вообще ты нескладеха.

— Со мной все в порядке.

— Нет, если постоянно это повторяешь. Смешно, опять ходишь в том же сине-белом платье, в котором приехала из монастыря. Столько с тех пор всего произошло.

— Да.

— Как замечательно вышло с новым Папой. Я так довольна. Это хороший знак, дыхание надежды. Ты согласна?

— Согласна.

— Стэнли говорил... а, не важно, что он говорил. А Граф, его было просто не узнать. Я страшно рада, что мы услышали новость как раз в этот день на вечеринке.

— Да, приятно. Все поздравляли его.

— Как все хорошо, больше нечего желать. Боже, храни Питера, Боже, храни Польшу, Боже, храни Анну! Ну-ка, до дна!

— Я пью.

— Нет, не пьешь. И возьми еще сыру или вот яблочко — божественное.

— Спасибо, не хочу.

— Я должна тебе кое-что сказать относительно Графа, то есть Питера.

— И что же?

— Кстати, я очень признательна тебе за то, что ты заботилась о нем ради меня. Он говорит, ты уговаривала его не отчаиваться. Держала его за руку, как священник.

— Я не держала его за руку.

— Ну, фигурально выражаясь. Он невероятно благодарен за святое женское милосердие.

— Это было нетрудно.

— Мы оба невероятно благодарны. Мне следовало раньше сделать что-нибудь для него, только...

— Ты была слишком занята.

— Да, столько всего происходило. Но должна предупредить, я никому ничего не говорила, кроме, естественно, Тима. Я почувствовала, что не могу оставить Графа одного и в печали. Тим согласился, что нужно вовлечь его.

— В семейный круг?

— Даже больше. Ты знаешь, ну, это не секрет, все знают, Гай знал, что Граф отчаянно влюблен в меня.

— Знаю, конечно.

— Нет, надо звать его Питер. Так вот, Питер был, да и сейчас отчаянно влюблен в меня. Но прежде мы никогда не говорили об этом, просто понимали это.

— Безусловно.

— И разумеется, когда я овдовела, как ему было не надеяться?

— Действительно, как?

— А потом был Тим.

— А потом Тима не было...

— Да. И я знаю, Питер очень страдал, и надеялся, и страдал, и не мог выносить это дальше, и решил, что уедет в Ирландию.

— В Ирландию? — удивилась Анна.— Мне он этого никогда не говорил.

— Он очень скрытен. Почти ни с кем не делится. Мне он признался, что собирался в Белфаст и надеялся, что какой-нибудь террорист убьет его там!

— Он тебе такое сказал?..

— Да, после вечеринки, но, конечно, к тому времени он передумал! В любом случае я не могла предоставить его самому себе. Куда он мог бы пойти, к кому, разве он об этом думал? Кроме меня и нас, у него никого нет. Только он такой несчастный, такой гордый, такой молчаливый, и в нем столько польского. Думаю, он действительно хотел уехать куда глаза глядят, зачахнуть там и умереть. Я не могла позволить ему сделать это, разве могла?

— Нет, конечно.

— Он странный человек, с ним невероятно трудно найти общий язык. Ты знаешь, как человек может быть близок другому и все же быть неспособным на откровенность...

— Знаю.

— Я, наверное, так и не смогла бы пробиться к его душе, если бы он не сделал первый шаг.

— И он его сделал?

— Да, во Франции. Знаешь, в тот период, когда тебе было так отвратительно, я довольно долго была там с ним одна... и как-то вечером он на секунду взял меня за руку... какое это было достижение! И пробормотал, что любит меня. Это был один-единственный миг, но он все изменил.

— Как ты когда-то сказала, тебе достаточно четырех секунд, чтобы изменить мир.

— Точно. Он думал, что это мгновение было бесследно стерто последующими событиями, но нет, не было. Оно проделало щель, сквозь которую я могла говорить с ним.

— Приманить и привлечь.

— Да. Вероятно, я все равно добилась бы этого, просто понадобилось бы больше времени, чтобы придумать способ.

— И что теперь?

— Теперь... видела, какой он был вчера вечером? Даже еще до новости о Папе! Чаша его радости преисполнена. Я сказала ему, что думаю о нем, люблю его и что ему не нужно переставать любить меня. Он абсолютно счастлив.

— Прекрасно. И думаешь, это долго продлится?

— Да, могу поручиться.

— Тима это не будет смущать?

— Нет, конечно нет. Потому-то это и стало возможным. Тим и я... мне трудно объяснить, это так сложно... к тому же, как тебе известно, уже проверено на опыте. Я могла выйти только за Тима... и никогда за Питера... сейчас я это понимаю. Тим знает, что ему совершенно нечего опасаться, и он, по его собственному признанию, очень любит Питера. В прошлом Питер был исключительно добр к Тиму.

— Значит, ты ручаешься, что вы все сможете быть счастливы?

— Не вижу причины, почему не быть! Когда человек в счастливом браке, он волен любить других и быть любимым ими. Я теперь далеко не так строго смотрю на это, намного шире, чем прежде, и в некотором смысле Тим помог мне стать более свободной в том, что касается чувств.

— Вот ты и подумала, почему бы не любить и Питера тоже?

— Да. То, что я не любила Питера и он страдал от этого, было единственным, что омрачало мое счастье, и я подумала, отчего бы не стать окончательно счастливой и не сделать счастливым его. И мне было не все равно, что он думает...

— Что он думает о тебе?

— Да, и...

— Ты владела его мыслями и не хотела лишаться своей власти над ним, что ж, понимаю. В конце концов, он мог бы осудить тебя.

— Не думаю, что ему когда-нибудь удалось бы излечиться настолько, чтобы это произошло!

— Даже если бы он немедленно уехал?..

— Я обязана была избавить его от отчаяния, удержать, спасти. Зачем ему быть несчастным, когда я легко могу сделать его счастливым, просто будучи внимательной к нему? Несчастье — глупо. Он умный человек...

— Героический,— сказала Анна.

— Героический?

— Что довольствуется столь малым.

— Ты называешь это малым — быть любимым мной?

— Ох, Гертруда, я тебя просто обожаю! — сказала Анна и не выдержала, рассмеялась.

— Он хочет по-прежнему любить меня. Любовь, ты же знаешь,— это деятельность, она как служба. Он будет счастлив в своей любви, зная, что я знаю и ценю ее.

— Понятно.

— И вот... да ты сама видела. Он мой навсегда. Обещал, что никуда не уедет. Поклялся кровью дорогой своей Польши.

— Чем?

— Кровью дорогой своей Польши. Законченный романтик, не правда ли?

— Что сказал бы Гай обо всем этом! — воскликнула Анна.

Это было жестоко, но она должна была заглушить собственную боль.

Гертруда стойко выдержала удар.

— Считаешь странным, что я могу говорить о счастье, потеряв Гая?..

— И в мыслях не было...

— И все-таки странно. Думаешь, я не печалюсь о Гае? Печаль никуда не ушла, она по-прежнему живет во мне. Но человеческая душа так велика. Вмещает одновременно и печаль, и счастье.

— Знаю.

— Хорошо, я сказала, что для полного счастья мне недоставало Питера. Я имела в виду — среди всего другого. В жизни большинства людей, а может, каждого человека есть ужасные вещи, которых не изменить и которые остаются с ним навсегда. Ты не должна была напоминать мне.

— Прости, я...

— Нет-нет... а о том, что подумал бы Гай, я и сама себя спрашивала. Что касается Графа, он понял бы. Хотя при Гае ничего подобного и быть не могло. Он чувствовал бы, что это... дурной тон.

— Да, легко представить.

— Когда Гай был жив, Граф был в порядке, ему удавалось справляться с собой.

— Это правда...

— Что до Тима, Гай, конечно, был бы изумлен! Но это до известной степени пустой вопрос: что подумал бы Гай. Он теперь в ином мире. Если бы Гай был жив, я никогда не полюбила бы никого другого, даже не взглянула бы на другого мужчину. Гай создал меня, какой я была с ним и какой остаюсь сейчас. Но я тоже изменилась. Чтобы пережить страшную утрату, необходимо стать иным человеком. Это может показаться жестоким. Само выживание — жестокая вещь, выжить — это значит перестать думать о том, кто ушел.

— Верно.

— Я и не задумывалась о Тиме. Ничего такого не ждала и не искала.

— Но это произошло. Человек должен принимать счастье, как он принимает горе, если приходит то или другое.

— Да.

— Эй-эй, белый лебедь... спрашивала я тебя о белом лебеде?

— Спрашивала.

— Нет больше всей той загадочности Гая, нет его особого величия и очарования, и самого его нет, чтобы узнать у него. А «она продала кольцо» помнишь?

— Это тоже была его присказка?

— Да, эти забавные присказки были как заклинания: о кубе, «она продала кольцо» или «не надо ей было продавать кольцо».

— «Она» — это, конечно, Джессика,— сказала Анна.— Из «Венецианского купца». Она продала кольцо, подаренное матерью ее отцу.

— Господи, ты права! Почему мне это не пришло в голову? Гай часто говорил, что отождествляет себя с Шейлоком. Как бы мне хотелось, чтобы ты знала Гая.

— Один раз я разговаривала с ним.

— Ах да, припоминаю. Как все же странна, и необъяснима, и ужасна жизнь.

— Очень.

— Я рада, что ты здесь, Анна. Мне тебя словно само Небо посылает, как тогда, когда Гай был болен. Ты помогала мне во всем, благодаря тебе я смогла пережить его смерть. Выйти замуж за Тима и удержать Питера — все это ты мне помогла, правда!

— Приятно слышать.

— Я думала, что никогда больше не буду счастлива, никогда даже не захочу счастья. Что я бы делала без тебя?

— Я тут ни при чем, но все равно спасибо.

— И теперь мы вместе. Я так довольна за Графа, за Питера. Так сказать, последний штрих. Я не могла позволить ему отбиться и потеряться.

— Конечно, не могла.

— Это как овчарня, где все овцы собраны вместе.

— Или как детский манеж.

— Точно! У меня нет детей, потому каждый — это мой ребенок. Я поняла, что это так просто — любить и быть любимой всеми.

— Вот и хорошо.

— А теперь расскажи о себе, я совершенно не в курсе, что происходит. Знаешь, после... после Франции... я жила в мире каких-то сверхчеловеческих страстей. Все было потрясающе. Но я поостыну, приду в себя. Мы придем в себя. Расскажи, как твои дела.

— Прекрасно.

— Как с работой?

— Пока не везет.

— А тебе нужно работать? Знаешь, дорогая, денег у меня немерено. Ты не должна беспокоиться о деньгах, договорились? Чем тебе хотелось бы заниматься? Меня распирает желание помочь всем, исполнить их заветные желания! Ну, не всем, но тебе безусловно. Ты должна иметь, что ты хочешь, и тут я полностью в твоем распоряжении.

— Нет, я должна работать.

— Я так и полагала. Давай подумаем, что мы можем сделать...

— Вообще-то я уезжаю,— сказала Анна.

— Да? Куда?

— В Америку.

— В Америку? И надолго?

— Навсегда.

— Не глупи, Анна.

— Буду там жить и работать. Я знаю там людей, которые подыщут мне работу.

— Анна, что это значит? Какую работу, где, я не хочу отпускать тебя!

— В Чикаго, там есть община кларисс...

— Анна! Ты же не хочешь уйти обратно в монастырь? О боже!..

— Нет, монахиней я не стану. Буду жить при нем. Это тоже способ.

— Ты сумасшедшая, я думала, ты покончила со всем этим... И чем, ты воображаешь, будешь там заниматься?..

— Буду кем-то вроде социального работника, во всяком случае собираюсь. Я решила устроиться там.

— Анна, ты не можешь так поступить! — Гертруда вцепилась в край стола, приподняла его на дюйм и выпустила. Бокалы зазвенели.— Не можешь, не поступишь, нет!

— Прости, дорогая. Я приняла решение.

— Ты не уедешь. Я не могу без тебя. Ты не уедешь.

— Прости...

— Но почему? Это из-за Тима?

— Из-за Тима? Нет.

— Ты вообразила, что терпеть не можешь Тима, но ты полюбишь его, научишься...

— Да, мне...

— Или ты по-прежнему считаешь, что я вышла за никчемного человека? — В глазах Гертруды вспыхнули гнев, раздражение, вечное упрямство.

— Гертруда, Тим ни при чем, он мне уже нравится, мне не нужно ничему учиться.

— Я столько много думала о нас четверых, почему мы не можем быть одной счастливой семьей? Как было бы прекрасно вместе встретить Рождество: ты и я, Тим и Граф. Такое утешение! Не верю и никогда не поверю, что ты и Тим не поладите. Ведь тебе уже нравится Питер, и ты нравишься ему...

— Рождество. Как трогательно. Как грустно.

— Отчего грустно? Что такое? Анна, Анна... или дело во мне?

— О... нет...

— Хочешь, чтобы я принадлежала только тебе одной? Не желаешь делить меня с Тимом? Так, да?

— Нет, уверяю тебя, ты тут ни при чем...

— А я думаю, при чем. В тебе говорит ревность. Ты обиделась и уезжаешь.

— Я уезжаю не оттого, что обиделась! — ответила Анна, уже сама разозлившись.

— Анна, будь великодушней. Тебе не хватает великодушия, не хватает благородства. На тебя это непохоже.

— Я нисколько не...

— Анна, ты не как тот благородный, уж не помню его имени, который уходит в снега? Что за глупая идея пришла тебе в голову? Ты злишься, что теряешь меня? Ты не потеряла меня. Неужели воображаешь, что больше не сможешь дружить со всеми нами?..

— Гертруда... пожалуйста...

— Для чего уезжать? Это бред. Это что, назло? Питер — в Ирландию, ты — в Америку, или все с ума посходили? Ты возненавидишь Америку. Как бы то ни было, ты не едешь. Я не могу без тебя. Ты остаешься здесь, и точка.

— О, моя дорогая, дорогая моя...

— Ты обещала, что останешься... говорила, что никогда не покинешь меня...

— В наши дни до Америки рукой подать.

— Это подло с твоей стороны! Ты злая! Не держишь слово и понимаешь это! Я чувствовала себя так спокойно. Так уверенно. Думала, ты всегда будешь со мной.

— Мне необходимо уехать,— сказала Анна.— Прости.

— Но почему? Ты не можешь уехать. Я люблю тебя, мы все любим тебя. Здесь ты дома и одна из нас. Почему ты бежишь, чего боишься? Найдешь работу в Лондоне. Ведь помнишь, как мы собирались вершить добрые дела? Если хочешь заниматься социальными проблемами, я сама могу устроить тебя работать с женщинами из Азии. Здесь масса необходимых дел. Зачем для этого куда-то уезжать?

— Затем, что я человек религиозный,— ответила Анна,— и мне необходимо уединение.

Помолчав, Гертруда сказала:

— Этого я и боялась.

— В каком-то смысле я по-прежнему монахиня.

— Ты еще носишь свой отвратительный крестик на шее. Я эту цепочку видеть не могу.

— Для всех вас я была монахиней.

— Да, но ты была нашей монахиней. Ты была нужна нам...

— Мне это необходимо,— сказала Анна.— Я долго думала над этим. Необходимо. Прости.

— Анна... мне ты тоже необходима... пожалуйста...

Глаза Гертруды наполнились слезами, и мгновение спустя ее щеки стали красными и мокрыми.

Анна придвинула кресло к подруге. Они молча обнялись. Анна, тоже плача, схватила Гертруду за плечи, притянула к себе ее милую голову, и их слезы смешались. Ей казалось, что за размытыми очертаниями комнаты видится мерзость опустошения. Она плакала вместе с Гертрудой от невыносимого сочувствия к ней, плакала над собой и над своим грядущим одиночеством.

Скоро они взяли себя в руки, отодвинулись друг от друга, осушили слезы.

— Ты еще передумаешь,— сказала Гертруда.

— Нет, нет.

— Ну и черт с тобой!

— Прости...

— Итак... в конце концов... нам снова предстоит разделить мир. Мне достанется старый, тебе новый.

— Мы еще встретимся,— сказала Анна.

И она уже заранее видела, как это будет. Обмен остроумными письмами, со временем все более редкими. Встречи, может, раз в три года, без мужчин. Будут сидеть в баре в Нью-Йорке или в Чикаго и вспоминать былые годы. Смеяться прежним грустным, безумным смехом, как тогда, давным-давно, когда Анна собиралась в монастырь.

И как тогда, при том давнишнем расставании, Анна сказала:

— Не навек прощаемся.

Но они прощались навсегда, и обе знали это.

ЧАСТЬ ДЕВЯТАЯ

— Почему Анна решила уехать? — спросил Тим.

Он и Гертруда обедали на Ибери-стрит, запивая еду молодым божоле.

— Не знаю. Ее нелегко понять. Видно, после того как она явилась ко мне прямо из монастыря и я очень зависела от нее, ей представлялось, что мы вечно будем неразлучны. Наверное, мне и самой этого хотелось. Потом она почувствовала, что не может делить меня ни с кем другим. Она всегда относилась ко мне так, словно я ее собственность, даже в колледже.

— А не в том дело, что она недолюбливает меня?

— Нет, навряд ли.

— Было бы очень неприятно думать, что ты потеряла ее из-за меня...

— Нет-нет, то же самое было бы, выйди я за кого другого, она хотела меня для себя.

— Она всегда несколько пугала меня. Но я старался.

— Знаю, дорогой мой, ты старался. Она говорила что-то о том, что она человек религиозный и нуждается в уединении.

— Я считал, что она завязала со всем этим делом.

— И я. Но оказывается, нет. У таких людей это как наркотическая зависимость. И она же пуританка, мазохистка.

Гертруда не призналась Тиму, насколько глубоко ее ранила измена Анны. Как она могла покинуть ее, снова и снова спрашивала себя Гертруда, как могла, когда она так нужна ей и она так ее любит? Почему она не может сохранить все, все, что ей было дано после смерти Гая? Как ей быть без Анны? Еще одно горе, с которым так трудно будет справиться. Надежная, казалось бы, колесница, в которой они с Анной собирались промчаться по жизни, в результате не выдержала испытаний, развалилась.

Тим предложил перейти из столовой за маленький столик в гостиной, в которой теперь каждый вечер пылал камин, поскольку погода была морозной. Тим уже убрал грязные тарелки и разложил между бокалами шахматную доску. Обычно перед сном они играли, пытались играть, партию. Оказалось, что в шахматах они стоили друг друга. Графу о решении Анны они решили не говорить.

— Ты завтра встречаешься за ланчем с Графом?

— Да, ты ведь завтра преподаешь.

— Не забудь, что Пэт Камерон и Эд заглянут пропустить по рюмочке.

— И мистер и миссис Сингх. Это успех! Надеюсь, у тебя выгорит с Эдом.

— А он не делает это просто из одолжения мне?

— Нет, это бизнес.

Эд Роупер недавно открыл керамическое дело и предложил Тиму использовать его котов для украшения кружек. Тим в свою очередь предложил ему эскизы спичечных этикеток. Всякий турист купит коробок спичек.

— Никогда не думал, что всерьез займусь прикладным искусством, но теперь очень им увлекся. Кстати, что по этому поводу говорит Манфред?

— Он считает, что это великолепная идея.

— Я боялся, что он сочтет это за шутку.

— Манфред никогда не смеется над деньгами.

— Над деньгами — нет, он смеется надо мной.

— Ты ему нравишься.

— И он мне. Я бы держал его за домашнюю зверюшку. Я хотел бы разбогатеть, только чтобы произвести впечатление на Манфреда. Чудак он, правда?

— Да,— сказала Гертруда,— и очень скрытен.

— Подозрительно?

— Не знаю. Он очень добр, заботится о людях. Очень ласков с миссис Маунт, мне известно, что он регулярно посылает деньги Сильвии Викс, и я постоянно встречаю людей, которым он помог.

— Ты дашь ему картину?

— Предложу какую-нибудь.

— Только не портрет бабушки.

— Тот, где она похожа на Сильвию? Нет, я знаю, что эта вещь нравится тебе.

Поскольку они собирались переехать с Ибери-стрит, Гертруда решила раздать кое-какие из семейных портретов.

— У нас слишком много имущества,— сказал Тим.

— Мы можем кое с чем расстаться.

— Мне нравится думать о нашем новом доме. Ты уверена, что не против Хаммерсмита? Мне всегда хотелось жить в том районе.

— У тебя будет студия со стеклянным потолком.

— Это священное место: между Хаммерсмитским мостом и Чизуик-Мэлл, к тому же там такие отличные пабы.

— Мы во все сходим.

— Гертруда!..

— Что, дорогой?

— Я так счастлив, будет ужасно, если я открою еще бутылочку божоле?

Они вновь жили так, как в то недолгое спокойное время после женитьбы, и все же во многом теперешняя их жизнь была иной. Тим был больше занят: он по-прежнему преподавал, и эта работа обещала стать постоянной, бывал у Эда на его фабрике, где вникал в новое для себя гончарное дело. Гертруда продолжала работать с женщинами из азиатской общины и надеялась на будущий год вернуться в школу на неполную неделю. Навела порядок в библиотеке и почти каждый день покупала новые книги. Приятно было снова засесть за учебники, и не просто так, а ради дела. Ну и конечно, их мысли занимал новый дом, покупка которого была уже почти оформлена. Голова кружилась от разнообразия, когда они разглядывали, выбирая, обои.

Тим возобновил свои одинокие блуждания по Лондону. Это было ему необходимо. Иногда он шел пешком от Ибери-стрит до маленькой фабрички Эда в Хокстоне. Иногда гулял в парках, где палую, обожженную морозом листву сгребали в кучи и поджигали, и дым столбом поднимался в холодном недвижном воздухе. Он опять стал заходить в картинные галереи. Картины снова изменились. К ним вернулись красота и глубокий смысл. Они были прекрасней и значительней, чем когда-либо прежде. Тим не всегда оставался там подолгу. Он смотрел на картины и улыбался.

Конечно, он часто боялся, что ему слишком уж повезло. Он не заслужил своего счастья и может скоро потерять его. Он даже не думал, что может надоесть Гертруде и она бросит его. Но приходило в голову, что с ней всякое может случиться: нападут на улице, или попадет под машину, или заболеет и умрет. Он беспокоился, когда она была не с ним. Временами вспоминал Дейзи, и его охватывала грусть. Разумеется, он никогда не ходил в «Принца датского», но больше не воображал, как она сидит там с Перкинсом на коленях. Он был уверен, что она уехала — покинула Лондон или даже Англию. Он знал, что больше никогда не увидит ее, и тихо горевал по ней, как по умершей. Он не избегал разговоров о ней с Гертрудой. Та изредка интересовалась, как, например, он и Дейзи проводили Рождество, но особого интереса к Дейзи не проявляла, во всяком случае не докучала расспросами. Порой он думал: удалось бы ему, расскажи он сразу правду Гертруде, сохранить Дейзи в качестве друга, как удалось умной Гертруде сохранить Графа? Но слишком разными были их случаи. Дейзи и ее время ушли в прошлое. Оказалось возможным расстаться с кем-нибудь навсегда. И теперь, оглядываясь назад, ему представлялось, что он и Дейзи были добрыми друзьями и разошлись честно и благородно, за что должны быть вечно благодарны друг другу.

Тим был доволен ролью коммерческого художника, который действительно способен в один прекрасный день заработать денег. Он был настолько непохож на мота, несчастье для семьи, что не мог освободиться от старой привычки экономить. Но, уже видя в мечтах новую студию со стеклянной крышей, он как-то незаметно для себя вернулся к прежнему занятию: тратил много времени, рисуя забавных животных и странных полулюдей-полузверей, смешивших, а то и пугавших Гертруду, которая считала это баловством. Для Тима же все было иначе: эти существа как бы являлись ему из едва различимого фона намеком строгой формы, которую он предчувствовал в них. Иногда он заполнял холст композициями из математических символов, частью которых были его «звери». Он вновь вернулся к живописи на досках и подзабытому обыкновению обшаривать мусорные свалки в поисках их. На больших деревянных панелях он яркими акриловыми красками писал чисто абстрактные картины в виде «сети», которыми оставался доволен. Да, но как эти сети были связаны с органическими формами, которые тоже возникали так спонтанно? Он пытался осмыслить это, однако в голову приходил один вздор, и он не говорил о подобных глубоких вещах с Гертрудой, а спокойно и терпеливо жил с этим вздором в ожидании если не просветления, то хотя бы нового вдохновения. Он начал, набрасывая на миллиметровке, серию композиций с Ледой и лебедем. Борющиеся напряженные тела, бедра Леды, ее груди, наклоненная вперед или отчаянно запрокинутая голова, гибкая изогнутая шея лебедя, его распахнутые крылья, мощные лапы — эти формы во всем их развивающемся разнообразии возникали перед ним, будто бы уже смутно существуя на листе, и он, все более и более осознавая их как нечто заданное, с яростной готовностью делал их видимыми.

Он часто думал над тем, что пережил во Франции, и живо представлял себе «лик» и кристальное озерцо, сверкающую воду канала, жуткий зев туннеля. Ему виделся желтый каменистый берег и черно-белый пес, выбирающийся из воды и встряхивающийся. Раза два Тим доставал рисунки скал, решал, что они неплохи, и снова прятал их. Там в его жизни началось нечто, что глубоко и мистически связало Гертруду и его искусство, хотелось во всяком случае в это верить. Он ощущал эту связь, но особо над ней не задумывался. Он предполагал, что они с Гертрудой еще побывают вместе в тех священных местах, но не представлял себе это паломничество и пока не предлагал Гертруде совершить его. Он немного побаивался возвращаться, однако знал, что легко решится на это, стоит Гертруде хотя бы мимоходом упомянуть об этом.

Иногда он говорил себе: мол, слава богу, что он пошел к Гертруде в тот день, когда едва не утонул в туннеле. А если бы не пошел? Если бы уехал домой и прошли бы недели, месяцы? И чем дальше, тем невозможней становилось бы возвращение, страшно даже вообразить. В смертоносных водах канала и мраке туннеля он заново родился и принял вторичное крещение. Значит ли это, что тогда он вернулся к Гертруде наказанным и очищенным? Слишком романтично. Он вернулся к ней, как дитя, ушибшись, бежит к матери. Вернулся потому, что был весь в синяках, в крови, промок до нитки. Ему повезло, что он свалился в канал. Зачем он вообще ушел от нее и в чем была его вина? Со временем он понимал это все более смутно. Осталось сознание ужасного предательского поступка, который он совершил и который был ему чудесным образом прощен, хотя порой он чувствовал, что преувеличил свою вину, а был лишь уличен во лжи, и это оставило на душе отвратительный осадок. Он знал одно: следует хранить верность первоначальному откровению, велению Эроса, которое было столь очевидным, когда впервые он и Гертруда услышали его в тот майский вечер во Франции. Ему следовало полностью и всегда полагаться на него, как полагается теперь, когда каждый день приносит новое доказательство любви Гертруды. Но, спрашивал он себя с насмешкой, не женился ли он на ней также и ради ее денег? Не руководил ли им так или иначе некий инстинкт, ради святого, ради того, чтобы было где рисовать и писать картины, инстинкт, подобный тому, что заставляет птиц стремиться на юг, а угрей — в Саргассово море? Он не задерживался на подобных предположениях. Любовь — единственное, что имело значение, труд любви в его совершенном браке с Гертрудой, который не всегда будет светлым и радостным.

Сейчас он сказал ей, частично озвучивая свои мысли, желая услышать подтверждение им и уверенный, что получит его:

— Ведь наша любовь не изменилась, на нее никак не повлияло то, что случилось, что я совершил, правда?

И Гертруда, прекрасно понимая его, с улыбкой ответила:

— Нет, она не пострадала, не ослабла, но мы сами теперь другие, потому что потерпели крушение и выжили, так что на деле она стала только крепче.

— Ты так добра ко мне. Я часто думаю, кто я такой, что я такое? Мне далеко до Гая. Тебе, наверное, иногда кажется...

На лице Гертруды появилась знакомая гримаса. Она не в первый раз слышала подобные слова и не поддерживала его сравнения.

— Ты знаешь о странных вещах, которые Гай, бывало, говорил, как магические формулы или заклинания, особенно часто в конце болезни, и я так расстраивалась, потому что не могла их понять, а спрашивать его не решалась.... Обычно он говорил о кольце: «она продала кольцо, ей надо было хранить кольцо». Анна мне объяснила, что это такое. Это, конечно, из «Венецианского купца». Помнишь кольцо, которое жена Шейлока подарила ему и которое Джессика забрала, когда сбежала из дому?..

— И что с ним случилось?

— Она променяла его на обезьяну.

— Интересно, почему Гай...

— Он отождествлял себя с Шейлоком. Признавался мне: в нем живет постоянное чувство, что он должен в один прекрасный день все бросить и бежать куда глаза глядят. Полагаю, это глубоко еврейское чувство. Он всегда будто сидел на чемоданах.

— Мне он казался воплощением стабильности. А еще он говорил что-то такое о белом лебеде...

— Да, но я не знаю, как это объяснить, а еще о кубе...

— Каком кубе?

— О верхней стороне куба. Достать или достичь «верхней стороны куба».

— Ударить по верхней стороне куба. Тут я могу помочь.

— Ты?

— Как странно. Ты, возможно, не помнишь, но много лет назад, когда Гай играл в теннис в «Королевском клубе»...

— Он был таким замечательным игроком...

— Да, так вот, тогда он из чистой любезности пару раз предложил мне сыграть с ним. Я был безнадежен. Он пытался научить меня и повторял слова, которые говорил ему тренер: «Когда делаешь подачу, представляй, что мяч — это куб и ты хочешь ударить по его верхней стороне».

— Господи,— воскликнула Гертруда,— я-то думала, что это какой-нибудь философ из досократиков, а оказывается, речь шла о теннисе!

— Знаешь, Гертруда, я любил Гая, я любил его. И боялся, но он был мне как отец. Он был хороший человек.

— Да. Да. Да.

Они замолчали.

Тим думал: не странно ли, что вот будут идти годы, сменяться сезоны и дни становиться короче, и они будут совершать паломничество по годовщинам того дня, когда влюбились друг в друга, потом дня, когда друг друга потеряли, потом, когда вновь встретились в Британском музее, потом дня свадьбы и ужасного времени, когда снова разошлись, и празднества листвы, и соединения во Франции, потом переезда в новый дом, и так до годовщины смерти Гая. Каждый год, встречая Рождество, они будут вспоминать эту годовщину. О господи, какой она будет, эта первая годовщина? Что будет чувствовать Гертруда по мере приближения этого дня? Какая тьма должна накапливаться в ее сознании? Должно быть, она уже каждое утро думает: «В этот день, год назад». И все же она любит его и, кажется, способна и скорбеть, и испытывать радость. А если она вдруг не выдержит? Не безумен ли он, думая, что она будет продолжать его любить?

А Гертруда думала: не оттого ли она стремится к блаженству, что иначе ее горе будет слишком невыносимо? Не только ли сейчас она начала скорбеть по-настоящему, когда обрела надежное место, где можно предаваться скорби? Теперь она знает, что выживет. И все же она сказала Гаю, что без него тоже умрет, и верила в это. Сказала, что тоже будет мертва. Мертвая среди живых. И не умерла. Живет, и с ней произошло множество невероятных, изумительных вещей. Она обрела Анну и вновь потеряла ее, думала, что Анне назначено сопровождать ее в трауре, что они медленно пойдут вместе в будущее, но все обернулось иначе. Она ускользнула от протянутой к ней руки смерти и не может представить, что это было неправильно. Та ли она, что прежде, что с ней стало? Да, она будет оплакивать Гая, устроив свою жизнь, лить слезы, а Тим молча утешать ее, гладить по волосам и целовать ей руку.

И еще Гертруда думала: почти год назад Гай сказал ей: если она надумает выйти замуж, то пусть выходит за Графа.

И она решила, будто он не хочет, чтобы она выходила за Манфреда. Больше она в это не верит. Наверняка Гай просто желал, чтобы она жила спокойно и счастливо. Он умолял ее быть счастливой. Но что он подумал бы сейчас?

Ее уже не преследовала память о Гае, но чем ближе становился канун Рождества, тем она острее чувствовала, что не примирилась с ним. И говорила себе, что невозможно достичь окончательного примирения с мертвыми, если не принимать за примирение равнодушие и забвение. Они не могут осуждать нас, но не могут и прощать. У них нет ни знания, ни силы, ни власти. Они могут существовать только как вопросы, как бремя, как боль и как странные объекты любви. Она всегда будет любить Гая, оплакивать его, нуждаться в нем, чувствовать боль, и этот вопрос и это бремя останутся с ней до конца жизни.

А Тим думал: ее мысли сейчас о Гае. Ах, эта печаль, печаль в глубине чуда. Он будет верен ей, думал он, будет служить ей преданно и с любовью все отпущенные им дни жизни. И никогда больше не солжет ей. Никогда. Никогда. Никогда? Ну, почти.

— Это так печально,— сказала Гертруда,— я надеялась, Анна будет с нами на Рождество, надеялась, мы встретим его все вместе: ты, и я, и Анна, и Питер, а теперь ее не будет.

— Не будем играть в шахматы, ладно? — предложил Тим.— Давай ложиться.

— Да, дорогой. Знаешь, я тут вот о чем подумала. Попробую написать роман, мне всегда казалось, что у меня получится.

— Вот это да! — воскликнул пораженный Тим.— И обо мне там напишешь?

Они отправились в спальню.

— Ты не заболел? — спросила Манфреда миссис Маунт.

— Нет.

— Я думаю, заболел, заразился от Джанет, вечно скрываешь простуду.

— Да нет же. Забыл сказать, Белинтой возвращается.

— О, прекрасно. Но почему сейчас, когда как раз начинается лыжный сезон? Наверное, деньги кончились.

— Полагаю, дошел слух, что его мать собирается замуж!

— Тогда ничего удивительного. Думаю, она сама и пустила слух. Ты, конечно, никогда не видел ее.

— Нет.

— Горгона. Таких теперь нигде не встретишь, даже в Ирландии. Но скажи на милость, откуда у Белинтоя деньги, не ты ли даешь их ему?

Манфред улыбнулся.

Он и Вероника Маунт попивали бренди дома у Манфреда. Был поздний вечер. Подмерзшие тротуары искрились инеем. Обещали снег. Но дома у Манфреда было тепло и уютно.

Комната, где они сидели, была просторной, с высоким потолком и бледно-желтыми стенами, которые Манфред не удосужился перекрасить, когда въехал сюда несколько лет назад. В мягком свете нескольких настольных ламп, расставленных у декоративного камина, она выглядела довольно приятно. Манфред и миссис Маунт (пообедав в ресторане) сидели в тени в разных углах длинного дивана, среди множества расшитых подушечек, на гору которых миссис Маунт раздраженно пыталась опереть локоть. На большом шелковом ковре у их ног были изображены изысканные розовато-лиловые охотники, преследующие изысканных розовато-лиловых зверей. По затененным бледно-желтым стенам висели гравюры и акварели — трофеи бессистемного увлечения Манфреда. В общем, он был равнодушен к тому, что его окружало, даже внимания не обращал, хотя бывало, увлеченный какой-нибудь идеей, получал удовольствие, таща домой некое сокровище изобразительного искусства.

Манфред сидел, повернув к гостье крупное ласковое лицо. Он был, как обычно, в строгом черном костюме, белой рубашке и темном шелковом галстуке с рисунком в виде редких красных звездочек. На Веронике было вечернее платье без изысков, полуночно-синее шерстяное с бледно-голубым шелковым гофрированным шарфиком, повязанным на шее с продуманной небрежностью. Беспокойные изящные ноги она подняла на диван, поджав под себя. Ее дорогие потертые туфли знавали лучшие времена.

Вероника продолжала:

— Граф будет рад увидеть Белинтоя.

— Для Графа наступили великие дни.

— Да, и в смысле Гертруды, и в смысле Папы.

— Что Гертруда сделала такое с Графом? Это поразительно.

— То, что Гертруда сделала,— сказала Вероника,— ей ничего не стоило, она протянула руку и втянула его в магический круг своей любви.

— Это было милосердно с ее стороны.

— Как ты наивен, даже скучно. Это было сделано из корысти. Она просто не хотела, чтобы Граф уезжал. Зачем лишаться раба?

— Что ж, ничего страшного,— сказал Манфред,— поскольку он не против. Думаю, ей нужно, чтобы он с его хорошим мнением о ней был рядом.

— Да...

— Она не могла вынести, чтобы Граф уехал с черными мыслями о ней.

— Ты прав. Чуточку ласки — и черные мысли быстро сменятся светлыми. Но на месте Тима я бы обеспокоилась.

— А я не стал бы. В Тиме есть нечто детское, что совершенно покоряет Гертруду...

— Она чиста, а Тим беспутный, ты сам это видишь.

— Да. Может, это даже освобождает ее после всех тех лет, прожитых с Гаем.

— Она была неровня Гаю. Вышла за человека во всем выше нее. Все мы тогда так считали.

— Разве, Вероника? Нет, Тиму ничто не угрожает. Он действительно везунчик, если б на него напали грабители, они его никогда б застрелили.

— Он бы улестил их.

— Нет, ему просто везет, как пьянице. Он даже может радоваться, что нашелся такой человек, как Граф, чтобы развлекать Гертруду в его отсутствие.

— Такой благородный, ты имеешь в виду! Да, Граф — благородная душа.

— К тому же он и Тим хорошо относятся друг к другу.

— Ладно, Тиму нечего опасаться, а ей?

— Хочешь сказать?..

— Не думаешь ли ты, что он снова сбежит к своей любовнице?

— Нет, да и зачем ему это делать, он счастлив, влюблен.

— Не будь таким сентиментальным, Манфред. Все это слишком хорошо, чтобы быть правдой.

— Полагаю, Эд Роупер всем рассказал ту историю.

— О любовнице? Гм, он рассказал тебе.

— Да, но я никому не проговорился.

— Конечно, ты у нас невозможный молчун! Гертруда была потрясена. А все-таки что именно произошло? Думаю, ее лучше не спрашивать?

— Да, не надо. В любом случае все благополучно завершилось.

— Я слышала, Тим затевает бизнес с Эдом Роупером, то ли кружки, то ли спички, то ли еще что-то подобное. Это правда?

— Да, я даже косвенно участвую в этом финансами.

— Я бы и пенса не вложила в Тима Рида.

— Эд проследит за всем, он не дурак.

— У нас нет никаких доказательств, что Тим настоящий художник.

— Мы никогда их и не искали.

— Так и знала, что ты это скажешь. Гертруда собирается оборудовать великолепную студию, где он будет развлекаться, когда они переедут в Хаммерсмит, или Чизуик, или другой какой район в низине, от которого они сейчас с ума сходят. Я бы ни за что не стала жить возле этой вонючей реки. Года не прошло, как Гай умер, а она уже в постели с другим мужчиной обсуждает обои! Жаль, что Гертруда переезжает с Ибери-стрит. Это конец целой эпохи.

— Она даже раздает фамильные портреты,— вставил Манфред.

— Неужели? Мне она не предлагала.

— А мне собирается передать Сарджента, ту головку Джудит, двоюродной бабушки.

— Это очень маленькая картина.

— Зато самая ценная. Я много лет говорил ей, как нравится мне тот портрет.

— Ты неисправим. Полагаю, она раздает картины ради успокоения совести. Откупается от нас, на большее мы не можем рассчитывать. Ты считаешь, Гертруда действительно вернется к преподаванию?

— Думаю, попытается.

— Накупила кучу мудреных книг, которые, держу пари, не прочитает.

— Она не ученый, но, возможно, хороший учитель.

— Она все рассуждала, как они оба будут работать. Я считала, что это чистая фантазия. Видно, она верит, что Тим в самом деле заработает на жизнь.

— Почему бы ему не зарабатывать? Зарабатывал же он раньше.

— Больше похоже, что он проматывает Гертрудины деньги.

— А мне кажется, он не так помешан на материальных благах, как все мы.

— Еще научится тратить. Но если серьезно, Манфред, неужели тебе приятно будет видеть, как состояние Гертруды бездарно тает?

— Мне,— ответил Манфред,— и правда будет грустно видеть, как исчезают деньги, которые наш прадед заработал с таким умом и стараниями.

— И кому-то из нас досталось кое-что, а кому-то — ничего! По крайней мере, Джозеф всегда жаловался, что ни гроша не получил. Любопытно, так ли это, учитывая, сколько он промотал на ту свою сучку, и я до сих пор не знаю, что случилось со «страдивари».

— Давай не будем касаться сегодня Джозефа, Вероника. Гай был так прискорбно равнодушен к деньгам.

— Он хотя бы не потерял их.

— Равнодушен,— грустно сказал Манфред.— Никогда не слушал никаких советов. Еще коньяку?

— Спасибо. Интересно, кому они достанутся, если Тим не растранжирит. Как по-твоему, будут у них дети? Я знаю, что Гертруда не способна иметь детей, но они могут взять приемного.

— Могут, когда привыкнут к супружеской жизни. По мне, из Тима получится отец.

— Да? Вот Джанет разозлится. Значит, деньги тебя, по крайней мере, интересуют?

— Чьи, Гертруды?

— Правда, у тебя своих предостаточно.

— Когда это кого останавливало? Всегда хочется еще и еще. Только бедняки не хотят денег, дело в принципе, а его у них нет.

— То есть тебя это могло интересовать, даже если не интересовала она сама.

— Какую же степень цинизма ты мне приписываешь, Вероника.

— Я подозревала, что ты неискренен. Тебя привлекала она. Не просто деньги.

— Ты непременно хочешь, чтобы я признался в этом.

— Надо сказать, что ты недостаточно старался.

— Что я мог сделать, если ты и Джанет были против меня?

— Ты смеешься. У тебя хотя бы достало чувства ответственности, чтобы сохранить деньги для семьи.

— И приумножить их, так что Джанет следовало относиться ко мне получше.

— Конечно, у Джанет и меня были разные причины...

— Повсюду сопровождать меня и ни на минуту не оставлять наедине с Гертрудой! — сказал Манфред.— Неважно, если б я хотел поухаживать за Гертрудой, то, уж наверное, как-нибудь исхитрился.

— Джанет просто боялась, как бы Гертруда не вышла замуж.

— *A cause des chères têtes blondes*, как ты однажды сказала.

— Да, из-за своих детишек.

— Тогда как ты, моя дорогая Вероника...

— Тогда как я...

— Но неужели ты не могла придумать ничего лучше, чем послать Гертруде то анонимное письмо?

Миссис Маунт улыбнулась и передвинула красивые ноги в шелковых чулках. Отхлебнула коньяку, потом взглянула на Манфреда. В приглушенном свете комнаты она выглядела молодой: гладкое лицо без морщинок, блестящие глаза.

— Как ты догадался?

— Граф показал мне письмо, и я узнал твою машинку.

— У, хитрец.

— Чего я не мог понять, так это что тобою двигало.

— Ты знаешь что.

— Я имею в виду: на что ты надеялась? Как это должно было помочь тебе вывести Тима на чистую воду?

— Я рассчитывала, что неожиданная огласка ускорит события. Оставайся все в тайне, было бы легче это отрицать, если был такой замысел. А если бы всем нам стало известно, Гертруде пришлось бы идти до конца.

— Неплохо задумано,— сказал Манфред,— и я, конечно, польщен, но игра была рискованной, Вероника. Надо думать, это ты услужливо сообщила Гертруде, что Гай и я всю жизнь были врагами. Между прочим, это неправда.

— Откуда ты взял, что я это сказала?

— Гертруда поделилась с Графом, а тот по простоте душевной доложил мне, только выразился несколько иначе.

— И я выразилась иначе.

— Я понимаю. Но это могло дать осечку. И, как знать, расположить Гертруду ко мне. Оказать противоположный эффект и пробудить крохотные семена антипатии к Гаю, сидящие глубоко в ее душе, о которых нам ничего не известно.

— Считаешь, есть такие семена?

— Нет. Но нельзя сказать наверняка.

— Я думала над этим, но решила: все же вероятнее, что это оттолкнет Гертруду от тебя.

— Как ты все просчитываешь, Вероника.

— Приходится бороться за жизнь.

— Ты, как всегда, преувеличиваешь.

— Нисколько.

— Тогда твое письмо Тиму, чтобы он попытался вернуться,— детская забава.

— Это само напрашивалось и сработало.

— Мне сказали, Тим теперь тебя очень любит.

— Он воображает, что я испытываю слабость к нему, что всегда приятно. Я его не разубеждаю. Зачем терять союзника? А раз уж мы с Тимом близкие друзья, то я могу контролировать их брак.

— Ну... дорогая моя Вероника!..

— Ты собирался что-то сказать. Не таи, мне слишком интересно.

— О Тиме и Гертруде? Не знаю, что ты имеешь в виду.

— Что, кроме их волнения, заставило тебя тогда, во Франции, решить что между ними роман?

— Гертруда сказала, что Тим приехал буквально перед нами, а я взглянул на его рисунки и увидел: слишком много среди них местных пейзажей, а значит, он жил там уже несколько дней.

— И ты подумал, что это у них серьезно? После Гая это так невероятно.

— Не скажи,— возразил Манфред.— Овдовевшая женщина часто тут же влюбляется в мужчину очень не похожего на умершего мужа. А как ты сама сказала, Гертруда из тех женщин, которым необходимо любить кого-нибудь. Гертруда понесла ужасную утрату, и она не могла пережить ее в одиночестве. Она должна была найти кого-то, чтобы утешиться.

— Должна! Точно так же я тогда заставила себя сесть в твою машину.

— Не было необходимости заставлять себя.

— Что ж, я знаю, ты человек, который никогда не делает того, чего не хочет, поэтому мне так спокойно с тобой. Ну хорошо, ты делал то, что хотел. Но если бы Гертруда отправилась в Рим, вместо того чтобы остаться во Франции, она могла влюбиться в тебя, а не в Тима.

— И что мне было бы делать в таком случае, интересно?

— Даже думать об этом не желаю. Ты вечно напускаешь на себя таинственность. Чувствую, я была на волосок от гибели.

Манфред ласково улыбнулся. Сказал:

— Волосок был еще тоньше, чем тебе кажется, дорогая.

— Ты имеешь в виду, что если бы Гертруда...

— Гертруда здесь ни при чем.

— Что же тогда?

— Я влюбился.

— Быть не может!

— Тем летом я страшно влюбился.

— О господи! — охнула миссис Маунт. Выпрямилась, опустила ноги на ковер.— И в кого же?

— В Анну Кевидж.

— Нет! — Миссис Маунт помолчала, взвешивая услышанное. Потом сказала: — Бывшая монахиня. Твоя воля.

— Ты воспринимаешь это с пониманием.

— Ты опасался, пойму ли я? Это как-то успокаивает. Но ты ошибаешься относительно того, что я воспринимаю с пониманием. Я потрясена, я в ужасе. И ты до сих пор влюблен?

— Я потерпел неудачу.

— Ты до сих пор влюблен?

— Очень неприятное ощущение еще остается. Но это пройдет. Она уехала. Я потерпел неудачу.

— Ох... бедняга... старина... ты... Но ты хотя бы попытался?

— Попытался осторожно. Но скоро понял, что существует неодолимое препятствие.

— Какое?

— Ее сердце было уже кое-кем занято.

— Гертрудой.

— Нет, Графом.

— Неужто правда? Я была совершенно уверена в другом. Ведь Гертруда явно была для нее всем на свете, предметом ее обожания, причиной ее отъезда?

— Нет сомнений, что она любила Гертруду тоже,— сказал Манфред,— но она была безумно влюблена в нашего Пьера. Она хотела его.

— Значит, у тебя не было шанса.

— Я надеялся.

— Но зачем ей было уезжать, почему она не боролась? Или ты все разрушил?

— Я ничего не делал. В отличие от тебя, Вероника, я не готов унижаться ради того, чтобы добиться желаемого.

— За что я тебя и уважаю.

— Тронут. Это ты любишь рисковать.

— Во всяком случае, ты ничего не предпринял. А Гертруда действовала.

— Как ты сказала, она просто поманила пальцем, и Граф не устоял.

— Допускаю, что он был готов устраниться, и Гертруда это знала. Но сознавал ли он, какую страсть заронил в эту целомудренную душу?

— Нет, уверен, он не подозревал об этом. Он любил Гертруду и выделял Анну.

— И Гертруда ничего не знала?

— Нет. Она могла бы страшно разозлиться, но промолчала бы.

— Должна сказать, я вообще почти не замечала Анну, просто не видела...

— Да. Незаметность монашки. Восхитительное свойство.

— Тем не менее странно, что это совершенно ускользнуло от меня...

— Учитывая твою обычную зоркость. Я считал, что чем меньше тебе известно, тем лучше, дорогая Вероника. *Je te connais**.

— Если б я все это знала...

— Что до того, что Анна не боролась, то учти положение бедняжки: она любила их обоих. Что она могла сделать? Она была вынуждена отойти в сторону. Возможно, она чувствовала, что должна помочь Графу завоевать Гертруду.

— Она всегда была не очень высокого мнения о Тиме.

— Потом, когда Тим вернулся...

— Граф тоже не слишком-то боролся.

— Нет. У Графа есть свои моральные принципы, как и у Анны, которые нам могут казаться странными. Они созданы друг для друга, но, увы, не судьба им быть вместе.

— А я считаю, оба они мягкотелые. Могла бы Анна приложить какие-то усилия, когда Тим вернулся?

— Граф был одержим Гертрудой. Думаю, она надеялась молчаливой терпеливой любовью завоевать его сердце. И не предвидела, какой ход сделает Гертруда.

— Тогда она глупа. Я бы не упустила момент. Ладно, молчу. Так или иначе, она выжидала, а там — бац! — и стало уже поздно.

— Она понимала, как много для Гертруды значит вечно иметь Графа при себе.

— А для Графа — оставаться рабом Гертруды. До чего же отвратительно. Итак, Анна даже не попыталась, сбежа-

---

* Я тебя знаю *(фр.)*.

ла. Но откуда все это тебе известно? Не могла же она сама тебе рассказать?

— Господи, нет, конечно! — воскликнул Манфред.

— А что тогда, проницательность влюбленного?

— Я был на Ибери-стрит, когда Граф появился там вскоре после возвращения Гертруды с севера. Его трясло от волнения. Анна терпеливо сдерживала раздражение.

— Тому могла быть другая причина.

— Я думал об этом. В ней могло говорить чувство собственницы по отношению к Гертруде. Но я начал замечать множество других признаков. То, как она смотрела на него, и...

— Но все-таки это остается предположением?

— Нет, я полностью уверен. Последнее доказательство я получил на той вечеринке, когда пришла новость о Папеполяке. Граф и Гертруда вдруг стали похожи на молодых влюбленных. Анна увидела, что случилось. Лицо ее стало как маска смерти.

— Оно у нее всегда такое, она напоминает призрак, прозрачная. Но ты-то когда влюбился в это холодное бледное создание?

— Она поразила меня еще в первую нашу встречу на Ибери-стрит, непосредственно после ее приезда. В ней было нечто необыкновенное, какая-то сила, которая сразу меня покорила. Это была любовь. Только в тот момент я этого не понял.

— От нее до сих пор разит монастырем. Но тебе не потребовалось много времени, чтобы понять?

— Да... постепенно... это превратилось в... наваждение...

— Бедный. Бедный. Бедный. Но ты ничего не сказал, а сама она не догадалась?

— Я много разговаривал с ней *dans le cercle**.

— Ох ты господи, а наедине хоть когда-нибудь говорил?

---

* В обществе *(фр.)*.

— Да, однажды.

— Где, когда?

Манфред покачал головой.

— И что-нибудь получилось?

— Нет.

— Ты дурень!

— Это было так удивительно,— признался Манфред.— Я стал иным человеком, жил в ином мире, где все было огромным и ярким, но обычное здравомыслие оставило меня. Словно мне сменили разум на прекрасный и ясный, но непривычный и трудноуправляемый. Все безотчетные старые инстинктивные реакции не действовали. Я не знал, как мне поступить. Был сам не свой: неловок, боялся совершить ошибку. Ужасался мысли, что могу ненароком шокировать ее, оскорбить, оттолкнуть. Было восхитительно, когда поначалу она считала само собой разумеющимся, что со мной можно разговаривать легко и свободно. Я надеялся на какое-то чудо общения, что в какой-то момент... Это было так прекрасно, так...

— Так непохоже на пустую болтовню, которую тебе обычно приходится терпеть.

— Когда я вез ее и Гертруду в Камбрию... все обострилось до предела...

— Надо же! А мне невдомек было, думала, Анна стережет Гертруду, как дуэнья!

— А было совсем наоборот. Часть пути Анна сидела рядом со мной. Я чуть с ума не сошел.

— Ваши плечи соприкасались. Терпеть этого не могу.

— Я надеялся обратить на себя ее внимание. Мы много разговаривали, а мужчина за рулем может привлечь девушку.

— Я влюбилась в тебя, когда ты вел машину. Хотя, надо сказать, я любила тебя от Сотворения мира, с Большого взрыва или что там Джеральд теперь считает первопричиной.

— Полно, Вероника, ты многих любила.

— Просто легкие увлечения.

— Одно время ты любила Гая.

— Не помню такого.

— Я хотел, чтобы Анна села за руль. Загадал: если она поведет машину, все у меня получится. Я знал, что как только увижу ее за рулем, то буду не в состоянии сдерживать любовь и, возможно, решусь...

— Но она отказалась?

— Да.

— И на обратном пути тоже?

— И на обратном. Но я уже был в другом настроении.

— Меньше влюблен?

— Больше! Но терпеливее. Я кое-что задумал.

— Уж не поехал ли тайком в Камбрию повидать ее?..

— Нет, что ты, я не хотел являться непрошеным, когда она поглощена заботами о Гертруде. Кроме того, я чувствовал — не то чтобы она была хрупкой, нет, я, наверное, не встречал человека более сильного,— но что она изменилась, стала странной и слегка потерянной. Такой отрешенной. Я решил, что времени предостаточно, что я единственный, кто, как ты выразилась, способен видеть ее вопреки ее незаметности. Мне казалось, что никакой особой опасности мне не грозит, кроме, конечно, той роковой, что она просто отвергнет меня, и все для меня по-прежнему... не знаю, как это сказать... было волшебно полно ею. Я всего-навсего не хотел совершить ошибку. И все время, пока она оставалась на севере, я был так счастлив, просто думая о ней, живущей у моря, вдали от любых опасностей...

— Да. Припоминаю, каким ты выглядел счастливым. Я думала, что виновница кто-то другая.

— Потом, когда она вернулась...

— Ты понял, что у тебя есть соперник. Но если бы ты объяснился, она бы не устояла, иначе и быть не могло.

— Она любила другого. И с какой стати ей любить меня? Я не столь уж неотразим.

— Неужели? Я слышала, ты предложил проводить ее домой с той вечеринки. Ты поцеловал бы ее в машине?

Манфред промолчал.

— И эта мигрень, которая у тебя вдруг разыгралась...

— Придумал. Я искал что-нибудь, что объединило бы нас. Мы могли бы обмениваться таблетками.

— Как бы взъярилась Гертруда, немедленно влюбилась бы в тебя. Ты знаешь, что не ты один воспылал страстью к Анне? Нед Опеншоу тоже без памяти влюбился в нее.

— Сметливый парень.

— Надеюсь, она и впрямь уехала?

— Да.

— И все действительно закончилось?

— Да... действительно закончилось.

— А тебе не хочется помчаться за ней теперь, когда Граф не стоит у тебя на дороге,— или уверен, что потерпишь неудачу? Я знаю, ты не любишь неудач.

— Видишь ли... думаю, она снова стала монахиней... не в буквальном смысле, но... Никогда ей не быть моей, никогда.

— Слишком мирской для нее? Привлекательный мужчина никогда не бывает слишком мирским для одинокой женщины. Впрочем, не подумай, что я пытаюсь уговаривать тебя!

— Я потерял ее,— проговорил Манфред.— И смирился... с этим.

— Это непохоже на тебя, не получить того, чего хочешь. Значит, ты недостаточно любил ее.

Манфред молчал.

— Теперь ты сердишься на меня. Я чувствую, что охладела к тебе. Ты был... сам знаешь... вот поэтому.

— Знаю.

— Я терплю твои прихоти. Всегда терпела, это входит в условия нашего договора.

— Весьма признателен.

— Ну вот! Теперь ты жалеешь, что рассказал мне. Ты знаешь, что абсолютно свободен в своих чувствах.

— Иногда меня до смерти тошнит от себя и от всего, что есть в моей жизни. Но я излечусь.

— От моей любви тебя тоже тошнит. Но ты излечишься. Моя любовь — твоя опора и твое бремя.

— Бремя — иногда, опора — никогда.

— Ладно. Ты исчез бы в одно мгновение, если б увлекся кем-нибудь.

— Ну, пока я с тобой.

— Хотела бы я быть волшебницей, чтобы сделать тебя счастливым. Но увы. Тем не менее мы вместе.

— Да, вместе.

Вероника смотрела на профиль Манфреда. Она не сделала никакого движения к нему. Подобрала под себя ноги и сощурила глаза.

Манфред сказал:

— Жаль, что ты пустила слух, что Гай и я были врагами. Я любил Гая.

— Ты говорил, что ближе к своему концу он был холоден с тобой. Интересно, видел ли он в тебе нового мужа Гертруды?

— Нет, это было невозможно, и, уверен, Гай все знал, это походило бы на инцест.

— Потому что Гай был тебе отцом.

— В любом случае я никогда не мог подойти к Гертруде с этой стороны.

— Надо было раньше дать это понять. По-моему, ты пускал мне пыль в глаза.

— Ты сама все выдумала, и это тебя захватило.

— Это сделало меня совершенно несчастной.

— Я до сих пор жалею, что мы не прочли каддиш по Гаю.

— Ты никогда бы не собрал кворум *parmi les cousins et les oncles**.

---

* Из кузенов и дядьев *(фр.)*.

— И я так думаю.

— Меня удивляет и трогает твоя упорная скрытная сентиментальность в отношении к нашей старой религии. Гай не был таким, он не поблагодарил бы тебя за молитвы.

— Как можно знать наверняка? Когда он был при смерти, я слышал, как он разговаривал с предками.

— Что?

— В один из таких странных вечеров я, подходя к его комнате, услышал, как он говорит на идише.

— Для меня неожиданность, что Гай знал идиш.

— Он был совершенно один...

— Наверное, это было наитие смерти. Завтра я сама буду там. Болтать на идише в лоне Авраамовом.

— Вероника, прекрати все время притворяться старухой!

— Защитная реакция.

— Уж со мной это ни к чему. А сколько тебе на самом деле?

— Я старше, чем ты думаешь, и в то же время моложе. Когда мы путешествовали с тобой, люди говорили: «Он так добр к этой пожилой женщине». Меня это всегда забавляло, а теперь уже не забавляет. Но скажу тебе одно: когда однажды ты действительно уйдешь к другой, я в одночасье превращусь в столетнюю старуху, как в сказке.

— Ну, не будь такой...

— Пошлой, ты хотел сказать. Иногда мне кажется, что пошлости ты боишься больше зла.

— Пошлость и есть зло.

— Ты должен признать, что никто не имеет ни малейшего представления о *cosa nostra**.

— Не имеет, слава богу.

— А значит, ты свободный мужчина.

— Хорошо, хорошо...

---

* Наше дело *(ит.)*.

— Все считают тебя голубым, и это, конечно, помогает.

— Вероника, прошу тебя...

— Мне бы хотелось, чтобы ты был голубым, я бы стерпела твоих мальчиков.

— Опять ты начинаешь.

— Иногда я чувствую, словно собственную боль, тяжкую печаль у тебя на душе.

— У меня нет души.

— А у меня есть. Я живу в страхе. У меня ничего нет в жизни, кроме моего наркотика и этого страха. Порой возникает желание, чтобы милосердный рак положил конец всему или же та космическая катастрофа, на которую Джеральд постоянно намекает.

Зазвенел звонок.

— Черт! — всполошилась Вероника.

— Кого это принесло в такой час? — Манфред снял трубку домофона.— Алло? Кто там? — Повернулся к миссис Маунт: — Это Белинтой.

— Вот это да! Впусти его скорее, дорогой.

— У меня еще осталась бутылка виски!

Они помчались к дверям встречать ирландца.

Белинтой ворвался в квартиру. Его обветренное лицо показалось им постаревшим, но темно-голубые глаза, еще чуть слезившиеся от морозного ветра, были по-прежнему сияющими и пронзительными. На пальто и на его волнистых каштановых ухоженных волосах поблескивали крохотные снежинки. Они со смехом набросились на него, помогли раздеться, усадили в кресло и налили виски. И Белинтой, который знал об их отношениях больше, чем они предполагали, поочередно глядел на них счастливым и нежным взглядом и, протянув руку, ласково касался их.

— А теперь, дорогие мои, выкладывайте, что тут у вас произошло новенького.

Анна Кевидж сидела в «Принце датском»; Перкинс устроился у нее на колене. На улице шел снег, внутри было тепло, дымно, шумно и довольно темно. Анна уже давно была здесь, пересаживалась с места на место, пока не приткнулась в углу, откуда могла наблюдать за всем баром. Она пришла сюда в надежде увидеть Дейзи.

В сумочке у нее лежал билет на завтрашний самолет до Чикаго. Она намеренно отвечала неопределенно, даже таинственно на вопрос о дне отлета. Ни с кем не виделась, чтобы попрощаться; с Гертрудой они молча условились не устраивать никакой «прощальной сцены». «Полагаю, ты скоро улетаешь».— «Да, только не решила относительно точной даты». Они избегали смотреть друг другу в глаза. Анна обещала позвонить, но не позвонила. Послала торопливую записку: «Сейчас вылетаю». Гертруда поняла.

Она съехала со своей квартиры и поселилась в гостинице. Никто не знал, где она. И особенно не интересовался, поскольку все быстро решили, что она уже покинула страну. Один Нед Опеншоу предпринимал бесполезные попытки найти ее, полный, невзирая на неудачу, мистической уверенности, что они обязательно встретятся. Собственно, Анна была в той самой гостинице, где собиралась остановиться, когда год назад приехала в Лондон. Она снова была в сине-белом платье, что второпях купила в деревенской лавке, чтобы навсегда избавиться от черного монашеского. Она потрогала билет на самолет. И серый камешек, который тоже лежал в ее сумочке.

В своих поисках Анна не первый раз заходила в «старого доброго “Принца”». Сегодня был ее последний вечер в Лондоне, и теперь она уже не надеялась отыскать Дейзи. Она привыкла проводить вечера в «Принце», это помогало коротать время. Никто не заговаривал с ней. Никто, она чувствовала, не замечал ее. Она смотрела и слушала. Сейчас она не понимала, как ей не пришло в голову отыскать

Дейзи сразу же по приезде из Франции, сразу же, как только стало очевидно, что Тим вернулся к жене. Она должна была сделать это немедленно, вместо того чтобы беспокоиться о собственной судьбе. Непокоренная гордость разлучила ее с Гертрудой, из-за тщеславия она едва не утонула в Камбрии, неужели не мог хотя бы какой-то остаток профессиональной проницательности подсказать ей не упускать эту возможность? Почему она не догадалась, как Дейзи одинока, в каком она, возможно, состоянии, в каком, возможно, отчаянии? Анна была поглощена собственными надеждами; и раньше, когда приходила к Дейзи, она была слишком высокомерно озабочена тем, как уничтожить в себе эти надежды, чтобы подумать о бедствиях, которые ее самоотверженная мазохистская мораль могла принести в жизнь Дейзи.

Только позже она представила себе комнату Дейзи с беспорядочно разбросанной одеждой и сивушным запахом. Вспомнила свою холодность, инквизиторскую враждебность. Вспомнила приветливость Дейзи, затем ее гнев. Внезапно пришла мысль: а если Дейзи задумала покончить с собой? Все вокруг заняты выживанием, чего-то добиваются, устраивают свое счастье. Никому, кажется, нет до нее никакого дела, будто она вовсе не была участницей этой трагедии. Дейзи была неприятным, неудобным, забывающимся воспоминанием. Анна сидела в холодном номере гостиницы и спокойно думала обо всем этом и вдруг вскочила в каком-то неистовстве, выбежала из гостиницы, поймала такси и помчалась домой к Дейзи в Шепердс-Буш. Кто-то в домофоне ответил, и Анна поднялась на нужный этаж. Дейзи съехала. Новая хозяйка квартиры, приятная молодая девушка, сказала, что, к сожалению, не представляет, где теперь мисс Баррет, поскольку та не оставила своего адреса. Анна заглянула через ее плечо в чистую прибранную светлую комнату, полную книг. После этого Анна и заладила ходить в «Принца датского».

Что же до Графа, то Анна с болью продолжала думать о нем, хотя это не изменило ее теперешние планы и мотивы отъезда. Порой она чувствовала, что эта влюбленность была болезнью, которая с неизбежностью должна была приключиться с ней при возвращении в мир и от которой она очень скоро излечится. А не могла ли она, предположим, соединить долг и личный интерес и привлечь Графа, способствуя его религиозному стремлению? Он смутно выражал подобное стремление, но ей был нужен не его интерес к Христу, а только интерес к ней. Не следовало ли обращать его с бóльшим пылом? Временами прошлое неотвязно преследовало ее, заставляя гадать: что, если бы только она сказала ему тогда-то или тогда-то?.. Когда он заговорил о самоубийстве, нужно было обнять его, вместо того чтобы разубеждать рассудочными доводами. Добропорядочная щепетильность, разумная предусмотрительность, мазохистское самобичевание или эта дьявольская гордыня, которая за многие годы пребывания за монастырскими стенами, похоже, ни на йоту не стала меньше? Она чувствовала, что умрет, если получит отказ. Она пережила прекрасные моменты с Питером, говорила она себе, моменты вроде того дивного ночного телефонного звонка. «Доброй ночи, дорогой Питер».– «Доброй ночи, дорогая Анна». То был чистый мед любви, надежды. Она страшилась углубляться с ним в ужасы истории. И вот теперь эта пытка: «если бы только...» Тут облегчением было думать о Гертруде и о том, что Анна считала правами Гертруды в этой истории. Невероятная любовь Анны потрясла бы Графа и, вероятно, помешала бы счастью, которое он мог теперь испытывать как *cavaliere servente* Гертруды. Ее любовь также наверняка расстроила бы Гертруду и, пожалуй, не позволила бы ей заполучить Графа. Анна лишняя, бесправная. Гертруда, всегда принцесса, должна иметь все, чего желает; и разве не справедливо, чтобы она не знала забот в браке и, по ее собственным словам, продолжала любить всех и наслаждаться красивой ответной любовью? «Это так просто, любить и быть любимой всеми. Это как овчарня, где все овцы собраны вместе». Не обязана ли была Анна проявить достаточно благородства и стать подобной овцой? Она даже спрашивала себя, а не уезжает ли она действительно «из обиды», как выразилась Гертруда, и подло лишает подругу полного счастья, когда и Анна при ней.

Анна наконец перестала обманывать себя, воображая, что ее долг избегать Питера ввиду неизбежного разрыва Гертруды с Тимом. Она видела в них крепкую пару. Теперь она даже старалась найти в Тиме свои достоинства и размышляла, как размышляла в случае с Дейзи, над собственной неудачей, чтобы, когда придет время, пожалеть и себя. Она вспомнила разговор, может важный, когда она, предвидя падение Тима, сказала Графу, что Тиму следует уйти от Дейзи. Каким извращенным было в тот момент ее суждение об изгнанном «козле отпущения», как мало в ней было искреннего сочувствия к нему. Конечно, ее щепетильный ум мог увидеть даже в той незначительной вспышке осечку, непоследовательность ее политики игнорирования собственных интересов. И любопытная мысль: возможно, ее инквизиторская холодность в тот момент каким-то образом придала убедительность просьбе Графа вернуться Тиму к Гертруде или хотя бы расстаться с Дейзи. Как странно переплелись все эти истории. Размышляя над произошедшим, Анна задалась вопросом: а не действовала ли она, пусть только в этом случае, подсознательно в собственных интересах, но вскоре отбросила подобные сомнения как банальные.

Иногда она думала проще: она проявила трусость, за трусость и будет расплачиваться. Можно было смотреть на это и так. Следовало вести себя смелей и уверенней, интересоваться его жизнью, не щадить его сдержанность и скрытность. Чего в этих своих размышлениях она старалась не касаться любой ценой, так это любовного томления, того «хочу его, хочу его, умру без него», что постоянно возвращалось и опаляло сердце. Этому жгучему желанию Анна противопоставляла рассудок и оставалась холодной, холодной. Иначе ее ждало безумие, бесполезное страдание, от которого она безусловно могла себя оберечь. Однако ей не удавалось избавиться от него, и ей снова и снова виделись те светлые глаза, тонкое умное лицо и неуклюжая худая высокая фигура, заполняющая некую магическую отдельную зону в пространстве, как призрак святого. Она видела его преображенным, видела его красоту, которую, она была уверена, могли видеть считаные единицы, и ее тело охватывала боль желания, а душу — скорбь. Она также думала о его героизме, какого не могла найти в себе. Он любил Гертруду настолько, что будет вечно оставаться рядом с ней и видеть, что она принадлежит другому.

Но я обязана выжить, говорила себе Анна, и выжить посвоему. Остаться, да, это был бы героический поступок, но подобный героизм не по ней. И она припомнила слова Гертруды о том, что, дабы пережить страшную потерю, необходимо стать другим человеком, это может показаться жестоким, само выживание — жестокая вещь, выжить — это значит перестать думать о том, кто ушел. Да, думала Анна, и со странно острой болью вспомнила смерть матери и брата, когда она еще ходила в школу, смерть отца позже, когда она уже была монахиней. Как редко и так, чтобы не мимоходом, она теперь думала об этих дорогих ей людях, хотя на подсознательном уровне они, особенно отец, всегда были с ней. Как ей удалось пережить их смерть? И в стремительном броске памяти ей показалось, что она может припомнить, как даже в момент, когда услышала о смерти Дика, разбившегося при падении с утеса в Кернгормских горах, она инстинктивно закрылась, не впуская боль, инстинктивно устремила взгляд вперед, в то время, когда она станет другой, способной осознать эту утрату менее мучительно. Итак, Гертруда тоже выжила, ее здоровое, еще молодое, жаждущее счастья существо инстинктивно потянулось к жизни и нашло утешение в новых удовольствиях и радостях. Анна живо представила себе, как она впервые оказалась на Ибери-стрит и как, полная одновременно сострадания и тревоги, неожиданно успокоилась, приятно удивленная отведенной ей теплой, прекрасно обставленной спальней и ощущением, будто она у себя дома. Этого в любом случае не могло быть, думала Анна. Только теперь она почувствовала всю силу взрывных волн от ухода из монастыря, все неистовство того поразительного поступка, самого по себе равного некой утрате, в полной мере еще не до конца осознанной. И она подумала, что ей нужно пережить и это. И подумала, что, возможно, со временем ее безумная любовь к Питеру увидится ей простым эпизодом в долгом процессе перемены.

Они говорили: «Не бывает бывших монахинь». Они говорили: им необходимо знать, что она среди них, по-прежнему посвященная. Один только звук, слетевший с ее губ, одно лишь движение руки, и мир изменился бы, он, как сказала Гертруда, мог бы полностью измениться в несколько секунд. Она будет другим человеком, думала Анна, и это важно. Миг откровения, и некая необходимая целостность, некая абсолютная готовность, некое вечное одиночество были бы утрачены. Она держала губы на замке, никогда не открывалась в своей любви, и это было ради ее спасения. Она по-прежнему была «пустой и чистой», прозрачной и незаметной, хотя голос, говоривший это, был голосом ее гордыни. И она была бездомной и свободной. Она покинула монастырь, потому что он был домом. *Лисицы имеют норы, а Сын Человеческий*... только сейчас, после крепости ее служения Гертруде, она оказалась лицом к лицу с пустотой, которую выбрала для себя.

Но не была ли идея вакуума сама по себе иллюзией, романтичной, как сказал бы Гай? Как скоро она могла бы заполнить тот вакуум всяческим хламом! Опять забивать его, спрашивала она себя, искать убежища, глупо влюбляться? Могла бы она по-настоящему быть отшельницей в мире и что это означает? Жизнь полна случайностей. Она могла утонуть в Камбрии на глазах у Гертруды, могла дать начало новой и ужасной ненадежной цепи событий, просто взяв Питера за руку. Сейчас она была совершенно свободна, чтобы взвалить на себе бремя, но какое? Бремя брака? Анна была уверена, что уж подобного безрассудства она сумеет не совершить. Она никогда не была замужем, не была создана для особенного покоя супружеской жизни, и ей казалось, что она уже знает, что это такое. Клариссы были просто трамплином, отправной точкой. А может, она останется у них навсегда на этой отправной точке некой помощницей, прислужницей даже без привилегии быть монастыркой? Или ей найти свою келью, свой скит в виде маленького белого деревянного домика в одном из крохотных затерянных, бессмысленных американских городков? Или работать в тюрьмах и найти себя в судьбе пожизненной узницы? А может, стать врачом, как хотел отец? Или же закончить священством в иной церкви? По крайней мере, она знала, что теперь должна искать выход в отчуждении, целомудрии и в тишине совершенно неприметной жизни. «Всякому имеющему дано будет; а у неимеющего отнимется и то, что имеет». Анна по-своему трактовала это изречение. Она знала, что ее спасение от внутренней порчи, которую она отлично видела в себе, в том, чтобы не иметь и быть с неимеющими. Она думала обо всем этом, сознавая, что, возможно, «там» ее ждет лишь смятение и замешательство и неприятное, унизительное моральное поражение.

Одно время Анна исходила в этом самоанализе из такого посыла: только любовь к Богу может быть совершенной. Человеческая любовь, какой бы неотвратимой ни была, безнадежно несовершенна. Эта суровая истина и привела ее в монастырь. Она же в итоге заставила и покинуть его. Счастье, искомое в чем угодно, кроме Бога, имеет свойство обращаться в свою противоположность. Этот, некогда для нее чисто теоретический, постулат теперь был просто выражением личного опыта. В конце концов она не ошиблась, думая, что создана Богом окончательно непригодной для мира, и события последнего года это подтверждали. Создана такой и создана правильно, пусть она больше и не верит в Него. Блаженный Августин молился, просто повторяя снова и снова: *Господь мой и Бог мой, Господь мой и Бог мой!* Анна теперь чувствовала, что тоже может так молиться в крайней своей нужде, взывая к имени несуществующего Бога.

Рука Анны вернулась в сумочку и нащупала овальный камешек, слегка отколотый с одного конца, который ее Гость показал ей и оставил как знак. Твердая поверхность камешка все время была очень холодной. Инстинктивно она тронула его тем пальцем, который ей обожгло, когда она протянула руку, чтобы коснуться его одежды. В памяти до сих пор сохранилось ощущение грубоватой ткани. Небольшая ранка не зажила. Виктор, к которому она обратилась по настоянию Гертруды, был озадачен. Прописал антибиотики. У ранки не было никаких признаков нагноения, однако она так и не затягивалась. Анна сейчас вновь почувствовала ее, коснувшись холодной поверхности камешка — камешка, в маленькой окружности которого Гость заставил ее увидеть Вселенную, все сущее. «И если он так мал...» — подумала Анна, начав фразу, которую ей никогда не хватало самоуверенности закончить.

Нет Бога, есть только Христос живой, во всяком случае ее Христос живой, ее кочующий космический Христос, единственно ее, сосредоточивший на ней одной все лучи бытия. Он был повержен, думала она, путь в Иерусалим не был триумфальным. Он был неудачник, жалкий, заблуждавшийся, разочаровавшийся человек, нашедший ужасный конец. И все же: «...не плачьте обо Мне, но плачьте о себе...» Смогла бы она, зная то, что знала о нем, о всей его неудаче, все о ней, пройти за ним тот путь? Смогла бы облегчить его путь и его страдания, зная, что он в конце концов не Бог? И она вспомнила «чудесный ответ», заставивший Гостя засмеяться и назвать ее умной, когда она сказала: «Любовь я имею в виду». И еще ей странным образом вспомнилось то, что сказал Граф о своей любви и ее предмете: «Я играл, играл обе роли, и это было легко, потому что она была недоступна». И Анна закричала в сердце своем своему Христу живому: «О господин, иго твое сурово, и бремя нестерпимо». И ответ ей был его словами: «Это дело — твое».

Дело было ее, и, измерив всю его неоднозначность, она как бы увидела перед собой горящие глаза Гая и его изможденное лицо, услышала слова, сказанные год назад, уже и не вспомнить кем, ею или им. Мы хотим пострадать за наши пороки, но не умереть. Муки искупления — это волшебная сказка о превращении смерти в боль, в благую боль, гарантированная ценность которой станет нашей платой за некую нескончаемую отраду. Но есть разлука навечно, конец всего и навсегда, и не может быть ничего важнее этого. Мы живем со смертью. С болью, да. Но по-настоящему... со смертью.

Умственным усилием Анна ушла от этих мыслей, подобно тому как уклоняются от удара. Они будут преследовать ее, и возникнут моменты, когда они физически войдут в ее плоть. Монастырь научил ее противостоять этой телесной реальности мыслей. По крайней мере, сказала она себе, есть возможность помогать другим людям, делать их более счастливыми и менее озабоченными, и это — сейчас она еще не может придумать, как именно,— и возможно, и необходимо из-за того конца, что все кончилось навсегда. Она помогла Гертруде. Гертруда как-то сказала: «Я была одержима дьяволом, и ты спасла меня». А много ли она в действительности сделала для нее, думала Анна, действительно ли она помогла ей пережить горе? В самом начале, да, она облегчила ей боль утраты. Больше Анна никак не смогла вспомнить, кому помогла бы со времени своего «выхода на свободу». Ах да — Сильвии Викс. Однажды, когда окончательно отчаявшаяся Сильвия пришла на Ибери-стрит, ища Гертруду, Анна встретила ее и услышала ее историю. Гертруды не было дома, и Сильвия излила душу Анне, которая сохранила ее откровения в тайне. Она согласилась поговорить с сыном Сильвии (Полом), а затем с его девушкой (Мэри), которая забеременела от него. Вскоре после этого молодые люди собрались с духом и упали в ноги родителям, принявшим их со слезами и воплями. Они решили оставить ребенка и, после сдачи экзаменов, пожениться. Сильвия поможет им ухаживать за младенцем. Ребенок (мальчик, которому дали имя Фрэнсис) появился на свет в июле. Был крещен (Анну попросили стать крестной матерью), и его дед с бабкой преобразились, соперничая за его привязанность. Надо сказать, отец Мэри был вдовцом и, когда перестал кричать и гневаться, оказался человеком весьма разумным и обаятельным. Он и Сильвия очень полюбили друг друга, к радостному изумлению их детей. Жизнь Сильвии совершенно переменилась, она никогда не была счастливее и теперь с трудом могла поверить, что год назад готова была от отчаяния наложить на себя руки. Анне она сказала, что все это благодаря ей. Что ж, думала Анна, коечто она все-таки сделала.

Однажды в доме Сильвии Анна встретила Манфреда. Манфред, ничего, надо отдать ему справедливость, не зная об отношениях Анны с нею, позвонил Сильвии, по обычной, временами прорывавшейся в нем душевной доброте интересуясь, не нуждается ли она в деньгах или еще в чем, и позже он действительно решил ее финансовые трудности. Он был вознагражден и страшно возбужден, узнав, что Анна как раз сейчас находится у Сильвии. Он прыгнул в машину и примчался под каким-то благовидным предлогом, прежде чем она ушла; и на этот раз Анна позволила ему отвезти ее домой. Это был единственный случай, когда он был с ней один на один. Манфред, необычно медленно ведя машину, раздумывал, не стоит ли остановиться на какой-нибудь подходящей боковой улочке и обнять ее или решиться на пылкое признание. Это был один из самых мучительных моментов в его жизни. Он заключил, что, если сделает подобное, испугает Анну, приведет в замешательство, смутит, вызовет ее раздражение и она попросит его замолчать. (Предчувствие, кстати, не обманывало Манфреда, так бы все и произошло, и он, конечно, был прав и в том, что Анна не догадывалась о его любви.) Его гордость, равная в этом отношении ее гордости, не выдержала бы такого удара. Он не стал рисковать. И в этом смысле миссис Маунт, видимо, угадала, говоря, что он недостаточно любит Анну.

Гладя Перкинса, Анна стала теперь прислушиваться к голосам вокруг, которых до того не слышала. За соседним столиком оживленно разговаривали. Знакомое имя заставило Анну всю обратиться в слух.

— Знаете, Дейзи Баррет уехала.

— Знаем, в Америку.

— Уехала к каким-то тамошним подружкам, феминисткам.

— И куда?

— В Калифорнию, куда же еще! В Санта-Барбару или вроде того.

— Это по ней.

— Здесь жизнь у нее была не сахар.

— Да что ты знаешь о ее жизни!

— Хотя бы избавилась от того мерзкого рыжего ничтожества, который вечно таскался за ней.

— Не понимаю, как ей удавалось так долго терпеть того малого.

— Слыхали про него?

— А что с ним?

— Женился на славной вдовушке.

— Богатой?

— Разумеется.

— Дейзи была для него слишком хороша.

— Да, Дейзи — это личность, настоящий человек, если понимаешь, о чем я.

— Благослови ее Бог, где бы она ни была сейчас. У меня всегда от одного вида ее пьяной раскрашенной физиономии настроение поднималось.

— В ней не было ни капли злобы, она орала и вопила, но прощала всем и все.

— Без нее «Принц» будет уже не тот.

— Куда она дела горшки с теми жуткими цветами?

— Отдала Мардж.

— Ну да, конечно.

— Рассказывала она тебе о кошмарной монашке, которая обхаживала ее?

— Дейзи обхаживала монашка?!

— Вообще-то она была расстриженная, а не рясоносица, та монашка.

— Что может быть соблазнительнее расстриженных монашки или попа?

— Красивое словечко: «рясоносица».

— Та монашка явно была активной лесбиянкой, и ее вышибли из монастыря за совращение молодых послушниц.

— Дорогой, у тебя ее адресочка нет?

— Как Дейзи тебе показалась, когда ты видел ее?

— Она в отличной форме. Сказала, мол, уезжает, чтобы обрести чистоту.

— Наверное, и нам бы всем это не помешало.

— Но не сегодня вечером. Давайте еще по одной. Пятачок платит, его очередь.

Анна погладила Перкинса, который заурчал тихим моторчиком, нежно провела по кошачьему черному носу, где шерсть росла книзу. Перкинс посмотрел на Анну внимательными, безгрешными, невозмутимыми зелеными глазами. В первый момент Анна почувствовала потрясение и боль от того ее образа, что полетел от соседнего столика по пабу, передаваемый из уст в уста над стаканами. Потом успокоилась и улыбнулась. В самом деле забавно. И по какой такой привилегии она должна быть освобождена от столь повсеместной человеческой участи? Мы все судим и судимы, все жертвы обыкновенной злобы и домыслов других людей, и в свою очередь готовы на такие же злобу и домыслы. И если нас порой обвиняют в несуществующих грехах, то разве нет за нами иных грехов, настоящих, о которых мир ничего не знает?

Итак, Дейзи уехала в Америку, раньше ее оказалась в Новом Свете. Еще одна скиталица. Что ж, последую за ней, и мой крест и мой Христос будут со мной. Одна фраза, которую Анна уловила в разговоре, наконец-то сняла с ее души тревогу за Дейзи. Отправляясь в путь, она была в «отличной форме». Анна была согласна с тем, что Дейзи личность. Поэтому тоже стремится обрести чистоту. Цель, которая по силам человеку. Впрочем, Добродетель обрести слишком трудно, и слишком трудно понять, в чем она заключается. Анна больше не чувствовала, что ее долг — продолжать поиск. Но странным образом думала, что если она когда-нибудь очень понадобится Дейзи, то они могут снова встретиться.

Анна тихонько опустила Перкинса на пол. Допила вино и стала надевать пальто. Вдруг в другом конце бара поднялась суматоха.

— Смотрите, смотрите, кто здесь!

— Баркис, Баркис вернулся!

— Открываю дверь, а он и входит!

Соседи Анны вскочили на ноги и столпились, крича наперебой:

— Баркис, вернулся к нам!

— А как отощал!

— Сэндвич с ветчиной Баркису, быстро!

— Целый год его не было!

— Гляньте на его бедные старые лапы, небось тащился с другого края земли!

— Открываю дверь, а он и входит!

— Старина Баркис, дорогой старина Баркис, вернулся в «Принца датского».

Приглядевшись, Анна увидела крупного палевого лабрадора, скачущего и виляющего хвостом под радостные вопли завсегдатаев паба. С улыбкой понаблюдала за всеобщим восторгом и вышла на улицу.

— Закрываемся. Время, джентльмены. Закрываемся. Пожалуйста, освобождайте помещение.

На улице пронзительный холод заставил побелеть лицо и зябко съежиться тело. Она застегнула верхнюю пуговицу пальто и натянула перчатки.

Снег продолжал идти, дорога и тротуары были черны от бегущей воды и бурой жидкой грязи. Медленно ползли облепленные снегом машины, тихо шурша шинами. Анна посмотрела вверх. Освещаемые фонарями, из бездонной тьмы густо валили огромные хлопья. Они возникали в конусах света, кружились, толпились и медленно опускались в глубокой гипнотической тишине, которая, казалось, существовала отдельно от звуков улицы внизу. Анна остановилась, наблюдая. Это было похоже на то, как если бы небеса простерлись в своей славе, развернулись во всю ширь пред лицем Бога, неизмеримые, бескрайние, вечно прекрасные,— величественное мироздание, провозглашающее присутствие и славу их Создателя.

Постояв недолго, Анна пошла сквозь снег наугад по улицам, чувствуя себя легко, оттого что ничто больше не тяготило душу. Завтра она будет в Америке.

ПРИМЕЧАНИЯ

С. 11. ...*«Какую же лучшую и более драгоценную жертву, ради Него, могли бы принести Богу, как не Его Самого!»* — Фраза из проповеди Майстера Экхарта «Сильна, как смерть, любовь». Иоганн Майстер (мастер, учитель) Экхарт (1260–1327)— немецкий схоласт и философ-мистик. Многие философские формулы, принадлежащие Экхарту, пророчески выразили современные ему и будущие нравственно-мировоззренческие выборы человека.

С. 12. *Нуминозный* (от *лат.* numen — божество, таинственная высшая сила) — ощущение таинственного Иного вне морального и рационального факторов. Термин введен немецким богословом и исследователем истории религии Рудольфом Отто (1869–1937) и обозначает священное в его первичном особом религиозном значении. Нерациональный нуминозный опыт священного, согласно Отто, включает двойное измерение: элемент потрясающего ужаса, или отталкивания, и элемент сильного притяжения, или очарования, что и происходит с Тимом.

С. 17. ...*«конечны сердца, жажда любви бесконечна»*...— Последняя строка баллады английского поэта XIX в. Роберта Браунинга «Двое в Кампанье».

С. 18. *Карен Армстронг* (р. в 1944) — английский филолог и историк, одна из наиболее парадоксальных и оригинальных мыслителей, пишущих о роли религии в современном мире. В 1962 г. приняла постриг и семь лет была католической монахиней, но оставила монастырь (о чем упоминает в данном предисловии), закончила Оксфордский университет, получив ученую степень доктора филологии по современной литературе, после чего преподавала ее в Лондонском университете. Ее перу принадлежит семнадцать книг по вопросам различных мировых религий, в частности получившая международную известность «История Бога: 4000 лет поиска в иудаизме, христианстве и исламе» (1993), а также «Вера после 11 сентября» (2002), «Английские мистики четырнадцатого века» (1991), биографии апостола Павла, Магомета и пр. Автор нескольких телевизионных циклов на темы мировых религий, которые были показаны на британском телевидении.

С. 19. *Людвиг Витгенштейн* (1889–1951) — австрийско-британский философ, профессор Кембриджского университета. Основоположник двух этапов становления аналитической философии XX в.— логического (совместно с Б. Расселом) и лингвистического. Человек разнообразных талантов, Витгенштейн занимался еще и экспериментальными исследованиями в областях новейших технологий, в частности реактивных двигателей, причем ряд его достижений был запатентован (эта разносторонность отчасти дала Гаю основание чуть ниже назвать его «дилетантом»). В 1935 г. предпринял полуанекдотическую попытку обосноваться в СССР. Витгенштейну принадлежит ряд широко известных философских произведений, из которых наибольшее влияние на формирование современной философской мысли оказали такие книги, как «Логико-философский трактат» (1921) и «Философские исследования» (1953; опубликована посмертно). Айрис Мердок в 1947 г. под руководством Витгенштейна писала диссертацию по философии, так что ее мнение о нем, вложенное в уста Гая, основано на личном знакомстве с философом, а влияние на нее идей Витгенштейна заметно и по прямым, и по скрытым цитатам из его произведений: пример последних — описание экспериментов одного из героев романа, Тима, в области абстрактной живописи, которое соотносится с высказываниями Витгенштейна на тему «сети» в «Логико-философском трактате» (афоризм 6.341–6.342).

С. 21. *Фриц Маутнер* (1849–1923) — австрийский мыслитель, занимавшийся проблемами философии языка. Проявил себя и на литературном поприще как журналист, критик, автор двенадцати романов и многочисленных рассказов.

Карл Краус (1874–1934) — австрийский публицист, драматург и поэт-сатирик, которого современники сравнивали с Ювеналом и Джонатаном Свифтом и чья сатира питалась противоречием между изначальной чистотой языка и его смысловым искажением под пером пишущих. Был основателем авангардного журнала «Факел», к публикациям в котором большой интерес проявлял и Л. Витгенштейн.

С. 22. *...Ereignis...*— По Хайдеггеру, «Событие», «со-бытие», «суть бытия»,— один из возможных переводов данного немецкого слова, непереводимого, по мнению того же Хайдеггера, как «Логос» или «Дао»,— понятие философии XX в. и специальный термин, который обозначает новаторскую метафизическую процедуру разъяснения «скрытого отношения Бытия и Времени» (Хайдеггер).

Каждый наш вздох сочтен.— Аллюзия на евангельское: «...у вас же и волосы на голове все сочтены». Мф 10:30; Лк 12:7.

С. 24. *Пиндар* (ок. 522–446 до н. э.) — древнегреческий поэт-лирик, мастер эпиникиев (торжественных песнопений), торжественных хоровых од, воспевавших победителей общегреческих спортивных игр: в Олимпии, Дельфах, Немее и других местах.

Если бы Ганнибал после битвы при Каннах...— Во время 2-й Пунической (римско-карфагенской) войны в 216 г. до н. э.

...не надо было ей продавать кольцо...— Имеется в виду Джессика из «Венецианского купца» У. Шекспира. См. комментарий к с. 577.

С. 25. *Таким образом, становится равнозначным... напьется кто-то в одиночку или станет руководителем народов.*— Ж.-П. Сартр. «Бытие и ничто» (1943). (Цит. по: М.: «Республика», 2000, пер. В. И. Колядко.)

...верхнюю сторону... куба...— Согласно Эдмунду Гуссерлю (1859–1938), немецкому философу, основателю феноменологии, одному из значительнейших философов XX в., восприятие передней стороны куба невозможно без осознания куба как целостности, как совокупности всех возможных восприятий боковой, задней сторон. То есть в каждом отдельном акте сознания предмет дан не частично, а как определенная целостность. С этим перекликаются и высказывания Л. Витгенштейна в «Логико-философском трактате» (5.5423) и «Философских исследованиях» (афоризм 73). В части девятой романа один из его героев, Тим Рид, предлагает более простое (ирония автора) объяснение этого образа.

С. 26. *...последователь Дмовского...*— Роман Дмовский (1864–1939) — польский публицист и политический деятель, лидер борьбы за национальную независимость Польши, бывший в свое время основным сторонником сотрудничества с Россией для достижения этой цели.

...восхищался Пилсудским. — Юзеф Пилсудский (1867–1935) — польский политический и государственный деятель, маршал, возглавлял националистическое крыло Польской социалистической партии. Первый глава независимой Польши (1918–1922), в 1920 г. руководил неудавшимся наступлением польских войск на Советскую Россию.

С. 28. *...почитателем Сикорского...* — Владислав Сикорский (1881–1943) — премьер-министр польского эмигрантского правительства в 1939–1943 гг., генерал. Погиб в авиакатастрофе над Гибралтаром.

С. 29. *Станислав Миколайчик* (1901–1966) — премьер-министр польского эмигрантского правительства в 1943–1944 гг., с 1945 г. член Временного правительства народной Польши.

С. 30. *Владислав Андерс* (1892–1970) — польский военный и политический деятель, командовал польскими формированиями во время Второй мировой войны.

Тадеуш Бор-Коморовский (1895–1966) — генерал, организатор и руководитель Варшавского восстания.

Януш Бокщанин (1894–1973) — польский политический и военный деятель.

Казимеж Соснковский (1885–1969) — военный министр при Пилсудском.

...возвращался к линии Керзона... — Демаркационная линия между Польшей и Советской Россией, предложенная во время войны России и Польши 1919–1920 гг. на время перемирия и ставшая (с небольшими поправками) постоянной российско-польской границей после Второй мировой войны.

С. 31. *...не поклонялся ни Костюшко...* — Тадеуш Костюшко (1746–1817) — польский национальный герой, руководитель Польского восстания 1794 г.

С. 34. *...на смену Гомулке пришел Герек.* — Владислав Гомулка (1905–1982) — начинал как профсоюзный деятель, учился в партшколе в Москве, первый секретарь ЦК ПОРП в 1956–1970 гг. Эдвард Герек (1913–2001) — первый секретарь ЦК с 1970 по 1980 г., в 1981 г. исключен из компартии.

С. 36. *...finis poloniae...*— «Польше конец» *(лат.)* — по преданию, эту фразу произнес в 1794 г. Тадеуш Костюшко после сражения, проигранного им русским войскам.

С. 44. *...описание жизни Фридриха Великого.*— Шеститомная «История Фридриха II Прусского, прозванного Фридрихом Великим» — одна из главных работ английского историка и эссеиста Томаса Карлейля (1795–1881).

С. 49. *...его родители были большими почитателями Байрона...*— Настолько, что назвали сына в честь героя одноименной философско-драматической поэмы Байрона «Манфред».

С. 50. *...очаровательный маленький «сарджент».*— Джон Сингер Сарджент (1856–1925) — американский художник итальянского происхождения, создавший запоминающуюся галерею портретов представителей европейского высшего общества своего времени.

С. 58. *...отправился поступать в Баллиол?* — Баллиолский колледж, один из тридцати девяти колледжей Оксфордского университета, основан в середине XIII в.

С. 62. *«Арчеры»* — самая длинная «мыльная опера» в мире (более пятнадцати тысяч эпизодов к 2007 г.), передаваемая на главном канале Би-би-си, Радио 4, пилотная серия которой вышла в эфир еще в 1950 г.

«Диски для необитаемого острова» — одна из наиболее популярных программ Би-би-си, продолжающаяся с 1942 г.; формат прост: каждую неделю ведущий (сейчас это Кэрсти Янг) предлагает гостю студии назвать шесть пластинок, которые он взял бы с собой на необитаемый остров.

«Радио таймс» — британский еженедельник, публикующий программы национального радио и местных станций.

...любит и Делиуса...— Фредерик Делиус (1862–1934) — английский композитор, почетный доктор Оксфордского университета, с 1890 г. жил во Франции.

С. 65. *Сицилийский поход* — поход афинян на Сицилию в 415–413 гг. до н. э., во время Пелопоннесской войны, в котором они потерпели сокрушительное поражение.

С. 84. *Пьер Боннар* (1867–1947) — французский живописец и график. Он и его сподвижники по группе «Наби» («Пророки») и интимистов, в отличие импрессионистов, чьими последователями они были, деформировали цвет для выражения настроения.

...для нее слишком смелые.— Имеется в виду — слишком смелые по цвету.

С. 96. *...читал «Одиссею» в издании Лёба.*— Основанная в 1911 г. Джеймсом Лёбом серия «Библиотека классической литературы Лёба», выпускаемая уже почти сто лет (после его смерти в 1933 г. издательством Гарвардского университета), единственная в мире, которая публикует оригинальные тексты греческих и латинских авторов самого широкого спектра с параллельным переводом, в данном случае на английский, сопровождаемые предисловиями, комментариями и библиографией, которые выполняются лучшими англо-американскими учеными.

С. 98. *...услышали бы звук волынок.*— Намек на Дан 3:5: «В то время, как услышите звук трубы, свирели, цитры, цевницы, гуслей и симфонии и всяких музыкальных орудий, падите и поклонитесь золотому истукану, которого поставил царь Навуходоносор».

Кто бы ты ни был, великий бог...— Эсхил. «Агамемнон». «Кто бы ты ни был, великий бог,/ Если по сердцу тебе/ Имя Зевса, “Зевс” зовись». Пер. С. Апта (Цит. по: Эсхил. Трагедии. М., «Искусство», 1978).

С. 105. *У этого кота (звали его Перкинс) <...> пес по кличке Баркис...*— Кот и пес названы по именам персонажей романов Ч. Диккенса: Перкинс – по имени адвоката мистера Пиквика («Посмертные записки Пиквикского клуба»), Баркис — по имени кучера из «Дэвида Копперфилда».

С. 107. *...утащил на бармицве Джереми Шульца.*— То есть на дне рождения сына Виктора Шульца, которому исполнилось 13 лет и он вступил в возраст, когда мальчик-еврей становится «бармицва» (букв.: «сын, [исполняющий] заповеди»), полноправным членом Дома Израиля и «принимает на себя иго Торы и исполнения заповедей».

С. 108. *Мать была блумсберийкой...*— То есть принадлежала к т. н. Блумсберийской группе, получившей свое название по фешенебельному кварталу в районе Британского музея в центре Лондона. В эту популярную в первой четверти XX века группу входили видные английские интеллектуалы, внесшие вклад в искусство и общественные науки.

...писавшей в стиле Юстон-роуд...— «Школа Юстон-роуд» — группа английских художников, образованная в 1937 г. и состоя-

щая из преподавателей и учеников Школы рисунка и живописи, расположенной на улице Юстон-роуд в Лондоне. Ее члены, в противовес авангардным течениям начала XX в., пропагандировали натурализм и (социальный) реализм в изобразительном искусстве. Просуществовала недолго и распалась накануне Второй мировой войны, но оказала влияние на многих художников последующего поколения.

...протеже Дункана Гранта.— Дункан Грант (1885–1978) — шотландский живописец и дизайнер, член Блумсберийской группы.

С. 109. *...оставил в Роудине...*— Роудин-скул — одна из ведущих женских привилегированных частных средних школ близ Брайтона. Основана в 1885 г.

...поступила в Слейд.— Слейд-скул — художественное училище при Лондонском университете, основанное в 1871 г.

С. 114. *...полубезумную улыбку крестьянина у Гойи.*— Имеется в виду картина Ф. Гойи «Расстрел повстанцев в ночь на 3 мая 1808 года».

С. 117. *...«клее»... «магриттов», «сутиных».*— Пауль Клее (1879–1940) — швейцарский художник, график, теоретик искусства, одна из крупнейших фигур европейского авангарда. Рене Магритт (1898–1967) — бельгийский художник-сюрреалист. Известен как автор остроумных и вместе с тем поэтически загадочных картин. Хаим Сутин (1893/94?–1943) — французский художник белорусского происхождения, по страстной, энергичной, пастозной манере живописи близок раннему экспрессионизму XX в.

...в манере Вюйяра...— Эдуар Вюйяр (1868–1940) — французский живописец, график и декоратор, стоявший вместе с Боннаром у истоков группы «Наби» и движения интимистов.

...не согласился бы с афоризмом Шекспира, что, если бы веселый праздник длился весь год, развлечения стали бы скучнее работы.— Ср.:

> «...Когда б весь год веселый праздник длился,
> Скучней работы стали б развлеченья».
>
> *У. Шекспир. Генрих IV.*
> *Пер. Е. Бируковой*

С. 120. *...магию Вествея...* — 2,5-километровый двухполосный участок дороги А 40 в западной части Лондона между Паддингтонским и Кенсингтонским вокзалами, построен в 1970 г.

С. 123. *...в паточном колодце...* — Аллюзия на трех сестричек из «Алисы в Стране чудес» Л. Кэрролла (гл. 7 «Безумное чаепитие»), живущих на дне паточного колодца. В классическом русском переводе Н. М. Демуровой патока заменена на кисель.

С. 125. *Они были как Папагена и Папагено.* — Папагена и Папагено — персонажи оперы В. А. Моцарта «Волшебная флейта».

С. 127. *...мистер Голубые Глаза...* — По аналогии с прозвищем Фрэнка Синатры.

С. 132. *...слова «Мэнсфилд-парка»...* — «Мэнсфилд-парк» — роман классика английской литературы Джейн Остен (1775–1817).

С. 136. *«Светлеет Небо новою зарей и обращает в бегство мрак тщеты земной!»* — Две предпоследние строки известного (звучал, в частности, на похоронах матери Терезы) гимна «Пребудь со мной», написанного преподобным Генри Лайтом (1793–1847) за три недели до своей кончины, «готовясь к тому торжественному часу, который наступит для каждого из нас» (из слов его последней проповеди). Музыка принадлежит Уильяму Монку (1823–1889).

С. 137. *...Но они не узнают, где он лежит...* — Здесь и далее в романе цитируется старинная шотландская баллада «Два ворона». Существует несколько вариантов этой баллады, известный перевод одного из них принадлежит А. С. Пушкину:

ВОРОН К ВОРОНУ ЛЕТИТ

Ворон к ворону летит,
Ворон ворону кричит:
Ворон! где б нам отобедать?
Как бы нам о том проведать?

Ворон ворону в ответ:
Знаю, будет нам обед;
В чистом поле под ракитой
Богатырь лежит убитый.

Кем убит и отчего,
Знает сокол лишь его,
Да кобылка вороная,
Да хозяйка молодая.

Сокол в рощу улетел,
На кобылку недруг сел,
А хозяйка ждет милого,
Не убитого; живого.

С. 146. ...*«Я есмь Путь»* — Ин 14:6.

...читала «Эдинбургскую темницу».— Роман Вальтера Скотта. Оригинальное название: «Сердце Мидлотиана».

«Разум и чувство» — роман Джейн Остен, впервые опубликованный в 1811 году.

С. 147. *Их мнения о Джейни Динс...*— Джейни Динс — одна из героинь романа Вальтера Скотта «Эдинбургская темница».

...не имеет, где преклонить голову.— Мф 8:20: «И говорит ему Иисус: лисицы имеют норы и птицы небесные — гнезда, а Сын Человеческий не имеет, где преклонить голову».

С. 148. *Или, как ламе с Кимом...*— Ким — герой одноименного романа Редьярда Киплинга.

С. 159. *Как следовало поступить Никию после поражения...*— Никий (ум. в 413 г. до н. э.) — афинский политик и полководец, руководил армией афинян при осаде Сиракуз на Сицилии во время Пелопоннесской войны между Спартой и Афинами (431–404 до н. э.). После поражения на море афиняне еще могли спастись, немедленно отступив по суше во внутренние области Сицилии, однако Никий, известный своей нерешительностью и медлительностью, выступил только два дня спустя, дав таким образом противнику возможность окружить и уничтожить оставшиеся войска. В итоге сам Никий был казнен, и Афины потерпели полное поражение в войне.

С. 167. *Одилон Редон* (1840–1916) — французский художник-символист, чья графика на фантастические, часто макабрические темы предвосхитила поиски сюрреалистов и дадаистов.

Роланд Хилдер (1905–1993) — английский художник-пейзажист американского происхождения, заслуживший своими выдающимися пейзажами прозвище «Тернера XX века». Впервые его работы были выставлены в залах лондонской Королевской академии искусств, когда художнику было лишь восемнадцать лет.

С. 176. *...из «Смерти Прокриды»...*— Имеется в виду панно «Смерть Прокриды» итальянского художника эпохи Возрождения Пьеро ди Козимо (1462–1521), находящееся в лондонской Национальной галерее.

С. 177. *Джулио Романо.*— Единственный раз Шекспир упоминает о Джулио Романо в пьесе «Зимняя сказка»: «Нет, принцесса услышала, что Паулина хранит у себя статую покойной королевы — многолетний и недавно законченный труд знаменитого мастера Джулио Романо, который с таким совершенством подражает природе, что, кажется, превзошел бы ее, когда бы сам он был бессмертен и мог оживлять свои творения. Говорят, он придал статуе такое сходство с Гермионой, что, забывшись, можно к ней обратиться и ждать ответа». Действие V, сцена вторая. (Пер. Вильгельма Левика.)

С. 191. *...как блаженные, вкушающие лотосова плода.*— Аллюзия на стихотворение Ш. Бодлера «Плаванье».

С. 204. *...горных пейзажей Рёскина.*— Джон Рёскин (1819–1900) — английский интеллектуал, который, не будучи профессионалом в своей деятельности, тем не менее оставил заметный след как художник, теоретик и историк искусства (автор пятитомного труда «Современные живописцы», трехтомного «Камни Венеции» и других), поэт, художественный критик и моралист.

С. 216. *...репродукция Мунка с тремя встревоженными девушками на мосту...*— имеется в виду картина «Девушка на мосту» (1901) Эдварда Мунка (1863–1944) — норвежского художника, символиста и основоположника экспрессионизма, чьи произведения отличает острая выразительность.

С. 246. *...дурак с ослиными ушами.*— Аллюзия на сцену из пьесы У. Шекспира «Сон в летнюю ночь»: царица фей Титания, освобожденная от чар, понимает, что была влюблена в осла.

С. 253. *...мир «уменьшается или возрастает как целое».*— Гай цитировал «Логико-философский трактат» Л. Витгенштейна: «Воля как феномен интересует только психологию. Если добрая или злая воля изменяет мир, то она может изменить только границу мира, а не факты, не то, что может выражаться в языке. Короче говоря, при этом условии мир должен вообще стать совсем другим. Он должен, так сказать, уменьшаться или возрастать как целое. Мир счастливого совершенно другой, чем мир несчастного».

С. 276. *...несколько стаканчиков кира...*— Аперитив из белого вина и черносмородинного ликера.

С. 277. *Пимлико* — район в центральной части Лондона.

С. 323. *...рассказывали о Масаде.*— Меццад(а), в греческом произношении Масада (букв. «крепость»),— крепость на вершине горы у южной оконечности Мертвого моря, построенная в I в. н. э. Иродом Великим, царем Иудеи. Стала последним оплотом зелотов во время антиримского восстания 66–73 гг.

С. 324. *...«Блажен человек, которого вразумляет Бог, и потому наказания Вседержителева не отвергай».*— Иов 5:17.

С. 350. *...возле Розеттского камня.*— Так называемый Розеттский камень, найденный во время экспедиции Наполеона в поселении Розетта в Нижнем Египте, позволил дешифровать древнеегипетское письмо. Оригинал хранится в Лондоне.

С. 369. *...птицы имеют гнезда и лисы...*— Мф 8:20: «...лисицы имеют норы и птицы небесные — гнезда, а Сын Человеческий не имеет, где преклонить голову».

С. 372. *...вустеровская кружка...*— «Вустер» — марка фарфора, производящаяся в г. Вустер с XVIII в. Особенно славятся вазы и кружки с гербами.

С. 384. *И башмаков не износив, в которых шла за гробом...*— У. Шекспир, «Гамлет», акт. 1, сцена 2. (Пер. М. Лозинского.)

С. 389. *Джодрелл-Бэнк.*— В местечке Джодрелл-Бэнк в графстве Чешир располагается радиоастрономическая обсерватория Манчестерского университета.

С. 411. *Тигровые лилии всегда напоминают мне об Алисе.*— Льюис Кэрролл. «Алиса в Зазеркалье». Гл. II, «Сад, где цветы говорили», один из персонажей которой — Тигровая Лилия.

С. 472. *...как с хлебами и рыбой.*— Имеется в виду евангельский эпизод насыщения Христом пяти тысяч имевшимися у апостолов пятью хлебами и двумя рыбами (Мф 14:13–21; Ин 21:1–14; Лк 9:10–17).

Анна — это Марфа, а я — Мария! — В Новом Завете — сестры, в дом которых зашел со своими учениками Иисус Христос («В продолжение пути их пришел Он в одно селение; здесь женщина, именем Марфа, приняла Его в дом свой; у нее была сестра, именем Мария, которая села у ног Иисуса и слушала слово Его. Марфа же заботилась о большом угощении...» Лк 10:38–42).

С. 476. *...чикагским клариссам.*— Римско-католический орден кларисс основан Кларой (Кьярой) Ассизской, итальянской святой, одной из первых последовательниц Франциска Ассизского.

Монастыри ордена, где монахини живут в уединении по обетам безбрачия, бедности и послушания, существуют во многих странах мира.

С. 480. *...как смерть, любовь...*— Аллюзия на слова из Песни песней Соломона (8:6): «...ибо крепка, как смерть, любовь...»

С. 485. *...поехал... к Марбл-Арч.*— Марбл-Арч — Триумфальная арка, сооруженная в 1828 г. в качестве главного въезда в Букингемский дворец. Позже перенесена в Гайд-парк, место политических митингов и демонстраций, где находится и упоминаемый ниже «Уголок ораторов».

С. 487. *Фримен Уиллс Крофтс* (1879–1957) — ирландский писатель, один из так называемой «большой четверки» писателей золотого века детективной литературы. Написал, не считая многочисленных рассказов, 39 романов, в 29 из которых действует созданный им персонаж — инспектор Френч.

С. 556. *...Eheu fugaces...*— Начало 14-й оды из Второй книги од Горация: «Увы, [о Постум, Постум! Летучие года уходят...] (пер. Ф. Е. Корша).

Quis desiderio...— Начало 24-й оды из Первой книги од: «Можно ль меру [иль стыд в чувстве знать горестном при утрате такой?]» (пер. А. П. Семенова Тян-Шанского).

...linquenda tellus et domus...— 14-я ода Второй книги од: «...покинуть землю, дом [и любезную жену...]».

...mox iuniores quaerit adulteros...— «А там любовник, лишь бы моложе...» (Ода 6 из Третьей книги од. Пер. Н. С. Гинцбурга).

...quae tibi virginum sponso necato barbara serviet? — «Какая дева иноплеменница, когда в бою падет ее суженый, тебе послужит?» — Ода 29 из Первой книги од (Пер. Г. Ф. Церетели).

С. 559. *Мы были с ней счастливы в мае.*— Первая строка из стихотворения Чарлза Кингсли (1818–1875) — английского поэта, прозаика, популярного у читателей Викторианской эпохи. Будучи священником, Ч. Кингсли, человек весьма широких взглядов (что и позволяло ему не только выступать с проповедями, но и писать на «мирские» темы, примером чему служит данное любовное стихотворение), стал одним из основоположников христианского социализма, в числе первых среди церковных деятелей признал теории Ч. Дарвина и искал согласия между современной ему наукой и христианской доктриной.

ПРИМЕЧАНИЯ

С. 571. *«Ведь он отличный малый»* — После «С днем рожденья тебя!» вторая по популярности поздравительная песенка в Англии и Америке; поется на мотив известной французской «Мальбрук в поход собрался».

С. 574. *Чаша его радости преисполнена.*— Аллюзия на Пс 23:5.

С. 577. *...«Она» — это, конечно, Джессика... Из «Венецианского купца».*— Джессика, дочь Шейлока, обменяла кольцо матери на обезьянку: «Т у б а л: Один из них показывал мне кольцо, которое он получил от вашей дочери за обезьяну. Ш е й л о к: Проклятье ей! Ты меня терзаешь, Тубал; это была моя бирюза,— я получил ее от Лии, когда был еще холостым. Я бы не отдал ее за целую обезьянью рощу!» (У. Шекспир. «Венецианский купец», акт III, сцена 1. Пер. Т. Щепкиной-Куперник).

С. 580. *...тот благородный... который уходит в снега?* — Возможно, имеется в виду Джеральд из романа Д. Г. Лоуренса «Влюбленные женщины».

С. 607. *...жалею, что мы не прочли каддиш...*— Каддиш (по-арамейски — «святой») — древняя молитва, прославляющая святость имени Бога и Его могущества. Главные мотивы каддиша вошли в христианскую молитву «Отче наш» (Мф 6:9–10). Со временем установились четыре формы каддиша и функции каждой из них в литургии. Поминальный каддиш (о котором и идет здесь речь) включен во все синагогальные литургии и читается по близкому родственнику в течение одиннадцати месяцев со дня его смерти. И в народном быту каддиш воспринимается главным образом как поминальная молитва.

С. 616. *«Всякому имеющему дано будет; а у неимеющего отнимется и то, что имеет».*— Лк 19:26.

С. 617. *...не плачьте обо Мне, но плачьте о себе...*— Лк 23:28.

С. 618. *...иго твое сурово, и бремя нестерпимо.*— Анна имеет в виду слова Иисуса: «Ибо иго Мое благо, и бремя Мое легко». Мф 11:29.

В. Минушин

СОДЕРЖАНИЕ

Литературно-художественное издание

ИСТОРИЯ ЛЮБВИ

Айрис Мердок

МОНАХИНИ И СОЛДАТЫ

Редактор *А. Николаевская*
Художественный редактор *А. Сауков*
Технический редактор *О. Шубик*
Компьютерная верстка *С. Шведова*
Корректоры *Н. Тюрина, Н. Князева*

В оформлении переплета использована иллюстрация *В. Коробейникова*

ООО «Издательский дом «Домино».
191028, Санкт-Петербург, Моховая ул., д. 32.
Тел./факс: (812) 329-55-33. E-mail: dominospb@hotbox.ru

ООО «Издательство «Эксмо»
127299, Москва, ул. Клары Цеткин, д. 18/5. Тел. 411-68-86, 956-39-21.
Home page: **www.eksmo.ru** E-mail: **info@eksmo.ru**

Подписано в печать 01.04.2009.
Формат 84x108 $^{1}/_{32}$. Печать офсетная. Бумага тип. Усл. печ. л. 33,6.
Доп. тираж 3000 экз. Заказ № 7067

Отпечатано с электронных носителей издательства.
ОАО "Тверской полиграфический комбинат". 170024, г. Тверь, пр-т Ленина, 5.
Телефон: (4822) 44-52-03, 44-50-34, Телефон/факс: (4822)44-42-15
Home page - www.tverpk.ru Электронная почта (E-mail) - sales@tverpk.ru